HISTORIA DE MADRID

FEDERICO BRAVO MORATA

HISTORIA DE MADRID

TOMO II

(DESDE EL 13 DE SEPTIEMBRE DE 1923, ADVENIMIENTO
DEL DIRECTORIO DEL GENERAL PRIMO DE RIVERA, HASTA
EL 18 DE JULIO DE 1936, COMIENZO DE LA GUERRA CIVIL)

———

SEGUNDA EDICION

———

F E N I C I A
MADRID, 1970

Gráfica Clemares - Orellana, 7 - Madrid - 4

*Al pueblo, al cielo y al mar
de Altea.*

INDICE GENERAL

PROLOGO DE LA PRIMERA EDICION

Esta HISTORIA DE MADRID no es un canto lírico a la capital de España. No lo pretende. Madrid tiene ya numerosos panegiristas y no necesita de ninguno más. La lírica va por un camino y la Historia va por otro. Si se tiene la intención de decir la verdad, el afecto debe quedar a un lado. Porque las ciudades, como los países, como las personas, tienen sus cosas buenas, sus cosas regulares y sus cosas malas, y narrar lo bello y olvidar lo feo es una manera hermosa y emotiva de faltar a la verdad.

No hay ninguna razón para que Madrid —por el hecho de que el autor del libro haya nacido en la Villa— tenga que convertirse, en virtud de un hábil manejo de lenguaje castellano, en un dechado de virtudes y de atractivos sin defectos ni máculas. Ya se sabe que no hay hijo feo para sus padres; en cambio, las generaciones jóvenes suelen ser duras —y sinceras— al juzgar a sus predecesores. El autor no es padre de Madrid. Si acaso, hijo.

No se canta aquí a Madrid: se procura estudiar la ciudad y sus gentes, entender a la ciudad y a sus gentes. Tarea por cierto bien difícil, pues no es Madrid una urbe con personalidad definida, sino que a cambio de tener demasiadas personalidades, muchas veces se hace un enredo y acaba por no tener ninguna. Por otra parte, son tantos los escritores que han tomado a Madrid como sede y motivo de sus cánticos, que el autor, modestamente, no desea ser tachado de intrusismo. *Cada cual en su casa y Dios —y Madrid— en la de todos.*

La Historia de una ciudad es el conjunto de todas o casi todas sus pequeñas y grandes historias. Hablar del cielo diáfano y del aire límpido entra en otra disciplina. Historia es el hecho, *lo que pasa*, el edificio nuevo, la costumbre curiosa, los personajes relevantes, las mejoras urbanas, los crímenes de rango, los avatares de la política, las diversiones, las luchas callejeras, la anécdota de encrucijada, la ordenanza municipal, el timo ingenioso.

Así, impulsada por todo lo que contiene o la rodea, una ciudad avanza hacia sí misma. Pero si esta ciudad es capital de un Estado, quiérase o no ha de recoger en su historia casera no sólo *lo que pasa* dentro del término urbano, sino en ese otro inmenso término que es la Nación. Y si a su vez esta Nación se ve bamboleada por las peripecias de guerra, de política o de ciencia que se producen en el resto del mundo, la historia de la ciudad es, en cierto modo, el reflejo de la historia del mundo.

Y éste es el caso de Madrid. Por eso, aquí están el rapto del hijo de Lindberg cerca del estreno de *Luisa Fernanda*, y la invasión de Abisinia por los italianos próxima al derribo del teatro Romea. Entre decirlo todo y no decir nada, es mejor decirlo todo.

Desde el 13 de septiembre de 1923 hasta los primeros días de enero de 1930 gobierna en España, presidiendo distintos directorios y gabinetes, el general Primo de Rivera. Durante todo ese tiempo, la censura de prensa no sólo impide que se publique lo que no interesa al Poder, sino que de cuando en cuando aparecen unas notas, llamadas de *inserción obligatoria*, mediante las cuales el presidente se hace oir de la Nación. Como una gran parte de este libro se ha elaborado tomando por punto de partida las colecciones de prensa propias o de la Hemeroteca Municipal, debe advertirse que la tarea de acopiar datos durante este largo período no ha sido excesivamente fácil.

Siguiendo dócilmente a la prensa, se estaba en el peligro de caer en una inopia casi absoluta, o de convertir las páginas de la Historia de Madrid en poco menos que un libelo de propaganda primorriverista. Con los libros publicados en tal interregno venía a suceder lo mismo. Con los publicados después, o bien obedecían a un revanchismo exacerbado, excesivamente inclinado a la izquierda, o bien, ya más tarde, tenían todos ellos un tono ditirámbico y uniforme que tampoco sirve para historiar verazmente. Se ha ido muy despacio en el estudio del período dictatorial, procurando recordar aquello de que nadie ni nada es absolutamente bueno y nadie ni nada es absolutamente malo. Esta ha sido, al menos, la intención.

No puede decirse que éste sea un libro político, pero tampoco puede decirse que no lo sea. Por la apasionante coyuntura de que es escenario, Madrid es, desde septiembre de 1923 a julio de 1936, una ciudad eminentemente política, vibrantemente política. Si historiar es contar lo sucedido —todo lo sucedido—, difícilmente se podía escribir una historia madrileña sin caer en lo político. Ni se ha evitado esa caída ni se ha intentado evitarla.

El Tomo I es eminentemente político también. Lo que sucede es que, por un sencillo imperativo de calendario, hay una política fría y una política caliente, y es tanto más cálida cuanto más próxima a nosotros y tanto más fría cuanto más lejana. Las andanzas de un Enrique IV o de un conde duque de Olivares tienen cierto sonido antañón de leyenda; lo que hicieron o dejaron de hacer Alfonso XIII, o Azaña, o Primo de Rivera, o *La Pasionaria*, está vivo, está cerca, está ahí, al borde de la esquina, sangra y puede hacer sangrar, y su estudio es delicado, pero no por ello iba a dejarse en el tintero. Este libro es, pues, político, en tanto en cuanto Madrid y la época que estudia son políticos también. Lo contrario hubiera sido frivolidad, falsedad o cobardía.

Cualquier noticia trascendente ha sido contrastada mediante fuentes de información de diverso origen. No tiene excesiva importancia caer en error al decir que el toro que mató a *Gitanillo de Triana* era cornalón, si la realidad era que el toro tenía recortadas las defensas, pero sí tiene importancia, y mucha, equivocarse en cuanto a la forma en que se producen unas elecciones decisivas o se resuelve una crisis ministerial. En algunos de estos casos, y sólo para contrastar la veracidad de una noticia, se ha trabajado simultáneamente con números de un mismo día de *ABC*, *El Liberal*, *El Socialista*, *La Nación*, *El Debate* y *Mundo Obrero*. Para ello ha sido inapreciable el servicio de la Hemeroteca Municipal, a la que es ésta buena ocasión de mostrar cumplido agradecimiento.

Si de sus colecciones y de la cordialidad y amabilidad de su personal no caben sino elogios, todo lo contrario sucede —y también es ésta la ocasión de decirlo— en cuanto a sus instalaciones. Frío en invierno, calor en verano, todo ello hasta grados realmente insoportables; iluminación deficiente, incomodidad. La aportación humana de la Hemeroteca Municipal madrileña es de primera categoría —aunque esté pagada como si fuera de tercera—; la aportación material, intolerablemente baja. Ya se ha dicho, en fin, en el primer párrafo de este prólogo, que aquí se pretende decir la verdad.

El crimen pasional está a menudo presente en este libro. ¡Naturalmente! También está a menudo presente en la vida cotidiana del Madrid que estudiamos. Se estima que el crimen pasional es una lacra sujeta al tiempo y al espacio de un Madrid que si ahora es casi presente, dentro de cien años será puro pasado: y para entonces, todas estas hazañas sangrientas y truculentas del «la maté porque era mía» tendrán el mismo sabor agridulce, incomprensible, de las consejas de brujas del Madrid de los siglos diecisiete y dieciocho. Y —perdón— diecinueve.

En el período que estudiamos —aproximadamente trece años— se han cometido en Madrid alrededor de 6.800 crímenes pasionales, unos con muerte, otros con casi muerte y todos ellos con una buena orla de anécdota o de estupidez. No se podía pretender hacer una Historia de Madrid prescindiendo de esa triste sal y pimienta de los días madrileños. Porque, por regla general, eran madrileños y madrileñas los matadores y las víctimas y, sobre todo, era también Madrid el escenario. La Historia no se rebaja porque descienda a recoger la pequeña y triste epopeya del crimen pasional: la Historia no baja ni sube, porque debe estar en todas las latitudes de aquello que pretende estudiar.

Es imposible de antemano saber si se ha conseguido, pero el intento, desde la primera página hasta la última, es la de mantener el tono en el fiel de la balanza política. Los españoles padecen de una enfermedad aún sin clasificar, cuyo síntoma es la manía de encasillar a las personas en un bando o en otro. Pocos son los españoles suficientemente preparados para pensar que se puede vivir sin hallarse drásticamente encasillado.

El español —como el ciudadano del mundo entero desde que se abolieron las diversas formas de esclavitud— nace libre, y es propietario de una fabulosa máquina cerebral que utiliza bastante poco. Recuerda esta tónica española en cierto modo aquella escena de *Don Juan Tenorio* en que Brígida, refiriéndose a Doña Inés, rememora que dijeron a la joven novicia cómo era el mundo y con qué facilidad ella había aceptado no como era, sino como le habían dicho que era.

Es demasiada costumbre ya la costumbre de pensar con el pensamiento de los demás. Lo que se ha pretendido aquí —conseguido o no— es pensar con el propio pensamiento, sin antes ni después, sin derecha ni izquierda, sin bandos, que frecuentemente acaban siendo lo mismo que bandas. El autor y el libro desean ser ellos. Ni están encasillados, ni desean encasillarse, ni permiten que se les encasille.

Lo más importante de toda la Historia contemporánea de España

2

es el estallido de julio de 1936 y sus consecuencias de guerra y postguerra. No debe extrañar, pues, que conforme el estudio de este Tomo II avanza a lo largo de 1932, 1933, 1934, 1935 y 1936, el contenido político de cada capítulo vaya siendo más denso, desplazando del primer plano a los otros temas. Al repasar la prensa de todos estos años — y ha sido repasada día por día y matiz por matiz—, se ve claramente una cosa que los filósofos conocen perfectamente: nada nace por generación espontánea, todo es producto de un ciclo creador. El 18 de julio de 1936 *se ve venir.*

Al trasladar a estas páginas lo más importante del largo período prerevolucionario se ha pretendido, también, que en el libro *se vea venir.* Si se lee en detalle —y si el autor ha logrado su propósito—, hay infinidad de minúsculos accidentes e incidentes que van *cargando la suerte,* depositando uno a uno los granos de la pólvora destinada a encenderse y a estallar en el duro verano de 1936. Pero la Historia sólo es una novela entretenida si de sus páginas no trasluce una lección. Si al detallar lo bueno y lo malo de unos y de otros, en la medida de lo posible, este libro contribuyera a aminorar la posibilidad de otro drama como el vivido, ¿qué mejor destino...?

F. B. M.

PROLOGO A LA SEGUNDA EDICION

El Tomo II, en su edición primera, hizo sólo 480 páginas de texto. Basta ojear ligeramente éste de la segunda edición para ver que tiene bastantes más. Muchos de los datos e informaciones que en aquella ocasión nacieron y murieron a un mismo tiempo han tenido al segundo intento mejor suerte y ven la luz, lo que no quiere decir que este II Tomo sea exactamente el que se ha concebido por el autor.

Situado en medio de sus hermanos los tomos I y III, el II de la primera edición se parecía mucho a esos niños que, no obstante pertenecer a una familia de individuos robustos, nacen enclenques y se desarrollan enclenques por el resto de su vida. El Tomo II de la edición primera ha renqueado durante casi tres años con un centímetro menos de lomo que los otros dos citados.

Renace ahora a su vez robustecido. Le han crecido los capítulos, le han engordado las páginas, le ha sido incrementado y saneado su contenido, se le han multiplicado las ilustraciones, se han corregido errores, se han perfilado detalles, se ha realizado, en suma, una copiosa labor de perfeccionamiento y ampliación para que pueda figurar en las estanterías junto a sus dos parientes sin menoscabo de su dignidad, sin sonrojo.

Por la época o conjunto de épocas que abarca este volumen, es relativamente natural que su gestación haya sido trabajosa y su parto duro. El Golpe de Estado de 1923, la caída de la Dictadura en 1930, el fin de la Monarquía y el advenimiento de la República en 1931, los años republicanos, la preparación y el estallido de la Guerra Civil son pedazos vivos, intensísimos de la Historia de España en general y de la de Madrid en particular.

Como cada español cree, con no escasa razón, que todo está o debe estar de su parte, cada español suele enfocar a su peculiar manera todos los aconteceres. Somos, sin embargo, tantos españoles que resulta a veces muy difícil, cuando no imposible, la coincidencia en los criterios. Por esta falta de coincidencia, el Tomo II ha sido, hasta ahora, el más delgado de los tres publicados, siendo así que podría haberse presentado tan nutrido como ellos, cuando no más.

Esta segunda edición es un logro con respecto a la primera, pero no lo es en relación con lo que el autor hubiera querido hacer. Estamos sólo en una etapa del camino que nos llevará —esperamos— a la ideal parcela donde reside la ecuanimidad. Hay distancia del punto de partida a éste en que nos hallamos y distancia también, no sabemos si más o menos, de donde estamos al lugar al que intentamos llegar. El tiempo, o quizá otra edición de este Tomo II, lo dirán.

F. B. M.

Capítulo 1. EL MADRID DEL GOLPE DE ESTADO (año 1923). Si es que nos echan, nos vamos. El primer Directorio. Ahora voy yo. El segundo Directorio. Dinámica militar de la administración. La Cámara y el Senado en paro forzoso. Estrenos de Doña Francisquita y de Los Gavilanes. En Berlín, cuatro millones de marcos por un huevo. Excentricidades de Cristobalía. Gómez de la Serna, trapecista. Muerte de Tomás Bretón. Carteleras madrileñas de cine y teatro.

Desde el día 9 de septiembre de 1923 en que el general Primo de Rivera llegó a Barcelona, el gobierno de Madrid sabe perfectamente que el capitán general de la 4.ª Región está dispuesto a dar una campanada. Santiago Alba ha recibido en su despacho denuncias, anónimos, confidencias que le aseguran que el general se ha reunido en Barcelona con los generales con mando en la capital de Cataluña y ha conferenciado reiteradas veces con la mayoría de los capitanes generales de las otras regiones militares.

—Incluso —reconoce Alba— sé que el manifiesto lo conocen en algunas embajadas en el extranjero.

García Prieto visita al rey en San Sebastián y le propone el día 12 la fulminante detención del general Primo de Rivera.

—Para eso —responde Alfonso XIII— es demasiado tarde ya.

Los periodistas barceloneses, que han asistido a los duros acontecimientos del día 11 con motivo de la celebración del aniversario de Casanovas, como cada año por estas fechas, son invitados a personarse el 12 en Capitanía para recibir una nota que se estima de interés. La sorpresa de los periodistas es, no obstante, grande cuando, después de esperar varias horas, amaneciendo el 13, se les da cuenta de que el capitán general ha decidido levantarse contra el gobierno central de Madrid, *para acabar con las corruptelas políticas y asumir transitoriamente el ejercicio del poder.*

Durante toda la jornada madrileña del 12 una pregunta insistente puede escucharse entre los periodistas de la Capital, entre los directores de las agencias informativas —que en vano intentan comunicar con sus corresponsales en la Ciudad Condal—, entre los contertulios habituales de los cafés de Madrid:

—¿Qué está pasando en Barcelona...?

La prensa de la noche no aclara nada, y sin embargo, en torno a los medios gubernamentales se advierte una actividad y una inquietud inusitadas. Poco después de la media noche, los informadores de Palacio saben ya que el Consejo de Ministros ha sido convocado con carácter de urgencia para las tres de la madrugada. Inusitada hora que no hace sino corroborar la impresión de que algo importante está sucediendo en el país. Precisamente en Cataluña. Y la pregunta se hace machacona y se pronuncia con ansiedad:

—¿Qué está pasando en Barcelona...?

A las cinco de la mañana, el Gobierno facilita a los periodistas una nota, que a duras penas alcanza algunas ediciones de la mañana del 13:

> **"El capitán general de Cataluña, en la noche pasada, ha declarado por sí el estado de guerra en aquella región. Se ha incautado de las comunicaciones y se ha dirigido a los de otras regiones invitándoles a secundar su actitud; para explicar la cual ha dado un manifiesto al país anunciando que el Ejército pide al rey, para salvar a la patria, la separación de los actuales ministros y de los políticos de la gobernación del Estado.**
>
> **"Las fuerzas militares y algunas de aquéllas parece que se disponen a seguir el mismo camino de rebeldía. El Gobierno, reunido en Consejo permanente, cumple el deber de mantenerse en su puesto, que sólo abandonaría, ante la fuerza, si los promotores de la sedición se decidieran a arrostrar todas las consecuencias de sus actos. El rey llegará hoy a Madrid."**

Efectivamente, son los días en que tradicionalmente se dan por terminadas las vacaciones de la familia real, si bien nadie ha anunciado que a 13 de septiembre hayan de regresar el rey, la reina y los infantes desde San Sebastián, lo que viene sucediendo siempre después del 15 de septiembre.

El tono de la nota oficial no deja lugar a dudas. El Gobierno *se da por enterado* de la rebelión militar, pero no hay en el texto una sola palabra de energía, ni menos de amenaza:

> **"Estaremos aquí —viene a decir el documento—, mientras no nos echen. ¡Ah, pero si nos echan...! Si nos echan, nos iremos."**

Estilo que debió hacer mucha gracia al capitán general de Cataluña, marqués de Estella, Miguel Primo de Rivera y Orbaneja, cuyo origen andaluz le daba una cierta manera de ver y entender todos los asuntos que le concernían.

Es curioso comprobar la enorme distancia entre el estilo del documento gubernamental y el del manifiesto del general desde Barcelona:

> "... Este movimiento es de hombres; el que no sienta la masculinidad completamente caracterizada, que espere en un rincón, sin perturbar, los buenos días que para la Patria preparamos. ¡Españoles! ¡Viva España! ¡Viva el rey!
>
> "No tenemos que justificar nuestro acto, que el pueblo demanda e impone. No queremos ser ministros ni sentimos más ambición que la de servir a España. Somos el Somatén, de legendaria y honrosa tradición."

En cuanto en Madrid se tiene conocimiento de lo que realmente pasa en Barcelona —que viene a ser como un anticipo de lo que veinticuatro horas más tarde ha de suceder en toda España—, la Confederación Patronal Española publica un documento en el que declara:

> "Nos sumamos al movimiento iniciado por los elementos militares."

Cuando en el tren preguntan unos periodistas a Primo de Rivera si su Gobierno va a empezar fusilando, responde:

—Lo mío no es un Gobierno sino otra cosa. Propósitos de fusilar no traemos, pero si los tribunales sentencian a esta pena, se ejecutará.

Y en otro manifiesto:

> "Prefiero legar a mis hijos la guerrera agujereada por las balas, como don Diego de León, que una librea, signo de servilismo a los que aniquilaron a mi Patria."

Mientras llega o no llega de Barcelona el general, en Madrid se constituye ya un Directorio provisional, presidido por el capitán general de la Primera Región, Muñoz Cobos, y el rey encarga telegráficamente a Primo de Rivera de formar Gobierno. Sin embargo, Muñoz Cobos declara a los periodistas que deben haber entendido mal, que Primo de Rivera no viene a Madrid, sino que permanecerá en Barcelona, donde tiene mucho que hacer. Quizá para evitar equívocos, desde Barcelona, Primo de Rivera manda un muy pensado telegrama a Cavalcanti, miembro del Directorio provisional:

> "Os felicito y me felicito de que el primer paso de nuestros patrióticos proyectos haya sido feliz, no pudiendo olvidar la ayuda constante y leal de los cuatro que forman el primer Directorio interino, y enviándoles cordial abrazo por sus alientos en nuestra magna empresa."

Las palabras están medidas: define al Directorio madrileño como *interino*, agradece la *ayuda* y aún adjudica al Directorio otro calificativo interesante: *primer*. Algo así como: «Muy bien hecho lo que habéis hecho, pero ¡ahora voy yo!»

Al pasar el tren que conduce a Primo de Rivera por Zaragoza, hay una breve entrevista entre éste y el general Sanjurjo, que manda la guarnición de Aragón:

—¿Cuento contigo? —pregunta Primo de Rivera a Sanjurjo.

—¿Vamos a ser rectos? —pregunta Sanjurjo a su vez.

—Sí.

—¿Vamos a hacer justicia?

—Sí.

Sanjurjo apenas vacila unos segundos y ultima el diálogo:

—Cuenta conmigo, sin más aviso que un telegrama, y si a la media hora no oyes decir que me han tirado por un balcón, cuenta también con la guarnición de Zaragoza.

El 14 de septiembre puede considerarse como día de transición. Se aquilatan posiciones, se reciben adhesiones de los demás capitanes generales, y se confirma que el Ejército, salvo levísimas e intrascendentes excepciones, secunda de buena gana el movimiento iniciado en Barcelona por el marqués de Estella. Así, pues, en la tarde del 14, Primo de Rivera puede ofrecer al rey la adhesión incondicional del Ejército en pleno. Adhesión al rey... ya que el rey ha mostrado previamente su adhesión al capitán general de Cataluña encargándole de formar Gobierno.

El 15, Primo de Rivera jura el cargo de presidente de un nuevo Directorio militar, integrado por los generales Navarro, Mayandía, Vallespinosa, Ruiz del Portal, Gómez Jordana y Muslera y el contralmirante marqués de Magaz. Se suprimen los cargos de presidente del Consejo, de ministros, de subsecretarios, etc., se disuelven las Cortes, se establece la previa censura de prensa y se suspenden las garantías constitucionales.

Romanones dice:

—Deben gobernar solos y sin dificultades, pero sin ayudas de los políticos.

Las medidas rotundas no se hacen esperar. Una orden deja cesantes, sin formación de expediente, a todos los funcionarios que habitualmente cobran del Estado sin pasar por las oficinas. No cabe duda de que muy particularmente en Madrid, en 1923 —y después— son muchos los funcionarios que tienen tal costumbre, y es lógico que esta orden del Dictador no les agrade nada, pero debe reconocerse que si bien el procedimiento no es excesivamente administrativo, la orden es sana y tiende a sanear la administración.

En menos de setenta horas, los reos de un atraco cometido en Tarrasa, en el que resultó un empleado muerto, son detenidos, juzgados, condenados y ajusticiados, lo que produce en todo el país una natural impresión. ¿Va a gobernarse ahora de verdad...? Para confirmarlo, se designa director general de Orden Público al general Arlegui, hombre que tiene fama de ser, con Martínez Anido, uno de los más enérgicos y expeditivos jcfcs del Ejército español.

El 30 de septiembre son destituidos todos los Ayuntamientos españoles —en número redondo de nueve mil—, debiendo entregarse el poder municipal a autoridades designadas desde Madrid, y muy frecuentemente a los comandantes militares de las plazas. Se concede un crédito extraordinario de dos millones de pesetas a la industria algodonera, se prohibe la importación libre de algodón, se autoriza a los gobernadores civiles de las provincias —todos militares— para sancionar la tenencia ilícita de armas, se impone control sobre el horario y la moralidad de los espectáculos, se crea una Junta Organizadora del Poder Judicial...

La tónica principal es la sustitución de los cargos civiles por elementos militares. El comisario superior en Marruecos, Luis Silvela, es destituido y sucedido por el general Aizpuru, hasta el 13 de septiembre ministro de la Guerra. Silvela eleva recurso al rey y al presidente del Directorio, no por su cese, sino por la campaña de difamación que con este motivo se ha desatado contra él.

Hay en tierras africanas alrededor de 150.000 hombres. Costoso ejército para la España de 1923. El Directorio entiende que se ha acabado la política de *paños calientes*. Un Gabinete de generales no puede sino tener al menos ideas claras sobre la guerra. En las filas del Ejército de Africa se presiente que ahora van a cambiar muchas cosas.

Una de las quejas de los cuartos de banderas estriba en el dinero entregado por España a los rifeños, en enero de este mismo 1923, como rescate por los prisioneros de Alhucemas, ya que con ese dinero las fuerzas enemigas han podido comprar armamento y municiones con que intensificar la lucha. Una de las primeras declaraciones de Primo de Rivera asegura que ha terminado el período de dádivas, y que la guerra va a llevarse como tal guerra.

Ahora ya, con el Directorio en Palacio, no hay que requerir autorizaciones parlamentarias para el empleo de créditos con qué seguir la lucha; ahora no hay que discutir antes de movilizar, ni la prensa puede lanzar a la opinión consignas que no sean las del propio Directorio. La sensación de un país gobernado con mano de hierro llega hasta los estados mayores del Ejército rifeño y hace su efecto. Si viene la paz, va a venir por caminos diferentes a como la soñaron el Raisuni y Abd-el-Krim.

La prensa comienza a publicar notas *de inserción obligatoria* sobre los desastres políticos que originaron el golpe de Estado. Las jornadas de trabajo perdidas por huelga son cuatro millones en 1919, siete millones en 1920, tres millones en 1921, dos millones y medio en 1922 y tres millones en los ocho primeros meses de 1923. En total, casi veinte millones de jornadas de trabajo perdidas en los cinco años anteriores al Directorio. Los atentados pasan de tres en 1918 a veintisiete en 1919, ciento uno en 1920, ciento treinta y dos en 1921, ciento setenta y dos en 1922 y ochocientos uno en los ocho primeros meses de 1923. En estos atentados figura en cabeza Barcelona, seguida de Bilbao y Valencia.

Los jornales son bajos, desesperadamente bajos, y esta estadística hubiera sido más completa si hubiera aludido, siquiera de pasada, al enorme desbarajuste entre precios y salarios, ya que todo es siempre consecuencia de algo, y si el Directorio nace de la necesidad de acabar con el desastre de orden público y de la situación social, este desastre nace, en gran parte, por la miseria de la inmensa mayoría de los asalariados, condenados a vivir como mendigos, campo propicio a la desesperación y a la exaltación.

Técnicamente, este golpe de Estado de septiembre de 1923 es una medida rentable, si bien a corto plazo. Los madrileños se mueven algo más en paz y se sabe, eso sí, quién manda en España. Cuando los madrileños se acuestan pueden atreverse a vaticinar que el Gobierno del día siguiente será el mismo de hoy. Primo de Rivera ha acabado con la interminable serie de los cuatrocientos ministros y treinta y tres gabinetes de Alfonso XIII. Algo es algo. El rey lo quiere así ahora. ¿Habrá acertado el rey...?

La implantación del Directorio militar no sólo ha constituido un duro golpe para las izquierdas españolas: los partidos llamados de orden, liberales y conservadores, registran también el impacto. Como el Senado y la Cámara de los Diputados se encuentran de buenas a primeras sin trabajo, sus presidentes, el conde de Romanones y Melquíades Alvarez, deciden visitar al rey. Alfonso XIII les recibe con una fría amabilidad protocolaria. Cuando los visitantes le exponen sus puntos de vista de la necesidad de una reimplantación de la normalidad constitucional, de los peligros de una dictadura prolongada, el rey se explica muy claramente:

—El Directorio es la Historia en marcha, es una España nueva. El Directorio significa enmendar las muchas planas borrosas de una España que ya se ha acabado. Marchar en contra del Directorio es, pues, ir en contra de la nueva España y en contra del bienestar nacional.

Melquíades Alvarez y Romanones salen de Palacio totalmente convencidos de dos cosas: una, que el rey no ha sido absolutamente ajeno al golpe de Estado del general Primo de Rivera; otra, que el Directorio no es ni mucho menos una breve aventura militar y que, por lo tanto, con los generales *hay para rato*.

Sin embargo, *ABC* publica en su número del 25 de septiembre unas declaraciones del rey a Luca de Tena. Según estas declaraciones, el monarca había preguntado a su presidente del Consejo de Ministros, marqués de Alhucemas, antes de designar a Primo de Rivera:

—¿Es seguro que con la destitución de estos generales cesará el movimiento iniciado? ¿Sabes y puedes garantizar que las demás guarniciones no imitarán la conducta de la de Barcelona?

Como, al parecer, el marqués de Alhucemas no se atrevió a asegurar nada, el rey no se atrevió a destituir a nadie. «Su Majestad —decía el periódico monárquico— ante los hechos consumados, que el Gobierno no supo evitar y ante las perspectivas de que el Ejército se dividiera en dos bandos, ensangrentando a España con una guerra civil, llamó al general Primo de Rivera para entregarle el Poder.»

Como final de la entrevista, el rey pregunta al periodista:

—Y ahora dime, con toda lealtad y franqueza, si a tu juicio he hecho bien o mal.

—Vuestra Majestad —dice, naturalmente, Luca de Tena— ha procedido con un gran patriotismo.

Mientras tanto, Europa va rehaciéndose lentamente de los zarpazos de la última guerra. No han cicatrizado ni con mucho las heridas aún. El desastre de la economía alemana llega a tales extremos que un kilo de pan cuesta en Berlín 2.400 marcos, los lamentables marcos desvalorizados de la postguerra germana. Por un huevo se pagan cuatro millones de marcos. Al cambio oficial, un dólar vale 9.000 marcos, pero ni siquiera este terrible cambio oficial sirve para nada. Los billetes de los marcos alemanes se emplean en Colonia para empapelar las paredes de algunas tabernas típicas y en Londres se venden casi como papel al peso, mientras que en Madrid se obsequia en algunos bares a los parroquianos con un billete de diez marcos sellado por el establecimiento, como un recuerdo.

En París, donde las cosas van bastante mejor —no en vano Francia cuenta a duras penas entre los vencedores—, se enciende por primera vez, con emotiva solemnidad, la llama de la tumba del Soldado Desconocido, al final de los Campos Elíseos, en la *Place L'Etoile*, bajo el Arco del Triunfo.

En este otoño de 1923, Madrid conoce, entre otros muchos, dos estrenos teatrales de extraordinaria importancia: *Doña Francisquita* y *Los Gavilanes*. El estreno de *Doña Francisquita* tiene por marco el escenario del ya casi legendario teatro de Apolo, cuna de tantos éxitos del género lírico. El libro, inspirado en una célebre obra clásica, es de Romero y Fernández Shaw, y la música de Amadeo Vives. Es un estreno sonado. Los números musicales son aplaudidos con frenesí, y repetidos todos ellos, algunos más de una vez. El público abandona Apolo haciendo comentarios de entusiasmo, cuando no tarareando los cantables. ¿Quién dice que la zarzuela está en decadencia...? La inyección de Vives al género, según algunos alicaídos, es poderosa y ha de tener directas e inmediatas consecuencias. Si Vives ha triunfado, ¿por qué no han de triunfar otros compositores más jóvenes...? Los músicos sienten el acicate y se lanzan a fabricar más y más zarzuelas y obras de género chico.

En la Zarzuela se estrena *Los Gavilanes*, con libro de Ramos Martín y partitura de Jacinco Guerrero. Jacinto Guerrero es en 1923 *el joven autor*. Dirige Arturo Serrano y canta un nuevo tenor catalán de gran mérito, Emilio Vendrell. En la compañía, nombres como el de Eugenia Zuffoli y el barítono García Soler, figuras preferidas del público madrileño. La romanza de la rosa, *flor roja*, es bisada varias veces por Vendrell, hasta que la fatiga le hace pedir al público con un gesto, que le disculpe de volverla a cantar.

Con esto de *bisada* hubo al día siguiente una cordial polémica entre dos periódicos, pues uno de ellos le enmendó la plana al otro diciéndole que sólo se podía decir *bisada* si había sido cantada dos veces, pero no si lo había sido más. Digamos nosotros *repetida*, muy repetida, entusiásticamente repetida. La escena que con el tiempo ha de ser famosa, la *entrada de Juan*, mereció también los honores del *bisado* o *trisado*. Unánimes la prensa y el público, *Los Gavilanes* entró en el género lírico por la puerta grande y situó al maestro Guerrero en primera línea de los autores de la época.

Otras obras estrenadas también en el otoño de 1923 fueron *La mujer de nieve*, zarzuela de Muñoz Seca y Pérez Fernández, con música de Rosillo y Moreno Torroba; *Los fanfarrones*, ópera cómica de Romero y Fernández Shaw, con música de Granados; *Las mujeres de Zorrilla*, juguete cómico de Paso y González del Toro; *Las hijas del rey Lehar*, comedia de Muñoz Seca; *El fin de Edmundo*, comedia astracanada de García Alvarez y Prada; *El bandido de la Sierra*, de Ardavín; *El honor de los demás*, de Tellaeche, y *La copa del olvido*, de Paradas y Jiménez, formidable éxito de Valeriano León.

El cambio de régimen no ha afectado, al menos aparentemente, la actualidad teatral madrileña del otoño de 1923.

Cristobalía es un hombre estrafalario, cubierto casi siempre con una gabardina muy sucia, incluso en verano a veces, con una melena pobladísima que enlaza con la barba tupida y abundante también. Su nombre es Ignacio María de San Pedro y es poseedor de una de esas locuras inofensivas que se manifiestan preferentemente en una sola dirección y que los médicos ya tienen clasificadas con palabras cabalísticas.

Cristobalía es el mejor entretenimiento de mayores y pequeños. Suele subirse a un banco para lanzar al aire sus discursos; discursos rabiosos, enfebrecidos, porque él tiene una idea fija, una obsesión, y la defiende a capa y espada. Consiste su idea en llamar a América *Cristobalía*, y de ahí le viene el apodo. Si aquel continente ha sido descubierto por Cristóbal Colón, y no por Américo Vespuccio, ¿por qué ha

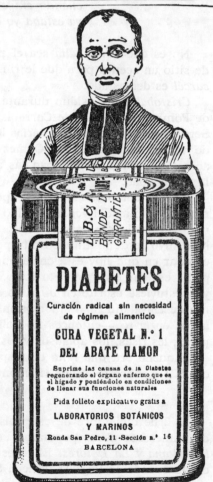
Una página de anuncios en 1923

de llamarse América y no Cristobalía...? Como en casi todas las locuras de los locos, también en ésta hay su parte de razón.

Ignacio *Cristobalía* lleva colgado en bandolera un mapa enrollado con una América toscamente dibujada y un rótulo, que empieza en la Tierra del Fuego y acaba en el Canadá, en el que se lee: *Cristobalía*. Es uno de los tipos más populares de Madrid. Vibrante y fácil en el verbo, pero malísimo poeta. Una de sus creaciones dice:

> *no es que yo tenga hambre,*
> *es que no me gusta la carne.*

Para Ignacio, esto es poesía. También compuso algo peor:

> *cuando empezó Carlos Gardel,*
> *ya estaba yo en la carcél...*

No es que *Cristobalía* sea el primer poeta que corre discretamente de sitio un acento para que le rime el verso, pero convertir la cárcel en *carcél* es demasiado.

Cristobalía fue asiduo durante algún tiempo de la tertulia del Café de Pombo, de la calle de Carretas, encabezada por Ramón Gómez de la Serna. Al autor de las greguerías le gustaba admitir locuelos en su mesa de vez en cuando. Tenía Gómez de la Serna muy particulares ideas acerca de dónde se hallaban las auténticas fronteras entre la locura y la normalidad.

Un día del otoño de 1923, apenas casi proclamado el segundo Directorio militar del general Primo de Rivera, Ramón Gómez de la Serna realizó una de sus más célebres diabluras. Anunció que leería un trabajo suyo desde lo alto dc un trapecio del Circo Americano, que ocupaba el solar en que hoy está enclavado el teatro Madrid. Pero lo que nadie podía esperar era que el artículo, lleno de agudezas como todos los suyos, estuviese escrito en un rollo de papel higiénico, que allá en lo alto fue desenrollando parsimoniosamente el autor, imperturbable, leyendo a voz en grito —entonces no había micrófonos— en medio de la sorpresa, las risas, los aplausos y los denuestos.

¿Aquello era una falta de respeto al público...? Aquello era Madrid cn 1923 y sobre todo era «Ramón».

El 2 de diciembre de este mismo 1923 muere Tomás Bretón, autor de numerosas obras populares, entre las que destacan *La Verbena de la Paloma* y *La Dolores*. El maestro Arbós se halla dirigiendo un concierto cuando le llega la noticia. Se vuelve al público, conmovido, y la traslada. Le falla la voz. La emoción domina en la sala. En la orquesta, algunos músicos que han vivido las mejores horas con Bretón no pueden contener las lágrimas. Arbós hace un ademán y todos los músicos se ponen en pie. El público, también. Comienzan a sonar las notas vibrantes de la célebre jota de *La Dolores*, escuchadas con un calofrío en la piel.

Cuando se hace de nuevo el silencio, hay una pausa y luego una ovación cerrada, larga, como una despedida cálida. Es éste quizá uno de los momentos más emotivos de la historia de la música en Madrid. La prensa, las revistas, se vuelcan en reportajes sobre la vida, la obra y la muerte de Bretón. Aunque alguna de estas revistas, cuyo nombre es mejor no consignar aquí, dedica siete páginas al viaje de los Reyes a Italia y sólo una página a la muerte y entierro de Bretón. Alguien comenta que reyes ha habido muchos y que Bretón no ha habido más que uno.

La presentación de la película española *La Reina Mora* en el Real Cinema parece ser como un aviso de lo que ha de ser el año cinematográfico en Madrid. Un mes después se estrena en el Royalty *Flor de España*, producida por la Cortesina Films, que se llama así merced al apellido de su promotora y primera actriz Helena Cortesina, que protagoniza la cinta. En esta película interviene también Jesús Tordesillas.

Se rueda *Rosario la Cortijera*, dirigida por Buchs en unos improvisados estudios de la calle de la Verónica, después de haber sido captados los exteriores en Sevilla. En un solar de la calle Maldonado se montan también algo aprisa otros estudios de cine y allí se rueda *El pobre Valbuena*, también bajo la dirección de Buchs.

La filmación de *Curro Vargas* cuesta la enorme cifra de 90.000 pesetas. Los actores cinematográficos más cotizados en España son Eugenia Zuffoli —que acaba de pasarse al mundo del celuloide—, Elisa Ruiz Romero, María Comendador, Celso Lucio, Laura Pinillos, Ricardo Galache, Angelita Bretón, María Anaya, Manuel San Germán, Carmen Andrés, Alfredo Corcuera, Manuel Montenegro, Mariano Aguilar, José Montenegro, Javier de Rivera, Rodolfo Recober, Julio Castro, Antonio Gil Varela, Helena Cortesina, Amalia Cruzado, Aurora García Alonso y algunos más.

En noviembre de 1923 se presenta en el Cinema Goya la película *Maruxa*, sobre la comedia musical de Vives. La película, muda, está subrayada por una orquesta que ofrece, más o menos coordinada con la proyección, los mejores fragmentos musicales de la obra. En este mismo mes se estrenan en Madrid algunas cintas más: *Víctima del odio*, con Florián Rey y José Montegreno, en el Cinema España de la Cuesta de San Vicente, obtiene un buen éxito. En diciembre se estrena *Curro Vargas* —antes aludida—, en el Real Cinema. Días después, en la misma pantalla —sin duda entonces la más suntuosa de Madrid—, otro estreno también citado antes en cuanto a su filmación: *El pobre Valbuena*.

De momento, el cine español que se exhibe en Madrid se inspira

—salvo escasas excepciones— en conocidas obras del teatro popular. Las nuevas productoras calculan, y no yerran demasiado, que si una comedia o una zarzuela dio dinero en su versión teatral, no hay ninguna razón para que no dé dinero en celuloide. La aventura cinematográfica no es temible para las inversiones de dinero: una buena película, con pocos actores y muchos exteriores, puede llegar a hacerse por 30.000 pesetas. Constituida una sociedad de seis miembros salen a un desembolso de mil duros por cabeza, y pueden darse el gusto de sentirse productores de cine, como los fabulosos americanos de Hollywood o los casi tan fabulosos franceses de Joinville. Madrid está así, en 1923, dentro del mundo cinematográfico. Primeros pasos balbucientes, pero pasos al fin.

Directorio inicial del general Primo de Rivera

Alfonso XIII con el segundo Directorio del general Primo de Rivera

Primo de Rivera

Abd-el-Krim

Martín Agüero

«El Caballero Audaz»

Año 1923

Capítulo 2. **TIEMPOS DEL CUPLE** (año 1924). Madrid, meca cinematográfica. **El cinini.** España fabrica automóviles. La censura y la prensa.
El rey. La Banda Municipal y Ricardo Villa. 145.360 cuplés y 4.890 autores cupleteros. **¡Circulen, circulen!** La mujer entra en escena. El Somatén. **El metro Sol-Ventas.** El año taurino. Madrid teatral. Estreno
de **La leyenda del beso** y de **Don Quintín el Amargao.** Repaso al mundo:
muertes de Lenin y de Wilson, señales desde Marte, asesinato y entierro de O'Bannion, Hitler sale de la cárcel de Landsberg.

Internacionalmente, el año 1924, cuyo estudio iniciamos, comienza
con la noticia importante del fallecimiento repentino de Lenin en
Moscú. En honor de Lenin, el Gobierno soviético acuerda cambiar el
nombre de la ciudad de Petrogrado —antes San Petersburgo— por el
de Leningrado. Suben al poder, por primera vez en la historia de Inglaterra, los jefes del laborismo británico. Muere Woodrow Wilson, el
Presidente de la Paz, según los norteamericanos; *Presidente de la Guerra* según buen número de europeos. Inglaterra, después de años de
discusiones parlamentarias e indecisiones gubernamentales, decide reconocer al Gobierno de la Unión Soviética, y su ejemplo es seguido por
algunos otros Estados de menor cuantía. Cae la dinastía en Atenas y
se proclama la República de Grecia.

En Barcelona se produce un hecho sangriento: pese a las órdenes de
las autoridades militares de entregar las armas todos aquellos que no
hubieran sido expresamente autorizados para llevarlas, el verdugo de
la ciudad es muerto a tiros, en plena calle, por unos pistoleros que se
dan a la fuga. Había sido amenazado repetidas veces, por lo que no
daba un paso sin ser acompañado por dos guardias, de los de casco
y sable, pero esta vigilancia no pudo impedir que los que le habían amenazado cumplieran su promesa.

El mundo entero se conmueve con las noticias publicadas en diversos periódicos de Estados Unidos y de Inglaterra, según las cuales varios observatorios situados en distintos puntos de la Tierra han recibido señales que, *inequívocamente,* proceden de Marte. Las caricaturas
de la prensa presentan unos marcianos bastante parecidos a los dibu-
jados actualmente en las publicaciones de ciencia-ficción.

En Panamá se inaugura el monumento a Núñez de Balboa, obra de Mariano Benlliure y Miguel Blay. Muere a balazos en Chicago Dion O'Bannion, uno de los jefes del hampa norteamericana, y ante el estupor y la indiferencia de la policía, más de diez mil *gangsters* conocidos, pero libres por falta de pruebas, asisten al entierro, ceremoniosamente, y envían coronas a su tumba, sin esconderse, sin ocultar sus nombres, en la mayor y más sorprendente impunidad. *Por falta de pruebas*.

Poco después, en el mismo dramático Chicago es designado juez por primera vez un abogado de color. La llegada de un negro a la judicatura de la urbe más sangrienta del mundo produce burlas en los medios de la poderosa delincuencia del Norte, pero pronto este magistrado, de voz tímida y suave, se hace notar como un hombre enérgico con el que ni siquiera los más feroces *gangsters* se atreven a luchar.

Alemania comienza lentamente su recuperación económica; como noticia optimista se dice que ya es posible comer un par de huevos fritos con sólo el salario de una semana. La industria del automóvil alemana va ocupando los desmantelados talleres que dejó la guerra; el espíritu de trabajo de los alemanes va elevando, muy despacio, el destartalado país.

De la fortaleza de Landsberg sale en libertad un preso que, durante trece meses de cautiverio, ha escrito un libro: el libro se titula *Mein-Kampf* y el ex-presidiario se llama Adolfo Hitler. Nadie le conoce aún.

Madrid es ya toda una capital cinematográfica, y no sólo por el número y el empaque de sus numerosas salas de proyección, sino por las empresas productoras que tienen su sede en la ciudad o su contorno. Hasta 1923, Barcelona ocupó el primer lugar en cuanto a producción de películas españolas y Madrid el segundo; desde comienzos de 1924 se invierten los términos y Madrid pasa a la cabeza, cediendo a la capital catalana el segundo puesto.

Hay productoras que pasan por la historia de la cinematografía española como verdaderos meteoros: fabrican una película, la estrenan, fracasan, se arruinan y desaparecen con la misma celeridad. Una de éstas fue Peninsular Films, que presentó la cinta *El primer combate*, que no gustó a nadie. Principal Films, en cambio, se apuntó un señalado éxito con *Santa Isabel de Ceres*, estrenada en el teatro-cine Cervantes. Fueron sus intérpretes Aurora Redondo, Manuel Luna, Manuel Sierra, Fernando Porredón y Mariquilla Ortega. Funcionaba también en Madrid la firma Benavente Films, con Jacinto Benavente.

Entre los estrenos cinematográficos del Madrid de 1924 registramos *Mancha que limpia*, en el Real Cinema; *El puñao de Rosas*, adaptación de la zarzuela del mismo título, en el Cinema Goya; *Don Juan Tenorio*, en el Cervantes; *Militona o la tragedia de un torero*, en el Real Cinema, con el torero Pedrucho en el reparto; y en diversas salas, *La mala ley*,

A fuerza de arrastrarse, El lazarillo de Tormes, La Verbena de la Paloma, La barraca de los monstruos.

En este 1924 visitan Madrid dos de los más célebres artistas del cine americano: nada menos que Douglas Fairbanks y Mary Pickford, *la novia de América.* La masa del público que acudió a recibirles a la Estación fue tan densa y sobre todo tan apasionada, que Mary Pickford se libró de ser aplastada por sus admiradores gracias a los poderosos brazos de Douglas, que la elevó sobre su cabeza, librándola de la excesivamente fervorosa admiración madrileña.

Otras películas producidas en España en 1924 fueron las tituladas *Alma de estudiante, Amor de artista, Edurne o la modista bilbaína, El monaguillo del Carmen, El plañir de las campanas, Heroísmo español, La buenaventura de Pitusín, La casa de la Troya, La extraña, La hija del Corregidor, La mala ley, La medalla del torero, Los granujas, Más allá de la muerte, Min y Max, Para toda la vida,* y *Una boda en Castilla,* esta última documental de corto metraje.

Los cines o lugares de proyección que existían en Madrid en 1924 eran el Real Cinema, el Príncipe Alfonso, el Price (convertido en cine algunas temporadas), el Royalty, el cine Madrid (donde se había acortado de propósito lo de *cinema* para que no coincidiera la última sílaba con su igual primera de *Madrid*), el Gran Teatro, el Trianón, el Eslava (también cine sólo por temporadas), el Alcázar, que alternaba la pantalla blanca con la presentación de revistas verdeantes, el Ideal, el Argüelles, el teatro del Centro, el Monumental Cinema, el Cinema X, el Cinema Princesa, el Cinema Eldorado, el teatro de la Zarzuela, sometido también temporalmente al imperativo cinematográfico, el Cinema Goya, el Pavón, invadido también por el celuloide como los otros escenarios del género revisteril, el Cinema Doré, el teatro de la Comedia, el teatro Odeón, el Cinema España, y en los alrededores de la ciudad hasta una docena de barracones provisionalmente adaptados para sala de proyección.

Este año 1924 es el de la aparición de la radiofonía en Madrid, pero es apenas algo incipiente. Sin embargo, lo que, dicho en lenguaje madrileño, *privaba* en el Madrid de 1924, era el cine, el *cinini,* como decían algunos zumbones de Cabestreros.

Dos fábricas de automóviles funcionan en España en este segundo año del Directorio: la Sociedad de Industria Nacional Metalúrgica, que produce coches de seis cilindros y quince caballos al precio de 12.400 pesetas, y la Sociedad Hispano Suiza, que presenta berlinas de cuatro cilindros, quince caballos, al mismo precio que la anterior Empresa. Las motocicletas se venden al público a 1.200, 1.500 y 1.750 pesetas. Las camionetas de dos toneladas y media cuestan 25.000 pesetas, las de tonelada y media sólo 13.000, los automóviles ligeros de ocho caballos pueden adquirirse por 6.500 y 7.000 pesetas.

La llegada del gabinete militar ha tenido un efecto inmediato y directo sobre el movimiento emigratorio, que ha de acentuarse con los cinco años venideros. A los 93.346 españoles que se fueron de España en 1923, en 1924 sólo correspondieron 86.926; en cambio, a los 32.081 españoles que regresaron a España en 1923 correspondieron los 36.499 que lo hicieron en 1924.

«Al llegar al Poder inesperadamente el Directorio —dice Pemartín— sorprende y despierta del más plácido de los sueños a todos los organismos de la vida nacional. En las Cajas de la totalidad de los Ayuntamientos de España existían en primeros de octubre de 1923, cuarenta y seis millones de pesetas. Se revisan documentos, actas, se practican arqueos, y por disposiciones gubernativas vuelven a las cajas municipales casi cinco millones y medio de pesetas, reintegradas por alcaldes y concejales que habían dispuesto de ellas para usos no municipales precisamente. Transcurre un semestre, del primero de octubre al primero de mayo de 1924, y la existencia en las Cajas de los Municipios asciende a casi setenta millones de pesetas, lo que acusa un aumento en efectivo metálico de casi veintiocho millones; es decir, que en seis meses tan sólo el patrimonio municipal español sufre un alza en más de la mitad de pesetas que aquellas que existían en Caja el primero de octubre del año 1923.»

Todos estos datos, publicados por la prensa que apoya al general Primo de Rivera, no pueden ser discutidos por la prensa de la oposición por diversas razones: una, porque a la oposición le tiene más o menos sin cuidado las inmoralidades de los anteriores municipios de la Monarquía, pues la verdadera oposición es la que sueña con el derrocamiento de Alfonso XIII y el advenimiento de la República; otra, porque independientemente de los éxitos o errores del Directorio, tales inmoralidades habían sido verdad; por último, la prensa contraria al general no podía decir nada por existir una Censura impuesta apenas aposentado el Directorio en Palacio.

Esta Censura no fue un acierto: los periódicos, incluso los que en principio acogieron el golpe de Estado con entusiasmo indudable, fueron declinando hacia la acera de enfrente. Según frase del propio general Primo de Rivera, el noventa por ciento de la prensa española estaba en contra de él. Incluso algunos periódicos tradicionalmente monárquicos creyeron presentir —como así fue— en la Dictadura el prólogo de la República.

En cuanto al rey, pese al orden, a la vuelta a mejores niveles económicos en el país, a la carencia de noticias desagradables, aquel Directorio, al principio tan de su agrado, ya mediado 1924 comenzó a causarle serios dolores de cabeza, pues el sistema anterior, con todos sus defectos, permitía que todo lo malo que sucedía en España fuera achacado a los ministros de turno, y era fácil sustituirles y en paz; pero ahora, no; ahora el pueblo veía en la figura del rey la culpa máxima de todo lo que pasaba, y como el rey personalizaba la institución monárquica, las masas ya no pensaban en que cayeran los conservadores y subieran los liberales, o viceversa, sino en que cayera la Monarquía y viniera la República. Y esto estaba en el rumor popular, en el gesto disimulado, en el ambiente de la calle, y lo sabía el rey, y lo sabían los periódicos *de orden*.

Muchas de las medidas del Directorio estaban inspiradas más o menos indirectamente en el recién nacido fascismo italiano de Benito Mussolini. Si los italianos hacían grandes cosas, gracias a un gobierno de partido único y sin cámaras, ¿había una sola razón para que, con gobierno y sistema parecidos, no pudieran hacerlas los españoles...?

La Banda Municipal de Madrid, dirigida por el maestro Villa, cuenta con ochenta y ocho profesores, de ellos cincuenta ingresados por oposición. Actúa indistintamente en el palacete de Rosales o en el del Retiro, y viene dando de cien a ciento diez conciertos cada año, esto es, a una media superior a los dos conciertos por semana. Tiene la Banda alrededor de quinientas obras de repertorio.

El maestro Ricardo Villa, madrileño bautizado en San José, es el ídolo de Madrid. Ejerce sobre las multitudes un influjo directo. En los descansos, el público comienza a hablar en voz alta, con esa exuberancia de sonido de todas las tertulias madrileñas. Parece imposible que aquella algarabía reunida al aire libre pueda luego guardar el silencio que un concierto requiere. Sin embargo, en cuanto Villa se levanta y toma la batuta, las voces se acallan, los gestos se apagan, los ademanes se apaciguan, cada cual ocupa su localidad y sólo se escucha en ocasiones el murmullo de los árboles movidos por el viento o el ligero y gracioso escándalo de los pájaros cercanos.

Ricardo Villa había nacido en el año 1871, por lo que en este 1924 que estudiamos tiene cincuenta y tres años. Violinista destacado desde bien joven, llegó a director de la Orquesta del Teatro Real de Madrid en poco tiempo, siendo luego elegido por aclamación para director de la Banda Municipal. La Banda era, realmente, obra suya, a la que había dado todo su esfuerzo y todo su entusiasmo desde 1909 en que había sido formada, teniendo en aquel tiempo sólo diecisiete obras de repertorio.

Es alcalde de Madrid el conde de Vallellano. Alcalde de la capital de España en la España de Primo de Rivera. Unas declaraciones suyas a la prensa son buena muestra de cómo anda la administración municipal, o, para ser más justos, de cómo entiende el conde de Vallellano que anda la administración municipal... «Es preciso terminar con la anarquía municipal reinante —dice—. Robustecer por todos los medios la autoridad municipal. Es una obra de ciudadanía en la que todos debemos de colaborar. Yo me consideraría completamente satisfecho si de mi paso por la Alcaldía quedara solucionado o en vías

de coches *Ford* ruedan por el mundo. En el presente gráfico puede verse el enorme aumento experimentado año tras año en la producción *Ford*. Esta continuidad en el alza, es la mejor recomendación de

Ford
EL AUTOMOVIL UNIVERSAL

Un automóvil de calidad a un precio económico.

Ford Motor Company
S.A.E.

Para informes dirigirse a los agentes FORD.

— 38 —

de solución lo siguiente: el nuevo Matadero, la Necrópolis, el problema de la vivienda y el del extrarradio.»

Vallellano es de los hombres clasificados en esta época como apolíticos, pese a haber sido diputado a Cortes por Madrid. Su cargo de letrado del Consejo de Estado le permite moverse en un alto plano de la sociedad sin necesidad de pertenecer a ningún partido político, ni siquiera a la Unión Patriótica del general.

La Sociedad de Autores tiene registrados nada menos que 145.360 cuplés, escritos con mayor o menor acierto por una plantilla de 4.890 autores, que producen en razón de 90 a 100 cuplés cada día, para cubrir las necesidades de dos mil salones de *varietés* en toda España, con un rendimiento económico de tres millones de pesetas al año. Se calcula que el escalafón de cupleteras, a cuya cabeza figuran *La Goya*, Paquita Garzón, Mercedes Serós, Amalia de Isaura, María Gómez y otras, está nutrido por unas mil cuatrocientas artistas de regular mérito, envidiadas y copiadas por más de seis mil aficionadas aspirantes a la profesionalidad. Y eso que no puede decirse que 1924 sea un año esencialmente *cupletero*, pues por regla general se entiende que la fiebre ha pasado y que sólo ya se vive de recuerdos. El cine, el género arrevistado, el vodevil, están acabando con el cuplé. Pero, por lo que se ve, sin demasiada prisa.

Madrid ha estrenado una buena serie de nuevas prohibiciones. Algo que paralelamente molesta y divierte a los madrileños es la prohibición de charlar en grupo en las calles. Cuando un grupo de dos o tres amigos se detiene a conversar junto a un quiosco, o en una parada de tranvía, o, simplemente, despidiéndose en un portal, se acerca en seguida el guardia de seguridad que les invita a disolver la reunión: «¡Circulen, circulen!»

Los periódicos madrileños critican veladamente este nuevo estado de cosas, e incluso aquella prensa adicta al general Primo de Rivera se permite sus chanzas, suaves pero directas. Como cualquier diálogo a la vista de todos se hace sospechoso a los guardias de seguridad, un periódico publica un chiste en el que el caricaturista hace aparecer a un ciudadano que muy apresuradamente pide fuego a otro para encender el cigarro, diciéndole: «¿Me da usted fuego *rápidamente*, por favor?» El semanario *Blanco y Negro*, nada sospechoso de izquierdismo, publica una página ilustrada por Xaudaró, con unas letrillas de López-Montenegro alusivas a las reuniones en la calle y a la censura... Se titula «Circulen, Circulen», y dice así:

(Diálogo que revestía
un interés soberano,
y que escuché el otro día

          mientras llegaba un tranvía
          en la calle de Serrano.)

          —Buenas tardes, Don José
          —Buenas tardes, Don Vicente.
          —¿Cómo está usted?
                    —Bien, ¿y usted?
          ¿Y en casa...?
                    —Perfectamente,
          muchas gracias.
                    —No hay de qué.
          ¿Y su chica...?
                    —Regular.
          ¿Y la de usted...?
                    —¡Tan contenta!
          ¿Qué cuenta?
                    —¿Qué he de contar?
          Y usted, Don José, ¿qué cuenta?
                    —Nada de particular...
          —¿Se trasnocha...?
                    —Así, así...
          —Yo salgo muy poco.
                    —Y yo.
          No me seduce.
                    —Ni a mí.
          ¡Qué tiempecito!
                    —Sí, sí,
          ¡y que no cambia!
                    —No, no.
          Vaya, y le dejo...
                    —Corriente,
          pues que se divierta usted.
          —Muchas gracias, igualmente.
          —Buenas tardes, Don Vicente.
          —Buenas tardes, Don José.

          (¿No es un diálogo estupendo?
          ¿No es de un interés tremendo
          y una infernal travesura...?
          ¡Como que me estoy temiendo
          que lo tache la Censura!)

    La realidad era que la Censura no tachaba demasiado, puesto que el
versito, pese a su intención, se publicó, lo que seguramente no hubiera
pasado en otras épocas.

    Una caricatura de Sileno, titulada «Lo que esperamos que nos trai-
gan los Reyes», y publicada precisamente el 6 de enero, muestra a los

tres Magos, cada uno de ellos con un sobre grande que deposita en unos zapatos. En los sobres se lee con letras grandes: paz, justicia, libertad. No hay que olvidar que el Directorio llevaba sólo en el Poder tres meses y medio. Otro periódico de la izquierda publica un chiste sin dibujo, con letra menuda, casi imperceptible pero con sañuda intención. Un individuo pregunta a otro: «¿Cómo crees tú que se vive ahora en España?», y el otro le responde: «*Generalmente*, bien». Pero la palabra *generalmente* va en letra negrita, con lo que resulta una clara alusión al Directorio, integrado totalmente por generales. Los madrileños leen estas cosas y sonríen. El nuevo régimen no ha hecho sino echar a andar.

Poco a poco, en estos años veinte, va entrando la mujer en actividades que antes estaban sólo reservadas al hombre. En la convocatoria de algunas oposiciones, para cubrir puestos de trabajo en organismos oficiales y paraestatales, se menciona el cupo que ha de ser nutrido por varones y el de las hembras.

La mujer ha hecho también su irrupción en la Universidad. En el curso 1922/1923, la Universidad madrileña registra estas cifras de señoritas matriculadas: en la Facultad de Farmacia, 123; en la de Filosofía y Letras, 105; en la de Ciencias, 8; en la de Medicina, 43, y en la de Derecho, 5. Total de señoritas estudiantes de Universidad en Madrid en el citado curso, incluyendo algunas otras carreras, 445. Al año siguiente, esto es, el curso 1923/1924, este número se ha elevado a 474, es decir, casi un ocho por ciento.

Sin embargo, la inmensa mayoría de todas estas estudiantes no ejercen una vez ultimada su carrera. El feminismo no ha tenido demasiado éxito en Madrid. Un ambiente de señores que acaba de quitarse la barba no ve con buenos ojos la presencia de la mujer en los puestos clave del trabajo, y si se permite que ellas estudien, no se da ninguna facilidad para que luego ejerzan como profesionales tituladas. El trabajo lógico para la mujer es, según estos tradicionalistas del ambiente, la máquina de escribir, las labores de segundo orden o las de la casa.

Una mujer médico, una mujer abogado o farmacéutico no es bien vista aún. Datos estadísticos facilitados por la Secretaría de la Universidad de Madrid en mayo de 1924 demuestran que sólo aproximadamente la mitad de las licenciadas en una especialidad o en otra han tenido el valor de colegiarse y trabajar como tales titulares, por cierto con no demasiado éxito.

Lo lógico hubiera sido que las mujeres madrileñas hubieran visto con agrado la presencia de mujeres médicos, a quienes podían acudir sin rubor para consultas íntimas, pero no fue así, porque en el Madrid de los años veinte —como en el Madrid de tantos años— el *qué dirán* estaba muy por encima de toda lógica.

En cambio, la mujer escala los más altos puestos de la gobernación municipal, hasta el extremo de que en el Ayuntamiento madrileño hay tres mujeres concejales por primera vez en 1924, María de Echarri, la vizcondesa de Llanteno y Elisa Calonge. La Obra de Protección a la Mujer inaugura en Madrid un Instituto de Cultura, sólo para alumnas, con menos éxito del merecido, ya que todavía eran muchas las familias madriieñas de las llamadas *clases acomodadas* que entendían que el mejor aprendizaje de las mujeres era un buen novio y la mejor profesión una boda acertada.

Las mujeres madrileñas presienten, no obstante las dificultades, que un aire nuevo viene llegando despaciosamente, que la libertad y la autonomía de la mujer europea y americana han de influir, más o menos a largo plazo, sobre la libertad y la autonomía de las españolas. Son numerosas las mujeres españolas que publican libros de versos, novelas, o incluso estrenan obras teatrales, como Emilia Pardo Bazán y Pilar Millán Astray. La poderosa corriente de la última guerra mundial —1914-1918— no ha cesado con la paz. Si miles de mujeres inglesas, francesas y alemanas pudieron ser enfermeras y prestar valiosísimos servicios en los frentes de combate, no hay razón para que a la mujer madrileña se le pongan trabas en su camino hacia la libertad, sobre todo cuando ella desea esta libertad para colaborar con su compañero el hombre. Pero en 1924 el madrileño se siente aún más amo que compañero.

En febrero, Madrid presencia un desfile de somatenes. El Somatén —ya se dijo al estudiar 1923 en el tomo anterior—, toma su nombre de dos palabras catalanas: *som atents*, estamos atentos. Los somatenes de Madrid desfilan vestidos impecablemente de paisano con sus fusiles al hombro. Les preside su comandante, el general Dabán, uno de los integrantes del primer Directorio.

Los somatenes son comerciantes, industriales, abogados, médicos, ingenieros, gentes de holgada posición en general. No hay obreros entre ellos por lo que, lógicamente, las masas trabajadoras no pueden ver con muy buenos ojos este alarde de las *gentes de orden*, como ellos mismos se llaman. Para muchos obreros madrileños, todas estas actuaciones al exterior del gabinete militar no es otra cosa que la demostración de una batalla perdida por las clases bajas y ganada por las clases altas.

Sin embargo, como se verá en el curso de esta Historia, los socialistas, al principio reacios, llegan a colaborar directamente con los generales de Primo de Rivera. Precisamente los socialistas, no los comunistas, entonces todavía escasos, ni los sindicalistas de Bilbao o de Zaragoza, ni mucho menos los anarco-sindicalistas de Barcelona.

El desfile del Somatén de Madrid demuestra que no es que el pueblo no esté armado, sino que sólo ha sido armada aquella parte del pueblo que está de acuerdo con el poder público. El gabinete del segundo Directorio pone a disposición de las derechas aquellos mismos fusiles que arrebata a las izquierdas. La cuestión, pues, no puede estar más clara.

Los somatenistas, concentrados en una soleada y fría mañana de domingo frente a Palacio, son arengados por el general Dabán y saludados desde el balcón por el propio Alfonso XIII. Al regreso a sus hogares, cada somatenista pasa por delante de los bares de su distrito con el fusil al hombro, como una rúbrica personal y de barriada del golpe de Estado. ¿Habrá alguien todavía que se permita dudar quiénes son los que han ganado y quiénes son los derrotados...?

Todo tiene, desde el 13 de septiembre de 1923, un aire marcial en Madrid. Al inaugurarse el curso universitario, es un general condecorado quien preside la ceremonia; cuando el nuevo embajador de Francia, conde de Fontenay, ha de visitar al presidente del Directorio, éste le recibe en su despacho del ministerio de la Guerra y vestido de uniforme de gala de capitán general; fallecido el director general de Seguridad, general Arlegui, de la Guardia Civil, le sucede un coronel del mismo Cuerpo, González Hernández; la mayoría de las fotografías que publica la prensa de las reuniones del Directorio parecen sesiones de un Alto Estado Mayor, con todos sus componentes de uniforme; el tenebroso asunto del crimen del expreso de Andalucía queda en manos militares también, dado el estado de excepción en que se halla todo el país, aunque hay que reconocer que es lo mejor que pudo suceder en este caso particular, pues gracias a la energía de las medidas y a la rapidez de las ejecuciones se pudo poner algo de orden en el desordenado paisaje nacional.

Se comenta en Madrid con tanta insistencia como para tener visos de verdad que Primo de Rivera no despacha directamente con el rey. Se dice y se insiste en que le envía la firma por medio de un ayudante. Las dos reinas, Cristina, la madre, y Victoria, la esposa, soportan de muy mala gana a este general altivo que entra en Palacio con aires de conquistador y con una mirada tan acerada que no se sabe si conquista poderes o mujeres.

Naturalmente, el país hierve en rumores, aunque no fuera más que por aquello de que cuando la verdad no es conocida es inventada. En alguna tertulia se cuenta la agudeza de la austríaca Cristina:

—¿Tiene intención Vuestra Majestad de acudir a Santander?

—Yo sí —dicen que respondió la reina madre—, pero no sé si me dejará el general...

Por su parte, Victoria Eugenia no ha quedado atrás. En ocasión de pasar de una saleta a otra para tomar el té con algunas de sus damas, parece ser que dijo con una ironía muy inglesa:

—Vamos a tomar el té, si el general lo permite.

Los paseos a pie de Primo de Rivera por Madrid son muy comentados. Sin previo aviso, el presidente del Directorio aparece en cualquier calle, en cualquier paseo, en cualquier salón de espectáculos.

«Salía ya la gente del Infanta Isabel —dice Camba en su bigrafía novelada de Primo de Rivera—. Por la calle de Prim desembocaba la que venía de la Princesa. Y nadie que de momento se apercibiese de quién era aquel hombre. Sólo al alejarse, dándose cuenta, un volver de cabezas intrigadas, de cuyos labios casi se oía el espanto:

—¡Primo de Rivera!

—¡Y a pie!»

Quizá una de las reacciones más curiosas de las muchas y variadas a que ha dado lugar el golpe de Estado haya sido la de Valle Inclán. *Más papista que el Papa*, a Valle Inclán le parece que el general no sólo es un dictador, sino que peca de liberal en exceso.

—¡Hay que derribarlo! —exclama ceceando en la tertulia—. ¡Un hombre que a despecho de la Censura, por el placer morboso de contestarles, consiente a los periódicos que se metan con él! ¿Dónde está la limpieza pública que nos ha prometido? ¿A cuántos ministros han visto ustedes colgados de los faroles de la Puerta del Sol? ¡No es un dictador, no nos hagamos ilusiones! Es un liberalote.

Comienza a prestar servicio el primer ramal de la línea número dos del *metro* madrileño, Sol-Ventas, con 3.816 metros de recorrido. ¡Ya estaban contentos los aficionados a los toros! En menos de diez minutos se podía llegar desde la estación de la Puerta del Sol hasta casi la puerta misma de la Plaza. La inauguración tuvo lugar el 16 de junio, en un día de calor anticipado. La temporada taurina madrileña de 1924 tuvo ese aliciente. La calle de Alcalá, con los carruajes de caballos y los mantones de Manila, pasó a ser parte del recuerdo, parte de un paisaje que día por día se iba difuminando.

El *metro* ya era una realidad en Madrid: si en 1920 habían subido a los vagones subterráneos catorce millones y medio de viajeros, al finalizar 1924 la estadística daba la cifra de treinta y siete millones, es decir, bastante más del doble. La Compañía constructora continuaba cumpliendo sus promesas de 1917... ¿Sería posible que en Madrid comenzasen a suceder las cosas como en el resto del mundo? ¿Sería posible que alguien hiciese entrar a los madrileños por las angostas vías de la formalidad...? El *metro* contribuyó mucho, muy poderosamente, a organizar un poco la destartalada vida madrileña.

La temporada taurina en Madrid comienza mediado el mes de marzo. Este es el año de la vuelta a los toros de Juan Belmonte, que se presenta sorprendentemente como rejoneador, y de Ignacio Sánchez Mejías, predestinado a morir dramáticamente en una plaza de pueblo. Figuran en la cabeza del escalafón de la torería Marcial Lalanda, Nicanor Villalta, Antonio Márquez, Chicuelo, Cagancho, Fortuna, Algabeño y alguno más.

Es la época en que torean a caballo el portugués Simao da Veiga y el español Antonio Cañero, ambos bastante jóvenes aún. No es año demasiado trágico, pero registramos las cogidas de Márquez, Nacional II, Sánchez Mejías —no la cogida de su muerte, que se producirá diez años más tarde—, Valencia II, Marcial Lalanda, Cagancho, Algabeño, Olmos, Litri y Montes.

Torcan simultáneamente por los ruedos españoles Nacional I, Nacional II y Nacional III, aunque hay una considerable diferencia entre el mérito de uno y otros. Los carteles se llenan con figuras como Luis Freg, elegante y desconcertante por su falta de regularidad; Larita, que siempre da tal sensación de peligro que parece que ha de ser su última corrida; Villalta, el de las estocadas como puñetazos fulminantes; Juan Luis de la Rosa, el gran señor que jamás pierde la postura; Maera, el trágico, y tantos más. Año de las alternativas de Agüero y de Olmos, años de los cientos de caballos muertos en la arena.

En menor cuantía, aunque siempre cambiantes por sus altibajos, Torquito II, Lagartito, Morenito de Zaragoza, José Belmonte, Rubito de Sevilla, Paradas, Dominguín, Valencia I, Pepete, Barajas, Fernández Prieto, Antonio Llamas, Pastoret, Fuentes Bejarano, Angelillo de Triana, Facultades, Guerrerito, Gallito de Zafra...

El año teatral comienza bien con el estreno de *La leyenda del beso*, de Soutullo y Vert, en el teatro Apolo, por la compañía de María Caballé y Paco Latorre. El intermedio de esta obra pasa automáticamente a constituir pieza fundamental en el repertorio de concierto de todas las orquestas de café de España.

Apolo, crisol de los triunfos del género lírico, presenta *A la sombra*, de Ramos Martín y partitura de Guerrero; *La suerte*, de Serafín y Joaquín Alvarez Quintero y música de Barrios; *La bejarana*, éxito extraordinario del libro de Ardavín y de la partitura de Serrano y Alonso, y en la segunda parte del año, transcurrido el bache del verano y reiniciada la temporada oficial, *Calixta la prestamista o El Niño de Buenavista*, gansada de García Alvarez y Luque con música de Pablo Luna; *La Vaquerita*, de Fernández de Sevilla y Carreño y música de Rosillo, y el éxito del año, *Don Quintín el amargao*, libro de Arniches y Estremera y partitura de Guerrero.

Se celebra el beneficio de la Asociación de la Prensa en el Teatro Real, con todo un plantel de primeras figuras: en el grupo de compositores Serrano, Turina, Saco del Valle y Villa; en el de cantantes, Ofelia Nieto, María Gar, Sarobe, Griff, Rosich y Fleta. Otra efemérides importante del año teatral en Madrid es la inauguración, en la todavía joven Gran Vía, del teatro Fontalba, mediado octubre, con el estreno de *La virtud sospechosa*, escrita por Benavente especialmente para esta ocasión y prota-

gonizada por Alberto Romea, María Gámez, Josefina Tapia, Luis Peña, Blanca Jiménez y Carmen Illescas.

El teatro Eslava presenta obras de mérito, como *La fadista enamorada*, de tema portugués, como sugiere el título, escrita por Torres del Alamo y Asenjo, con partitura de Conrado del Campo, interpretada por Eugenia Zuffoli y Manuel Collado; *Angela María*, de Arniches y Abati, por Catalina Bárcena; *Castigo de Dios*, de Muñoz Seca y Pérez Fernández; *El puente de Triana*, con Charito Leonís; *Ráfaga de pasión*, protagonizada por Jesús Tordesillas —galán joven— y María Herrero; *Un buen mozo*, de López Monís y Peña; *La rosaleda*, de González del Castillo y Arnal; *La octava mujer de Barba Azul*, adaptación de una obra extranjera, con Catalina Bárcena y Manuel Collado; *Mujer*, de Gregorio Martínez Sierra; *Cuando empieza la vida*, de Linares Rivas, y *La risa de Juana*, de Arniches.

En el Lara de la Corredera, *Concha la limpia*, de los Quintero, con Rosario Pino; *Querer y no querer*, de Linares Rivas; *Señora ama*, de Benavente, con Lola Membrives; *Vámonos*, de los Quintero, y también de los célebres hermanos andaluces, una de sus obras más populares, *Cancionera*, con la Membrives, Juanita Azorín y Guadalupe Muñoz Sampedro.

Trasladándonos al escenario de la Zarzuela y también dentro de estos doce meses de 1924 podemos presenciar una buena serie de interesantes estrenos: *Sol de Sevilla*, de Prada y Padilla, zarzuela interpretada por Selica Pérez Carpio y Ramón Peña; *La granjera de Arlés*, de Sepúlveda, Manzano y maestro Rosillo, con Cora Raga; *La maga de Oriente*, de Delgado, Serrano y Rosillo, y dos reposiciones, *Don Lucas del cigarral* y *La Reina mora*.

El teatro de la Comedia ofrece al público un estreno que ha de dar mucho que hablar y que constituye un formidable éxito de risa, *La venganza de Don Mendo*, de Muñoz Seca, con una compañía encabezada por Valeriano León y Aurora Redondo. En este mismo escenario, poco después, *Los sabios*, también de Muñoz Seca, y *La pura verdad*, de Paso y González del Toro. Era un tiempo en que un actor se consideraba bien pagado con quince duros diarios y muy bien pagado si firmaba una nómina de ciento cincuenta pesetas por día. Otro de los éxitos del teatro de la Comedia en 1924 es el estreno de *Bartolo tiene una flauta*, de Muñoz Seca y Pérez Fernández.

En el Cómico los madrileños pudieron ver *La entretenida*, de Felipe Sassone, con María Palou en un papel difícil y que tocaba un tema tan corriente como espinoso: la existencia de un segundo amor fuera del hogar del matrimonio; *La muerte del ruiseñor*, con Pepe Romeu, ya a punto de pasar al cine de Joinville; *Dos en una*, adaptación de una comedia de Pirandello, con Matilde Moreno, y *Vidas rectas*, de Marcelino Domingo, quien andando el tiempo ha de ser ministro de la República.

El teatro Infanta Isabel presentó a la más bonita ingenua de aquel tiempo, María Bassó, en *La escena final*, de Abati y Lucio; *El dinero del Duque*, de Luca de Tena; *La buena suerte*, de Muñoz Seca, y *El aire de Madrid*, de Serrano Anguita. Todo un amplio movimiento teatral, mucho más dinámico, mucho más trascendente que el actual, a pesar de la batalla planteada por el cinematógrafo, un recién llegado que parecía querer ocupar el lugar preponderante que hasta entonces había ocupado la escena. El celuloide había sido un acicate para la gente del teatro, que ahora tenía que trabajar más y mejor. O pasarse al cine. ¿Por qué no...?

Las obras presentadas en el teatro de la Latina fueron *Las flechas de oro*, de Castillo y Burgos, y *La bella peluquera*, de Abati, Lucio y maestro Font, protagonizadas ambas por los célebres Loreto y Chicote, así como *Calla corazón*, de Felipe Sassone y la versión española de *La Dama de las Camelias*, realizada también por Sassone y personalizadas ambas por María Palou; *Garabatusa*, de Quintero y Patiño y música de Orejón, y *T. S. H.*, de González del Castillo, Badía y Power.

Cosa bien extraña, el estreno más comentado en 1924 del teatro Martín no fue una revista ligera de diálogos y con música pegadiza, sino un drama político-social, escrito por Alvarez Sotomayor y titulado *Los lobos del lugar*. El teatro del Centro presentó a Irene Alba y Juan Bonafé con obras como *El inmoral genovés*, juguete bufocinematográfico original de Abati y Lucio; *Los chatos*, de Muñoz Seca y Pérez Fernández, y *Por los hijos*, de Ignacio Iglesias, con Rosario Pino.

Los madrileños asiduos al teatro del Rey Alfonso tuvieron ocasión de presenciar los estrenos de *El diablo son las mujeres*, de Mihura y Prada, con Carmen Muñoz, Mariano Asquerino, Juan Espantaleón y Antonio Riquelme; *La culpa*, de Manzaneque y Pérez Herrero; *La bola*, de Estremera y Garrido, y *Pimienta*, de Fernández Villar.

En el escenario del teatro de la Princesa, *El pobrecito carpintero*, de Marquina; *Vidas maltrechas*, de Meneses y Lezama; *El juramento de la Primorosa*, de Pilar Millán Astray; *Doña María la Brava*, de Marquina, y una humorada de Candela y Plañiol titulada nada menos que *Abarragoitia y Salabanchurreta*.

Los aficionados al *bel canto* pudieron deleitarse en el Teatro Real con la representación de *La Novia Vendida*, de Smetana, a cargo de la Compañía del Teatro Nacional Lírico de Checoslovaquia. Los estrenos del teatro Reina Victoria fueron *Yo pecador*, de Abati, con Julia Lajos y Manolo González; *El pazo de las hortensias*, de Pilar Millán Astray, y dos adaptaciones procedentes del teatro francés, *La mano misteriosa*, obra realzada en escena por el arte de Ana Adamuz, y *Béseme usted*, en la estupenda versión de José Juan Cadenas.

El teatro Novedades presentó *Soledad y Compañía*, libro de Luis de Vargas y música de Alonso, con bastante éxito; *París-Madrid*, de Torres del Alamo y Asenjo, con María Lacalle y Gómez Bur, que se encontraba la publicidad hecha, dada la existencia de los famosos almacenes llamados *Madrid-París*, en el centro de la Gran Vía; *El molino de la viuda*,

El maestro Villa dirigiendo la Banda Municipal (1924)

MADRID. DEL CRIMEN DEL EXPRESO DE ANDALUCÍA
1, ANTONIO TERUEL, UNO DE LOS ASESINOS, QUE SE SUICIDÓ AL VERSE DESCUBIERTO. 2, JOSÉ SÁNCHEZ NAVARRETE, QUE CONFESÓ SU INTERVENCIÓN EN LA TRAGEDIA. 3, HONORIO SÁNCHEZ MOLINA, COAUTOR DEL ASESINATO. 4, PATIO DE LA CASA DE LA CALLE DE TOLEDO, DONDE VIVÍA (x) TERUEL. 5, EXTERIOR DE LA CASA. (FOTOS DUQUE)

Una página de *Blanco y Negro*. 1924

El lado amargo de la información en 1924: Los muertos de Africa.
(En esta página de *Blanco y Negro*, los señores Matos, Sánchez, Quera,
Pérez, Peire, Andrades, Miranda, Gandarinos y Cevallos)

MADRID. EL BENEFICIO DE LA ASOCIACION DE LA PRENSA EN EL REAL

LOS EMINENTES ARTISTAS MARIA RODRIGO, COMPOSITORA (1); OFELIA NIETO (2) Y MARIA GAR (3), CANTANTES; EL TENOR FLETA (4); LOS MAESTROS SERRANO (5), TURINA (6), SACO DEL VALLE (7) Y VILLA (8), Y LOS CANTANTES GRIFF (9), SAROBE (10) Y ROSICH (11), QUE TOMARON PARTE EN LA FUNCION DEL LUNES ULTIMO. (FOTOS DUQUE)

Una página de *Blanco y Negro*. 1924

de Fernández La Puente y maestro Alonso, y *La chica del mesón*, de Marino y maestro Sama.

Uno de los triunfos más decisivos fue el estreno de *La linda tapada*, que se mantuvo varios meses en el cartel, cosa prácticamente desconocida en aquellos años. Otro éxito de clamor, la comedia de Benavente titulada *La otra honra*. Este fue, poco más o menos, el año teatral del 1924 madrileño, y es interesante conocerlo en sus detalles, porque con el impacto del cine en la capital, pronto va a verse cómo el nuevo arte —el séptimo arte— va intentando por instinto el desplazamiento del género escénico. Y cómo, día tras día, parece que va a conseguirlo, pero no lo consigue del todo.

4

Capítulo 3. **EL CRIMEN DEL EXPRESO DE ANDALUCIA** (año 1924).
Habla el general. Más agilidad administrativa. Quién puede llevar pistola y quién no. Fábrica de aviones en Carabanchel. Un vagón cargado de muerte en Alcázar de San Juan. Alfonso XIII justifica a Primo de Rivera. Radio España y Radio Madrid. Los aparatos de galena. Los primeros altavoces. La **radiomanía**.

El Directorio está en marcha. Lo demuestran las numerosas disposiciones que se cuecen en el seno del Gabinete y que van reformando, reestructurando todos los aspectos de la vida nacional, con mayor o menor acierto. En el curso de 1924 brotan los decretos a una sorprendente velocidad. Particularmente sobre la recogida de armas a los particulares y la autorización para su uso por ciertos cuerpos. Se producen disposiciones en el sentido de que pueden usarlas los funcionarios de correos cuyo trabajo significa exposición —inspirada esta orden, sin duda, en el lamentable crimen del expreso de Andalucía—. Las armas recogidas a particulares por la Guardia Civil se subastarán el primer domingo de cada mes. Los agentes de vigilancia de la Compañía Arrendataria de Tabacos pueden llevar pistolas. Los guardias que posean pistolas de su propiedad pueden venderlas siempre que lo hagan a personas autorizadas para su uso.

El periódico madrileño *La Voz* es suspendido por tres días a causa de la publicación de un artículo titulado «El ardid inútil», considerado sedicioso.

En estos doce meses son abiertas a la circulación nuevas vías férreas por una longitud de ciento treinta y dos kilómetros, que si se comparan con los setenta y cinco de 1923 y sobre todo con los cuatro en 1922 representan un incremento, que por cierto da un buen bajón al año siguiente, ya que en 1925 sólo se abren al tráfico cincuenta y tres kilómetros. Aproximadamente, una docena de disposiciones vienen a regular en 1924 el complicado mecanismo de los ferrocarriles españoles.

Se promulga un Real decreto de protección a la industria nacional, se legisla sobre la potabilidad de los alcoholes industriales que deben tener graduación de 96 a 97 grados, se crea el Consejo de Economía

Nacional, se reorganizan los servicios agronómicos y pecuarios, se señalan las plantillas de los distritos forestales, se autoriza al ministerio de Hacienda para recaudar el impuesto para la Ley de defensa contra las plagas del campo, se otorgan beneficios tributarios a las casas de alquiler reducido, se estimula mediante créditos a largo plazo la construcción de casas baratas.

En el discurso del general Primo de Rivera con ocasión de la apertura de los tribunales dice: «Hay que fortalecer enérgicamente la autoridad de los llamados a aplicar las Leyes», y luego promete veladamente que una de las maneras de lograr este fortalecimiento es pagar mejor a los encargados de administrar justicia. Suprimidos desde primero de enero de 1924 los tribunales municipales, se crea por Real decreto de 5 de abril siguiente la Junta Depuradora de la Justicia Municipal.

El 8 de marzo se pone en vigor el Estatuto Municipal, obra personal de Calvo Sotelo, determinando entre otras muchas cosas interesantes la diferencia entre lo que es el Municipio rural y el Municipio urbano, instaurando el llamado «consejo abierto» que regirá en todas las agrupaciones no mayores de mil habitantes. Por diversas disposiciones se incrementan los sueldos de los maestros nacionales, creándose nueve categorías, cobrando los más situados 8.000 pesetas de sueldo al año y los menos 2.500 pesetas.

Como viene sucediendo habitualmente en este país, los aumentos de haberes llevaban consigo un automático —cuando no anticipado— aumento del precio de las subsistencias, por lo que, pese a la buena voluntad innegable de los legisladores del Directorio, no era muy holgada la vida de los maestros nacionales de clase inferior con sólo cuarenta duros escasos al mes.

Se empiezan a edificar en Carabanchel los pabellones de la fábrica Loring para construcción de aviones. En este primer año de funcionamiento se ultiman casi veinte aeroplanos «Focker», encargados por el Directorio. Por otra parte, en Getafe acaba de levantarse la fábrica de la Sociedad de Construcciones Aeronáuticas. En resumen, en este año funcionan en la periferia de Madrid dos fábricas de aviones con capacidad de treinta y cinco a cuarenta unidades por año. Un Gobierno en manos de militares ha de tender, naturalmente, con decididas preferencias, a robustecer los brazos de la defensa nacional: efectivamente, ya en este primer año completo del Directorio en el Poder menudean los decretos que acuden a reorganizar la Marina, el Ejército y la Aviación.

El viaje de los reyes a Italia confirma la indudable hermandad de ideales entre el duce Benito Mussolini y el presidente del Gabinete militar, general Primo de Rivera, que acompaña a Alfonso XIII a Roma. Una revista gráfica, monárquica a ultranza y por tanto nada sospechosa, dedica una página de caricaturas a glosar esta afinidad: con dibujos de Sileno viene a decir que se emparejan el carabiniere y el guardia civil, el fascista y el somatenista, el calabrés y el paleto, el tenor y el torero,

Pirandello y Muñoz Seca, de Pra y Vallana. Para los jóvenes procede aclarar que De Pra era un fabuloso jugador de la selección de fútbol italiana, y que Vallana formaba en el conjunto futbolístico español con aquellos otros colosos que se llamaban Arrate, Pichichi, Pagaza —así abreviado porque se llamaba nada menos que Pagazaurtundúa— y otros.

Se inaugura el nuevo Matadero, que posee instalaciones amplias y modernas y que está calculado para servir a una ciudad doble que Madrid. Se urbaniza el Camino Alto de San Isidro y se realiza una inspección de los faroles inscrvibles en la ciudad, procediéndose a su reparación con bastante rapidez para lo que son las inveteradas costumbres de los munícipes madrileños.

Comienza la temporada en el Teatro Real predestinada a ser la última, que culminará en los primeros meses de 1925, ya que el coliseo está denunciado por el peligro de derrumbamiento y los espectadores, que leen constantemente en la prensa la posibilidad de un hundimiento, se pasan las noches en su butaca mirando al techo y asustándose cada vez que oyen o creen oir un ruido sospechoso.

En unas declaraciones al enviado especial del periódico inglés *Daily Mail*, Alfonso XIII dice:

> **"Tengo una gran experiencia en mi oficio, pues he sido rey durante veintidós años. Si he adoptado una actitud netamente favorable a la llegada del general Primo de Rivera al Poder, ha sido porque estaba satisfecho de ver a la nación unánime en desearlo y en sostenerlo de todo corazón...**
> **"Si hubiera obrado con menos decisión, hubieran surgido divergencias de opinión en el Ejército, o entre el Ejército y el país bajo forma violenta, y la guerra civil hubiera sido cierta."**

En otras declaraciones, éstas al enviado del diario francés *Le Temps*, Alfonso XIII dice:

> **"¿Qué podría el Ejército español con sus ciento veinte mil hombres contra los veintidós o veintitrés millones de paisanos? No siempre hay que recurrir a los votos para saber lo que quiere un pueblo."**

La prensa del mundo no era, salvo las excepciones de la italiana, demasiado favorable al Directorio.

Se inaugura el campo de fútbol del Real Madrid en Chamartín, antecedente del actual estadio Santiago Bernabéu. Los anteriores terrenos de juego del club madridista habían sido el Hipódromo, al que habían tenido que aligerar previamente de hierba, y el campo vallado de la calle de O'Donnell. En el partido de inauguración del campo de Chamartín el Madrid alinea a Martínez, Escobar, Quesada, Sicilia, Mengotti, Mejías, De Miguel, Valderrama, Monjardín, Félix Pérez y Del Campo.

A las ocho y cuarto del 11 de abril sale de la estación de Atocha el tren rumbo a Sevilla. Los ambulantes del servicio son Santos Lozano León y Angel Ors Pérez. Al detenerse en la estación de Marmolejo, el empleado encargado de recoger las sacas de correspondencia avisa al jefe de que el vagón correo está cerrado y nadie responde a las llamadas. No le dan importancia, pero por si acaso lo avisan por telégrafo a las estaciones siguientes.

En Córdoba, ya las seis de la mañana, el jefe de estación ordena forzar la puerta del vagón correo, y son encontrados los cadáveres de los dos funcionarios, sobre un charco de sangre que empapa montones de cartas esparcidas por el suelo del coche. Es desenganchado el coche correo, que queda en Córdoba con su triste carga, y se comunica a Madrid rápidamente la noticia. Los otros vagones continúan viaje a Sevilla.

La censura de prensa de la Dictadura impide que la noticia salga a la calle hasta tres días después, a fin de que la Policía pueda moverse en silencio y a su antojo. Alguien achaca el crimen a móviles políticos, que intentan desprestigiar el régimen de Primo de Rivera, pero desde el primer momento la Policía opina de manera contraria y comienza a seguir pistas. Se sospecha que el doble asesinato ha sido cometido por delincuentes profesionales. Se organizan gigantescas redadas, con tomas de declaraciones casi en serie, y se inspecciona la vida en hoteles, pensiones, posadas y bares de los pueblos del recorrido del expreso. Alcázar, Aranjuez, Marmolejo, Villa del Río, Montoro son cribados por los agentes.

Un joven mendigo que suele merodear por los alrededores de los andenes de Aranjuez asegura a la Policía haber visto a tres individuos desconocidos para él, a quienes pidió limosna y le dijeron:

—Si te vemos por aquí el domingo ya te daremos un real para que te compres un automóvil.

Una frutera de la misma localidad declara que en la tarde del viernes 11, tres individuos —cuyas señas coincidían con las facilitadas por el mendigo— se le acercaron y le compraron tres plátanos. Un electricista de servicio en la estación de Aranjuez afirma que cuando se detuvo el expreso, tres hombres se aproximaron al vagón correo, llamaron, les abrieron y subió uno. Un instante después, ya el tren en marcha, subieron los otros dos. Es el comienzo de la pista. La Policía pisa seguro.

De ello, la Policía deduce que al menos el primero que subió era conocido de los funcionarios muertos. Establecido, con ayuda del forense, que el crimen debió cometerse entre las estaciones de Aranjuez y Alcázar de San Juan, poco después es detenido el chófer de un taxi que en la citada noche había merodeado por los alrededores de la estación de Alcázar. El conductor del taxi, José Pedrero, declara que un hombre joven había alquilado sus servicios en Madrid, en la glorieta de Atocha, diciéndole que tenía que ir a Alcázar a recoger a unos amigos. Efectivamente, allí subieron tres personas más, y el coche se dirigió a Herencia para tomar gasolina, regresando después a Madrid. El taxi se

— 54 —

detuvo en el Portillo de Embajadores. Allí, el que lo había alquilado **preguntó cuánto** era la cuenta, y al responder el chófer que 210 pesetas, le dieron tres billetes de 100 pesetas y le dijeron que se quedara con la vuelta. Los cuatro hombres se despidieron del taxista y se perdieron por una calle próxima a la iglesia de San Cayetano.

Las averiguaciones siguientes de la Policía llevan a un piso de la calle de Toledo, por allí cerca, en el que vive un *croupier* de las casas de juego con tan malos antecedentes que ha sido detenido diecisiete veces. Cuando los agentes llegan a la casa, el *croupier*, Antonio Teruel López, no está, y la esposa no sabe nada. La Policía detiene a la esposa y cierra el piso. Se establece vigilancia y por la noche se descubre que hay luz en las habitaciones. La portera dice haber escuchado algo parecido a un disparo.

La Policía entra en el piso y descubre el cadáver de Antonio Teruel, que se ha suicidado disparándose un tiro en la sien. En la habitación se encuentran dinero y valores de lo desaparecido en el coche correo. Ante todo ello, la esposa se decide a confesar y da a la Policía los nombres de los amigos de su marido. Uno de los nombres facilitados por la viuda de Teruel es el de Honorio Sánchez Molina.

Cuando los agentes llegan a la casa de huéspedes que éste posee en la calle de Infantas, Honorio no está, y allí aseguran que tampoco está en Madrid, sino en cierta finca de Ciudad Real. La conversación con los familiares de Honorio da a la Policía el nombre de un José Sánchez Navarrete, funcionario de Correos. Navarrete vive con sus padres y hermanos en un piso de la calle de Orellana. Detenido, primero niega y luego confiesa haber tomado parte en el asalto, pero sin matar a nadie.

Mientras tanto, la Guardia Civil detiene en la finca de Ciudad Real a Honorio Sánchez Molina. Sus antecedentes son de monedero falso. Poco después es detenido el tercero, Francisco de Dios Piqueras. Esta última detención la realiza también la Guardia Civil en el tren correo descendente de Badajoz, a la altura de la estación de Almorchón. Ya están apresados los tres culpables vivos, y suicidado el cuarto culpable. Ahora se trata de cerrar el cañamazo y demostrar la culpa de los tres.

Las actuaciones judiciales y las declaraciones de los inculpados y de los testigos ocupan ya un expediente de más de 300 folios. Un reciente decreto determina que el robo a mano armada se considera delito sometido al fuero militar. No cabe esperar, por lo tanto, un proceso largo con dilaciones y paréntesis, sino un sumarísimo de urgencia a resolver en días, casi en horas. En los casos en que de resultas del robo a mano armada queden víctimas, el delito puede ser castigado con la máxima pena. Sobre los reos pesa, pues, la pena de muerte.

Toda España espera que de un momento a otro va a dictarse sentencia cuando se produce lo imprevisto: desde París llegan noticias sorprendentes directamente relacionadas con este lamentable suceso. Un hombre joven, bien vestido, se ha presentado en la Embajada de España para declararse autor o partícipe de los hechos. Dice llamarse José

Donday Hernández y confiesa haberse encargado de contratar el taxi, pero a la vez asegura que a él no le habían dicho en ningún momento que para robar el coche correo hiciera falta asesinar a los dos empleados, sino que seguramente bastaría con narcotizarles, y que sólo por eso se atrevió a formar parte de la pandilla.

Las autoridades militares deciden no iniciar expediente de extradición, que hubiera exigido la pérdida de demasiadas fechas. Donday se aviene de buena gana a acompañar a un policía español hasta la frontera, traspasada la cual se considera oficialmente detenido.

Podía extrañar mucho que un hombre, ya en tierra francesa, se entregue a la Policía, pero estaba justificado. La culpa de haber contratado el coche era de escasa importancia en comparación con la del asesinato de los dos ambulantes. Cuando Donday, desde Francia, leyó que uno de los detenidos había declarado ser él quien había contratado el coche, sin tomar parte en el asesinato, Donday pensó que a la larga podían echarle a él la culpa del crimen, y decidió poner las cosas en claro. Los careos, las declaraciones de unos y otros permitieron a la Policía Militar reconstruir los hechos.

Al parecer, la primera intención no era asesinar a los funcionarios de correos, sino, efectivamente, dormirles con un narcótico. Los tres compinches, una vez a bordo del coche correo, iniciaron una amistosa charla con los ambulantes. Poco después sacaron una botella de vino de jerez, en la que habían desleído previamente fuertes cantidades de un narcótico, y les invitaron, fingiendo beber ellos también. Como pasaban los minutos y el narcótico no hacía su efecto, se decidieron a actuar fulminantemente.

El acusado apellidado Teruel tomó unas grandes tenazas que había en un cesto próximo y propinó con ellas un golpe fortísimo a uno de los empleados, que cayó de bruces. Acudió el otro ambulante y forcejeó con el criminal, pero los otros dos le sujetaron los brazos mientras Teruel descargaba decisivos golpes con las tenazas sobre la cabeza de su víctima. Ya en el suelo los dos hombres, los asesinos hicieron varios disparos sobre ellos, cuyo ruido quedó disimulado por el fragor del tren en marcha. A toda prisa tomaron los valores declarados y todo lo de valor que iba en el vagón, unas 170.000 pesetas en total, bajando sin ser vistos en la estación de Alcázar, donde les esperaba el coche previamente contratado por Donday.

No se anduvo por las ramas el tribunal militar que juzgó el tenebroso asunto de los asesinatos en el Expreso de Andalucía. Las sentencias de muerte fueron rápidamente ejecutadas. El Gobierno de Primo de Rivera se apuntó con ello un buen tanto a su favor, pues los crímenes, por la forma en que habían sido cometidos, por la publicidad dada por la prensa a todos y cada uno de los detalles, habían unificado a la opinión del país, tan dividida en otros aspectos. Dos hombres que iban trabajando en el tren habían sido alevosamente asesinados: las sentencias de muerte de los culpables venían a ser la garantía de

Cinematógrafo de la semana.

INTERESANTÍSIMA INFORMACIÓN GRÁFICA DEL CRIMEN DEL CORREO DE ANDALUCÍA

1, EL LAMPISTERO DEL CORTO DE GUADALAJARA Y SU CUÑADO. 2, UN ADOQUIN DE LA CALLE DEL CASINO. 3, UNA CARTA DIRIGIDA A ALGECIRAS, Y QUE LLEGO EL 1.º DE MARZO. 4, EL MALETERO DE LA ESTACIÓN DE ARGANDA Y EL POBRECITO CARPINTERO DE MARQUINA. 5, UN MALETIN ENCONTRADO EN EL COCHE CORREO DE GALICIA. 6, PLATANOS DE LA FRUTERIA DE ALCAZAR. 7, CINTURON DEL JEFE DE ESTACION DE VILLAVERDE. 8, TROZO DE VIA DE MADRID A SEVILLA. 9, BANCO DONDE SE CAMBIARON LOS BILLETES TALADRADOS. 10, EL DUEÑO DEL "BAR" ALEGRIA, DE GIJON. 11, D. BRAULIO PEREZ, VIAJERO DEL CORREO DE ANDALUCIA DEL DIA ANTERIOR AL CRIMEN. 12, VISTA DE ELCHE. 13 Y 14, UNA MORENA Y UNA RUBIA, HIJAS DEL PUEBLO DE MADRID...

que las personas honradas que querían trabajar contaban con la protección de los poderes públicos. Aquello, después de tantos años de incertidumbres y desasosiegos, de indecisiones y pérdida de tiempo, fue comentado muy favorablemente por todos los sectores políticos y sociales del país.

Este 1924 es el año de la aparición de la radiotelefonía en Madrid, en su aspecto de entretenimiento doméstico. Madrid está sicológicamente preparado para ello. De un tiempo a esta parte, los periódicos aluden esporádicamente a ciertas empresas americanas, francesas y alemanas que se dedican a transmitir programas de música y de noticias por el aire, música y palabras que son escuchadas desde sus domicilios por algunos particulares, provistos de unos extraños aparatos receptores, dotados de piedra de galena. Se dice que incluso en Barcelona funciona ya algo parecido, y algunos madrileños que han visitado la ciudad condal cuentan haberlo comprobado no por sus propios ojos, pero sí por sus propios oídos. Se asegura que pueden transmitirse conciertos enteros, y no hay más que aplicarse unos auriculares y acertar situando un cabello de acero en un punto determinado de la piedra de galena.

Para un Madrid aún atónito con el cambio de régimen, que muchos no han digerido del todo, esto de la radiotelefonía llega a ser un estupendo entretenimiento. Algunas casas comerciales se adelantan a la demanda ofreciendo pequeños receptores, del tamaño de una caja de habanos y al precio de seis pesetas. Los colegiales juegan a construir rudimentarios receptores en cajas de cerillas de madera. Todas las tiendas de accesorios eléctricos venden pequeños pedacitos de galena, enchufes adecuados, muellecitos, conexiones, cajas, condensadores variables, todo lo preciso para la fabricación casera de estos aparatos. Es toda una fiebre en Madrid, como lo había sido, en tiempos, la llegada del cine mudo; como lo había de ser, años después, la llegada del cine sonoro. Fue la *radiomanía*. La radiomanía que había nacido en los pueblecitos catalanes próximos al Pirineo, desde donde podían escuchar las emisiones de música y de noticias que lanzaba a los cuatro vientos la poderosa emisora francesa de la Torre Eiffel.

A las siete de la tarde del 14 de noviembre de 1924, los aficionados a la radiotelefonía —radiómanos— de Barcelona pudieron escuchar, con sus auriculares pegados a los oídos, siete campanadas solemnes, pausadas, y luego una clara voz masculina que decía:

Acaban de dar las siete de la tarde. Aquí la Estación E. A. J. 1, la primera autorizada por la Dirección General de Comunicaciones para el servicio público en España.

Esta voz, hoy ya histórica, pertenecía al primer locutor español, José

María Guillén García. Poco después comenzó en Madrid la E.A.J.2, Radio España.

El primer programa de esta primera Emisora madrileña fue el siguiente, explicado con el ingenuo lenguaje de la época:

> **Madrid, E. A. J. 2, trescientos treinta y cinco metros, emisiones Radio España. A las seis de la tarde, solemne inauguración de las emisiones de esta nueva empresa. Primera parte: salutación de Radio España. Homenaje a los grandes músicos a cargo del sexteto. Conferencia por don Ricardo María Urgoiti, culto ingeniero y erudito sinhilista. Canto por el notable tenor Enrique Miravé. Concierto por el Sexteto Radio España. Discurso por la elocuente señorita Cristina de Arteaga: "La mujer de España". Segunda parte: Concierto por el Sexteto de la Estación. Coro de voces infantiles (cuarenta niños): Himno de la Raza. El presidente honorario de la Asociación Radio Española, don Luis de Oteyza, dirigirá la palabra a los señores radioescuchas. Concierto por el Sexteto de la Estación. Coro de voces infantiles: "Largo", de Haendel. Canto por el notable tenor Enrique Miravé. Lectura de unas cuartillas por el eminente dramaturgo, gloria del teatro contemporáneo, don Manuel Linares Rivas.**

La radiomanía estaba en marcha ahora ya también en Madrid. Los chistes de la prensa, la letra de los cantables, las parodias escénicas, todo aludía a la nueva moda de escuchar la radio Con música del pasacalle «Valencia», de Padilla, alguien improvisó una canción que decía:

> *Rosario,*
> *se susurra por el barrio*
> *que tú tienes la manía,*
> *Rosario,*
> *de escuchar con el Macario*
> *la radio-telefonía.*

Otra emisora de radio madrileña de aquellos primitivos tiempos de la radio-difusión fue Radio Ibérica, que emitió durante un espacio de tiempo relativamente corto. Luego apareció Unión Radio.

La llegada de la radio a Madrid está cambiando la forma de la vida doméstica. La radio no está casi permanente como en la actualidad, sino que emite un rato a mediodía, otro rato por la tarde y aún otro por la noche, pero muy pronto los madrileños se aprenden este horario y están pendientes del comienzo de las audiciones. Cada casa se convierte en un enredijo de cables de la luz que van de la conducción general a los aparatos de galena y de éstos a los auriculares. Hay auriculares para la abuela impedida, que ha encontrado así, casi ya en sus últimos días, un entretenimiento insustituible. Ancianos que llevan años sin salir de casa hallan de pronto que con sólo ponerse los auriculares les llegan las inolvidables melodías de aquel género chico que habían escuchado en Apolo en los primeros tiempos del siglo.

Casas hay que tienen un receptor de galena para cada miembro de la familia. En las mesillas de noche, sobre todo, se hace frecuente la presencia del ligero adminículo, con los auriculares al lado o guardados en el cajón. Las noches son distintas. Cuando la gente se acuesta puede colocarse los auriculares y sentir suave la llegada del sueño mientras se escucha al sexteto de la Emisora repetir partituras añorantes. La radio llega a tiempo de unir matrimonios disgustados o de disgustar a matrimonios unidos, ¡todo sea por la radio...! Porque no es justo que la radio pueda escucharla sólo el marido o sólo la mujer; entonces, hay que comprar otro receptor para la otra mesilla, ¡un despilfarro de lo menos seis pesetas...! Pero los auriculares cuestan más... Claro que... hay una tienda en la calle de Fuencarral que hace buenos descuentos. En la calle del Desengaño, sorprendente novedad: un establecimiento ofrece el receptor de galena y los auriculares, todo comprendido, con cables de conexión y enchufes, por dieciocho pesetas, pagaderas en tres plazos mensuales de a seis. ¿Puede pedirse más?

Algunas revistas publican anuncios de preciosos receptores de lámparas, a punto ya de ser puestos a la venta. Son unos artefactos verticales, planos por la parte inferior, redondos por arriba, con tres o cuatro botones para los mandos. Se dice que con ellos podrá escucharse la radio sin necesidad de auriculares, pues tienen un altavoz y suenan mejor que los gramófonos. Pero no todos opinan bien de la radio: *Blanco y Negro* dedica una página de humor al invento, con unos versos de López-Montenegro cargados de ironía.

De los inventos del día
a voz en grito proclamo
que se ha hecho en el mundo el amo
la radiotelefonía
(y conste que no es reclamo).

Pero, la verdad, yo opino
que no merece la pena
lo que con ella trajino,
pues lo que agarra mi antena
suele importarme un comino.

Después que me desespero
manejando el clavijero,
sin que la estación responda
ni dar con el agujero
que trae la pérfida onda,
digan si al cielo no clama
la formidable camama

que me colocan de pronto,
y a ver si esto es un programa
o es gana de hacer el tonto.

Por la mañana a las siete
sacudida de felpudos
en las calles de Albacete
y construcción de un juguete
por tres niños sordomudos.

A las once menos diez
regata en San Juan de Luz
entre un vecino de Fez
y un cosechero andaluz.

Tres tarde. Montevideo.
Función de circo ambulante,
derribo de un mausoleo
y reapertura brillante
de un círculo de recreo.

Nueve diez noche: Funchal.
Incendio de un hospital.
Nueve cuarenta: Dublín.
Disgusto matrimonial
por culpa de un calcetín.

Y diez quince, ¡ me desato
con tanta majadería¡,
y, quitándome un zapato,
hago trizas mi aparato
de rabio-telefonía.

Hay algo de exageración en los versos como corresponde al tono irónico empleado, pero no demasiado. La inexperiencia, la sorpresa, el deseo de ofrecer sensacionales novedades en poco tiempo llevaron a la
radio madrileña en sus primeros tiempos a algunos ingenuos desagui-
sados sin importancia.

Capítulo 4. RAMPER Y BANDERITA (año 1925). Primer Gabinete civil de la Dictadura. **El Liberal,** sancionado. Los estudiantes y el general. Nace el Banco de Crédito Local. El año cinematográfico. Concentración de Ayuntamientos. La Unión Patriótica. Se edifica el Círculo de Bellas Artes. La Academia de Esgrima de Afrodisio. Los duelos. Diabluras políticas de **Ramper.** El éxito de **Las Corsarias** y el éxito de **Banderita.**

En 1925, el Directorio militar se convierte en el primer Gabinete civil de la Dictadura. Continúa como presidente el general Primo de Rivera, pero cesan los generales restantes y son nombrados los que se citan a continuación:

Presidencia: general Primo de Rivera.

Vicepresidencia y Gobernación: general Martínez Anido.

Estado: José María de Yanguas.

Gracia y Justicia: Galo Ponte.

Guerra: general Duque de Tetuán.

Marina: almirante Cornejo.

Hacienda: José Calvo Sotelo.

Instrucción: Eduardo Callejo.

Fomento: Conde de Guadalhorce.

Trabajo: Eduardo Aunós.

Ministerio civil, según las notas oficiosas enviadas a la prensa en el que, de un total de diez miembros, cuatro son generales o almirantes, es decir el cuarenta por ciento exacto. Los puestos clave —Presidencia, Vicepresidencia y Gobernación— quedan en manos de los dos generales que vienen de la guerra social de Cataluña, Primo de Rivera y Martínez Anido.

Una Real orden del 7 de febrero asciende al teniente coronel Francisco Franco Bahamonde a coronel, por méritos de guerra. Franco, que continúa como jefe de la Legión, tiene sólo treinta y dos años, por lo que merced a esta disposición se convierte en el coronel más joven del Ejército español. No ha de tardarle en llegar el ascenso a general de brigada, con lo que continuará detentando el liderato de jefe más joven de España y en ocasiones de Europa.

En estos primeros meses de 1925 se comenta mucho en Madrid el encuentro del general Primo de Rivera con Franco en Marruecos, sucedido en 1924. Parece ser que visitando el presidente los cuarteles de la Legión, vio en uno de ellos un rótulo con el siguiente texto:

«EL ESPIRITU DE LA LEGION ES DE CIEGA Y FEROZ ACOMETIVIDAD ANTE EL ENEMIGO.»

Entonces se volvió a sus acompañantes y dirigiéndose muy particularmente a Franco, le dijo:

—Este artículo debiera modificarse poniendo: «EL ESPIRITU DE LA LEGION ES DE CIEGA OBEDIENCIA Y FEROZ ACOMETIVIDAD ANTE EL ENEMIGO.»

Poco antes, en el curso del banquete con el que los jefes del repetido Cuerpo obsequiaban a Primo de Rivera, como respondiendo al discurso del presidente en el que había anunciado su propósito de repliegue en Marruecos, el comandante Varela, único poseedor de dos laureadas de San Fernando, había exclamado sin contenerse:

—¡Muy mal, mi general!

Según Galinsoga, biógrafo de Franco, éste respondió a Primo de Rivera:

—El suelo que hollamos, señor presidente, es el suelo de España, porque ha sido conquistado al precio más alto y pagado con la moneda más cara: la sangre española que ha sido derramada.

El carácter autoritario del régimen se afirma en una serie de medidas coercitivas que dan al país la tónica no sólo de lo que está ocurriendo, sino de lo que puede ocurrir. Por publicar una caricatura que el Gobierno considera ofensiva para el mariscal Hindemburg, el periódico *El Liberal* es sancionado con una fuerte multa. El mismo diario es supendido cinco días por publicar una información tendenciosa sobre el conde de Romanones.

El 20 de marzo se promulga una disposición importante: se trata del Estatuto Provincial, publicado con rango de decreto-ley, que organiza a la nación española dividiéndola en provincias. Se preceptúa de manera concreta quiénes pueden ser gobernadores civiles y quiénes no, se establecen sus sueldos y se les autoriza a imponer multas de hasta mil pesetas y arrestos no superiores a quince días, se determina el número de diputados provinciales que corresponde a cada demarcación, se considera a la mujer con capacidad para elegir y para ser elegida.

Se crea el Banco de Crédito Local. Un decreto del 9 de mayo crea escuelas oficiales y particulares de enseñanza militar, con la misión de preparar a los futuros reclutas a fin de acortar su tiempo de ser-

Primer Gabinete civil del general Primo de Rivera (1925)

Figuras del Madrid de 1925: Catalina Bárcena, Leocadia Alba, María Palou

La moda en el Madrid de 1925

Figuras del Madrid de 1925: Linares Rivas, Luisita Esteso, Martínez Sierra

El nuevo teatro Infanta Beatriz (1925)

Fachada del Hospicio, nuevo Museo Municipal (1925)

vicio en filas. Es una forma más o menos encubierta de iniciar la enseñanza pre-militar, de manera similar a como lo hace la Italia de Mussolini. El Estado Mayor Central es suprimido prácticamente sin explicaciones, al mismo tiempo que se crea la Dirección de Preparación de Campaña. Son botados los cazatorpederos «Churruca» y «Alcalá Galiano». La potencialidad naval de España, que dos años antes no alcanzaba 80.000 toneladas, anda ya ahora por encima de las 90.000.

Comienza a funcionar la línea aérea Sevilla-Canarias, mediante concesión a Jorge Loring, uno de los pioneros de la aviación española. Madrid presencia la más espectacular concentración de ayuntamientos de toda España, con banderas y gallardetes, frente al Palacio Real. Todos acuden a la capital a reiterar su adhesión al Gabinete que poco antes decidió sus nombramientos. Joaquín Alvarez Quintero ingresa en la Real Academia Española. En la Escuela de Agricultura se registra un fuerte altercado: los estudiantes, acaudillados por Sbert, intentan hacer llegar sus quejas al Directorio, sin conseguirlo, y el mundillo estudiantil de Madrid se muestra inquieto y amenazador.

Cada año que transcurre en el curso de estos debatidos *veinte* es un fabuloso salto adelante en el campo de la cinematografía española. Con la aparición de nuevos y suntuosos locales de proyección, Madrid entra de muy buen grado en la explotación de películas de celuloide.

En este 1925 se estrenan en Madrid una buena cantidad de cintas hechas en España, aparte de la invasión de producciones extranjeras, casi todas ellas procedentes de la cantera norteamericana y no pocas de los estudios franceses de Joinville.

Entre las películas españolas estrenadas en Madrid en 1925 destacan *Gloria que mata*, presentada en el Cinema Doré; *La casa de la Troya*, en la Zarzuela —temporalmente cine—; *La medalla del torero*, en el Real Cinema; *La Revoltosa*, versión de Florián Rey, en el Cervantes; *Madrid en el año 2000*, en el Príncipe Alfonso. Esta cinta presentaba un Madrid para el año 2000 que actualmente, sin llegar con mucho a tal fecha, ha sido superado. Resultaría en extremo curioso poder presenciar ahora esta cinta, pues nos daría una idea de cómo los productores madrileños de 1925 pensaban que iba a ser el Madrid del año 2000.

En el Goya se presenta una producción de Benito Perojo titulada *Más allá de la muerte;* en el Cervantes, *Ruta Gloriosa* y *Los Granujas;* en el Real Cinema, *Los chicos de la escuela, La hija del Corregidor* y *El lazarillo de Tormes;* en el Argüelles, *Corazón* o *La Vida de una Modista;* en el Cinema X, *Don Quintín el Amargao*, producida por Noriega. En cuanto a documentales y corto-metrajes de toda clase, más de un centenar.

La presentación de *La casa de la Troya* situó en primer plano de la atención madrileña a una actriz inteligente, Carmen Viance, que pro-

5

Madrid de 1925. Anuncios clásicos de la época

tagonizó insuperablemente el papel —difícil papel— de Carmina Castro, en el dorado ambiente estudiantil de Santiago de Compostela.

En *La hija del Corregidor*, película inspirada en la vida del bandolero José María *el Tempranillo*, actuaba un torero, José García *Algabeño*, y también Carmen Viance, con Lorenzo Solá, Elisa Ruiz Romero, Modesto Ribas, José Montenegro, Marina Torres y Cecilio Rodríguez de la Vega.

La principal interpretación de *Los granujas* estaba encomendada a *La Romerito*, una de las figuras escénicas más populares de la época, y a Javier de Rivera. Uno de los actores de este incipiente cine español más queridos por el público era *Pitusín*, quien a pesar de su corta edad mostró en numerosas películas una inteligencia artística poco corriente.

Todos estos logros en la cinematografía española tenían el mérito de la iniciativa propia, sin el menor estímulo oficial. El poder público no sólo no movía un dedo para proteger a la industria cinematográfica española, sino que veía con muy buenos ojos la feroz competencia que en nuestras propias pantallas venía haciendo la importación de películas. Cada cinta de entonces era una batalla ganada, a veces en medio de dificultades que parecían insalvables. Los productores cinematográficos de 1925 eran poco menos que héroes. Y los actores también, ya que habían de trabajar en condiciones muy inferiores a las actuales, cobrar precarios sueldos y, lo que era peor, no cobrarlo a veces.

No sólo Madrid y España caminan en derechura hacia su destino: también el resto del mundo. Los acontecimientos se atropellan convirtiéndose a veces en el prólogo de sí mismos. Italia tiene un sistema fascista prácticamente recién estrenado. En Alemania se prevé con claridad un próximo estallido de inspiración militarista. En Madrid aparece un nuevo periódico, *La Nación*, que viene a ser el órgano oficioso del general Primo de Rivera. *La Nación* entra pronto en polémica con el resto de la prensa, incluso la que apoya sin vacilaciones al nuevo régimen.

La nación es palabra que figura a menudo en los discursos del general. En uno de ellos llega a decir: «Protesten los de la izquierda, protesten los de la derecha, la Nación está conmigo.» Días después, Ramper, el caricato genial, aparece en un escenario, con un periódico bajo el brazo. Comienza a pasear por el escenario sin decir una palabra: ni un chiste, ni un gesto, como si el público le tuviera sin cuidado... Al principio, los espectadores lo toman a genialidad y se ríen sin saber ciertamente de qué. Pero van pasando los minutos y Ramper sigue sin decir nada. El público inicia una protesta suave que poco a poco se convierte en una ruidosa escandalera. Ramper se sitúa en el centro del escenario, ruega silencio con un gesto, y entonces dice solemnemente: «Protesten los de la izquierda —y señala a los espectadores del lado izquierdo—, protesten los de la derecha —y hace lo mismo con los del lado derecho—, ¡la nación está conmigo!» Despliega el periódico con el título hacia el patio de butacas: el periódico es precisamente

La Nación. Las carcajadas se hacen estruendosas, la ovación es cerrada, aunque en algunos sectores del teatro se escuchan decididas protestas. Parece ser que al general Primo de Rivera le hizo gracia la anécdota, pero también parece ser que aquella noche Ramper durmió en la Comisaría.

En el Retiro, en los jardines de la Rosaleda, se inaugura un nuevo monumento, dedicado éste al doctor Tolosa Latour. Fallece Antonio Maura, y un gran sector del país que de años atrás se sentía indirigido pasa a engrosar la Unión Patriótica de Primo de Rivera. Días después es elegido presidente de la Real Academia Española don Ramón Menéndez Pidal.

En el fárrago de noticias procedentes de las provincias destaca el desgraciado accidente de Soria, en cuya Plaza de Toros muere el torero *Nacional II*, pero en circunstancias absolutamente ajenas al ejercicio de su profesión, ya que se hallaba como espectador de la corrida y fue alcanzado en la cabeza por un botellazo lanzado por alguien del público, falleciendo casi instantáneamente. En Sevilla, Juan Belmonte da la alternativa a un diestro nuevo que trae a los ruedos el estilo rondeño: Cayetano Ordóñez, *Niño de la Palma.*

De nuevo se enfrentan las selecciones de fútbol de España y Portugal, esta vez en Lisboa. Es el cuarto encuentro entre los dos países, que han iniciado ya su dura rivalidad en el terreno del balompié. El partido termina con la victoria de la selección española por 2-0.

Una de las academias más originales del Madrid de 1925 es la de esgrima del maestro Afrodisio. El maestro Afrodisio es un tipo popular, de complexión robusta y robusto bigote castellano. Ha dado clase de florete a personas de importancia y el contacto con ellas le ha ido dando importancia a él. Amigo de ministros, de gobernadores y alcaldes, de generales y de artistas, de toreros, de nobles, sus relaciones se amplían constantemente y gana dinero con su trabajo. De él es la iniciativa de recoger a los golfos madrileños y convertirlos en hábiles esgrimistas, civilizándolos, domesticándolos y convirtiéndolos en profesores de esgrima para las unidades militares y los colegios.

Apoyado por el alcalde de Madrid, José Prado Palacio, ha conseguido redimir de la calle a unas docenas de chicos de diez a quince años, a los que a duras penas ha convertido en formidables maestros de esgrima. No sólo les ha alejado de los ambientes de la delincuencia sino que les ha dado un oficio con el que ganarse holgadamente la vida. Las clases de esgrima se pagan bien. El maestro Afrodisio es una embajada de un pasado próximo en medio del Madrid de 1925. El considera que los duelos siguen siendo necesarios, que todos los hombres deben dominar la esgrima. Para él, batirse es la única manera de terminar determinadas cuestiones.

—Pero todo lo que el duelo tiene de caballeroso —dice—, de noble y de valeroso, lo pierde cuando de él se hace arma de combate sistemática. El duelo por el duelo es francamente condenable. No hay nada tan honroso, tan de caballero, como retirar las ofensas. Para ello es preciso más valor que para batirse. Esta es la verdadera doctrina, la que yo enseño, la que yo practico.

En plena calle de Alcalá está terminándose de edificar el nuevo Círculo de Bellas Artes, obra del arquitecto gallego Antonio Palacios, constructor también del Banco del Río de la Plata, situado prácticamente enfrente; del Palacio de Comunicaciones, del hospital de San Francisco en Cuatro Caminos, de los hoteles Florida y Alfonso XIII y de los modernos edificios comerciales del comienzo de la calle Mayor.

El presupuesto del Círculo de Bellas Artes de Madrid alcanza diez millones de pesetas. La altura desde el suelo hasta la cornisa general será de veintitrés metros, pero de ahí parten los áticos y plantas retranqueadas con otros veinte metros más. Toda la construcción de este edificio es un alarde para la época, destacando la amplitud del gran salón de fiestas, cuyas dimensiones de veintiocho metros por veinticinco, y dieciocho de altura, lo acerca a los grandes palacios reales de Europa.

Un breve entrefilete de la prensa nos da noticia de que el maestro Alonso, que con Serrano empuña el cetro del resurgimiento de la zarzuela española, lleva cobrados sólo por derechos de representación de *Las Corsarias* más de 50.000 duros, cifra exorbitante para 1925. Para ello han sido precisas nada menos que 10.000 representaciones, en España y América, de la famosa obra. Su pasacalle *Banderita* es célebre en todo el mundo, y se asegura que en Africa los soldados de Sanjurjo cargan a la bayoneta al son de sus aires marciales. En los homenajes, en los desfiles militares, *Banderita* está presente siempre. Un general escribe una carta al compositor: «Desde la llegada de su *Banderita*, mis hombres son mucho mejores».

Capítulo 5. EL AÑO DE ALHUCEMAS (año 1925). El metro Sol-Quevedo. Una curiosa aldea civilizada. La operación de Alhucemas. Abd-el-Krim. La novela rosa. Inauguración del teatro Alkázar. Los cuproníqueles. Los chinos de los **colale a peleta**. Inauguración del teatro Infanta Isabel. Los teatros que hay en Madrid. Temporada teatral. Perros con pijama. Los deportes en 1925.

Rehagamos brevemente lo que va de historia del *metro* madrileño hasta este 1925 que andamos estudiando ahora. En 1917 se pusieron las vallas de comienzo de las obras en la Puerta del Sol; en 1919 se inauguró la línea número 1 con el ramal Cuatro Caminos-Sol; en 1921 se prolongó la misma línea con el ramal Sol-Atocha; en 1923, este ramal se alargó hasta Vallecas; en 1924 se inició la línea núm. 2 con el ramal Sol-Ventas, y ahora, en 1925, se inaugura el ramal Sol-Quevedo y la desviación Isabel II-Estación del Norte. Al finalizar 1925, el *metro* madrileño, iniciado ocho años antes, alcanza quince kilómetros de recorrido.

De extraordinario interés, como retrato de la época y de los pensamientos de la casa real en aquel tiempo, es un texto de las Memorias de la infanta Eulalia de Borbón, tía de Alfonso XIII:

"Hablábamos el rey y yo una mañana, durante el veraneo en Santander, del contraste doloroso de nuestras aldeas abandonadas, desprovistas de toda atención particular, con las de Francia y Alemania, primorosamente arboladas y con las casas bien atendidas. Las aldeas de Castilla, especialmente, me daban pena.

"—Tía Eulalia, ¿es que tú no sabes que precisamente en Castilla está el pueblo mejor atendido de España? —me preguntó el rey, sonriendo ante mi sorpresa—. Te invito a verlo. Vamos y almorzaremos en Santander de regreso.

"A toda marcha del auto, que Su Majestad guiaba con suma pericia, los dos solos nos internamos por la árida carretera sin árboles, hasta penetrar en territorio castellano, más allá de Castro Urdiales, en donde descubrí un pueblecillo menudo, pero bellísimo, de casas de madera bien pintadas, con grandes eucaliptos en su única calle, en donde había una fonda en cuyo portal un grupo de hombres bien vestidos bebía cerveza a la sombra refrescante de una enredadera.

"—¿Qué te parece este pueblo? Aquí tienes una aldea moderna como quieres, tan bonita como las alemanas. Mira, ahí tienes al alcalde. ¡Vaya! Felicítale de corazón una vez en tu vida.

"Yo, ingenuamente, poniendo la más plácida sonrisa, me dirigí al hombre que se adelantó hacia nosotros un poco desconcertado:

"—Señor alcalde, le felicito. Es usted un modelo y su pueblo un orgullo para la provincia.

"—¡Oh, alteza! —respondió con un rudo acento francés—, aquí todos somos belgas y no hay más españoles que la pareja de la guardia civil.

"Era, efectivamente, una colonia de belgas que trabajaban en las minas cercanas, y cuando me di cuenta de ello Alfonso XIII se doblaba de risa sobre el volante del automóvil."

Continúa Ricardo Zamora a la cabeza del escalafón futbolístico nacional. Unas veces en el Español, otras en el Barcelona, otras sancionando por tener ficha simultánea en ambos equipos —sin culpa suya—, Zamora hace que su fama traspase las fronteras y llegue a los más remotos lugares donse se juega el balón redondo. La selección nacional *ideal* en 1925 es la siguiente: Zamora, Vallana, Acedo, Samitier, Meana, Peña, Piera, Zavala, Travieso, Carmelo y Aguirrezabala.

Si la aparición de Radio España fue, en su día, un gran impacto para la vida madrileña, ahora, la inauguración de Unión Radio, el 17 de junio de este 1925, es un impacto si cabe todavía mayor. Al acto inaugural asistió Alfonso XIII, acompañado del general Primo de Rivera y de varios ministros. Fue primer director de esta madrileñísima Emisora don Ricardo Urgoiti y sus primeros locutores —cuyos nombres están todavía en el recuerdo y en el corazón de tantos madrileños—, Luis Medina y Jesús Pavón.

La parte artística del primer programa de Unión Radio la llenó un estupendo recital de Hipólito Lázaro, el cantante de moda en el momento en todo el mundo, recién llegado de sus fabulosos éxitos en el *Metropolitan* de Nueva York. Pero antes de que comenzasen las canciones se celebró con toda solemnidad el acto inaugural, con unas breves palabras del propio Alfonso XIII. Por cierto que el rey, mientras recibía las explicaciones que le daban acerca del funcionamiento inalámbrico de la Estación, no apartaba su vista de una cajita metálica que había al pie del primitivo «micro», y en un aparte preguntó, medio de broma:

—Y esto, ¿no será una bomba...?

En septiembre de 1925, el general Primo de Rivera cumple dos años en el Poder. De las realizaciones prometidas al iniciarse el Directorio del año veintitrés, hay una todavía pendiente, quizá la más importante: la pacificación de Marruecos, el fin de la guerra de los españoles en Africa. Las madres españolas siguen esperando que el general acabe con la sangría. Ha de montarse, pues, una operación espectacular, efectiva que dé al traste con la creciente potencia militar de los hombres de Abd-el-Krim y, llevando la paz a los paisajes marroquíes, traiga la calma a los hogares españoles. Primo de Rivera sabe que no es fácil conseguirlo, pero también sabe que en ello le va su prestigio de militar y de gobernante.

Una operación en gran escala no se improvisa. Por lo pronto, procede contar con los franceses, interesados también en la contienda africana. El ministro de la guerra francés informa al Parlamento que las bajas de su ejército en los primeros siete meses de 1925 son mil doscientos ochenta y cinco muertos y cinco mil trescientos seis heridos. El mariscal Petain viaja rápidamente a Rabat, en su calidad de inspector general del Ejército. Se entrevista con Primo de Rivera y ambos acuerdan en principio atacar de manera combinada: se resuelve que lo principal, lo conveniente, lo urgente, es desembarcar en el Peñón de Alhucemas, cuna y centro de la resistencia marroquí, para lo cual cooperará una división naval francesa con el grueso de las fuerzas españolas.

En el libro *Diario de una Bandera*, el teniente coronel Franco escribe:

"Alhucemas es el foco de la rebelión antiespañola, es el camino a Fez, la salida corta al Mediterráneo, y allí está la clave de muchas propagandas que terminarán el día que sentemos el pie en aquellas costas."

En este septiembre de 1925, Franco es ya coronel jefe del Tercio. El general Primo de Rivera está completamente de acuerdo con su subordinado. El embajador francés en Madrid, Peretti de la Rocca, se entrevista a menudo con las autoridades españolas. Se ultiman detalles, se perfilan los pormenores. Ya se sabe que los barcos franceses que cooperarán con los españoles son el acorazado «París», dos cruceros, dos torpederos, dos remolcadores y un globo cautivo.

El mando en jefe de la operación se lo reserva para sí el propio general Primo de Rivera. A sus órdenes directas, el general Sanjurjo, y como jefes de las dos poderosas columnas, los generales Fernández Pérez y Saro, procedente este último del primer Directorio de dos años atrás. Las dos columnas se forman, una en Melilla —la de Fernández Pérez— y otra en Ceuta —la de Saro.

Los barcos españoles son los acorazados «Alfonso XIII» y «Jaime I», cruceros «Méndez Núñez», «Blas de Lezo», «Victoria Eugenia» y «Extremadura». Seis cañoneros, los cazatorpederos «Alsedo» y «Velasco», ocho torpederos, once guardacostas, siete guardapescas, un remolcador frances, cuatro remolcadores españoles, un buque-aljibe y veintiséis barcazas del tipo «K» —ya utilizadas por los ingleses en el desembarco de los Dardanelos—. Toda una flota de guerra compuesta, como se ve, por unas ochenta unidades.

Se calcula que las tropas del Abd-el-Krim en Alhucemas son 60.000 hombres y algo más de treinta cañones; las tropas atacantes oscilan alrededor de los 20.000 hombres, pero la artillería de los buques alcanza ciento noventa bocas de fuego, de ellas treinta de grueso calibre.

"La idea de un desembarco en Alhucemas —dice Pemartín—, antro de los Beni-Urriaguel, puerto natural de los mejores del Norte de Africa, centro de irradiación de acción política en el corazón mismo del Rif, se había acariciado por los que de Africa se ocupaban, más de una vez, con anterioridad: especialmente en 1913 y en 1919, en la reunión de Pizarra. Pero siempre faltó la decisión, la cantidad necesaria para llevarla a cabo. Ya antes de la Conferencia franco-española de Madrid, en 1925, había pensado Primo de Rivera llevarla a cabo en julio, que consideraba el momento favorable.

"La reunión de la Conferencia la aplazó unos meses. El ambiente general no era favorable a ella: las esperas gubernamentales, los informes de algunos peritos, la opinión de las más altas personalidades, los antecedentes de los Dardanelos y de los desastres de los Auzac, en aquel desembarco, todo tendía a prevenir el ánimo de Primo de Rivera en contra. Por eso, al decidirse con tesón, por intuición clara y decisiva, a su ejecución inmediata, resalta más fuertemente la gloria de su éxito. Corresponde, pues, a fuer de imparciales, señalar la firme voluntad, la unión clara de la oportunidad y el momento en el marqués de Estella. Sería la mayor de las injusticias no subrayar enfáticamente el carácter personalísimo de la famosa operación y su magnífico éxito. Y subrayado queda.

"Para realizar la operación tuvo el marqués de Estella admirables colaboradores en las personas del general Sanjurjo, comandante general, y los brigadieres Saro y Fernández Pérez, que prepararon minuciosamente cada uno las dos columnas de Ceuta y Melilla que habían de coincidir en el desembarco. Se formaron dos columnas: una en Melilla al mando del general Fernández Pérez, y otra en Ceuta a las órdenes del general Saro."

El conjunto de la fuerza operativa quedó así:

Columna Fernández Pérez

Dos Banderas del Tercio.
Tres Tabores de Infantería de Regulares de Melilla.
Una Harka de 600 hombres de la Mehalla de Melilla.
Batallón 16 de Cazadores de Africa, Segundo Regimiento de Africa y Primero del Regimiento de Melilla.
Una Batería de Obuses de 10,5 completa.

Dos Baterías de Montaña de siete centímetros, completas.

Un Parque móvil con una Sección de Artillería y dos de Infantería.

Un Grupo de tres Compañías de Zapadores.

Una Sección de Alumbrado.

Una Sección de Tendido telefónico, con veinte aparatos.

Nueve estaciones ópticas (dos a caballo).

Una Sección de Obreros Ingenieros.

Tres Estaciones radiotelegráficas (una semifija y dos de montaña).

Una Sección de sondeo.

Una Sección de Intendencia para servicio de los Depósitos de víveres.

Una Compañía de transporte a lomo, de 125 cargas.

Una Panadería de campaña.

Una sección de Intendencia de 100 hombres para utilizarlos como faeneros en el desembarco.

Una Ambulancia de Montaña, de 36 artolas.

Un Hospital de Campaña de 300 camas con una Sección de Servicios de Higiene.

Una Sección con todo el personal disponible de la Compañía de Mar de Melilla y 30 hombres de la de Larache para auxiliar el desembarco.

Columna Saro

Diez carros ligeros de asalto.

Dos Banderas del Tercio.

Tres Tabores de Infantería de Regulares de Tetuán.

Una Harka de 900 hombres.

Seiscientos hombres de las Mehallas de Tetuán y Larache.

Batallones de Cazadores de Africa números 3, 5 y 8 (Arapiles, Segorbe y Tarifa).

Una Batería de Obuses 10,5 completa.

Un Parque móvil con dos Secciones de Infantería y una de Artillería.

Un Grupo de cuatro Compañías de Zapadores.

Una Sección de Alumbrado.

Una Sección de Tendido telefónico con 20 aparatos.

Ocho Estaciones ópticas (una a caballo).

Una Sección de Obreros Ingenieros.

Tres Estaciones radiotelegráficas (una semifija y dos de montaña).

Una Compañía de Transporte a Lomo, de 125 cargas.

Una Panadería de Campaña.

Una Sección de Intendencia para el servicio de los Depósitos de víveres.

Una Sección de faeneros de Intendencia de 100 hombres para auxiliar el desembarco.

Una Ambulancia de Montaña, de 36 artolas (dividida en tres secciones).

Una Sección de 100 camilleros.

Un Hospital de Campaña de 300 camas (con una Sección de Zapadores).

Una Sección de Servicios de Higiene.

Una Sección con todo el personal disponible de la Compañía de Mar de Ceuta —100 hombres— para auxiliar el desembarco.

Intervención de la Escuadra

ESCUADRA DE INSTRUCCION.—Acorazados «Alfonso XIII» y «Jaime I».

Cruceros: «Méndez Núñez» y «Blas de Lezo». Cazatorpederos: «Alsedo» y «Velasco».

FUERZAS NAVALES DEL NORTE DE AFRICA.—Crucero «Victoria Eugenia», crucero «Extremadura», tres cañoneros tipo Cánovas, tres cañoneros tipo Recalde, once guardacostas Uad, seis torpederos, siete guardapescas.

DE LA ESCUADRA FRANCESA.—El acorazado «París», dos cruceros, dos torpederos, dos monitores, un remolcador, con un globo cautivo.

ELEMENTOS DE TRANSPORTE DE LA MARINA DE GUERRA.— Veintiséis barcazas tipo «K».

Los remolcadores «Cíclope», «Cartagenero», «Gaditano» y «Ferrolano». Un aljibe de 300 toneladas y otro de 100 toneladas de cabida.

Madrid despierta al sonido de la más esperada y a la vez sorprendente noticia: tropas españolas están desembarcando en Alhucemas. El presidente no está en Madrid, en su despacho de jefe de Gobierno, sino vestido de general y a bordo del acorazado «Alfonso XIII», dirigiendo personalmente las operaciones. ¿Va a acabarse realmente la sangría africana? Dentro de la general satisfacción que la noticia del desembarco produce hay una preocupación en muchos hogares españoles: ¿cuántos soldados van a caer aún en esta decisiva batalla?

Se dice que los moros son tres veces superiores a los soldados de Sanjurjo, de Fernández Pérez, de Saro, de Goded, de Franco; se dice que los medios de combate españoles son, en cambio, infinitamente más poderosos y modernos que los de Abd-el-Krim; se dice que los barcos franceses que apoyan la operación española son eficaces y nuevos; se dice que...

La operación ha sido estudiada. En las órdenes a las tropas se advierte que *nadie se detendrá a recoger los heridos a excepción de los camilleros*, a los oficiales se les autoriza a llevar *una maleta y una cama de campaña* pero sin desembarcar esto en las primeras barcazas; *los que desembarcan sacarán inmediatamente agua y municiones*, los individuos llevarán sobre sí *dos días de rancho en frío, con pan, sus municiones, doble cantimplora, cuatro sacos terreros, útiles de zapador, paquetes de cura individual, medalla de identidad, pistolas y cohetes de señales e iluminación.* A los oficiales se les recuerda que deben tener muy presente que *su acción enérgica al poner pie a tierra, arrastrando su tropa bajo el fuego enemigo, asegura el éxito de la operación.*

Cada una de las columnas se compone aproximadamente de 9.000 hombres. Es designado jefe de la vanguardia el coronel Franco, al que se concede *absoluta iniciativa en la elección de posiciones sobre el terreno, marcado su frente y teniendo en cuenta que contará para cubrirlas y necesitará para sus servicios y desenvolvimiento interior la cifra aproximada de 12.000 hombres con su ganado y material correspondiente.*

El general Primo de Rivera se convierte aquí, sin saberlo, en el precursor de los modernos desembarcos militares del siglo veinte. Todas las gigantescas operaciones de desembarco que años después, en el curso de la segunda guerra mundial, tuvimos ocasión de conocer, no son otra cosa que la fotografía ampliada y perfeccionada del desembarco en Alhucemas combinado por Primo de Rivera. Su orden privada del 7 de septiembre dice entre otras cosas:

"Quiero insistir en que ninguna operación de desembarco se puede realizar ni sostener sin las siguientes condiciones: primera, sorpresa; es decir, no llevarla a cabo en puntos especialmente advertidos, preparados y defendidos; segunda, mantener libre de fuego la franja de mar precisa para ir y venir y atraque de las embarcaciones auxiliares."

Efectivamente, los días anteriores al desembarco los buques de guerra han desfilado despaciosamente ante diversos puntos de la costa dominada por los marroquíes, *menos,* precisamente, por Alhucemas. La alarma de Abd-el-Krim tiene en tensión varios lugares de la costa, *menos Alhucemas.* En la madrugada, el acorazado «Jaime I» va traspasando a las grandes barcazas de desembarco a los hombres de la Legión. En cada una de estas barcazas caben 300 soldados, si bien han de ir de pie. El trayecto es corto. La tierra está ahí mismo.

El desembarco, que no se realizó en la madrugada, sino a las doce de la mañana, aproximadamente, fue un éxito militar indudable, sin bajas apenas por la parte española. La noticia pronto se extendió por España y Madrid vivió aquel 8 de septiembre una tarde inolvidable. Hacía mucho tiempo que las noticias procedentes de Marruecos no traían a la Península una tal carga de optimismo. Con el desembarco de Alhucemas, el Gabinete Primo de Rivera se había cimentado a sí mismo. Una de las premisas del golpe de Estado del 13 de septiembre de 1923 acababa de ser cumplida: el comienzo de la pacificación africana.

Sin embargo, mediado noviembre, cuando el general regresa a Madrid, apenas ha traspuesto los arcos de honores y los vítores de las multitudes que aclaman al pacificador de Marruecos, ya ha de dedicarse con todo interés y con todo afán a esta otra pacificación interna, más difícil. Un buen puñado de prohombres civiles y militares —los generales Sosa y López Ochoa entre ellos— son apresados. Una docena de sargentos del cuartel de Vicálvaro han de ser interceptados rápidamente y enviados a prisión para evitar un golpe que había sido meticulosamente preparado aprovechando la ausencia del general-presidente.

Resulta paradójica ahora, desde el cómodo punto de vista del año 1970, la interesante figura del general López Ochoa. Siendo uno de los más jovenes oficiales generales del Ejército español, se insinúa como liberal en plena monarquía; hombre de confianza de la República hasta el extremo de ser consultado a menudo y considerado excepcionalmente en los años republicanos; jefe de la expedición enviada contra los rebeldes socialistas y anarquistas de la cuenca minera asturiana en octubre de 1934; ejecutado de manera tremenda por los anarquistas en los primeros meses de la Guerra Civil.

Este libro volverá a citar al general López Ochoa con mayor detalle al estudiar precisamente el citado levantamiento minero del año 1934, y también su muerte es recogida en el oportuno capítulo del Tomo III de esta obra.

En la Academia de Bellas Artes ingresa como miembro el maestro Fernandez Arbós; el equipo de atletismo de la Gimnástica madrileña se proclama campeón y ganador de la copa de invierno de *cross-country* que se decía entonces, *campo a través* que se castellanizó más tarde; Alfonso XIII concede a Ofelia Nieto la cruz de Alfonso XII; se registran cuatro heridos en un partido de rugby entre los equipos del Madrid y del Atlético. La figura deportiva del mundo es, sin duda, el atleta finlandés Paavo Nurmi, que ha ido a Nueva York a batir allí varios récords mundiales.

Madrid bulle en ardimientos patrióticos y homenajes: a los héroes de las guerras coloniales, a los somatenes armados, al ejército de Africa, a los reyes, al presidente del Directorio, a la Unión Patriótica que viene a ser el super-partido de la actualidad.

Se inaugura en la calle de Alcalá el teatro Alkázar, dirigido por José Juan Cadenas, con la obra *Madame Pompadour*, la célebre opereta de Leo Fall, vertida al castellano por el mismo Cadenas en colaboración con González del Castillo. Para esta solemnidad han sido traídos desde París el vestuario y la tapicería. En la compañía, Julia Lajos, Victoria Pinedo, Paquita Torres, Teresita Saavedra, Asunción Lledó, Julia Fons, Pepe Moncayo, los tenores Aznar y Gandía, los hermanos Lorente y un conjunto de viceptiples bastante elegido y sin demasiadas gordas en escena. La presentación de esta *Madame Pompadour* de la inauguración del Alkázar madrileño es todo un alarde de gusto, de detalle, de fastuosidad.

En los medios deportivos madrileños se comenta la decidida retirada del boxeo del super-campeón Jack Dempsey, con motivo de su matrimonio. Los guasones aseguran que el matrimonio acaba por estropearlo todo. La *novela rosa* está en su apogeo, con títulos tan emotivos como *Deber de hijo, La muchacha que se declaró, El sueño de Antonia, Abandonada en el arroyo, Corazones de hielo,* etc.

En la publicidad sigue la obsesión por facilitar a las mujeres un pecho abundoso y por evitar que los caballeros canosos parezcan caballeros canosos. Por cierto que en este campo de la publicidad ha entrado la radio: son numerosas las casas de aparatos eléctricos que ahora ofrecen receptores de radiotelefonía, con los auriculares. Hasta veinticinco meses de crédito para pagar un aparato cuyo precio es de 280 pesetas, es decir, plazos mensuales de poco más de dos duros. Por este precio, ¿quién se priva de las delicias del nuevo receptor radiotelefónico...?

En otoño se inaugura en Madrid el teatro Infanta Beatriz, en la esquina de las calles de Hermosilla y Claudio Coello. Viene este nuevo salón a nutrir la ya copiosa serie de los teatros madrileños, que son Alcázar, Eslava, Fontalba, Comedia, Reina Victoria, del Centro, Princesa, del Cisne, Romea, Apolo, Maravillas, Español, Cómico, Latina, Lara, Zarzuela, Fuencarral, Novedades, Pavón, Rey Alfonso, Pardiñas, Infanta Isabel, Real, Martín y algún que otro cine que a temporadas se convierte en teatro también. En total, veinticinco escenarios por los que en 1925 pasa una abundante producción teatral, pero con un excesivo porcentaje de adaptaciones de obras extranjeras.

El arquitecto del Beatriz es Eduardo Lozano Lardet, hombre joven y que ha asimilado las enseñanzas de otro arquitecto ya desaparecido, Esnarriaga, proyectista del Alcázar (el Alcázar, que en sus primeros años se escribía siempre con «k»). Tiene el Beatriz cabida para unas ochocientas personas y su novedad más importante es que el primer anfiteatro viene a ser un segundo patio de butacas. El coste de las obras, un millón ochocientas mil pesetas.

En la inauguración estuvo presente la reina Victoria Eugenia con sus dos hijos mayores, el príncipe de Asturias y el infante Jaime. Se puso en escena *El amigo Teddy,* la famosa obra del teatro europeo, en versión española de Palomero, presentada con la originalidad de representarse sin apuntador. En el escaso tiempo que medió entre la inauguración y el final de 1925, el Beatriz ofreció a los espectadores del Barrio de Salamanca aún otras cinco obras más: *Los caballitos de madera,* adaptación de Heredia y Mori; *Camelo Tenorio,* de Parellada; *Puesta de Sol,* adaptación de Gonzalo Sebastián; *Las viñas del Señor,* y una novela de Unamuno, *Todo un hombre,* escenificada por Julio de Hoyos.

Género lírico en muchos de los teatros madrileños: Eslava, Comedia, Centro, Cisne, Romea, Apolo, Maravillas, Zarzuela, Fuencarral, Novedades, Rey Alfonso, Pavón, Pardiñas, Real, Martín y Alcázar. Es decir:

alrededor de un setenta por ciento de los coliseos madrileños ceden sus escenarios en 1925 para el teatro musicado, zarzuela, ópera, revista u opereta.

En el Español se ponen en escena *Don Luis Mejía*, de Marquina y Hernández Catá; *La casa en orden*, *La venganza de Atahualpa*, de Valera; *Pepita y Don Juan* y *El Genio alegre*, de los Quintero. El Lara, siempre en su sitio de teatro para comedias, presenta *Hijo de mi alma*, de Sinesio Delgado; *La vuelta al redil*, de Honorio Maura; *Lo que cuesta ser feliz*, adaptación de Olivé y Hernández; *La tonta del bote*, de Pilar Millán Astray; *El vuelo*, adaptación de Vilaregut; *El infierno de aquí*, de Pedro Mata; *El marido de la Estrella*, adaptación de Linares Rivas, y *El chanchullo*, de Muñoz Seca.

En el Infanta Isabel, *Que baje San Isidro*, de Parellada (Pablo Parellada, el humorista que había popularizado el seudónimo de Melitón González); *Disraeli*, adaptación de Linares Rivas; *El tío conquistador*, de Juan José Lorente; *El hechizo de una criolla*, adaptación de la novela de Roldán Martínez del mismo título y por el propio autor; *Los hijos mandan*, de González Miguel; *La noria*, de Viu; *Colonia de lilas*, de Fernández del Villar, y *Los trucos*, de Muñoz Seca.

Fontalba, el flamante teatro de la casi flamante Gran Vía, presenta *Mamá es así*, adaptación de Gabaldón y Gutiérrez Roig; *El tío Quico*, de Arniches y Aguilar Catena; *La perla de Rafael*, de Luis Manzano, y *¿Pero es posible?*, adaptación de Marquina. En la Comedia, *La tela*, de Muñoz Seca y Pérez Fernández; *Qué hombre tan simpático*, gansada de Arniches, Paso y Estremera; *Sang-Po*, en sesión de ópera de Cámara, y los recitales de la hispanoamericana Berta Singerman, que causan sensación en Madrid, pues nunca se había visto desgarrarse en escena a una mujer y menos con aquel suave acento argentino de la rapsoda porteña.

En el Reina Victoria, *Lo que Dios dispone*, de Muñoz Seca; *El amigo Venancio*, obra portuguesa de Bermudes y Bastos; *El hombre que quiere comer*, adaptación de Martínez Sierra y Abati, y *Después del amor*, adaptación de Cadenas y Gutiérrez Roig.

Aparece un joven autor que se presenta tímidamente en colaboración; Enrique Jardiel Poncela, que estrena en el Princesa una adaptación, realizada conjuntamente con Adame y titulada *Te ha guiñado un ojo*. Este mismo teatro presenta *El ilusionista*, de Sacha Guitry, y *La condesa María*, de Juan Ignacio Luca de Tena.

El Cómico ofrece una variada cartelera: *El cisne*, adaptación de Martínez Sierra; *Como la hiedra al tronco*, de Honorio Maura; *Knock o el triunfo de la medicina*, adaptación de Linares Rivas; *El bailarín y el trabajador*, de Benavente; *El sueño de Kikí*, adaptación de Olivé; *Cada uno en su casa*, de Ramos Martín; *La nena*, adaptación de Olivé; *La rubia del expreso*, adaptación de Lepina; *Las de Mochales*, de Luis de Vargas; *La prudencia*, de Fernández del Villar, y *Los lobos de la Sierra*, de Poveda.

La Latina, el teatro casi predestinado al género musical, no pre-

Rámper, el caricato máximo (1925)

Dibujo de Solana

senta en 1925 obras líricas: *Juan del Mar*, de Mori y Sáenz de Heredia; *Doña Diabla*, de Ardavín; *La carrera*, adaptación de Gabaldón y Gutiérrez Roig; *Volver a vivir*, de Sassone; *Los cómicos de la legua*, de Oliver y una comedia graciosa de Sassone, el peruano españolizado, titulada *Hidalgo, Hermanos y Compañía*.

Un Teatro Real agonizante presenta *La fanciulla de West*, de Puccini, y unos conciertos por el aplaudido Orfeón Zaragozano. Menos mal que la ópera va a ser acogida por el teatro del Centro, que hará una breve temporada de *bel canto* con *Aída*, *La Favorita*, *Rigoletto* y *Tosca*. Este teatro de Centro es uno de los más activos en 1925, presentando al público nada menos que *El coloso de Arcilla*, de Araquistáin; *Ranita*, de Escobar y música de Teres; *El Príncipe Cañamón*, de Serrano Clavero y música de Padilla; *Mujercita Mía*, de Paso y López Monís; *Rayo de Sol*, traducción de Víu; *El caudillo*, drama popular argentino; *Pompín, torero*, de Iglesias y música de Rivera Díaz; *Son mis amores reales*, de Dicenta; *Su admiradora y amiga*, de Portillo; *La ilusión de un canillita*, de Romeu y música de Teres; *Meu fillo*, de la Pardo Bazán y Díaz Franco, y la presentación de la fulgurante compañía de revistas mejicana de Lupe Rivas Cacho.

Apolo tiene una buena temporada lírica: *El anillo del Sultán*, de Blanco, Lloret y música de Luna y Paredes; *Carmeleta*, de Asenjo y Torres del Alamo con música de Balaguer; *Radiomanía* —que parodia la creciente afición a escuchar la radio, nacida en Madrid un año antes—, con letra de Mario Vitoria y música de Lecuona; la reposición —¡una vez más!— de *La Bejarana*; *Curro el de Lora*, de Tellaeche y Góngora, con música de Alonso; *Las muertes de Lopillo*, de los Quintero y música de Font, y *Por los flecos del mantón*, de Pilar Millán Astray y música de Guerrero.

En Maravillas, *Mi tía Javiera*, de Dicenta y Paso; *La veneciana*, de Paso y música de Forns; *Giboulette*, adaptación de Gutiérrez Roig y Melgarejo, y *Los cigarrales*, de Fernández de Sevilla y Carreño, música de Granados.

El Fuencarral, otro de los novísimos teatros de Madrid presenta dos reposiciones taquilleras: *Doña Francisquita* y *La Bejarana*. En la Zarzuela, *Dios salve al rey*, de Castillo, Mundet y Firmat, con música de Luna; *La bien amada*, de Prada y maestro Padilla; *La vuelta*, de Luque y Moreno Torroba; la reposición de *Los Gavilanes*; *María Sol*, de Ramos Martín y maestro Guerrero; *La mesonera de Tordesillas*, de Sepúlveda, Manzano y Moreno Torroba, y *La calesera*, de González del Castillo, Muñoz Román y música de Alonso. Estos dos títulos —*La mesonera de Tordesillas* y *La calesera*— son suficientes por sí solos para calificar a 1925 como un formidable año para el teatro musical español.

El Novedades ofrece *Las encajeras*, de Fajardo, música de Vela y Arquelladas; *El mastín de la Pedrosa*, de Orriols, música de Capó; *La casita del guarda*, de Calonge, Soutullo y Vert; *Cosas del otro mundo*, de Solís, Tecglen y música de Barta y Monreal, y *Eh, eh, a Novedades*, de Vela y Cases.

En el Rey Alfonso, *Noche de hogueras*, de Acevedo; *Los autores de mis días*, de Paso y González del Toro; *Oh, la interviú*, de Franquet; *El adiós a la vida*, de Arroyo Lozano, Bertrán y música de Lloret y Muñoz; *Flor de nieve*, de García Pacheco, y las adaptaciones de *La perla azul*, por Gabaldón y Gutiérrez Roig, y *Una vida que espera*, por Sassone.

En Pavón, *Sangre de reyes*, de Asenjo, Torres del Alamo, Luna y Balaguer; *La culpa fue del marido*, de Río del Val y Martínez Pérez; *El chico de la Encomienda*, de Paso y Rosillo; *El tropiezo de la Nati*, de Arniches, Estremera y Luna; *La niña de las perlas*, de Calero y Monterde; *Irene la volandera* y *Las espigas*, de Paradas, Jiménez y Luna.

En Pardiñas, *Cuento oriental*, de Góngora y Tolosa; *La Emperatriz Mesalina*, *La corte de Faraón*, *La República del Amor* y *La contrabandista*, de Silva Aramburu y Roig. En Martín, *La hora azul*, de Loygorri, Gonzalito, Bódalo y Azagra; *A morir los caballeros*, de Polo y Cases, y *El paraíso perdido*, de Moncayo y Penella.

En el teatro del Cisne, *El señor Sebastián*, de Navarro y Quintó; *Ha entrado una mujer*, de Suárez de Deza; *La guardia real*, de Vela y Moreno, música de Cases; *Costa Brava*, de Orriols y Capó; *De riguroso Luto*, de Calero y Sancha; *Pastora*, de Mir y Nicolás; *El rayo de sol*, de Muñoz Román, López Monís, música de Iglesias y Pompey, y *La pescadora de Ubiarco*, de Reoyo, Orriols y música de Tena. En Romea, pocas novedades, destacando el estreno de *La coqueta*, de Silva Aramburu, Lloret y Núñez.

Eslava presenta una parodia de *Cancionera* titulada *Romancera*, obra de Asenjo y Torres del Alamo; *La estrella de Justina*, de Ardavín; *El jardín encantado de París*, revista adaptada por José Juan Cadenas; *Torre de marfil*, de Martínez Sierra; *Katia la bailarina*, de Cadenas y maestro Gilbert; *La hija de todos*, de Martínez Sierra y Jaquotot; *Cada uno y su vida*, de Martínez Sierra, y *Hable usted con mamá*, adaptación de una obra extranjera.

Aparecen unas nuevas monedas de cobre y níquel que vienen a resolver el problema del cambio menudo: son los famosos *reales* de cuproníquel, que llevan en el anverso una carabela en relieve con la inscripción *España*, 1925, y en el reverso la corona real y bien grande, para que nadie pueda confundirse, *veinticinco céntimos*. La Fábrica de la Moneda lanza 50.000 de estas monedas cada día, y el Gobierno está seguro de que con ellas va a resolverse definitivamente el problema del menudeo en las compras y ventas de todo el país.

Hay por este Madrid algunas docenas de pequeños chinos vendedores de collares. La estampa del chino vendedor de collares es familiar en toda España en los años veinte. El chino no sabe apenas nada de nuestro idioma, pero dotado de un tesón envidiable, se orienta de un sitio a otro y resuelve los muchos problemas que la dificultad del idioma le plantea. ¡Colale a peleta!, gritan en los barrios humildes, pero cuando se sitúan en la calle de Alcalá suben el precio: ¡Colale a cuatlo peleta!, collares a cuatro pesetas.

Si alguien le dice, por ejemplo: «¿Son perlas japonesas», el chino, que no entiende una palabra, cree que le están regateando y baja en seguida: «¡Colale a tle peleta!» Y si el posible comprador hace ademán de irse, el chino se le interpone casi gritándole: «¡Colale a do peleta!» El caso es vender. Cuando los guardias municipales se les acercan para obligarles al pago del impuesto de dos pesetas por venta ambulante, los chinos se desesperan y en su idioma enjaretan un rosario interminable de palabras de queja.

Lo curioso es que estas perlas que venden los chinos ambulantes en Madrid no proceden de Oriente, sino de Alemania, donde funciona una fábrica de bisutería barata que abastece de abalorios a todos los marchantes aventureros del mundo. Los chinos llegan a Madrid con las manos en los bolsillos, pues pasar la frontera cargados de perlas, siquiera falsas, es demasiado peligroso. La fábrica alemana tiene un corresponsal en Madrid, para más detalles en la calle de Toledo, y allí acuden los chinos a comprar los colale que luego las señoras madrileñas les quitan de las manos para poder lucirlos ante la amiga o la vecina y decirle: «Es de Oriente, auténtico, se lo he comprado a un chino». Y en realidad nadie ha mentido, pues el vendedor se ha limitado a tener su cara de siempre y a ofrecer: «¡Colale a cuatlo peleta!», sin entrar en averiguaciones ni en detalles.

Se descubre otra conspiración contra el general-presidente. Un taxista se presenta al comisario Fenoll y le da cuenta de cierto viaje a través de las Cuestas de Contreras, en la carretera Madrid-Valencia, y de la conversación que a retazos ha podido escuchar a los viajeros. De ella se desprende que el golpe es inminente, por lo que el propio Primo de Rivera ordena actuar con la mayor celeridad y el máximo rigor.

Poco después son detenidos y encarcelados el general Aguilera, el general Batet, el capitán Galán, el sindicalista Angel Pestaña, el republicano Marcelino Domingo, el doctor Marañón y varias docenas más de sospechosos. Las sanciones no se hacen esperar, pero es ésta una extraña Dictadura que castiga con fuertes multas a los conspiradores: el general Aguilera pagará 200.000 pesetas (¡200.000 pesetas en 1925!), Weyler pagará 100.000, Marañón otras 100.000...

Para el conde de Romanones se ha reservado el premio gordo con una multa de 500.000 pesetas. ¿Proporcional la cuantía de la sanción a la importancia de la culpa o a la holgura pecuniaria del culpable?

Cuando la Policía interroga al escultor Mariano Benlliure, que tam-

LINCOLN

Madrid de 1925. Anuncios clásicos de la época

bien ha sido acusado, si bien no gravemente, el artista se escuda y niega haber tenido contactos con el general Aguilera ni con el general Weyler. El comisario le apremia.

—Si ni el general Weyler ni el general Aguilera eran los que le daban las instrucciones, no tenía más remedio que ser el coronel García.

—Al coronel García no le conozco más que de nombre.

—Entonces —clama el policía—, ¿de quién diablos recibía usted las instrucciones?

Benlliure abrillanta sus ojillos, y responde pícaro:

—Yo me entendía directamente con la reina madre.

Este 1925 madrileño es el que registra la llegada de la mujer al nuevo deporte de conducir automóviles. Las esposas y las hijas de los aristócratas madrileños se encargan atuendos adecuados y aprenden a toda prisa a manejar automóviles. El feminismo impera. También en 1925 actúa ante un tribunal la primera mujer abogado de España, Victoria Kent.

Visita Madrid el célebre adivinador Onofroff y se celebra una revolucionaria exposición canina en Retiro, donde aparte de los tipos de perros, son de ver los modelos de abriguitos, pijamas y saltos de cama que lucen los canes.

Bartolomé Pérez Casas ingresa en la Academia de San Fernando. Llegan a Madrid los restos de Angel Ganivet, el inquieto cerebro andaluz muerto dramáticamente en los fríos paisajes del Báltico. ¡Sensación! En Madrid comienza a funcionar el teléfono automático; ya no habrá que descolgar y pedir el número a la operadora; pero, entonces, ¿qué va a ser de las operadoras, a qué se dedicarán?

Madrid ve desfilar por su ruedo las figuras de Marcial Lalanda, Luis Freg, *Algabeño*, *Facultades*, *Valencia I*, *Valencia II*, *Gitanillo*, Emilio Méndez, *Litri*, Silveti, Félix Rodríguez y Juan Belmonte. En la Plaza de Toros de Madrid toman la alternativa Martín Agüero y Zurito, y se luce el rejoneador Gaspar Esquerdo. Sí, también en 1925 se dice que los toros de antes eran más grandes.

En el capítulo de los deportes, se afianza más aún el todavía joven pero ya brioso fútbol español. Visita Madrid el equipo argentino Boca Juniors, y su juego de filigrana asombra a los madrileños. El Boca Juniors se enfrenta dos veces con el Madrid y una con la Gimnástica. En el segundo encuentro con el Madrid, partido al que asiste Alfonso XIII, los ánimos llegan a excitarse demasiado y ha de intervenir la fuerza pública.

Se proclama campeón de España de los pesos plumas el madrileño Antonio Ruiz. En Navacerrada se lucen los esquiadores, con llamativos jerseys. Los esquiadores, llamados *skieurs* en 1925. El caballo «Toribio», de las cuadras del marqués del Llano de San Javier, gana el premio *Nouvel An*. Destacan como figuras del fútbol madrileño Vicente Palacios en la delantera del Athletic y Cándido Martínez guardameta del Madrid.

Encuentro de fútbol España-Portugal en Lisboa: el once nacional se integra con Zamora, Vallana, Pasarín, Samitier, Gamborena, Peña, Piera, Cubells, Oscar, Carmelo y Aguirrezabala. Resultado, 2-0 a favor de España, pero también allí los ánimos suben de tono y el público lisboeta está a punto de lanzarse al campo para agredir a los jugadores españoles.

En Valencia, en el encuentro Italia-España, vencen los muchachos de la camiseta roja y se proclama Zamora definitivamente como el mejor guardameta del mundo. Se celebra la Vuelta Ciclista a Manzanares, organizada por la Unión Velocipédica Española, que tiene todavía cierto sonido romántico en el título. En la Vuelta Ciclista a Andalucía se clasifica segundo el madrileño Telmo García, mientras que en París Paulino Uzcudun vence a Nilles por K. O.

Hernández Coronado se clasifica vencedor de las pruebas de pentatlón. Hay profusión de partidos de hockey sobre hielo y de polo en el club de la Puerta de Hierro, estos últimos contando con Alfonso XIII como jugador destacado. Encuentro hispano-portugués de atletismo en los terrenos del estadio Metropolitano. En fin, todo un año de intensa actividad deportiva este de 1925 en Madrid.

Capítulo 6. **EL VUELO DEL "PLUS ULTRA"** (año 1926). Comienza la construcción de la Telefónica. El Palacio de la Prensa. Auge del cine español. Los tíovivos. Jiménez de Asúa, confinado. Ramón Franco prepara su vuelo. La epopeya aérea. Ramón Franco narra su vuelo. Anecdotario pintoresco. El aviador y el rey. El aviador y el dictador.

La Gran Vía recibe en 1926 dos refuerzos de consideración. El primero de ellos es el comienzo de las obras de un edificio, de trazado moderno y valiente, elevadísimo, a la manera de los rascacielos norteamericanos, que ha de ocupar un polígono situado a la altura del número 27 de la avenida, en el que se centralizarán los servicios de la Compañía Telefónica. Como consecuencia del contrato suscrito por el Estado español con la Compañía Telefónica en 1924, esta entidad se hace cargo en exclusiva del servicio de teléfonos en toda España. Su sede central ocupará un solar de 1.622 metros cuadrados, con fachada de 41 metros a la Gran Vía, lado de 34 metros a la calle de Fuencarral y de 50 metros a la de Valverde. El movimiento telefónico de Madrid es ya de 70.000 teléfonos que celebran millones de llamadas al mes.

Los madrileños se asoman a los agujeritos de las vallas situadas en el solar donde ha de crecer el primer rascacielos de Madrid. Se han perforado, como prólogo de la obra, 8.000 metros cúbicos de tierra, para vaciado y espacio a los cimientos. El arquitecto es Ignacio de Cárdenas. El presupuesto, 32 millones de pesetas. Casi mil obreros trabajando. Se dice que esta mole va a tener, una vez ultimada, nada menos que noventa metros de altura.

El otro refuerzo se lo reparten a medias otros dos espléndidos edificios, también de trazado moderno y audaz: el Palacio de la Prensa, obra de Pedro Muguruza, situado precisamente en el lugar en que la Gran Vía quiebra su orden recto y se lanza en declive hacia la plaza de España, y, casi enfrente, el lujoso Palacio de la Música, obra de Zuazo Ugalde. No puede caber ya duda a nadie de que la Gran Vía va a ser dentro de poco la principal arteria de la urbe. En la noche, los flamantes anuncios luminosos hacen un Madrid nuevo, deslumbrante.

Aproximadamente funcionan en Madrid treinta «caballitos» o «tíovivos», de ellos casi todos eléctricos o de motor de gasolina, pero uno de la Arganzuela es a brazo. El dueño del negocio ha ideado un curioso sistema de *tracción-sangre*. A cambio de que le den al manubrio que mueve el «tíovivo», luego deja a los chicos que se suban en los cerditos de cartón piedra o en los caballos desbocados que no se desbocarán del todo jamás. En los «caballitos» pueden verse rótulos como éstos: «¡Ay qué gusto da el mareo!» «Vuelta, perra chica. Tres vueltas, perra gorda».

Hasta hace poco, la música de los «caballitos» era de gramófono, gangosa y raída música de los cuplés de la época, con un sonido fatal de tanto y tanto girar el disco. La llegada de la radio hace dos años lo ha revolucionado todo: unos altavoces situados en el poste central de cada una de estas instalaciones repite, sin necesidad de discos, la música y los anuncios que transmiten las estaciones locales de radiotelefonia.

La acción represiva de la Dictadura se acentúa. El catedrático de la Universidad Central, Jiménez de Asúa, es suspendido de empleo y sueldo y confinado a Chafarinas. En Barcelona son detenidos los anarquistas Vallejo y Corcerell. Los tribunales condenan a cadena perpetua a los líderes revolucionaros Compte, Perelló, Juliá y Garriga y a doce años y un día a Ferrer, Badía y Civit, complicados todos ellos en un reciente atentado en Garraf. Fracasa en Madrid el complot anarquista y son detenidos numerosos socios de la Federación Anarquista Ibérica. La oposición al Gabinete de Primo de Rivera se hace, no obstante, mayor.

No es buen año este 1926 en el Madrid cinematográfico, no obstante lo cual se estrenan bastantes películas, pocas de ellas de mérito. *Una extraña aventura de Luis Candelas* se presenta al público en el teatro de la Princesa. Imperativo del tiempo, muchos de los teatros madrileños prestan su escenario, por temporadas, para que sea cubierto de pantalla blanca y se convierta en cine.

En el Cervantes se estrena *Problema resuelto*, producción de Noriega. José Buchs presenta en el flamante Palacio de la Música su película *Pilar Guerra*. En el cine Madrid, *Noche de alboradas*, de Thous. En el Argüelles, *Nobleza baturra*, que se convierte en poco tiempo en el más fabuloso de los negocios del cine español, brindando a sus productores, que habían gastado 55.000 pesetas en la cinta, unos beneficios superiores al millón y medio. El triunfo económico de *Nobleza baturra* fue, sin pretenderlo, el más activo acicate para los productores de películas: si uno de ellos había multiplicado su dinero treinta veces, no había ninguna razón para que otros no pudieran hacer lo mismo.

Luis Candelas o el Bandolero de Madrid en el Callao, el local al que el público acude mitad para divertirse con la proyección y mitad para asombrarse con el lujo del salón. El Real Cinema, una de las salas de cine más activas y trascendentes de la capital, presenta *Los niños del Hospicio*. El Pavón lanza valientemente una producción de ambiente regional, *Les barraques*, centrada en la hermosa huerta valenciana. *La Bejarana*, dirigida por Eusebio Fernández Ardavín, se estrena en la Zarzuela a comienzos de la primavera. *José*, otra producción de Noriega, alcanza un éxito regular en la pantalla del Real Cinema, y en este mismo local se estrena *Gigantes y cabezudos*, versión en celuloide del famoso título del género chico, y *El niño de las Monjas* de Calvache.

La cinta titulada nada menos que *En las entrañas de Madrid*, de Rafael Salvador, se estrena en el Pavón. En el Cinema Bilbao ve la luz del éxito una película de Hernández Mir titulada *El patio de los naranjos*. Cabe al teatro del Centro el acierto y la suerte de presentar *Currito de la Cruz*, otra de las cintas que más dinero había de dar a sus productores. En el Alcázar, también transformado temporalmente en cine, se estrena *Boy*, la célebre novela del Padre Coloma convertida en producción fílmica por Benito Perojo. Reparto de *Currito de la Cruz*: La Romerito, Jesús Tordesillas, Antonio Calvache, Manuel González, Anita Adamuz, Faustino Bretaño y Rafael Calvo.

Las películas que durante los doce meses de 1926 se están rodando en Madrid —aparte de las citadas que son las que se representan en las pantallas—, son *Tierra Valenciana (Rosa de Levante)*, producida por Roncoroni; *Pilar Guerra* (que, como se ha dicho, se estrena este mismo año); *Mientras la aldea duerme*, realizada por Artola; *Malvaloca*, de Perojo; *Los niños del Hospicio* (también estrenada el mismo año); *Los amores de un torero*, de Andreu; *La Virgen de Cristal*, de Louis Piñeiro; *La Sirena del Cantábrico*, de Carrasco; *La malcasada*, de Gómez Hidalgo; *La loca de la casa*, de Alonso; *La hija del arroyo*, de Novella; *La chica del gato*, de Calvache; *Justicia divina*, de Pepín Hernández; *Historia de un taxi*, de Nazari; *Gratitud*, de Maristany; *Frivolinas*, de Carballo, y hasta doce películas más.

Sin duda de ninguna clase, sin comparación con ningún otro acontecimiento, el hecho más periodístico de 1926 para Madrid, para España e incluso para gran parte del mundo fue el vuelo España-Argentina de un hidroavión español, tripulado por Ramón Franco, Julio Ruiz de Alda, el teniente Durán y el mecánico Rada. La aeronave, bautizada «Plus-Ultra» —más allá—, era un «Dornier» de la Aeronáutica Naval, con dos motores de 450 caballos, 16,25 metros de longitud y 1,75 de altura. Su velocidad de crucero era de 180 kilómetros a la hora.

A las ocho menos cinco de la mañana del 22 de enero, los dos motores del «Plus-Ultra» comenzaron a moverse: a las ocho menos un minuto, el hidroavión, con tres toneladas de peso útil y un peso total de 6.800 kilos, comenzó a deslizarse sobre las aguas de Palos de Moguer, el histórico río Tinto.

La aeronave salvó la primera etapa a una velocidad media de poco más de 160 kilómetros, llegando al puerto de la Luz, en Canarias —1.300 kilómetros de distancia—, en ocho horas de vuelo. La población de Las Palmas tributó a los aviadores un recibimiento de tal entusiasmo que estuvieron los héroes a punto de resultar lesionados por estrujamiento de la multitud.

Sometido el «Plus-Ultra» a un concienzudo repaso, en la mañana del día 25 fue llevado en vuelo a la bahía de Gando, lugar designado para el temible salto sobre el Atlántico hasta Cabo Verde. Por el mar, en apoyo, resbalaban mansamente dos barcos de la escuadra española, el crucero «Blas de Lezo» y el contratorpedero «Alsedo». Para esta etapa más fuerte —1.745 kilómetros— el «Plus-Ultra» dio de sí todo lo que podían sus motores y alcanzó una velocidad media de 178 kilómetros a la hora.

Desde Cabo Verde, el tercer salto aún se hacía más sobrecogedor, con sus 2.260 kilómetros con el océano abajo y una sobrecarga peligrosa en el aparato. La casa constructora autorizaba 2.000 kilos de carga y el «Plus-Ultra», a la salida de Cabo Verde llevaba 3.700 kilos, repartidos así: combustible, 2.994 kilos; aceite, 192; víveres, 19; agua, 105; tripulación, 217; instalación de radio, 80; equipajes, 5; menaje, sextantes y elementos de navegación, 100. Esos 217 kilos de tripulación no pueden dividirse entre los cuatro aviadores salidos de España, sino entre sólo tres, ya que el teniente Durán desembarcó en Porto Praia y continuó viaje a bordo del contratorpedero, para aligerar en lo posible la carga del hidro, que era el problema acuciante en la aventura.

Todo fue supeditado al imperativo máximo de aligerar peso, y fue anecdótico que hasta del calendario de a bordo desaparecieron las hojas correspondientes a los meses de marzo a diciembre, por innecesarias, y en el botiquín se redujeron los envases de cristal y la mitad de los alimentos quedaron incluso sin el papel que los envolvía.

Dos minutos antes de las seis de la mañana del 30 de enero los motores del «Plus-Ultra» comenzaron a rugir de nuevo. Un primer intento de despegue falló; a la segunda intentona el avión quedó ya en el aire. Se llegó a la isla de Fernando Noronha doce horas y cuarenta y cinco minutos después. Ahora quedaba el último salto, corto —540 kilómetros— hasta Pernambuco, Brasil, ya en el Continente americano. Esta última etapa atlántica, pese a su corta dimensión, fue la más penosa, por estropearse el motor trasero. El «Plus-Ultra» amerizó en aguas continentales después de arrojar al mar herramientas, equipajes, repuestos, víveres. ¡Ya se estaba en América! De ahí a Buenos Aires, todo había de ser más rápido y más fácil. Se había vencido el vuelo.

El vuelo del «Plus-Ultra» está detalladamente relatado por su realizador máximo, Ramón Franco, de la manera siguiente:

"El día 22, a las siete y cincuenta y cinco de la mañana, despegamos de las aguas del río, con una carga muy próxima a los 3.000 kilo-

gramos. De salida hicimos un viraje cerrado sobre el modesto monumento erigido en La Rábida a la memoria de Colón, viraje que, al repetirlo días después en la ciudad de Buenos Aires, sobre la estatua del descubridor, sirvió para cerrar el histórico "raid" del "Plus Ultra", que por vez primera unía en vuelo aquellos dos puntos geográficos.

"Nada de notable y digno de ser relatado sucedió en esta primera etapa, de Palos a Las Palmas. La recalada se hizo muy difícil, por estar el archipiélago canario rodeado de una atmósfera que nos impedía casi la visibilidad. Gracias a la exactitud de las marcaciones del goniómetro llegamos sin retraso alguno a la isla de Gran Canaria, que no divisamos hasta encontrarnos a unas diez millas de la misma.

"A las cuatro y tres minutos acuatizamos en el Puerto de la Luz, recibiendo el homenaje de la población canaria, que nos esperaba en los muelles. Esta etapa, la más corta del vuelo —1.300 kilómetros—, la hicimos en ocho horas, a una media de 163 kilómetros.

"En la inspección realizada en el avión encontramos uno de los cables de los mandos de dirección muy rozado, y fue preciso cambiarlo. El otro empezaba a rozarse, y ello era debido a que estaban descentradas las poleas y a que tocaban los cables en la chapa de dural. Agrandamos el boquete de paso para evitar el roce. También hallamos rota la sujeción del "capot" del motor trasero, que gracias a una elemental previsión de Rada no se marchó en vuelo. Decidí suprimirlo, aumentando de esta forma la refrigeración del motor trasero y produciendo la modificación de las líneas de salida del aire, que hacía disminuir ligeramente la velocidad de la marcha.

"En la bahía de Las Palmas reina gran marejada y en el interior del puerto es imposible la salida con la carga necesaria para la etapa siguiente. Tuvimos que trasladarnos a la bahía de Gando, mejor protegida del oleaje, en la cual conseguimos despegar con gran dificultad al segundo intento, no sin peligro y después de haber descargado el avión de una gran cantidad de material más o menos útil.

"En estos vuelos, una exagerada previsión lleva a cargar el avión de tal manera, que la realidad se impone después y obliga a prescindir de muchos elementos y repuestos que se juzgaban imprescindibles, dejando que el azar intervenga en todas las hazañas de aviación y sea él quien designe a sus elegidos.

"Previos grandes preparativos meteorológicos y radiotelegráficos, emprendimos el vuelo a las siete y treinta y cinco minutos del día 26.

"El vuelo se hizo sin dificultad. La recalada, por las mismas razones que en Canarias, fue muy difícil. No vimos la isla de la Sal, del archipiélago de Cabo Verde, hasta llegar a su vertical, y gracias a la blancura de las rompientes de agua, que resaltaban a través de la sucia atmósfera de sutil polvillo que arrastrado del lejano desierto rodea las islas. El radiogoniómetro fue de nuevo nuestro principal auxiliar, que nos permitió una recalada exacta y sin titubeos.

"Poco después divisamos los picos de la isla de S. Thiago, meta de nuestra etapa. Al doblar la punta de las Bicudas apareció la bahía de Porto Praia, en la que descubrimos con gran emoción algunas banderas españolas. Eran las de nuestros buques de guerra "Alsedo" y "Blas de Lezo" y las de sus canoas.

"Para terminar el día, me encontré con un amerizaje muy difícil, pues la marejada del fuerte alisio rebasaba la punta oriental de la bahía y penetraba en la misma.

"El "Plus-Ultra" era el segundo hidroavión que recalaba en estas islas. El primero fue el "Lusitania", tripulado por dos oficiales portugueses, pequeño avión de flotadores y escaso radio de acción, que les obligó a hacer escala en los Penedos de San Pedro, rocas perdidas en medio del Atlántico, donde les esperaba un crucero portugués, en cuyo lugar, al amerizar, se hundió el "Lusitania", logrando salvarse la tripulación.

"El mar había empeorado desde nuestra llegada, siendo causa de una gran preocupación, por impedir nuestra salida. En esta ociosidad forzada me dedico a aquilatar el peso de todo el material y equipajes que llevamos a bordo, y consigo descargar bastantes kilogramos. Durán embarca en el "Alsedo" para hacer en él la travesía hasta la isla de Noronha, donde debemos reunirnos de nuevo.

"El retraso que nos produjo el mal tiempo en Canarias, y el perdido ahora en Porto Praia, nos hace perder la luna llena, y con ella la posibilidad de volar toda la noche con luz lunar para recalar ya de día en el Brasil. Nos quedan dos soluciones: despegar a media noche y llegar en pleno día, para hacer una buena recalada, o salir al amanecer para llegar a Noronha al atardecer, y continuar el vuelo a la mañana siguiente. Me decido por lo último, porque las instalaciones de alumbrado del avión son defectuosas, y, además, las bombas de magnesio que nos han de servir para tomar nuestra deriva fallan en su mayoría, mientras que las de humo, diurnas, funcionan con perfección. Además, el despegue durante la noche, en mar abierto, con malas condiciones de luz y en el límite del coeficiente de seguridad del avión, hubiera estado expuesto a un fracaso.

"De todas formas, pensamos trasladarnos al lugar de la salida a media noche, y si encontramos circunstancias favorables, partir algunas horas antes de amanecer.

"Llevamos el "hidro" remolcado desde la bahía de Porto Praia a la Barrera del Infierno, más protegida del mar y del viento, y cuando amanecía llegamos a ella.

"La duración del vuelo, con una velocidad de 165 a 170 kilómetros por hora, es de dieciséis a diecisiete horas. Los alisios del NE, favorables al vuelo, pueden acortarlo en más de una hora. Ganamos en longitud unos cuarenta y ocho minutos de luz solar, y todavía nos faltan dos horas para poder hacer todo el vuelo durante el día.

"A las seis y minutos hacemos el primer intento de despegue, y un fracaso es el premio a nuestros esfuerzos. Esperamos unos minutos a que se enfríe el agua de los radiadores, y un nuevo intento es coronado por el éxito, después de una carrera de un minuto cuarenta segundos sobre las aguas. Son las seis horas doce minutos del día 31 de enero.

"Durante las primeras horas de vuelo el Océano parece completamente desierto. No se oyen tampoco estaciones "radios", no obstante lo cual periódicamente enviamos noticias de nuestra situación y novedades del vuelo.

"A las dos, la "radio" empezó a dar señales de vida, oyéndose en dirección a nuestra marcha las señales de dos barcos. A las dos y media entramos en la zona de calmas, donde la visibilidad es cada vez peor. Empezaron a caer copiosos chubascos, que procuramos evitar con pequeños rodeos. Uno, de mayor tamaño, nos obligó a afrontarlo, y estuvimos doce minutos bajo una verdadera catarata.

"A las dos horas cincuenta y dos minutos pasábamos por encima del vapor alemán "Arthus", que nos dio su situación de 1° 2' latitud N. y 29° 50 longitud W, situación que difería de la nuestra, estimada, sólo en ocho millas.

"A las dieciséis empezaron a oírse las señales de la estación de Pernambuco, estando todavía a 900 kilómetros de ella.

"El Ecuador lo cruzamos a las dieciséis horas veinticinco minutos, sin otro festejo que una copa de coñac que nos distribuyó Ruiz de Alda, navegador y telegrafista de la expedición.

"En estos momentos empieza a dejarse sentir el alisio de SE., de poca intensidad, que no nos produce deriva apreciable.

"Algo después comenzamos a oir la estación "radio" de Noronha, que tenía un sonido como de gramófono viejo. El goniómetro nos marca dos pequeñas variaciones de rumbo, una de seis grados y la segunda de tres grados.

"Las nubes, a partir de este momento, nos abrieron calle, formando una especie de avenida entre gigantescos cúmulos, que nos daban guardia de honor. La visibilidad comenzó a ser muy buena, y pudimos percibir un gran número de barcos que seguían diversas rutas.

"A las dieciocho horas cuarenta y cinco minutos divisé la isla de Noronha, que aparecía lejana por la proa del hidroavión. Entonces empezamos una verdadera carrera con el sol, para ver quién llegaba antes, si el sol a su ocaso o nosotros a la isla. Con los motores a todo régimen y una velocidad superior a doscientos kilómetros, no conseguimos hacer como Josué; el sol se puso, la noche se extendió rápidamente, y a las seis y treinta y cinco, a una débil claridad crepuscular, americé al costado de un navío, no sin gran dificultad, porque la ola era de gran tamaño, a menos de treinta millas de nuestra meta. Esta carrera con el sol me dejará mientras viva recuerdos inolvidables.

"La navegación por superficie durante las dos horas y media que siguieron hasta llegar a Fernando de Noronha, envueltos en profunda oscuridad y con mar gruesa, sin más orientación que los destellos del faro norte de la isla, que frecuentemente se ocultaba a nuestras vistas debido a la fuerte ondulación del mar, fue de gran dificultad. El cielo estaba cubierto por negros nubarrones y escasamente se percibía alguna estrella.

"Esta navegación, envuelto en agua, en la que tenía que desarrollar toda mi habilidad para evitar que el avión sufriera duros encontronazos con las olas, me cansó más que todas las horas de vuelo.

"Cuando llegamos a la isla, la luna había salido, y rasgando nubarrones y tinieblas alumbraba todo su contorno, dándole aspecto fantasmagórico y haciéndonos ver arrecifes y rompientes.

"Eran las ocho y cincuenta y cinco minutos cuando quedamos amarados, sin ayuda alguna del exterior, en el puerto de San Antonio, en espera de que se presentara alguien, pues hasta entonces todo parecía misterioso.

"La distancia recorrida hasta el momento de tomar agua era de 2.250 kilómetros, a una velocidad horaria de 181 kilómetros.

"Pasada media hora llegó a nuestro costado una pequeña embarcación, que venía del lado del mar. Nos hizo ver que debido a las fuertes rompientes era imposible desembarcar, y en vista de ello pasamos la noche sobre el "Plus-Ultra", que estaba lleno de agua y sucio de aceite quemado, tanto, que en todo él no se encontraba espacio seco y limpio para poder descansar.

"Por primera vez lució esta noche sobre nuestros fatigados cuerpos la Cruz del Sur, cuyo nombre tomó más tarde el avión que hasta la fecha ha realizado más maravillosos vuelos.

"Las fatigas de esta noche de purificación, aumentadas con los chubascos ecuatoriales, que caían con su violencia propia, desconocida hasta entonces para nosotros, fueron enormes.

"Al amanecer llegó el "Alsedo", y pasamos a bordo a tomar algún refrigerio y asearnos. Recogimos herramientas, equipajes y repuestos, y además se embarcó de nuevo Durán, despegando bien el "hidro", a pesar del mal estado del mar.

"En todo el vuelo nos habían molestado grandemente los chubascos, que son muy numerosos y vienen acompañados de un viento que sopla con violencia y produce desagradables remolinos.

"Cuando todavía nos quedaba una hora para llegar a Pernambuco, una inesperada y fuerte trepidación nos delata la rotura de una de las hélices. Es la trasera, la que nos da más potencia; y nos pone en un grave aprieto, porque no tenemos más que 150 metros de altura, y ésta disminuye rápidamente al tener que detener por completo la marcha del motor correspondiente.

"Ordeno que se tiren al mar todos los repuestos y equipajes y parte del combustible. Mientras se efectúa la operación, el avión sigue perdiendo altura.

"Hay momentos que parece va a tocar el agua; el airón de las espumas debe mojar el fondo del casco, como si quisiera sujetarlo y atraerlo. El mar está bastante rizado y el viento sopla de costado.

"Momentos después se divisa la costa por estribor, con la alegría consiguiente de nuestra parte.

"Era un verdadero vuelo de equilibrio y a la vela. Cuando arreciaba el viento, viraba yo el avión hacia él, para de esta manera aumentar la sustentación y ganar algún metro de altura. Con sus cinco toneladas de peso, parecía sostenido, más que por la fuerza del motor, por la de mi voluntad.

"Ya próximos a la costa, el estado del mar era bueno y había calmado el viento. El "Plus Ultra" volaba más bajo que las copas de los cocoteros, que formaban a modo de muralla que detenía nuestra vista. Minutos más tarde, y ya más alto, pudimos admirar todo el esplendor y majestuosidad de la vegetación tropical.

"Continuamos nuestro vuelo "submarino" hasta la llegada a Pernambuco. La distancia desde Noronha es de 540 kilómetros, que recorrimos en tres horas y treinta y ocho minutos, a una media de 150 por hora.

"En Pernambuco empezamos a conocer el martirio de la glorificación de la vida.

"En el "Alsedo" llegan hélices de recambio, y después de un pequeño vuelo de prueba, el día 4 de febrero, a las cinco y cincuenta y cinco, despegamos para cubrir la etapa a Río de Janeiro.

"En este vuelo, que hicimos costeando, volamos sobre las principales poblaciones del Brasil, que acogían nuestro paso con disparos de cohetes, fuegos de artificio y otras demostraciones de júbilo.

"A mediodía cruzamos el meridiano del sol, que, consiguientemente, teníamos sobre la vertical de nuestras cabezas, es decir, en el Cénit, con una altura de 90°

"Al cruzar por delante de Victoria, tenemos que separarnos de la costa, para evitar una gran tormenta, en la que se ve el centelleo del rayo, y las cortinas de sus chubascos nos ocultan el maravilloso escenario de sus montañas.

"Las gotas de agua que nos alcanzan refrescan mi piel, quemada por los ardores del terrible sol.

"A la caída de la tarde nos sorprende el maravilloso espectáculo de Río de Janeiro, envuelto en los jirones de luz, que atraviesan las nubes, e iluminando la ciudad y los montes producen variadísimas tonalidades de verde. Y en el fondo, como el agua que reposa en una copa, el mar, copiando las formas y colores de la ciudad, los montes y el cielo.

"Por la tarde, a las diecisiete y veinticinco, el casco del "Plus Ultra" se baña suavemente en las tranquilas aguas de este delicioso paraíso. La etapa, de 2.100 kilómetros, la recorrimos en doce horas y cuarto, a una media de 171 kilómetros.

"Es tal la afluencia de embarcaciones que nos esperan, que una de ellas, en medio de aquel desorden, se acerca demasiado y nos rompe los timones. Me desespero, pierdo la corrección; pero los culpables del desaguisado aplauden a rabiar.

"Por fin, y custodiado por las fuerzas de Marina, consigo dejarlo en relativa seguridad.

"El recibimiento merece verdaderamente los honores de llamarle brutal. Cientos de miles de personas, autoridades, brazos, policías, discursos elocuentes, cohetes, aplausos, gritos, y nosotros aprisionados en el centro de esta masa que camina hacia el centro de la ciudad, sin lograr poner los pies en tierra.

"Uno de los coches en que más tarde conseguimos guarecernos, fue volcado en uno de los vaivenes de la multitud. Flores, muchas flores, que caían de todos lados; flores de colores vivísimos, bajo las cuales iba materialmente enterrado. Empiezo a darme cuenta de que mi querida Libertad la he perdido, ¡ay!, para siempre. Nos someten al martirio de una guardia de honor. Todos están pendientes de nuestros menores deseos, y quieren oir la palabra de los mensajeros de la raza; pero somos mudos, no tenemos más que alas y difícilmente conseguimos hacernos comprender. Por si esto fuera poco, la emoción nos forma un nudo en la garganta.

"Sufrimos las molestias de la manía de autógrafos. Nos los piden por millares, y no tenemos más remedio que acceder. La mitad de mi tiempo en Río lo paso firmando, mientras sudo a mares. Otro suplicio son las baterías de fotógrafos, que no perdonan momento de enfocarnos sus máquinas. Hasta en el baño entraron un día.

"Hago un vuelo de prueba antes de emprender la última etapa de mi "raid", durante el cual se nos rompe una tubería de esencia, que produce un aparatoso incendio en vuelo. Lo conseguimos apagar con las ropas y las fundas de los motores y a costa del cuerpo de Rada, que sufre quemaduras superficiales. Los desperfectos en el avión son pequeños, y quedan reparados al día siguiente.

"Aquí se me pierde el mecánico entre los brazos de tanto y tanta entusiasta, y me retrasa la salida un día. La noche anterior a nuestra marcha le encierro en el cuarto del hotel, para que haga el vuelo descansado; si no, comprendo que no partiré nunca.

"El día 8 queda cargado el avión y en disposición de salir al día siguiente. Quiero hacer escala en Montevideo, pero recibo orden del Gobierno español de hacer viaje directo a Buenos Aires. Me reservo su cumplimiento, toda vez que es absurdo pretender que se vuele al dictado de un Gobierno que está a diez mil kilómetros de distancia. Desobedecer tan incomprensible orden me trae la enemistad y las represalias del dictador español. En cambio, recibo todo el agradecimiento y cariño del libre pueblo uruguayo, cuyo Parlamento me otorga honores y distinciones, una de las cuales, de la que me considero más orgulloso, es la ciudadanía honoraria, que me evita el ser considerado un "sin patria" y me pone a cubierto de los atropellos que en el seno de nuestras Embajadas fraguan los legítimos representantes de un régimen de opresión y tiranía, pero no del pueblo español.

"A las tres de la mañana, y sin poder dormir, nos levantamos y firmamos el último centenar de autógrafos antes de dirigirnos al embarcadero.

"El avión se encuentra en esta tierra tan a gusto como sus tripulantes, y afirma su derecho a la Libertad negándose a despegar. Se ha enterado de que estamos en los libres países de la América, en que se hace de la democracia un culto, y nos juega una mala pasada.

"Con la primera luz del alba ponemos en marcha los motores. La mar está en completa calma, y no hace viento alguno que nos ayude a despegar.

"Embalamos los motores, que a la luz mortecina del amanecer dejan ver en los tubos de escape un castillo de fuegos de artificio. ¿Qué clase de gasolina será ésta que no nos da la potencia necesaria para poder volar? Cuatro intentos de salida, y nada. Arrojamos cien litros a los peces, y ya con una ligera brisa y descargados de un centenar de kilogramos, después de otro fracasado ensayo, conseguimos vernos en el aire.

"Dos horas perdimos en toda esta faena. En los primeros momentos, las numerosas canoas que nos acompañaban tremolaban con verdadero entusiasmo banderas españolas y brasileñas; pero este entusiasmo decrecía a medida que pasaba el tiempo, y el número de embarcaciones que nos rodeaba era cada vez menor. Nos parecía estar

CIRCUITO NACIONAL DE FIRMES ESPECIALES

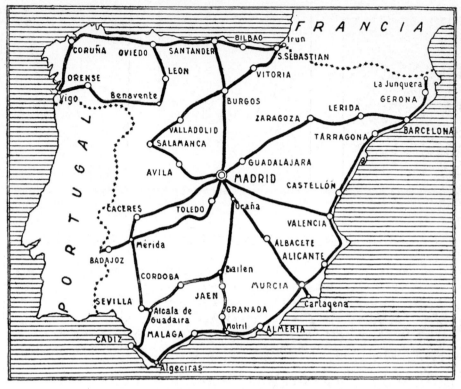

El plan de carreteras de Primo de Rivera

Figuras del Madrid de 1925: Arniches, Dora *La Cordobesita*, maestro Rosillo

Figuras del Madrid de 1925: Muñoz-Seca, Pepe Moncayo, Martínez Olmedilla

1926. El vuelo del «Plus Ultra». Arriba, Durán, Franco, Ruiz de Alda; en el
círculo, Rada. Abajo, el «Plus-Ultra»

en una de esas situaciones ridículas que magistralmente describe nuestro gran humorista Fernández Flórez, lo que, unido al sueño que me dominaba, me hizo pasar un mal rato.

"A las siete y doce minutos, después de una larga carrera, conseguimos despegar.

"El vuelo se desliza sin mayores incidentes. Cuando falta poco tiempo para llegar a Montevideo, recibimos por la "radio" un aviso urgente de nuestro embajador en Brasil —¡y sin cifrar—, ordenándonos, por encargo del presidente del Gobierno español, no tocar en el Uruguay. La decisión ya estaba tomada; las dos horas de retraso en la salida, cubrieron nuestra rebeldía y acuatizamos en el magnífico puerto de Montevideo con la satisfacción del deber cumplido. A las siete y treinta y cinco tenemos a nuestros pies la hermosa capital uruguaya, con sus grandes ramblas y magníficos ensanches, que se brinda acogedora para los peregrinos del espacio, que traen sobre sus alas el fraternal saludo de los españoles del otro lado del mar. La distancia recorrida en esta etapa de 2.060 kilómetros, se cubrió en doce horas y cinco minutos, a una media de 171 kilómetros.

"En el momento de acuatizar, el ruido producido por las sirenas de los barcos y los vítores y aplausos de la multitud, era ensordecedor.

"A Rada le dejé prisionero en el crucero "Montevideo", para que descansara, y al mismo tiempo para tener la seguridad que al día siguiente podría continuar el vuelo a Buenos Aires.

"Nuestro recibimiento es una verdadera y monumental apoteosis, exagerada por las dudas que había sobre nuestra parada en aquel puerto. Bien compensaba las iras del dictador, que en aquellos momentos fraguaba contra nosotros terribles venganzas.

"A la mañana siguiente, después de las presentaciones obligadas y de los últimos autógrafos, nos embarcamos en el "Plus Ultra", y a las doce estamos ya en vuelo, rumbo a Buenos Aires, primera meta de nuestro "raid".

"Pocos minutos después, una pequeña fuga de gasolina nos obliga a acuatizar, y reparada esta avería, reanudamos el vuelo, que si tiene importancia es solamente histórica, con el que unimos estas dos capitales, juntas en otro tiempo bajo el dominio español.

"Retrasamos una hora nuestros relojes, y pocos minutos después de las doce nos encontramos en vuelo sobre Buenos Aires, sintiendo la inmensa emoción de la multitud que nos contempla, y cuya ensordecedora algarabía, más poderosa que el ruido de los motores, llega hasta los tripulantes del "Plus Ultra". Antes de acuatizar, hacemos un viraje sobre el monumento erigido a Cristóbal Colón, realizando en este momento el sueño que nos habíamos forjado a nuestra partida.

"A las doce y veintisiete del día 10 de febrero de 1926, el "Plus Ultra" se posa sobre las sucias aguas del río de La Plata, deteniéndose un momento para marcarlo en la Historia.

"En buenos Aires, el recibimiento que nos tributa el pueblo argentino pasa de todo límite y es indescriptible. Aquello era una verdadera locura. Azoteas, balcones, árboles, monumentos, columnas de alumbrado y calles estaban materialmente cubiertos de gente. Uno de los momentos más emocionantes fue aquel en que nos asomamos al bal-

7

cón de la Casa Rosada, sobre la Plaza de Mayo. Esta estaba ocupada por cientos de millares de almas, y en medio de este mar humano desembocaban por calles y avenidas miles y miles de personas que formaban a modo de ríos. Todas las manos aplaudían, todos los pechos rugían de entusiasmo, las músicas atacaban las notas de los dos himnos nacionales, y los brazos y sombreros, agitados en el aire, nos daban la medida de aquel frenesí delirante."

El 10 de febrero, el rey mantuvo con el comandante Franco una conferencia, desde Málaga, utilizando el cable.

Su Majestad el rey a Franco:

"Presente el rey, que te felicita de todo corazón por la hermosa hazaña que acabas de realizar. Hazme el favor de adelantarme del viaje los incidentes que hayas tenido, sobre todo después de haber pasado por Fernando Noronha y regreso, hasta amarar en aquellas aguas."

De Franco a Su Majestad:

"Tripulantes del "Plus-Ultra" consideran el mayor galardón felicitación V. M. y dan un viva al rey. Detalles viaje; en el trayecto de Puerto Praia a Fernando Noronha salimos tarde de Puerto Praia por dificultades producidas por la marejada. Amaneciendo, a 900 kilómetros de la costa americana, precisamos cable radiogoniómetro, la estación de Olinda Pernambuco. Después encontramos vapor en la ruta que nos dio la situación dentro de nuestro derrotero, y temiendo que no llegáramos con día a Noronha ya que había densas nubes y no había luna, apretamos al máximo el régimen de los motores para llegar con día a Noronha.

"Al poco tiempo precisamos por la proa las señales del goniómetro, y media hora después avistamos dicha isla; a pesar de ir a 200 kilómetros de velocidad, no pudimos ir con día, y a cortas luces del crepúsculo amaramos a la vista de la isla, y a unas 30 millas medimos gasolina de los tanques y quedaban más de 900 litros, cantidad suficiente para haber llegado a Pernambuco. Nos dirigimos al faro de Noronha, a pesar del mal estado del mar, y anclamos en el puerto de San Antonio. No fue posible desembarcar, porque los botes no podían atracar a la playa por causa del mar.

"Al día siguiente emprendimos vuelo a Recife, después de recoger a Durán. En el trayecto se nos rompió la hélice trasera y seguimos vuelo con sólo motor delantero, después de haber descargado el "hidro" de herramientas y equipajes, que tiramos al mar. Llegamos a Recife hora y media después amarando dentro del puerto, hasta entonces la primera tierra americana que pisamos desde Pernambuco a Río. Viaje felicísimo. La llegada a Río, una embarcación nos produjo ligeros desperfectos, que fácilmente fueron reparados. En vuelo que hicimos en Río para prueba de motores, una avería en una tubería de esencia nos incendió un magneto del motor trasero, sin consecuencias.

"Fue una gran suerte por no haber ocurrido en vuelo. Al salir para Buenos Aires, en Río quisimos salir a las cinco, pero la excesiva carga del avión nos obligó a ensayos infructuosos hasta las siete y media de la mañana, que conseguimos salir. Ya no teníamos día suficiente para llegar a Buenos Aires y sólo forzando motores conseguimos llegar a Montevideo a las doce horas de vuelo, y ya anochecido llegamos a Montevideo. Recibimiento en Montevideo fue entusiasta y muy ordenado. Gracias a las medidas tomadas por las autoridades nos permitieron descansar toda la noche, y esta mañana fuimos recibidos por el presidente, al que le entregamos carta de Vuestra Majestad y saludo del Gobierno español, prometiendo regresar a recibir homenaje de la nación.

"Vuelo de Montevideo a Buenos Aires una hora diez minutos, y a pesar de amarar durante él para tapar fuga de agua, recibimiento entusiasta y creo no saldremos con vida de esta población. Lo somos por Vuestra Majestad y por nuestra Patria. Avión sigue en inmejorable estado y tripulación desea hacer honor al nombre del avión y nacionalidad."

De Su Majestad a Franco:

"Está bien; celebro que todo haya salido bien. Como recuerdo de este día, os concedo llave de gentilhombre a ti, Ruiz de Alda y Durán, reservándome el demostrar mi gratitud al mecánico Rada. En este momento acabo de firmar indulto legionario ferrolano por el cual te interesabas. Tu familia está toda bien y la tengo al corriente de tu viaje. Te repito, fortísimo abrazo y grito con vosotros: ¡Viva España y viva la Aviación española!"

De Franco a Su Majestad:

"Tripulantes del "Plus-Ultra" reciben honor de Vuestra Majestad con nombramiento de gentileshombres, con la mayor alegría indulto del legionario ferrolano y hacemos votos por felicidad de Vuestra Majestad y de nuestra Patria. "Plus-Ultra", con su viaje, ha realizado unión del pueblo iberoamericano. Nos unimos para gritar ¡Viva España, viva la Aviación española!, y del corazón nos sale un viva a nuestro rey."

De Su Majestad a Franco:

"Haz público mi saludo a la nación argentina y agradecimiento por el recibimiento que te dispensa. Adiós. Alfonso, rey."

De Franco para Su Majestad:

"Agradezco profundamente todas las atenciones de Vuestra Majestad y continuaré informándole de cuantas novedades ocurran aquí."

Del encargado de Negocios de España a Su Majestad el rey:

"En nombre de la colectividad española residente en la Argentina y embajador felicita entusiásticamente a Su Majestad por el éxito de los aviadores y la nación española."

Del rey al encargado de Negocios:

"Agradezco la felicitación de esa colectividad española y embajador éxito nuestros aviadores. Tengo la seguridad de que será ejemplo de nuestra raza para que tenga confianza en sí misma y no se deje empequeñecer por pesimismos infundados, Alfonso."

Capítulo 7. ¿QUE ES LO CURSI? (año 1926). Teatro en Madrid. El año taurino. Uzcudun, campeón de Europa. Los deportes. Crímenes pasionales y curanderos. Petain en Madrid. La Escuela de Artes y Oficios. Las glándulas de Voronoff. El Cerro del Pimiento. Un año aeronáutico. Muerte de Rodolfo Valentino. **Maipú Pigall's.** El Decreto de carreteras. Los desempeños. ¿Qué es lo cursi...? Nuevo Grupo Benéfico en la calle de Vallehermoso.

Las figuras de la temporada teatral madrileña son muchas y de muy distinto orden. Angeles Otein destaca al lado de Miguel Fleta cantando *Rigoletto* en Apolo. Matilde Revenga se hace aplaudir en *La Boheme*. Se presenta en Romea, por primera vez, con caracteres de acontecimiento, una cantante argentina que trae un variado repertorio de canciones criollas: Celia Gámez. Triunfa en el Reina Victoria Pepita **Díaz de Artigas.** Se hace popular por todo Madrid el cuplé «Las tres mariposas», de los Quintero, en la voz de *La Argentinita.* También en Romea canta el divo del tango, Carlos Gardel. Del teatro del Centro al de la Latina, Enrique Borrás sigue rugiendo un castellano vertical y rotundo, entre las ovaciones de los espectadores. En el Lara siguen los éxitos de Lola Membrives y en el Princesa continúa la cotizada compañía Guerrero-Mendoza.

Marcos Redondo, que ha cumplido varios meses de éxito en el escenario de la Zarzuela, recibe el homenaje de Madrid en un banquete que tiene lugar en el hotel Gran Vía. Tórtola Valencia, la cupletista máxima, después de recorrer los escenarios de América del Sur, reverdeciendo sus viejos laureles madrileños, reaparece en Madrid. Por todas las calles de la ciudad se repiten y se ríen los chistes de Luis Esteso. Canta Delfín Pulido *El barbero de Sevilla*, en Apolo, y se contonea la estrella de las *varietés* Tina de Jarque, que tiene fama de poseer unos ojos maravillosos *y muchas cosas más.*

Imperio Argentina, Custodia Romero, Antoñita Torres, Paquita Garzón, deleitan a los madrileños con sus canciones, sus bailes y sus asombrosos vestuarios. La hija de Esteso, Luisita, se presenta en Maravillas y obtiene un éxito definitivo. Dora *la Cordobesita* trae a la escena madrileña una nueva manera del arte andaluz. Ofelia Nieto, muy respetuosa con la línea antigua de las cantantes obesas, recibe otro homenaje en el Palace Hotel, junto con Fleta. María Banquer abandona Madrid, al frente de su compañía, y marcha al Novedades de Barcelona.

Se presenta Enrique Rambal, que causa sensación con sus formidables trucos escénicos y se retira bruscamente, de manera temporal, de los escenarios, el recitador González Marín, aquejado de una grave enfermedad. En el Odeón actúa Pepe Romeu, que ha iniciado sus coqueteos con el nuevo arte del celuloide. En el Fuencarral se presenta el Sábado de Gloria María Gámez con su compañía de comedias. Se comenta mucho el donativo de cinco mil pesetas que ha hecho el cantante Tito Schippa al Museo del Teatro de Madrid. También se comenta que en la presentación de Raquel Meller en el Empire Theatre de Nueva York han llegado a pagarse las localidades a veinticinco dólares, siendo el precio normal de dos dólares.

Pasa al Romea Mercedes Serós, otra de las indiscutibles de los *años veinte*. En el escenario del Centro y como primera actriz de la Compañía de Paco Alarcón figura María Luisa Moneró, y en el Eslava se luce la belleza y el arte de Pepita Meliá. Sorprenden las canciones y el modo de Conchita Piquer, que viene ya de éxitos decisivos en tierras norteamericanas. Pastora Imperio, Eugenia Zuffoli, las Hermanas Pinillos, Carmen Flores, Carmen Díaz, Eloísa Muro, Francisco Morano, Antonio Ocaña y varios más completamen el escalafón teatral madrileño de 1926.

El año taurino es poco menos que un desastre. A la dramática muerte del *Litri* en Málaga, después de serle amputada una pierna y como consecuencia de una espeluznante cogida, hay que añadir la cogida y muerte de Mariano Montes en la plaza madrileña de Vista Alegre, pocos minutos después de ser corneado por el toro «Gallego» de la ganadería de Sotomayor; la muerte del banderillero *Blanquet* —el viejo peón de confianza de Joselito—, al terminar una corrida y no por asta de toro, sino como consecuencia de una fulminante angina de pecho; la muerte de Mazzantini, fuera del ruedo, retirado ya, con setenta años a cuestas. *Cuco de Cádiz*, herido gravísimo, varios meses entre la vida y la muerte; las cogidas impresionantes y de consecuencias graves de *Facultades, Vaquerito, Chatillo de Valencia* y Esteban Salazar. Mal año taurino este 1926.

Entre los rejoneadores destacan Antonio Cañero, que sigue a la cabeza de los especialistas del toreo a caballo; Gaspar Esquerdo, Miguel Cuchet, Alfonso Reyes y Alejandro Morales. Toman la alternativa en Madrid *Lagartijo* y *Gallito de Zafra*. Triunfan como novilleros dos artistas gitanos que están destinados a situarse en el mejor puesto de la torería futura: *Cagancho y Gitanillo de Triana*. Después de la tragedia de *Nacional* en la Plaza de Soria, muerto de un botellazo, el otro *Nacional* sufre en Madrid una grave cornada en el pecho.

Sigue llevando público a la Plaza, los sábados por la noche, el espectáculo de Rafael Dutrús *Llapisera,* que para cada actuación presenta nuevos trucos sorprendentes. Los toreros triunfantes en los ruedos madrileños en esta temporada de 1926 son, entre otros, *Armillita,* el mejicano que banderillea elegantemente; Martín Agüero, el duro estoqueador norteño; Marcial Lalanda, Nicanor Villalta, Ignacio Sánchez Mejías, Juan Belmonte, *el Gallo* —herido con el estoque en la corrida de su reaparición—, Fausto Barajas, Luis Freg, *Valencia II, Chicuelo, Zurito,* Antonio Márquez, *Niño de la Palma, Torquito,* Luis Fuentes Bejarano, *Larita, Fortuna, Fortuna Chico, Algabeño, Torerito de Málaga.*

En Castellón, Zurito es también zarandeado y corneado violentamente por un toro que le hiere de gravedad. Un mal año taurino, con muchos muertos y mucha sangre en la arena: mal año para los supersticiosos este 26 que, como decían en la calle de Sevilla los coletudos de las tertulias, era *dos veces trece.*

Es de notar el auge de Paulino Uzcudun, que hace combate nulo con el alemán Dienner en Barcelona y vence a Spalla, proclamándose campeón de Europa de todas las categorías; la victoria de Zacarías Mateos coronando la Cuesta de las Perdices a una media de 146 kilómetros-hora (fuerte velocidad para la época); la victoria del Celta sobre el Sporting de Gijón, al que gana por 5-0; el triunfo de Oscar Leblanc al proclamarse vencedor absoluto en la Carrera Internacional de las XII Horas del Guadarrama; la victoria del púgil español Ricardo Alís sobre Thomas, que le proclama campeón de Europa de los pesos medios; las dramáticas muertes del motorista Inocencio Mateos y su *paquete* Ernesto Sánchez en el circuito de Móstoles-Villaviciosa; la victoria de Inglaterra en fútbol sobre España en el Metropolitano por 2-1, y, ya en este terreno del fútbol, las formidables actuaciones de Cosme en la delantera del Athletic de Madrid y de Samitier, *el mago del balón,* en el Barcelona.

¡Qué año de crímenes éste! ¡Qué año de folletines y folletones! ¡Qué año de asuntos para los periodistas de la época, ávidos siempre, con toda razón, de hallar tema para su trabajo!

Isabel Sánchez tuvo una niña y se la dio a la comadrona, María Vargas, para que la llevara al torno de la Inclusa. La comadrona, en lugar de hacerlo así, entregó la recién nacida a una peinadora, Victoria Fernández, que la inscribió como hija suya. Meses después, la auténtica madre, arrepentida, reclama a su bebé, interviene el juzgado y la cuestión se convierte en el centro de todas las conversaciones madrileñas durante bastante tiempo. Por fin, el juez aplica la ley: la niña ha de ser devuelta a su verdadera madre. Llora la peinadora, llora la madre auténtica, llora el público de la sala y... ¡asunto terminado!

Alfonso Tudela, popular actor de teatro que actúa en el escenario del Infanta Isabel, estaba dormido plácidamente en su hogar cuando fue agredido por su madre política, Blasa Aranguren, con una navaja de afeitar *de las de antes*, produciéndole varios cortes y uno muy grave en el cuello. La causa, disensiones familiares. Las intenciones, las peores, pues la agresora dijo al juez que lo que había intentado era matarle, pero que le había fallado. Por la popularidad del agredido, el suceso se comenta mucho en Madrid.

Un pastor se presenta al cura del pueblecito conquense de Mira para pedirle la partida de bautismo, pues ha decidido casarse. El cura le pregunta si ha nacido allí y el pastor dice que no, que en Tresjuncos, de la misma provincia. El cura escribe al párroco de Tresjuncos para pedirle el documento. El cura de Tresjuncos abre unos ojos muy grandes al leer la carta: este pastor, apellidado Grimaldos, ¿no es el que se dio por asesinado hace ya más de doce años? ¿No están en la cárcel sus asesinos? Se inicia una averiguación y se comprueba que, efectivamente, el pastor que quería casarse en Mira era el que se había dado por asesinado en Tresjuncos. Pero, entonces, ¿qué hacen en la cárcel, doce años ya, Gregorio Valero y León Sánchez, acusados del crimen...? Pronto el asunto pasa a las primeras planas de los periódicos de toda España; pronto, también, son puestos en libertad los tan injustamente condenados. Pero nadie ya podrá devolverles la amargura de doce años pasados en prisión por un asesinato que no habían cometido. Simplemente *error judicial*.

Curanderismo y supersticiones criminales en pleno año 1926: en Capellades, pueblo de la provincia de Barcelona, cerca de Igualada, aparece el cadáver de un niño de tres años, Pepito Collado, sin más señal de violencia que una herida en el cuello, pero con un detalle sobrecogedor, comprobado por el forense: la sangre ha sido absorbida hasta la última gota. Los asesinos no son encontrados. Las huellas demuestran que el pequeño ha sido sacrificado para intentar la curación, con su sangre, de un enfermo, siguiendo las consejas de ciertos curanderos que garantizan la salud bebiendo la sangre caliente de un niño de tal edad.

En la calle de la Alegría, de Canillas —poblado entonces todavía no incorporado a Madrid—, un camarero, Alejandro Blázquez, hombre celoso y apasionado, decide resolver todas sus inquietudes degollando a su esposa con una navaja de afeitar. En un pueblecito de la provincia de Santander aparece el cadáver mutilado de una niña de veinte meses. La policía no tarda demasiado en descubrir que el asesino es su propio padre, Antonio López Malo, que asegura haber recibido de Dios el mandato de sacrificar a su hija, ante cuyo cuerpecito destrozado se arrodillaron él, su esposa y el resto de las hijas para rezar, ya que eso también, al parecer, lo había ordenado Dios.

Pero lo que revuelve al *todo Madrid*, tanto por el dramatismo como por la proximidad del hecho, es el crimen de la Lotería de la calle de Alcalá, número 2. Un lunes de diciembre, a eso de las dos y media de la tarde, el encargado del establecimiento de lotería del número 2 de la calle de Alcalá al lado mismo de la Puerta del Sol, vio entrar a un individuo extremadamente nervioso, que en lugar de pedirle algún billete o décimo se abalanzó sobre él y le asestó una tremenda cuchillada en el cuello, disponiéndose a robar la caja acto seguido. El agredido, desangrándose, logró salir a la calle a pedir auxilio, instantes después de lo cual se desplomó en un charco de sangre. El agresor, al comprobar el escándalo producido por los gritos y por la presencia del encargado de la lotería, abandonó el propósito del robo y salió a la calle dispuesto a huir, pero al verse acorralado por la gente no halló mejor salida que dispararse un tiro en la cabeza, falleciendo casi instantáneamente. La ambulancia llamada para recoger los dos cuerpos llegó a la Casa de Socorro del Centro con dos cadáveres, todo ello en menos de veinte minutos desde el principio hasta el fin de la aventura. Se llamaba el agredido Diego López Olivares y el agresor Rafael Mora Visconti.

Prácticamente en los últimos días del año, Madrid tiene ocasión de conocer aún otro crimen pasional. Emilia Nieto es gravemente herida a tiros de pistola por su amante Enrique Rico. Cuando éste considera que ella ya está muerta, vuelve el arma contra sí y se dispara un tiro en la cabeza. Los dos, no obstante, gravísimamente heridos, sobreviven al drama, gracias a la pericia de los médicos de la Casa de Socorro del Hospicio y a los cirujanos de la Clínica del Centro.

Por último, ya cuando el 1926 se halla a punto de ser relevado por el 1927, «espantoso crimen de la calle de la Montera», en Madrid. Copiamos a la letra de la prensa de la época la narración del suceso.

> "El crimen ocurrido el día 25 del actual —se refiere al día de la Navidad— en la calle de la Montera, causó extraordinaria impresión entre los transeúntes que tan profusamente circulan por aquella populosa barriada. El oficial de complemento, don Juan Díaz Mayordomo, encontrose con el teniente de Intendencia, don José Conde Centeno, y después de una brevísima discusión, o sin que mediara ésta, según otros informes, disparó el primero dos tiros al segundo, que cayó a tierra bañado en sangre y dejó de existir a poco de llegar a la Casa de Socorro."

Así, sin más comentarios. Y es que también en los actos de sangre había sus clases en 1926: no era lo mismo que un pastor asesinase a otro, ya que en este caso podían darse toda clase de pormenores sobre motivos, circunstancias, etc. Cuando el mismo acto era cometido por personas de cierto prestigio, todo se suavizaba mucho, y un silencio sepulcral acababa por cubrirlo todo.

El mariscal Petain visita Madrid. El diálogo con Primo de Rivera es fácil. Los dos militares se entienden perfectamente y se cambian condecoraciones. Poco después, los reyes presiden la inauguración de la Escuela de Artes y Oficios.

La novedad en los carnavales de 1926 es la presencia de dos gigantones, uno de ellos figurando el célebre caballero de la mano en el pecho, del Greco, y el otro a Dante, con el libro de *La Divina Comedia* en las manos.

Ya no es sólo noticia que viene del extranjero, ya es un hecho en pleno Madrid: el doctor Voronoff y su teoría están siendo ensayados en el quirófano de San Carlos, por un equipo de médicos dirigido por el doctor Cardenal. Para ello se utiliza un mono de gran tamaño, vivo, al que se anestesia a fin de que puedan serle extraídas las glándulas que deben ser injertadas a cinco enfermos. El equipo que trabaja a las órdenes de Cardenal lo constituyen los doctores Ascarza, Pérez Vaquero, Muñoz Arenas y Goba, secundados a su vez por varios alumnos de la Facultad de Medicina. El resultado, por el momento, es bueno. Después, ya veremos.

El periódico *Informaciones* organiza un banquete-homenaje a García Sanchiz, con motivo de su próximo viaje a América, donde tiene numerosos contratos para dar sus famosas charlas. Al acto asiste, presidiéndolo, el ministro de Estado del Gabinete de Primo de Rivera, Yanguas Messia.

En el curso de la fiesta celebrada en honor de los aviadores españoles del vuelo del «Plus-Ultra», Alfonso XIII impone la Laureada al general-presidente; hay quien asegura que de este instante parte la disconformidad del comandante del «Plus-Ultra» con el rey, con el general-presidente e incluso con la monarquía en sí. Como hemos podido deducir del capítulo anterior, la causa es bien diferente.

Por orden de la Alcaldía son derruidas las numerosas chozas del Cerro del Pimiento. Las familias que las habitaban son indemnizadas, con objeto de que puedan buscarse alojamientos más decentes, pero la indemnización es tan pobre que poco después estas mismas gentes, tras una odisea tremenda, edifican nuevas chozas por la zona de Vallecas y siguen viviendo como antes o peor, pero en distrito diferente. Sólo algunas, muy pocas, aprovecharon la coyuntura y lograron alquilar pisos en el extrarradio, por pocos duros al mes. cosa todavía posible, aunque bien difícil, en 1926.

Una misteriosa explosión se registra en el subsuelo de la calle Mayor. Grandes losas de cemento de la acera son levantadas en el aire y numerosos escaparates se quedan sin cristales. Hay rumores para todos los gustos y en las Casas de Socorro del contorno son asistidas varias personas con lesiones y quemaduras de diversa gravedad.

Otra primera piedra, ésta con la presencia de la infanta Isabel, *la Chata*, se trata de lo que con el tiempo habrá de ser Hogar Infantil y Grupo Benéfico en la calle de Vallehermoso.

En el Instituto Químico-Farmacéutico de la calle de Hermosilla, un empleado intenta explicar a un vidriero el lugar en que había que realizar cierta reparación. Para hacerlo, no encuentra mejor procedimiento que alumbrarse con una cerilla, precisamente al lado de las tuberías del gas. Las explosiones y el incendio destruyeron el edificio, costaron la vida al empleado e hirieron gravísimamente al vidriero y a varios trabajadores del Instituto. Fue, según los entendidos, uno de los más pavorosos incendios registrados en Madrid.

No hay más remedio que considerar a 1926 como un año excepcionalmente aeronáutico. No es sólo la proeza de Ramón Franco, Ruiz de Alda, Durán y Rada a bordo del «Plus-Ultra» en el vuelo de Moguer a Buenos Aires; tres capitanes jóvenes —González Gallarza, Lóriga y Martínez Estévez— acompañados de tres mecánicos escogidos —el sargento Pérez, el cabo Arozamena y el soldado Calvo—, intentan nada menos que el vuelo Madrid-Manila. Toda España, que no ha salido todavía del estupor producido por la gesta del «Plus-Ultra», se apresta a recibir nuevas emociones de sus héroes. La intención es más ambiciosa incluso, pues se pretenderá realizar la travesía Madrid-Manila-Tokio —que entonces se acentuaba en la *i* y se pronunciaba Tokío.

El avión del capitán Martínez Estévez se ve forzado a tomar tierra en el desierto de Siria y ahí termina su epopeya, salvado casi milagrosamente por unos aviadores británicos. Pero el «Breguet» de Gallarza y Lóriga arriba a Manila, donde son recibidos de manera entusiasta por una ciudad ocupada por las tropas norteamericanas desde los dramáticos años del final del siglo último. Dos señoritas de la aristocracia filipina se ofrecen para conducir los automóviles en los que los capitanes españoles han de desfilar por las calles de la población, rodeados de banderolas, estandartes, serpentinas y bandas de música. El Gobierno filipino acuerda lanzar una emisión especial de sellos de correo, conmemorativa del vuelo.

El teniente Durán, de la Aeronáutica Naval, que había formado parte de la tripulación del «Plus-Ultra», sufre un accidente con su avión meses más tarde volando sobre el puerto de Barcelona y cae al agua. Un compañero suyo, el teniente Núñez, que observa que ha quedado con vida, se lanza desde un dirigible al agua para salvarle, jugándose el todo por el todo. El intento resulta inútil y Durán muere poco después. La consternación es sincera y profunda en todo el territorio nacional. El entierro constituye en las calles barcelonesas una auténtica manifestación de simpatía y de dolor. En el puerto, el cadáver es conducido al contratorpedero «Alsedo» —el mismo en el que Durán ha hecho una de las etapas del *raid* a América para descargar de peso al «Dornier»—, y en el «Alsedo» se le traslada a Cádiz para ser enterrado en el Panteón de Marinos Ilustres.

España se sitúa, merced a los valientes vuelos de sus pilotos, a la cabeza de la aeronáutica mundial. Y hay que registrar aún otro hecho histórico de las alas españolas: el vuelo España-Guinea. Al mando del comandante Llorente, una patrulla de hidroaviones; bajo el mando del comandante Pastor, una escuadrilla de aviones terrestres. Catorce aviadores escogidos. Pero todo queda en proyecto. Cuando ya está todo dispuesto para el salto, las averías y los contratiempos aconsejan la suspensión de la prueba, con enorme decepción de sus promotores. Tras un poco de incertidumbre, el vuelo colectivo España-Guinea, se reanuda ya a final de año y los aparatos alcanzan con éxito su primera etapa, el puerto de Casablanca.

Desde muy lejos vienen para las mujeres españolas noticias de luto: ha muerto Rodolfo Valentino, el ídolo admirado y querido, el semidiós del cinematógrafo universal. El cadáver del actor, expuesto en un templo de Nueva York, hace desmayarse a docenas de admiradoras e incluso suicidarse a dos o tres de ellas. Miles de mujeres jóvenes, casadas o solteras, lloran de rodillas, en las calles cercanas al templo, y sólo pueden ser desalojadas de allí gracias a la paciencia de la Policía.

Un industrial neoyorquino tiene la ocurrencia de fabricar diez mil botones de alfiler con el retrato de Rodolfo Valentino, los vende en una mañana y sigue fabricando y vendiendo en cantidades ingentes durante una semana que dura la histeria colectiva. Interrupciones de tráfico, motines, algaradas, problemas de orden público de diverso estilo son la secuela de la muerte del más admirado actor de todos los tiempos, al menos, del más admirado por las mujeres. Nunca se vio cosa parecida.

En Madrid se registra en pleno otoño ese hecho tradicional del hundimiento de la pavimentación de una calle. Esta vez toca el turno a la plaza de España, donde, con motivo de la rotura de unas cañerías de conducción de agua, se produce un socavón que se traga un automóvil que pasaba por allí, resultando heridos sus ocupantes.

No importa: la vida de la ciudad sigue rítmicamente. Poco después, en el número 19 de la calle de la Aduana se inaugura el *Maipú-Pigall's*, cuya publicidad hace repetir a los cuatro vientos que se trata de *Montmartre en Madrid*.

Realmente, este nuevo *dancing* madrileño se sitúa a la cabeza de los establecimientos de su estilo en la capital de España, pues nada se ha escatimado en cuanto a lujo, amplitud, originalidad y comodidad. Decoración moderna y alegre, profusión de vivos colores, pulcritud y, como dice la propaganda, «intimidad encantadora, casi de *boudoir* de los palcos que circundan la pista y de los saloncitos de las galerías altas». La cuestión, como se ve, está muy bien pensada.

Se publica el decreto-ley que ordena el Circuito Nacional de Firmes Especiales. Las carreteras van a tener una atención muy especial por parte de los hombres de la Dictadura, y hay que reconocer, ahora, algunas docenas de años después, que entre aciertos y errores, la obra de los hombres de Primo de Rivera en materia de carreteras fue muy interesante, si bien estuviera mediatizada —fruto de la época— por demasiados intereses caciquiles que impidieron realizar trazados rectos y lógicos, y que obligaron a respetar las tierras de fulano y las huertas de zutano, con lo que el rumbo fue muchas veces un zig-zag que parecía obra de locos.

El plan abarcaba 7.086 kilómetros, de los cuales correspondían 2.350 a la Sección Noroeste, 2.399 a la Sección Este y 2.377 a la Sección Sur. Presupuesto, 33 millones de pesetas al año, pagando jornales de cinco, seis, siete y ocho pesetas a los peones por jornada laboral de ocho horas largas. Un cocido se preparaba con dos pesetas y quedaba para la cena.

La Dictadura va acogiendo en su seno a muchos españoles, pero a la vez, paralelamente, va alejando de sí a otros, muchos también. Se trata por todos los medios de atraer a la clase media, esta sufrida clase media española tan próxima siempre al proletariado mísero, esta clase media que ha de vestir honorablemente aunque luego en casa haya poco o no haya nada para comer.

Uno de los síntomas de la miseria de la clase media es el aumento de operaciones de empeño en el Monte de Piedad. De una manera vergonzante, huidiza, a escondidas, son miles y miles en toda España las mujeres que, incluso a espaldas de sus maridos, acuden a la tenebrosa ventanilla del Monte de Piedad a empeñar ropas, muebles, útiles de trabajo, joyas, aquella sortija o aquella pulsera de pedida o de compromiso que se sueltan de las manos con lágrimas en los ojos.

Ir al Monte es frase común en la España de los años veinte. El Gabinete de Primo de Rivera lo sabe, y produce una de las disposiciones más sabias, dentro de lo que el estilo y las posibilidades de la época permitían: en 1926, una parte del superávit conseguido en el presupuesto se destina a la redención de los pequeños empeños. No es preciso decir el júbilo que esta medida ocasiona. Esos mismos miles y miles de pobres mujeres españolas, muchas de ellas con sombrero pero sin cenar, acuden a las ventanillas del Monte de Piedad, donde, sólo con entregar su papeleta, les son devueltas las sábanas, las colchas, las pulseras inolvidables del noviazgo, la mesa de roble del primer comedor o el abrigo del hijo que se empeñó apenas iniciada la primavera.

No hay por qué negarlo: esto es un acierto. Lo peor es que como el desequilibrio entre los precios y los salarios se mantiene, como es tradicional en nuestro país, las prendas redimidas regresan muy frecuentemente a la ventanilla de empeños poco después. El Gobierno, así, ha dado a la clase media un pequeño préstamo para *ir tirando*. Es lo que dicen muchas amas de casa: «algo es algo». Primo de Rivera se anota con esta medida un decisivo tanto a su favor.

La política demográfica de la Dictadura se orienta por los aires que vienen de Italia, es posible que aun sin proponérselo. Mussolini desea tener más habitantes en la península italiana en un plazo relativamente breve, y son ya muchas las disposiciones que tienden a estimular el matrimonio y la familia numerosa.

En España, por Real decreto del 21 de julio, se concede matrícula gratuita a los hijos de los empleados y funcionarios del Estado, civiles y militares, que sean cabeza de familia numerosa, se les exime totalmente del impopular impuesto de inquilinato, se les otorga derecho a cédula de la clase 16, tarifa primera, y se les exime del odiado impuesto de utilidades en sus sueldos o jornales. También la Dictadura estima que es conveniente que en España haya muchos más españoles en un plazo corto.

Un artículo de López Montenegro publicado en el *Blanco y Negro* nos hace conocer aquello que se consideraba cursi en 1926.

"La cursilería tiene su parte preceptiva, especialmente en lo que atañe al indumento y al ornato. Verbigracia, en la actualidad pueden ser tildados de cursis, entre otros infinitos, los detalles y las prendas siguientes: las sortijas en las manos de hombre, y cuanto mayores sean las sortijas, más cursis son las manos. La capa sin esclavina y con cuello alto, que algunos tienen la bizarra costumbre de sacar a la calle. Esta no es prenda de paseo, sino de enfermedad. Ocupando un sillón junto a un brasero, puede pasar. El calzado con elásticos (lo mismo en el hombre que en la mujer). Esos zapatos femeninos abiertos de empeine y enlazados con cordones que terminan en borlas. Los bigotes enhiestos a lo Kaiser. Las pipas con figuras de relieve. La testa varonil con melena de artista. El sombrero flexible colocado con aire fiero (alicaído por un flanco y levantado por el opuesto). Ostentar un pañuelo de seda en el bolsillo superior de la americana y, cuando hay que sonarse, emplear otro (de hilo o de algodón) que se lleva oculto en el bolsillo. Levantarse de la mesa luciendo entre los labios un palillo de dientes. Más cursi todavía es salir a la calle con él. Y mucho más aún ponérselo detrás de una oreja. Colocarse la cadena del reloj en los bolsillos superiores del chaleco. El hombre que practica esa costumbre da la impresión de que le han amarrado por la caja torácica para bajarlo a un pozo. Colgarse dijes en la cadena del reloj. Si los dijes son monedas de oro, peor que peor. Y si fueran guardapelos, con unas chispas de brillantes en forma de herradura o de letra inicial, ¡el colmo! Retratarse en galería vestido de frac, de levita o de smoking. Retratarse en galería un matrimonio con las galas nupciales. Sujetarse los lentes a una oreja con una cadenita de oro terminada en gancho. Creer que es elegante llegar al teatro a función empezada y armando ruido. (Cuando no se conoce la obra, además de cursi, llegar tarde es imbécil.) Los abrigos o impermeables, hoy tan en boga, generalmente llamados de trinchera. No concluiríamos nunca de señalar detalles cursis. En cualquier momento, en cualquier pormenor hace acto de presencia la grotesca cursilería. ¿Que mucho? ¿No hay quien se pone cursi hasta para su entierro? Porque amortajar un cadáver con un traje mundano es retecursi. Y no digamos nada si el traje es de etiqueta; un difunto ataviado de smoking, de levita o de frac es de un ridículo macabro. Hay que ver sus pies rígidos, calzados de charol, semejantes a los de un maniquí de sastrería o a los de una figura de cera. Esto es lo cursi póstumo. Cuando se trata de un creyente, lo elegante es el hábito, y cuando el muerto es un heterodoxo, con un sudario va muy bien. El sudario es la mortaja clásica y siempre elegantísima, además de constituir el verdadero traje de la Muerte."

Ya por ahora los disconformes con el sistema primorriverista no se recatan de manifestar en público, dentro de los límites exigidos por la prudencia, sus ideas y sus esperanzas. Pero no es lo peor que grupos civiles, sean o no partidos políticos en ciernes, tengan propósitos ajenos o contrarios a la Unión Patriótica del general; lo importante y peligroso es que el mismo Ejército empieza a significarse en grandes bloques adversario de la política del Directorio.

Primo de Rivera permanece, no obstante, seguro de sí mismo, como en los días de 1923. O permanece o lo hace ver así. Hasta el extremo de que cuando le aseguran que su cabeza corre peligro, cuando le dicen que en Barcelona hay un general que habla de derribarle y en Murcia se han manifestado los estudiantes pese a la prohibición, cuando le hacen saber que hasta en los monárquicos acérrimos hay enemigos de la Dictadura, su respuesta no puede ser más desconcertante:

—Sé que en el Ejército hay descontentos, ¿quién no los crea desde un sitio como éste? Pero yo, mientras tenga la confianza de la mayor parte de los militares y, sobre todo, la del país, al que todavía le hago mucha falta, no me voy, ni hay modo de echarme. Que se convenzan de una vez los que piensan lo contrario. Así evitaremos cosas muy desagradables.

La calle de Alcalá tiene otro edificio: este es el nuevo Círculo de Bellas
Artes, inaugurado en 1926

Modelo "TURISMO„

Modelo "ROADSTER„

Modelo "SEDAN„

Automóviles de 1926. Tres modelos de la marca «AUBURN»

Madrid, 1926. Juana Sainz y María Vivar Cañada, ganadoras del Concurso *Matas de Pelo* de la Verbena de la Paloma

Madrid, 1926. Chozas destruidas en el Cerro del Pimiento por orden de la autoridad. Información en el capítulo

Figuras de 1926. Marcos Redondo y Luis Esteso

Capítulo 8. LA UNIVERSITARIA (año 1927). Juan García y su **Moru-cha.** March y los tabacos. Estreno de **La del Soto del Parral.** El año cinematográfico. Inauguración de **Bakanik.** Iluminación de la calle de Alcalá. El perro de Xaudaró. Salón de Humoristas. La Ciudad Universitaria. Los pobres de Madrid. Los teatros. 1927 deportivo: el **púgil de Régil.** El **Buick.** Año de Lindberg.

Al comenzar el estudio del año 1927 madrileño, vamos a dar a vuela-pluma un resumen de los principales acontecimientos que, como de costumbre, iremos luego desarrollando en detalle. Comienza el año de Madrid con la nota sentimental del indulto de la popular peinadora Victoria Fernández, que había registrado como hija suya a una niña destinada a la Inclusa por la madre verdadera. En el Fontalba, el moderno teatro de la Gran Vía, se estrena otra obra en verso de Marquina, *La ermita, la fuente y el río.* Por primera vez aparece Greta Garbo en las pantallas madrileñas: es con ocasión del estreno en el Royalty de la película titulada *El torrente.*

Un consejo de guerra de la Dictadura condena a prisión a los militares encartados por los sucesos de la Noche de San Juan, excepción hecha de los tres generales complicados —Weyler, Batet y Aguilera— que salen absueltos. Visita Madrid el rey Gustavo V de Suecia, celebrándose las solemnidades y desfiles de costumbre. La selección española de fútbol vence a los futbolistas portugueses, en Madrid, por 2-0. El general Primo de Rivera, blanco de gran parte de la prensa, decide crear una Asamblea Nacional, que teóricamente sustituirá al Consejo de los Diputados, disuelto. Esta medida no sólo no satisface a la oposición, sino que encrespa más aún los ánimos contra el Gabinete de la Dictadura.

El comandante Lóriga, compañero de Gallarza en el célebre vuelo a Manila de 1926, muere en Cuatro Vientos como consecuencia de accidente de aviación. Un Real decreto-ley otorga al financiero don Juan March la explotación del Monopolio de Tabacos en las plazas de Ceuta y Melilla. Tampoco esta disposición es bien acogida por la mayoría de la opinión pública.

García **Lorca**, cuya fama comienza, estrena en el Fontalba una de sus obras teatrales de contenido político: *Mariana Pineda.* Efemérides en la historia del teatro lírico español: en el teatro de La Latina se estrena *La del Soto del Parral,* con libro de Fernández de Sevilla y Carreño y música de Soutullo y Vert.

Una de las producciones masivas de la cinematografía norteamericana, *Ben-Hur,* llega a Madrid y es presentada con enorme éxito. La protagoniza Ramón Novarro. Este 1927 es también el año de la presentación en la capital de España de un tenor gordo, gran artista, procedente de la cantera de aficionados de Teruel: se llama Juan García, y pronto su nombre quedará unido de por vida a una canción, entre otras tantas: *Morucha.* Juan García y su *Morucha* llenan toda una época del buen gusto español por la canción ligera.

Mientras todo esto sucede en Madrid, en estos mismos doce meses de 1927 se realiza la travesía del Atlántico del italiano De Pinedo; es botado al agua uno de los mejores transatlánticos españoles, el «Marqués de Comillas», en El Ferrol; es botado otro transatlántico en Cádiz de preciosa línea moderna, el «Magallanes»; se realiza el fabuloso vuelo de Lindberg; vence España a Francia en fútbol por 4-0 en Colombes y desaparece en el mar el buque «Principessa Mafalda», ocasionando numerosas víctimas.

El primero de enero de 1927, *Blanco y Negro* lanza un número extraordinario que constituye un alarde editorial. Una de las secciones se titula: «¿Cuál ha sido su día mejor del año pasado?» Las respuestas de los entrevistados, que recogemos extractadas, son un interesante reflejo de los meses que enlazan 1926 y 1927.

Para el duque de Alba, el mejor día ha sido el del nacimiento de su hija; Joaquín y Serafín Alvarez Quintero creen recordar que su mejor día fue uno en el que decidieron no hacer absolutamente nada y marcharse al campo a descansar; Ricardo Zamora estima que su mejor día ha sido aquel en que, con ocasión de la excursión de su equipo por América, venció a la selección nacional de Uruguay por 1-0; para el maestro Guerrero el mejor día fue el 14 de octubre en que acompañó a su madre al Santuario de Montserrat; Muñoz Seca respondió: «el 10 de febrero. Llegó el «Plus-Ultra» a Buenos Aires, no estrené en Madrid ni en ninguna otra parte ninguna comedia, y de todos los periódicos de España, solamente cuatro dijeron que yo como autor era una birria.»

Sánchez Mejías dijo que su mejor día había sido uno de noviembre que había pasado en el campo sin leer ningún periódico, ni recibir ninguna visita ni contestar ninguna carta ni hablar con nadie de sus asuntos. Margarita Xirgu estimó que su mejor día había sido el del estreno de *Santa Juana.* Especial relieve tienen las respuestas del general-presidente Primo de Rivera: «El 26 de mayo, en que supe, como resultado de la inteligencia y valerosa conducta del Ejército y la Marina en tierras y aguas del Rif, que Abd-el-Krim, el caudillo que llevó la rebeldía a la mayor resistencia, se acogía fugitivo a las líneas francesas, señalando con este paso el principio de la solución honrosa del problema de Marruecos, que todos los españoles ansían.»

En esto coincide la opinión de Santiago Ramón y Cajal, que en menos palabras viene a decir casi exactamente lo mismo. El alcalde de Madrid, conde de Vallellano, recuerda tres días felices en el año último: el de su discurso en contestación al concejal Amezúa, después de lo cual se aprobó nada menos que por cincuenta votos contra nueve su plan de obras para la ciudad; el día en que pudo reintegrarse a la vida de familia después de dos años de alcaldía, y por fin el día en que el pueblo de Madrid le había manifestado su satisfacción por su regreso al sillón del Municipio.

Para Alberto Insúa, su mejor día fue aquel en el que concluyó su novela *La mujer, el torero y el toro*. Victorio Macho, el escultor famoso, considera su día más feliz aquel en que dio por terminada la Fuente de Cajal. José Juan Cadenas respondió en verso:

> *¿Un día dulce y ameno?*
> *Yo hace mucho tiempo ya*
> *que no tengo un día bueno.*
> *Alguna noche... ¡quizá!*
> *Alguna noche de estreno,*
> *¡claro está!*

El maestro Arbós estima como su mejor día del año anterior el 21 de noviembre, en el que el público de cinco mil personas que asistía al concierto del cine Monumental le tributó una importante y cariñosa ovación. Figuras, fechas, datos en el relevo de 1926-1827. Un año acabó y otro comienza. Pero, ¿de veras los años comienzan y acaban...? ¿No es todo una misma cosa llamada tiempo?

En 1927, las salas de proyección madrileñas presentan al público una buena serie de producciones nacionales. Entre ellas destacan *Aguilas de acero*, en el cine Madrid y en el Royalty; *Tierra valenciana*, en el Princesa, convertido temporalmente en cine; *Los vencedores de la muerte*, en el Palacio de la Música; *El Conde de Maravillas*, en el Princesa; *Las de Méndez*, en el Callao; *El dos de Mayo*, en el Real Cinema; *Bajo las nieblas de Asturias*, en el Eslava; *Por fin se casa Zamora*, en el Callao; *La muñeca rota*, en el Royalty; *El cura de aldea*, en el Real Cinema; *La chica del gato*, en el Palacio de la Música; *El negro que tenía el alma blanca*, en el teatro del Centro, también cine provisionalmente; *El pilluelo de Madrid*, en el Argüelles; *Estudiantes y modistillas*, en el Real Cinema, y *La Malcasada*, en Royalty.

En el capítulo de actores y actrices continúan casi todos los de

1926 y se incorporan otros, casi siempre procedentes de la inextinguible cantera del teatro. El teatro es más a lo vivo, en el teatro el actor se siente cerca de su público, recibe el calor de la presencia del espectador y sus aplausos, pero el cine paga algo más. No mucho más. Y no siempre, pues en Madrid comienzan a florecer infinidad de empresas productoras que ya en 1927 inician la tradicional costumbre de quebrar, disolverse y no pagar a nadie.

Continúa el éxito taquillero de Alfredo Hurtado *Pitusín*, protagonista de *El pilluelo de Madrid*, dirigida por Florián Rey, si bien en esta cinta baja un poco el tono del trabajo del joven artista. Los *westerns* procedentes de los Estados Unidos lo invaden todo y lo dominan todo. Son famosos entre la chiquillería madrileña los héroes del *Far-West* Tom-Mix y su caballo «Malacara», Tom Tyler, *Chispita* y *Vivales*. Es célebre Richard Dix. Se ríe la gente con las peripecias de Harold Lloyd por los tejados, el cómico de las gafas. Causa furor la especial manera cómica de Charlot.

Protagonistas de la cinta española *El cura de aldea* son La Romerito, Carmen Rico, Constante Viñas, Alfonso Orozco, Luis Infiesta, Leo de Córdoba y Rafael Pérez Chaves. Los artistas del teatro comienzan a darse cuenta de que el cine no sólo paga algo más, sino que da mucha más popularidad, ya que simultáneamente una producción se exhibe a lo mejor en doscientas o trescientas plazas comerciales del país.

La avalancha del teatro al cine recuerda un poco la del campo a la ciudad. Todos quieren ser artistas de cine, que es ser algo más y además tiene un cierto sonido de cosa americana: *artista de cine*, un embrujo, un señuelo, algo que empieza a estar claramente por encima de lo otro, al menos en el sentir y el pensar de las multitudes... Hasta Ricardo Zamora, *el mejor guardameta del mundo*, es absorbido por la locura del celuloide, figurando como principal intérprete de una de las cintas citadas antes, la titulada *Por fin se casa Zamora*, película de muy baja calidad, pero que, como era de esperar, por la fama del futbolista constituye un buen éxito de taquilla.

En líneas generales, se hace mejor cine en Barcelona, donde, además, el lado comercial de las productoras suele ser algo más serio, pero Madrid es la Corte y es aquí donde una película triunfa o fracasa.

El año 1927 es pródigo en actividades madrileñas. Se inaugura en el número 2 de la calle de Olózaga un nuevo establecimiento, bar aristocrático, denominado Bakanik, propiedad de la condesa viuda de Floridablanca y con diseño de Gutiérrez Soto. Se dice que el producto de esta nueva y suntuosa instalación madrileña irá a parar al Asilo de Huérfanas Pobres de Cuatro Caminos.

Las noches madrileñas se llenan de luz con nuevas y valientes iluminaciones en la calle de Alcalá, paseo de la Castellana y plaza de Santa Ana. En el salón de exposiciones de la Biblioteca Nacional se exhiben con gran profusión los planos y dibujos del plan del futuro Madrid, elaborado por el Ayuntamiento: canalización del Manzanares, rampa y puente de hierro sobre San Antonio de la Florida, que evita un peligroso y molesto paso a nivel, ensanche de la Puerta Cerrada y de la plazuela de Santo Domingo... Todo ello firmado por un arquitecto de prestigio en el Madrid de 1927, el señor Zapata. Esta exposición es inaugurada por el propio Alfonso XIII.

En la Universidad, donde los aires políticos no son excesivamente reposados, el rector Carracido es sustituido *manu-gubernamentali* por el catedrático Bermejo. En el Círculo de Bellas Artes tiene lugar una interesante Exposición de Artistas Andaluces, destacando los cuadros de Suárez Peregrin, Ricardo Baroja, Pedro Antonio, Juan Bueno, Santiago Martínez, Pedraza Ostos, Cristóbal Ruiz, Verdugo Landi, Fernando Labrada y Gonzalo Bilbao.

El caricaturista del momento es Xaudaró, un poco aventajado sobre Bagaría. Se cuenta de Xaudaró que en una de sus caricaturas dibujó el descarrilamiento del tren y olvidó diseñar su insustituible perrito. Al día siguiente recibió un telegrama que decía: «Dígame si perrito falleció en la catástrofe». Otro de sus dibujos célebres precisamente en 1927 es el que representa una larga cola de ciudadanos vestidos a la usanza antigua, que vienen a parar a manos del callista. La leyenda dice: «(de las memorias de un pedicuro) ...y el día antes del Diluvio Universal a toda la Humanidad le dolían los callos».

Es elegido para ocupar un puesto en la Real Academia Española Antonio Machado, el poeta cantor de Soria. Se pasea por Madrid un actor de cine español que ha triunfado plenamente en la meca del celuloide norteamericano: Antonio Moreno.

En el ministerio de la Guerra, un nutrido grupo de jefes y oficiales de la Legión, a la cabeza de los cuales se halla el coronel Millán Astray, se reúne para entregar solemnemente un sable de honor a su antiguo jefe, el general Francisco Franco. Su hermano, el célebre aviador Ramón Franco, acude al aerodromo de Cuatro Vientos para probar en vuelo el avión gigante «Junkers», fabricado en Alemania, y que visita Madrid en exhibición.

Muere el sumiller de corps de Alfonso XIII, marqués de Viana, y se hacen muchas cábalas acerca de quién será designado par sustituirle.

Rodríguez Marín ingresa en la Academia de la Historia, y en la de Bellas Artes lo hace el escultor José Capuz. Se celebra con diversas solemnidades el 25 aniversario de Alfonso XIII como rey de España. Eduardo Marquina termina la letra para la marcha real, *marcha de los infantes.*

El Salón de Humoristas, inaugurado en el Círculo de Bellas Artes, reúne cerca de trescientas obras de los mejores cartelistas, ilustradores y caricaturistas españoles, con gran proporción de artistas madrileños o que residen en Madrid.

El jardinero mayor del Ayuntamiento madrileño, Cecilio Rodríguez, se apunta un decisivo éxito con la inauguración de la Exposición de Flores y Plantas del Retiro, en la Rosaleda, acto al que asisten las primeras autoridades de la capital.

La reina Victoria Eugenia acude al Sanatorio de Valdelatas para abrir algunos pabellones más, destinados a tuberculosos.

La futura Ciudad Universitaria acapara a menudo la atención de los periódicos: cuando no es una exposición de proyectos es una conferencia sobre lo que serán los diversos edificios o una corrida de toros

La Puerta de Alcalá. Dibujo de Luciano Recio

a beneficio de sus fondos sociales. En la exposición de cuadros de Daniel Vázquez Díaz, en el Museo de Arte Moderno, destacan los retratos de Menéndez Pidal, Marañón, Carmen Moragas y los hermanos Baroja.

Margarita Nelken, la mujer abogado que trae de cabeza a tantas mujeres madrileñas por su rebeldía y su independencia, publica un libro titulado *En torno a nosotras*, que tiene muchos compradores. O, mejor dicho, compradoras. En la Real Academia de la Historia ingresa el marqués de la Vega-Inclán. En el Palacio del Senado, que ya prácticamente no sirve para nada, se celebra una Asamblea de la Prensa Latina, a la que asisten representaciones de España, Francia, Portugal, Rumanía,

Bélgica, Italia, Filipinas e Iberoamérica. La sesión inaugural la preside el general Primo de Rivera, vestido de traje civil.

Pedro Mata publica una de las mejores novelas, titulada *Mas allá del amor y de la muerte.* Los hombres del Directorio han cursado las oportunas instrucciones para que *este año sea sonada la Verbena de la Paloma,* pero no al modo de sainete clásico, sino por el reparto de bonos comestibles a los pobres del distrito, de lo que se encarga la Asociación Benéfica de La Latina.

Huberto Pérez de la Ossa publica una novela cuyo título promete —y cumple— gran interés: *La casa de los masones.*

El Nuncio organiza en su palacio otro reparto de ropas. El reparto de ropas y comestibles a los pobres es algo muy de moda en todos estos años. La existencia de los pobres se da como algo natural, y constituye una nota de buen tono intervenir en la organización o en la entrega misma de los bienes a los menesterosos. Nadie o casi nadie en cambio en los medios oficiales se preocupa de evitar que siga habiendo pobres, pues, ¿adónde va una ciudad sin pobres...? Los pobres son a Madrid como la Puerta de Alcalá o las verjas del Retiro, algo consustancial. Además, si no hay pobres, ¿cómo demonios va a ejercerse la caridad...?

El verano de 1927 impone, como siempre, un largo paréntesis a la actividad de Madrid. Como los reyes y toda la familia real se van a Santander, a San Sebastián, a Bilbao, la Corte entera se traslada temporalmente al Norte, y Madrid queda seco y serio, caliginoso y aburrido, con los teatros adormecidos y los pocos cines trabajando lo menos posible.

Las personas que pueden permitirse tales gastos van también a los lugares tradicionales de veraneo en el Cantábrico o en Galicia, se llenan también los pueblecitos estivales de la Sierra o sus contornos —Navacerrada, Cercedilla, El Escorial, principalmente— y es en estos sitios donde los madrileños organizan representaciones teatrales y verbenas benéficas. Hay también un número de madrileños relativamente reducido que va a veranear a las playas de Andalucía, la Costa Brava y Levante, pero lo adecuado, lo *chic* es ir como las personas de rango a las playas norteñas.

Los bañadores están convirtiéndose en algo demasiado atrevido, pues algunos de los trajes que lucen las señoras en Santander y San Sebastián, comprados en el curso de un viaje relámpago a las ciudades francesas de los Bajos Pirineos, sólo cubren hasta por encima de la mitad del muslo, y los moralistas se preguntan que adónde vamos a llegar.

Los trajes de baño de los señores son, naturalmente, enterizos, es decir, como si encima del calzón clásico, se hubieran puesto una camiseta sin mangas de color oscuro. Francia se impone, como siempre, y la línea veraniega que viene del vecino país es osada, descocada y descarada. Tanto que no va a ver más remedio que copiarla cuanto antes, pese a todos los pesares.

La noticia que recorre el mundo en la primera quincena de octubre de 1927 es el fabuloso vuelo del aviador inglés Webster, que se adjudica la codiciada Copa Schneider al lograr una media horaria de 452 kilómetros, asegurando que en los entrenamientos había alcanzado los 500. ¡500 kilómetros de velocidad en el aire...! Los madrileños del más o menos pacífico 1927 se preguntan si no es que el globo terráneo entero está volviéndose rematadamente loco día por día.

En el VII Salón de Otoño destacan pinturas de Cruz Herrera, Pedro Antonio, José Benlliure, Marceliano Santa María, Oroz, Gonzalo Bilbao, Del Palacio, Ferrer Carbonell, Martínez Cubells, Simonet Castro, Larrañaga, Teresa Fábregas, Serra Farnés, Pantorba, Vidal, De la Fuente, García Camio, Rocamora, Ribera y otros tantos. El tono general de este Salón de Otoño pudiera definirse como plácido: hay en los retratos y en los paisajes, en los estudios y en los bodegones una cierta serenidad diferente al estilo de los salones de años anteriores.

La reina y las dos jóvenes infantas presiden la inauguración, en el Palacio de Comunicaciones, del III Congreso Internacional de Sociedades Protectoras de Animales. El tema da pie a varios caricaturistas de la capital para recordar lo de que también los seres humanos son animales, si bien racionales, y, por lo tanto, sujetos dignos de la mejor protección oficial.

La presencia del general Primo de Rivera en el Poder significa un aire viajero en las personas de la familia real, que en menos de cuatro meses han visitado, además de las ciudades norteñas del veraneo, Ferrol, La Coruña, Vigo, Ceuta, Melilla y Barcelona. ¿Para que estuvieran allí o para que no estuvieran aquí...?

Nada de crisis teatral, como comentaban algunos periódicos. El plantel de canzonetistas, tonadilleras y *vedettes* lo nutren Pastora Imperio, *La Yankee*, Custodia Romero, Imperio Argentina, *La Goya*, Amalia de Isaura, *La Preciosilla*, Conchita Piquer, *La Argentinita*, Raquel Meller, Conchita Ulía, Paloma Luján, *La Argentina*, Conchita Constanzo y algunas más.

El Apolo es particularmente activo. En él se presentan dos nuevos tenores de éxito, Francisco Godayol y Antonio Ocaña; en él triunfa copiosamente Selica Pérez Carpio y en él, en fin, se estrenan obras como *La hora de la verdad, relojería,* obra que, por si el título no fuera ya suficientemente largo, tenía por autores nada menos que a Ramos de Castro, Mesa Andrés, López Marín y los maestros Guerrero y Estela.

El triunfador de la temporada de 1927 en Apolo es sin duda el maestro de barítonos Marcos Redondo. En aquel escenario, los madrileños pudieron ver también *El sobre verde*, de Paradas y Jiménez, cuyos cantables se hicieron pronto populares.

El Alkázar —aún sigue escribiéndose con «k»— presenta *Don Elemento*, de Fernández del Villar; *Sor Teresa de Paul*, de Duarte; *Nuevo horizonte*, también de Duarte; *Yo soy un amigo mío*, de Leandro Navarro; *La mala uva*, de Muñoz Seca y Pérez Fernández; *Pensión Valdivia*, de Abati y Cadenas, y *La Caraba*, de Muñoz Seca y Pérez Fernández.

En Novedades, en su penúltimo año completo —ha de arder en 1929 trágicamente—, son estrenadas *Leyenda feudal*, de Lambert; *El hada del frío*, opereta de López Núñez con música de Torcal y Bertrán Reyna; *En las garras del león*, de Javier de Burgos; *20.000 leguas de viaje submarino*, con las valientes alegorías de Rambal; *El voto*, de Muñoz Seca y Pérez Fernández, con música de San José y Prijano; *Todo el año es carnaval*, de Vela, Moreno y maestro Rosillo, y varias obras ligeras más.

El Lara ofrece otra buena serie de estrenos: *La mujer que necesito*, de Thuillier y López Hera; *La jaca torda*, en verso, de Mayral; *A martillazos*, de Linares Rivas y Méndez de la Torre; *Una noche de primavera sin sueño*, de Jardiel Poncela; *Los mosquitos*, de los hermanos Alvarez Quintero; *En paz*, de Honorio Maura, y una adaptación de obra extranjera presentada aquí con el título de *Mi mujer es un gran hombre*.

En el Reina Victoria, *Fruto bendito*, de Marquina; *Julieta compra un hijo*, de Honorio Maura; *La señorita del Casis-Bar*, de López Carrión y Aguado de la Loma, y el entusiasta homenaje a Pepita Díaz de Artigas. En La Latina, *Perla en el fango*, de Pilar Millán Astray; *Todo tu amor*, de Sassone; *Fuensanta la del cortijo*, de Alvear; *La aventurera*, de Tellaeche y Rosillo; *Rosa de Madrid* y *La hija de la Dolores*, ambas de Ardavín, en estupenda interpretación de María Palou, protagonista también de *Divino Tesoro*, de Luca de Tena.

En el Infanta Isabel, *Suéltate el pelo, Rosario*, de Paso y González del Toro; *Riña de gallos*, de Abati y García Alvarez; *La familia de Susana*, de Quiles y Casares; *La tierra madre*, de López Núñez; *Mi cocinera*, de Tristan Bernard; *Razón suprema*, de Iván Rey, y *Lo mejor de la vida*, de Maurente.

El teatro Cómico estrena *He visto a un hombre saltar*, de Paso y Dicenta; la adaptación titulada *¿Qué hizo usted de nueve a diez?*; *Los lagarteranos*, de Luis de Vargas; *Los mozos bien*, de Ramos Martín, y *La hija de Merino*, de Serrano Anguita.

En el Eslava, la compañía de Celia Gámez presenta una gran revista musical, *Las castigadoras*, de Lozano, Mariño y maestro Alonso; *El cabaret de la academia*, de Goitia y Monter, con música de Conrado del Campo y Tellería; *Las burladoras*, de Prada y Franco Padilla, con música de Padilla; *La coma es un punto*, de Loygorri y González Alvarez, y el vodevil traducido *Dóllars*.

El Fuencarral estrena *Cinceladores del silencio*, de Pacheco y López

Solares; *Cegar para ver*, de Rovirosa; *En un pueblecico blanco*, de Lorente y Tena; *Carnavalada*, de Cotta y maestro Alvarez García; *El carro de la alegría*, de Carrero, Valero Martín, Corral y Campiña; *Luis Candelas*, de Silva Aramburu, y *El anticuario de Antón Martín*, de Paso.

La campaña en el teatro de la Zarzuela presenta *La flor del pazo*, de Vilaseca, Germán y música de Conrado del Campo; *La reina del Directorio*, de Cadenas y Castillo, con música de Alonso, y el estreno cumbre de Amadeo Vives, *La Villana*, libro de Romero y Fernández Shaw. Hay también en la Zarzuela una buena temporada de ópera con Matilde Revenga y la soprano italiana Olga Carrara.

En el teatro del Centro, *Se desea un huésped*, de Manuel Abril; *El veneno del tango*, de Valentín de Pedro; *Bajo la capa de Arlequín*, de Mac-Kinlay; *La prisionera*, zarzuela de Sevilla, Carreño, Serrano y Balaguer; *Brandy, mucho brandy*, de Azorín, pasado temporalmente al teatro, y *Los de Aragón*, otro de los éxitos clave de 1927, de Lorente y Serrano, con una compañía encabezada por María Badía, Delfín Pulido, Valentín González y Patricio León.

Nuestra reseña acude ahora al escenario del teatro de la Comedia, donde se estrenan *La rueda de la fortuna*, de Granada y La Peña; *El señor Adrián, el primo*, de Arniches; *Tengo un padrastro*, adaptación de una obra extranjera; *Usted es Ortiz*, de Muñoz Seca, y los recitales de poesía de Gloria Bayardo.

En el Princesa la presentación de una compañía de ballets rusos y el estreno de *La niña de los peines*, de José María Granada.

El Chueca brinda unos cuantos estrenos también: *Chamberí por Hortaleza*, de Silva Aramburu y Mayral, música de Sama; *De pura cepa*, de Cabrerizo, Jaquetot y López Quiroga, y *La casa del duende*. Muñoz Seca y Guerrero estrenan en Romea un disparate musicado que se titula *Las inyecciones;* el Fontalba registra el estreno de *La cantaora del puerto*, de Ardavín, la presentación de la compañía francesa de Sarment, el homenaje a Margarita Xirgu y un concierto de guitarra. El castizo Pavón ofrece algunas novedades: *Los diez mandamientos*, de Grajales y García Pacheco; *París-Lyon-Mediterráneo*, de Rambal, que hace otro alarde con *El hombre que vendió su alma al Diablo*, y una zarzuela con música de Lecuona y libro de Paso y Merino titulada *Rosalima*. Terminemos anotando en el coliseo Pardiñas el estreno de *Ruy Blas*, zarzuela de Acevedo, y la presentación en el Goya de *Mariana Pineda*, de García Lorca.

Madrid comienza a acostumbrarse a emplear la palabra *deporte*, en lugar de *sport* con que se definían todas las actividades deportivas, que hasta entonces habían venido siendo consideradas como algo extranjero y que a duras penas iba entrando en España.

Para España, este 1927 es un gran año deportivo, sobre todo por la epopeya americana de Paulino Uzcudun, de quien, atravesando el Océano, llegan constantes noticias de rotundas victorias: *el púgil de Régil* —como preferían decir los aficionados a los juegos de palabras— venció en La Habana al californiano O'Grady y al italoamericano Fierro, al primero en sólo dos minutos de combate, al segundo por k. o. en el primer asalto.

Una vez en los Estados Unidos, donde llegaron a inferirse al boxeador español los mayores desprecios y las más descaradas injusticias, venció a Knute Hamsen, a Tom Heeney y a Harry Wills. Los promotores americanos del boxeo estaban decididos a, que el cetro mundial de los pesos pesados continuara en manos yanquis, y para lograrlo no se detuvieron en las más sucias maniobras de todas clases.

Paulino llegó a estar amenazado de muerte por llamadas telefónicas y a ser invitado claramente por algún periódico a marcharse del país, «si no deseaba males mayores». Cualquier cosa menos someter al campeón americano a los puños del español, que en 1927 eran capaces de demoler a cualquier rival. Muchas personas, incluso ajenas a la afición al boxeo, recordarán sin duda todo aquel asco que, lamentablemente, otras muchas también han olvidado demasiado aprisa.

El año deportivo registra en el extranjero la clasificación del célebre mayor Campbell como campeón del mundo de automovilismo con un vehículo de 500 caballos, el «pájaro azul», récord que poco después le fue arrebatado por el mayor Seagrave en la playa americana de Daytona al conseguir 333 kilómetros a la hora.

En cuanto al fútbol español, sigue destacando el guardameta Zamora y le va algo a la zaga Barroso, del Atlético de Madrid, que tiene una temporada cumbre. En los encuentros internacionales, España vence a Suiza en Santander por un gol de diferencia, con un equipo integrado por Zamora, Juanín, Portas, Prats, Carmelo, Valderrama, Lafuente, Goiburu, Oscar, Galatas y Olaso. Vence también la selección española a Hungría, a Francia —en Colombes y por tres tantos— y a Portugal en Madrid, sucumbiendo en cambio frente a Italia en Bolonia. Se celebra el partido de homenaje y despedida a Paulino Alcántara y es designado seleccionador *único* Berraondo.

Por primera vez, una selección española de rugby actúa contra otra extranjera, la francesa, que nos vence sin demasiadas dificultades. También nos vence el equipo indio de tenis en la Copa Davis, en partidos celebrados en Barcelona. En Madrid, Manuel Fernández se proclama campeón de la carrera de *cross-country* (todavía se decía así y no campo a través), en el pugilato Gimnástica-Rácing de Madrid.

Ignacio Alvarez de Bohorques se clasifica ganador absoluto en la subida automovilista a la Cuesta de las Perdices. En el campeonato de golf de Puerta de Hierro, Pedro Cabeza de Vaca gana la Copa Alfonso XIII, Luis Olabarri se sitúa campeón de 1927 y Amalia López Dóriga se adjudica el campeonato femenino de la especialidad. Domingo Tornell gana el llamado *campeonato social* de la Gimnástica en *cross*.

Los automóviles bajan de precio en Madrid, donde pueden adquirirse los suntuosos «Buick» desde 12.600 pesetas el modelo turismo corriente, para seis plazas holgadas, con un motor poderosísimo, hasta el super-lujo *coupé*, que se vende en 20.000 y el *sedán*, modelo 50, por 20.600 pesetas. Los toreros van adquiriendo para sus desplazamientos estos enormes «Buick» o los aún más grandes «Packards», algunos de los cuales admiten hasta nueve plazas y todo equipaje.

La actividad literaria madrileña registra la publicación de *Tirano Banderas*, la sorprendente novela de ambiente hispanoamericano de Valle Inclán; *La herencia de Mimí*, de Eduardo Mendaro; *La mitra en la mano*, de Rufino Blanco Fombona; *Andalucía*, del poeta Fernando Villalón; *Las eternas mironas*, de José María de Acosta; *Marcos Villarí y Germán Padilla*, de Bartolomé Soler; *Las hogueras de Israel*, de Antonio Cases; *Instantes*, de José María Salaverría; *Los amores de un cadete*, de Adolfo de Sandoval; *América, el libro de los orígenes*, del escritor de monóculo Antonio de Hoyos y Vinent; *Una novela que empieza por el fin*, de Enrique Meneses; *Carteles*, de Alfonso Camín, y la obra galardonada con el Premio Fastenrath, *El centro de las almas*, de Antonio Porras.

Es nombrado gobernador civil de Madrid don Carlos Martín Alvarez y se registran, entre otros, dos fallecimientos importantes: el de la formidable tiple Lucrecia Arana y el del duque de Fernán Núñez. Desde Salamanca llega la noticia de la boda de Miguel Fleta y desde Toledo la del fallecimiento del Cardenal Primado, Dr. Reig y Casanova, quien, al decir de muchos, *tenía estampa de Papa*.

Cuando los agentes de la Policía acuden a cierta casa de la calle de la Madera para detener a un ladrón, lo encuentran, después de trabajosa búsqueda, escondido en un armario del desván; pero no quedó demasiado claro si era efectivamente un ladrón, o al menos no lograron ponerse en esto de acuerdo los agentes, la dueña de la casa y su marido.

1927 es también *el año de Lindberg*. Aunque el histórico vuelo del larguirucho coronel americano de la cara de niño no tenga nada que ver con la Historia de Madrid propiamente dicha, no parece que deba omitirse el acontecimiento como determinante de la época, y, además, porque la epopeya de Lindberg dejó de ser una proeza americana para convertirse en hazaña del mundo, y Madrid también era mundo.

Muy particularmente en el terreno de los viajes aviatorios, España y Madrid contaban en el mundo, y mucho, desde el año anterior, 1926, en que habían sido realizadas las arriesgadas aventuras del «Plus Ultra», del vuelo a Manila, y del de Guinea.

Charles Lindberg tenía veinticinco años al iniciar su vuelo y su grado militar era el de teniente. Convocado en Estados Unidos un premio de

25.000 dólares para el piloto que efectuara el primer vuelo sin escalas Nueva York-París, Lindberg solicitó ayuda financiera para su proyecto, consiguió que le fabricasen especialmente un avión, al que bautizó «Espíritu de San Luis», y comenzó haciendo un vuelo desde San Diego, en California, hasta Curtiss Fiel, en Nueva York, es decir, de costa a costa de Norteamérica, estableciendo un récord de velocidad como prólogo a la mayor hazaña sobre el Atlántico.

Exactamente el día 20 de mayo, Lindberg despegó del aeropuerto de Roosevelt, en Nueva York, y puso proa al mar. A la tarde siguiente, después de un vuelo de treinta y tres horas, aterrizó sin novedad en el aerodromo de Le Bourget, cercano a París. Por toda orientación se había servido de una simple brújula.

El recibimiento en Le Bourget y poco después en el mismo París fue de lo que puede calificarse como indescriptible. En menos de cuarenta y ocho horas, Lindberg se convirtió en el hombre más popular del mundo. El Gobierno norteamericano puso a su disposición un crucero de la Marina de Guerra para que regresara a Estados Unidos. Allí, ya en tierra americana, los recibimientos y los homenajes rayaron en el delirio.

En sólo un mes, Lindberg recibió más de tres millones y medio de cartas y todas las condecoraciones que existían por los cuarenta y tantos Estados de la Unión. Poco después fue promovido a coronel de la Reserva Aérea.

Todo un anecdotario curioso siguió al vuelo de Lindberg. Alguna poderosa empresa norteamericana le ofreció una cantidad de varios millones de pesetas si se avenía a dejarse fotografiar con un cepillo de dientes en la mano declarando que, durante el vuelo, sólo se había lavado la boca con una determinada pasta dentífrica. Una millonaria de cincuenta y seis años le propuso el matrimonio con la condición de permanecer casados sólo seis meses, suicidándose ella después y dejándole toda su fortuna.

El mechoncito de pelo sobre la frente hizo nacer el peinado masculino *a lo Lindberg*, que los peluqueros se apresuraron a anunciar en los cristales de sus puertas a precios algo superiores al de corte normal del cabello.

Lindberg usa esto, Lindberg lee estos libros, Lindberg viste estos trajes... Todo lo que de cerca o de lejos rodeaba al héroe era bien visto, y todo lo que estaba contra él, que por cierto en 1927 era bien poco, era mal visto. Tiempo después, seis años más tarde, el nombre de Lindberg volvió a las primeras páginas de los periódicos, con ocasión del rapto y asesinato de su pequeño hijo único. De esto también se hablará, siquiera de pasada, cuando nuestra Historia de Madrid se halle en los meses de 1933.

Capítulo 9. TOREROS DE GUARDIA EN EL AYUNTAMIENTO (año 1928). Lidia y muerte de un toro en la Gran Vía. La cuadrilla de toreros de guardia de L'Intransigeant. Los precios del Madrid de 1928. Demasiados toreros muertos. Gran año de deportes. Exportación de muchachas españolas. El mundo, revuelto. El incendio del Novedades y sus enseñanzas.

Ya se sabe que el sueño de cualquier torero que empieza su carrera es llegar a torear en Madrid, pero ni al más osado se le hubiera ocurrido aspirar a matar un toro en plena Gran Vía madrileña, teniendo por burladeros los balconcillos de algún antepecho y por callejón los numerosos portales de la avenida. Esto, no obstante, es lo que sucedió al matador Diego Mazquiarán, *Fortuna*, exactamente el 3 de enero de 1928. Un toro desmandado tomó por suyas las calles madrileñas y buscando sin duda ver de cerca lo más moderno de la ciudad, apareció de pronto en lo más céntrico de la ya muy céntrica Gran Vía.

Puede imaginarse lo que sucedió en escasos minutos: carreras, gritos, desmayos, sustos, el tráfico —entonces era *tránsito*— interrumpido, los guardias sin saber qué hacer, el astado dueño de la situación, encampanado y altivo en el centro de la calzada, y más de un vecino llamando por teléfono al cuartelillo de bomberos, por llamar a alguien. En esto, un profesional del toreo, el citado *Fortuna*, apareció, se dio cuenta de la situación, procuró poner calma en todos y envió a su hotel, próximo, ↘ que le trajeran una muleta y un estoque. Fueron largos, interminables, los minutos que transcurrieron entre el encargo y su cumplimiento, y el toro parecía haberse dado cuenta de que allí quien mandaba era él.

A poco llegó el enviado con los trastos de matar. *Fortuna* se quitó el abrigo, montó la muleta y citó al toro. Los viandantes de la Gran Vía no hubieran soñado, un rato antes, con presenciar una faena de muleta entre la acera de los pares y la de los impares. Pero así fue. Faena breve, acertada y justa, tras de lo cual *Fortuna* se perfiló y mató a su enemigo también muy brevemente. Lo demás todo fue ya fácil; lo difícil ahí quedaba hecho.

El toro muerto quedó en la calle bastante rato, porque también entonces eran lentos los servicios municipales. Madrid tuvo un tema de conversación dominando a todos los demás, no ya para aquella misma tarde, sino para muchos de los días sucesivos. Los periódicos madrileños reprodujeron las fotografías del toro, desafiante, primero, y muerto, después. Se pidió para *Fortuna* un homenaje y en realidad se le dieron varios. Su carrera profesional, que se hallaba en un momento de indudable declive —en 1927 sólo había toreado tres corridas— se alzó de nuevo como consecuencia de la hazaña de la Gran Vía madrileña. Se pidió para él la Cruz de Beneficencia y le fue concedida.

En cuanto a la prensa extranjera, hubo algunas versiones graciosas, como la del periódico parisino *L'Intransigeant*, que aseguraba que el toro había sido toreado *por la cuadrilla de toreros de guardia del Ayuntamiento de Madrid, capitaneada por «Fortuna»*. Un diario de Nueva York publicó una información animada de divertidos dibujos en colores, y diciendo que gracias a que todos los españoles aprenden a torear en el colegio, cuando niños, la escapatoria del toro no había tenido mayores consecuencias, y acababa preguntándose: «¿Qué hubiera sucedido si el toro aparece en Chicago o en Nueva York?»

El 11 de octubre de este mismo 1928, en el curso de una corrida extraordinaria celebrada en Madrid, Nicanor Villalta fue el encargado de imponer a *Fortuna*, en medio de una prolongada ovación, las insignias de la Cruz de Beneficencia sobre el vestido de luces. Alternaron en el festejo *Valencia II* y *Tato de Méjico*, para cuatro toros de Aleas y otros cuatro de Martín Alonso.

Los precios de los artículos de consumo en 1928, vistos desde la atalaya de nuestros días, resultan aleccionadores. Un aparato fotográfico *Kodak*, último modelo, puede adquirirse por 45 pesetas; el tipo para niños, por sólo 21 pesetas. Manzanilla aromática *La Espigadora*, bote de 100 tazas, dos pesetas. Polluelos *Leghorn*, seleccionados, blancos, 27 pesetas una docena, incluido embalaje. Un aparato ortopédico reductor de la hernia, 50 pesetas. La *Brillantina India*, que garantiza la desaparición de las canas, a cinco pesetas frasco. *El sobre amarillo*, que quita el brillo de los trajes y los deja mejor que nuevos, una peseta. Por 3,50 pesetas a la semana se puede comprar una formidable bicicleta marca *Otto*, fortísima, construida especialmente para las carreteras españolas.

Los establecimientos Quillet ofrecen bicicletas de paseo a 210 pesetas al contado o veinte mensualidades de 12 pesetas, y modelos de carrera a 220 ó 12,50 de plazo mensual. La misma casa vende relojes de pared de 89 centímetros de altura, con sonería igual a las campanadas de la Abadía de Westminster, por 280 pesetas al contado o en plazos de 16 pesetas cada mes. Escofinas Losada contra los callos desde cincuenta céntimos. Un *lavandero* práctico, manejable a mano, sólo 15 pesetas. El caldo *Maggi*, diez céntimos el cubito.

Un saco guardarropa gigante, fabricado en papel especial impregnado

Madrid, 1926. Raquel Meller

El
Madrid
de
1927

Tita Ruffo

Valeriano León

Vicente Blasco Ibáñez   Catalina Bárcena

Madrid, 1927. El tango y el charlestón en dibujos de Baldrich

Madrid, 1927. Un rincón del Canalillo

Madrid, 1927. María Luisa Moneró y Luis Bori

contra la polilla, 1,50. El tarro de crema-nieve *Oatine*, tres pesetas. El estuche de dos pastillas de chiclets *Adams*, diez céntimos. Uno cualquiera de los periódicos de la prensa diaria, diez céntimos. Lápiz de labios *jugo de rosas*, que no produce desecación ni empaste, 75 céntimos. *Sudoral*, 2,50. Cronógrafo-taxímetro de bolsillo, en caja de plaqué oro inalterable, 198 pesetas, pagaderas en plazos mensuales de 11 pesetas. Colonia *Ambrée*, auténtica de París, 8 pesetas el frasco de medio litro. Jabón *Heno de Pravia*, pastilla grande, 1,25. Pilosublimado que evita la calvicie, 8 pesetas el frasco. Estuche *Cútex* para el cuidado de las uñas, modelos desde 5 pesetas el más barato, a 22,50 el más caro.

El célebre *Odo-ro-no*, a 3,50 el frasco. Discos *Odeón* de gramófono, con las últimas novedades de zarzuela cantadas por Mercedes Serós, a 10 pesetas. Un automóvil «Ford», modelo descapotable, sensacional, garantizado, equipado con cinco neumáticos, 4.500 pesetas; y si desea evitarse dar a la manivela y lo prefiere con arranque eléctrico —impresionante novedad—, 4.750 pesetas. Vaya usted recién peinado en todo momento del día usando *Fixol*, el fijador perfecto del hombre de sociedad; no mancha y tiene un discreto olor a violeta; frasco, 2 pesetas. Taquigrafía de Martín Eztala, redactada en forma que hace innecesario el profesor, cuarta edición, 6 pesetas.

Certificados de penales, tramitación completa y obtención, 6 pesetas. Amuletos japoneses de la buena suerte, una peseta. Purgante Lukol de azúcar de plátano, eficaz y agradable, 35 céntimos. *Episodios Nacionales* de Pérez Galdós, 23 tomos encuadernados lujosamente en tela, 195,50 al contado y 225 a plazos. Estos son algunos de los precios madrileños de 1928. Conociendo los salarios —que conoceremos oportunamente—, podremos estar en condiciones de establecer el verdadero nivel de vida de aquel tiempo.

El *caso Sbert* no puede ser definido sino de esta manera: el *caso* Sbert. Camba, en su citada biografía de Primo de Rivera, lo relata así:

> **"A mediados de marzo, esperando Primo de Rivera al rey en la escalinata de la Escuela de Ingenieros Agrónomos, un estudiante de la casa, alto, cetrino, desgalichado y anguloso, con cerca de treinta años encima, gesto de enfermo de alguna víscera fundamental y bigote de desterrado ruso, se había adelantado a decirle que era Sbert y quería hacerle presente los deseos de la clase, digna, a la verdad, de ser mejor atendida por los gobiernos.**
>
> **"Primo de Rivera cortó secamente:**
>
> **—Esas aspiraciones se las comunica usted a sus superiores. Un estudiante no es más que un soldado y le debe a sus jefes obediencia jerárquica.**
>
> **"Los estudiantes, por la tarde, promovieron jaleos por cómo el jefe del Directorio había tratado al presidente de su Federación. Pocos días más tarde, Sbert salía confinado a Cuenca."**

Sbert, estudiante, Sbert, revolucionario, atravesará el final de la Dictadura, la caída de la Monarquía y los primeros años de República. Nada menos que en 1933 hemos de verle aún, revolucionario y estudiante, en la Escuela de Ingenieros de Barcelona, inquieto siempre, mediterráneo, creador pero... ¡todavía estudiante!

En 1928 mueren en la Plaza de Madrid unos cuantos toreros. Los novilleros Manuel Martínez Vera y Antonio Ruiz, el banderillero Victoriano Ontín, *Zoquita*, y el picador *Colorado*. Resultan cogidos con mayor o menor fortuna *Gitanillo de Triana*, cuyo toro ha de matar Fuentes Bejarano, resultando herido también, Rafael Barbera, *Pacorro*, el banderillero *Pachines y el Estatuario*, este último seguidor del arte quietista de *Don Tancredo,* con lo que la leyenda de que los toros no arremeten contra los hombres si se quedan quietos resultó definitivamente arrumbada.

Es esta temporada de 1928 la de la presentación de dos becerristas valientes, hijos de un torero famoso: los hermanos Manuel y Pepe Bienvenida. Y también la temporada en que, suprimidas por orden gubernativa las infamantes y crueles banderillas de fuego, los toros mansos son marcados, en el arrastre, con un no menos infamante lazo negro.

El capítulo de cogidas culmina con algunas otras en las plazas de fuera de la Capital: Félix Ródríguez, en la de Cartagena; el rejoneador Antonio Marcet, en la de Barcelona; Vicente Barrera, en la de Bilbao, y el dramático caso de *Sanluqueño*, a quien no hay más remedio que amputarle una pierna como consecuencia de la cogida de la temporada anterior. Se retira de los toros en Zaragoza, su tierra, el diestro *Gitanillo*, y su homónimo, *Gitanillo de Triana*, reaparece en Madrid para ser corneado por un toro y remitido rápidamente de nuevo a la enfermería.

Otros diestros que se retiran de la fiesta en la temporada de 1928 son *Saleri II* y *Niño de la Palma*, después de torear con éxito ambos en Madrid. Toman la alternativa Vicente Barrera y Mariano Rodríguez. Y llenan las distintas corridas madrileñas, entre otros, figuras como Luis Freg, Pablo Lalanda, *Larita*, Julio Mendoza, el torero de color, que al ser punteado por un toro y poner al descubierto su ropa interior hizo comentar a un gacetillero: «el negro que tenía la ropa blanca».

Nicanor Villalta, que continúa como campeón de las estocadas, *Relampaguito*, Martín Agüero, Fausto Barajas, *Fortuna, Zurito*, el mejicano *Armillita Chico*, Marcial Lalanda, a quien el público empieza a pedir en cada actuación que realice su ya célebre quite de *la mariposa; Chicuelo*, que en una tarde de mayo consigue la ovación más intensa de la temporada por dieciséis naturales seguidos, cada uno mejor que los anteriores; *El Gallo*, de quien se dice que desde la muerte de su hermano *Joselito* torea con excesivas precauciones; *Cagancho*, que continúa haciendo sus inimitables quites con los pies juntos y al que se considera como el más gitano de los toreros gitanos; el rejoneador Antonio Cañero, muy metido en la política del momento, por lo que a veces le silban no por lo flojo de su actuación, sino por su afinidad con la Unión Patriótica; *el Tato de Méjico*, que según los periodistas se ha traído su propia muerte en una de las maletas desde su lejano país; *Gallito de Zafra*, violento y elegante en ocasiones; Antonio Posada, *torero-señor* según algún cronista de la época; Félix Rodríguez, Antonio Márquez, Alfredo Corrochano —hijo del cronista taurino Gregorio Corrochano—, *Algabeño, Valencia II, Rayito*...

Como siempre, los toros son, en opinión de los entendidos, más pequeños que antes. Nunca se sabe de veras dónde se acabó ese *antes* de los toros grandes.

La actividad deportiva de Madrid está muy particularmente impulsada por la Gimnástica, entidad que ya cuenta con 1.326 socios, de los cuales alrededor de 300 acuden diariamente a entrenarse o a mantenerse en forma. El equipo de hockey sobre hierba del Atlético de Madrid —*Athletic*—, se proclama campeón de España. También se alza con el título de campeón regional el Real Madrid, en la especialidad de fútbol, quedando inmediatamente a su zaga el Atlético. Todo se queda, pues, en casa.

José María Mateos es seleccionador nacional de fútbol, sustituyendo a Berraondo. El Barcelona alcanza el campeonato de Copa. España-Portugal se resuelve en Lisboa con un empate, lo que las autoridades futbolísticas españolas consideran como un ruidoso fracaso.

En la Olimpíada de Amsterdam, la selección española vence a Méjico pero pierde ante Italia. Los uruguayos se proclaman —por segunda vez— campeones del mundo. Se presenta por primera vez a los espectadores madrileños el equipo de fútbol de la Cultural Leonesa. En el partido de Gijón, España e Italia empatan a un gol. La alineación del Real Madrid pone en la puerta a Cabo; en la defensa, dos jugadores, Quesada y Urquizú; en la media, tres: Prats, Esparza y Peña, y en la delantera Lazcano, Triana, Rubio (Gaspar Rubio, uno de los más extraordinarios futbolistas españoles de todos los tiempos), Uribe y López.

Paulino Uzcudun vence por K. O. a Lester, en Estados Unidos, y a Keelly, a este último en sólo cinco minutos. Poco después regresa a España. También viene de allá Hilario Martínez, que ha boxeado por los *rings* norteamericanos, lo mismo que Paulino, y que también puede contar mucho y muy sabroso acerca de las inmoralidades de aquellas organizaciones boxísticas. Antonio Ruiz, madrileño, pierde el título de los plumas de Europa ante Quadrini.

En la ya célebre playa de Daytona, norteamericana, se mata el corredor Lockhart, al intentar batir el récord de velocidad que ostenta Campbell. Uzcudun se enfrenta a Hayman, aspirante al título europeo de los pesados, y vence también, pero por contrapartida Hilario Martínez pierde ante Dundée en Barcelona. Telmo García se clasifica campeón de España de ciclismo, venciendo al formidable Ricardo Montero. José Reliegos consigue la victoria en el campeonato de Castilla de Cross-country.

En el aire, el desafío de unos países a otros continúa, si cabe más dramático que años anteriores: Amelia Earhart cruza el Atlántico en vuelo solitario, siendo la primera mujer que lo hace; Kingsford Smith vuela también solo desde California a Australia sobre el inmenso Pacífico; los españoles Jiménez e Iglesias, con el avión «Jesús del Gran Poder», realizan otra proeza gigante; el aviador mutilado belga Willy Coppens logra el récord europeo de descenso en paracaídas, lanzándose desde 6.000 metros; los franceses Costes y Lebrix atraviesan el Atlántico valientemente y el español comandante Molas se mata al realizar una ascensión en globo.

La crónica de sucesos del mundo anota el peligroso atentado contra el rey Víctor Manuel de Italia en Milán, muy cerca de quien estalló una bomba preparada en una de las columnas del alumbrado y que, casi inexplicablemente, ni siquiera hirió al monarca.

Dentro de lo folletinesco, de lo policíaco, tenemos la misteriosa desaparición del multimillonario Loewenstein, que después de subir a su avión particular en el aerodromo londinense de Croydon desapareció en pleno vuelo sobre el Canal de la Mancha.

En Méjico, el presidente electo Alvaro de Obregón es asesinado a tiros en el curso de una escena digna del celuloide del Oeste.

El fuerte de Cabrerizas Bajas, próximo a Melilla, convertido en polvorín, explota y destruye casi todo un barrio, ocasionando cincuenta muertos y más de doscientos cuarenta heridos, la mitad de ellos graves.

Una brigada entera de obreros que trabajaban en el túnel en construcción de Encinacorba, Zaragoza, resulta aprisionada y deshecha por el hundimiento del encofrado.

El submarino francés «Ondine», que navegaba cerca de las costas portuguesas, se hunde con toda su tripulación.

El aviador Mac-Donald, que intentaba cruzar el Atlántico a bordo de un avión de escasa cilindrada, desaparece sobre el mar sin que nadie encuentre rastro de él ni de su aparato.

Próximo a las costas americanas de Virginia se hunde en pocos minutos el transatlántico alemán «Vestris», pereciendo varios centenares de pasajeros y tripulantes.

En el terreno de lo pintoresco, tres astrónomos se reúnen en Rugby, Inglaterra, para ver de recibir la respuesta a ciertas señales que previamente han lanzado con destino a los posibles habitantes de Marte: no obstante el impresionante cúmulo de artefactos eléctricos que utilizan, y el aspecto serio de los tres científicos, Marte no se da por aludido y la esperada respuesta no llega jamás.

En Barcelona es detenido un armenio, Sahap Bastinos, que se dedicaba al interesante negocio de exportar muchachas españolas a ciertas casas de Francia y Alemania, cobrando 300 pesetas por cada una de ellas si tenían menos de veinte años y doscientas si tenían más.

Unas pruebas realizadas en Hamburgo por el inventor Hans Liebenhurts terminan en desastre: había inventado unas alas para volar sin motor y tenía tanta seguridad en ellas que se lanzó desde uno de los edificios más altos de la ciudad, pero bajó excesivamente aprisa y se mató.

En cierta aldea de Africa Central, una expedición belga que había perdido a uno de sus hombres —un profesor de Lovaina, de treinta y dos años de edad— descubre los restos de su cuerpo después de haber sido devorado por los negros de una tribu irredenta.

Pero de todos los sucesos del mundo entero, el que en el curso de 1928 más afectó directamente a Madrid fue, sin duda alguna, el pavoroso incendio del teatro Novedades. Así, *pavoroso*, y pocas veces el ajetreado adjetivo llega tan justo como en este caso. El incendio del Novedades conmovió no sólo a Madrid, sino a España entera e incluso a algunos sectores de Europa, hasta el extremo de que acudieron a la capital técnicos de diversos países europeos para ver directamente las causas de la catástrofe.

El 23 de septiembre se produjo el incendio del Novedades de Madrid. Nada mejor para recoger aquí lo que fue aquello que reproducir íntegramente la primera página de información del diario *A B C* del día 25, cuyo epígrafe, en letras gruesas, daba ya anuncio del volumen del siniestro:

"**ESPANTOSA CATASTROFE EN EL TEATRO DE NOVEDADES. Cerca de un centenar de muertos y más de ciento cincuenta heridos. Actos de heroísmo. Detalles de la espantosa confusión. Los bomberos y las autoridades. La actuación judicial. Manifestaciones de pésame. Noticias diversas.**

"**La catástrofe. Arde el coliseo lleno de espectadores. Témese que los muertos pasen de cien. Centenares de heridos. La noticia de la terrible catástrofe que ha causado cientos de víctimas empezó a circular por Madrid a las nueve y media de la noche, aproximadamente: un incendio había destruido el teatro Novedades. No era necesario acudir al lugar del suceso para comprobar la trágica verdad; desde distintos lugares de Madrid completamente alejados del popular teatro, podía apreciarse el intenso resplandor rojo del que surgían densas columnas de humo.**

"**Los vecinos, asomados a los balcones en sus domicilios de los distritos de Chamberí, Universidad y Centro, podían apreciar, no obstante la distancia, la magnitud del siniestro. Desde el Alto del León, un excursionista que regresaba a Madrid, en automóvil, di-**

visó perfectamente las llamaradas del incendio, y se dio cuenta de que un gran siniestro se había producido en los barrios bajos de esta capital.

"En la plaza de Santo Domingo se formaron numerosos grupos de gente que comentaba lo ocurrido, y hubo momentos en que se entorpeció la circulación. Los grupos eran cada vez más nutridos, según los informadores se iban acercando al lugar del siniestro, y los comentarios cada vez más alarmantes; pero en este triste suceso, las suposiciones y las fantasías de los comentaristas han quedado muy por bajo de la espantosa realidad.

"En la plaza de la Cebada se hacía imposible el tránsito. La gente, en apretado haz, presenciaba el triste espectáculo y luchaba por acercarse a la inmensa hoguera. Entre el público se oían ayes y lamentos; eran los de los familiares de los asistentes a la función de tarde del teatro de Novedades, que haciendo vanos esfuerzos se debatían entre la muchedumbre y pugnaban inútilmente por llegar a las proximidades del teatro, para saber noticias de las personas a quienes buscaban.

"Todo movimiento era estéril; ya más cerca del voraz incendio se hacía imposible traspasar las masas de aterrados espectadores que, con el espanto en los ojos y el alma suspensa, quedaban inmóviles ante el trágico horror del espectáculo. La afluencia de público dificultaba en grado sumo los trabajos para la extinción del fuego y salvamento de las víctimas, pero eran inútiles exhortaciones y requerimientos; las masas se hacían cada vez más densas y las noticias cada vez más espantosas, y de boca en boca corrían, aumentándose, las aterradoras cifras: ¡quince cadáveres!, ¡veinte cadáveres!, ¡cuarenta cadáveres!...

"Según las noticias obtenidas en el lugar del suceso el fuego comenzó a las nueve menos cinco en los telares del teatro, cuando se representaba el sainete Lo mejor del puerto, durante el entrecuadro del segundo acto. El jefe de los tramoyistas advirtió que ardía la decoración del último cuadro, e inmediatamente dio las oportunas órdenes para que quitasen las cuerdas, pero las precauciones resultaron inútiles, porque las llamas habían ya prendido en el resto del decorado, y habían sido advertidas por el público que a aquella hora presenciaba la función. Desde la entrada general se vio cómo ardía una bambalina, y fue entonces cuando alguien dio la voz de ¡fuego! La magnitud del siniestro fue tal, que instantáneamente cundió el pánico, y el público se precipitó en tropel hacia las puertas de salida.

"Pronto se apoderaron las llamas del escenario; cuanto había en éste, decoraciones, maderas, cuerdas, etc., ardió rápidamente, y bastaron muy pocos minutos para que el fuego se adueñara de las escaleras de madera y armazón de los telares para pasar a las vigas, y de allí a la sala. Los que se hallaban en ésta veían cómo en el escenario se desarrollaba el terrible espectáculo, el último espectáculo que la fatalidad ofrecía al público desde el escenario de Novedades, y advertían llenos de pavor cómo las llamas, codiciosas, hacían presa en la sala y avanzaban destruyendo la embocadura y los palcos proscenios.

"Pronto formaron parte de la hoguera las butacas, las divisiones de los palcos, las vigas, el suelo de madera, el techo y toda la sala, y seguidamente empezaron los derrumbamientos parciales. Al crepitar de la hoguera se unía el estruendo de la caída de los materiales, y a esto los ayes de terror y de dolor de las numerosas víctimas que en vano trataban de ganar la salida.

"La confusión era espantosa; muchas personas se descolgaban de las localidades superiores al patio de butacas, deslizándose por las columnas hasta caer sobre los grupos; otras no empleaban ni las columnas y se arrojaban directamente desde el anfiteatro, cayendo pesadamente encima de los que estaban en el patio, lo que aumentaba la confusión. Entre ésta, se dieron algunos casos de heroísmo, cuyos protagonistas no se pueden determinar en los primeros momentos por lo confusos que llegan los datos a conocimiento de los informadores. Se sabe, sin embargo, que un acomodador apellidado Carrasco, que estaba en una puerta de salida, ayudó con gran serenidad a que salieran mujeres y niños; después, este acomodador ha desaparecido y no dan noticias de él ni en su domicilio ni en las Casas de Socorro. También contribuyó al salvamento de muchas personas el acomodador Gabriel Núñez.

"Un hombre, cuya filiación se ignora, recogió en la puerta a un niño de dos años, que se hallaba tendido junto a la verja, y sobre cuyo cuerpecito habían pasado varios cientos de personas. Afortunadamente la criatura sólo presentaba contusiones en la cabeza. Por intervención del juez de guardia fue recogido en la Venerable Orden Tercera, situada en la calle de San Bernabé.

"El niño es rubio, con el pelo rizoso, viste delantal azul y calza zapatos y calcetines blancos. Son muchos los niños que han quedado abandonados con motivo del tumulto; se cuenta que una niña de corta edad, medio asfixiada por los que pretendían ponerse a salvo, gritaba: ¡Mamá, mamá!, y a los gritos de la infeliz criatura acudió un caballero, que la cogió en brazos y logró sacarla de aquella infernal escena."

Capítulo 10. ¿TRUCHAS EN EL MANZANARES? (año 1928). Inauguración del ministerio de Marina. Los muertos ilustres. Inauguración de la iglesia de Santa Teresa. Alevines de trucha en el Manzanares. El Maharajá de Kapurtala en Madrid. Reorganización ministerial. Impacto del cine americano. Los escalafones escénicos. El cine español. El **foxtrot** y el **yale**. La temporada teatral. Inauguración de La Equitativa en la calle de Alcalá.

La vida madrileña de 1928 conoce el ingreso en la Real Academia de Medicina del doctor Juarros y la inauguración, entre otros, de tres importantes edificios: el ministerio de Marina, en el Paseo del Prado esquina a Montalbán, el Palacio de la Prensa, en la Gran Vía, y la Iglesia de Santa Teresa de Jesús, en la calle de Ferraz.

Entre los fallecidos ilustres del año, el antiguo rector de la Universidad, Rodríguez Carracido, el periodista y comediógrafo Sinesio Delgado, el político Vázquez de Mella, el escritor Ceferino Palencia, el ministro de la Guerra duque de Tetuán, el polígrafo catalán Ignacio Iglesias y, lejos de Madrid, en su residencia francesa de Mentón, Vicente Blasco Ibáñez.

Un buen día, la estatua de La Cibeles aparece con una capa puesta, y los madrileños se hacen conjeturas acerca de quién, cuándo y cómo ha podido salvar el obstáculo del agua de la fuente para llegar hasta lo más alto de la Diosa. A la inauguración de la Casa de Velázquez, en los terrenos de lo que ya pronto va a ser Ciudad Universitaria, asisten varios políticos franceses y el mariscal Petain, que es quien despierta mayor expectación en Madrid. Alguien dotado de evidente buena fe realiza una suelta de alevines de trucha en el río Manzanares, alevines de los que, como en el cuento, *nunca más se supo.*

Se habla —principal rumor en el Madrid del verano de 1928— de la ya muy inminente boda entre Trini Castellanos y el presidente del Directorio, general Primo de Rivera.

Una mujer, que no sólo es doctora en Filosofía y Letras, sino abogado, da una conferencia sobre el debatidísimo tema del divorcio: se trata de la doctora Concha Peña, una de las pioneras de la igualdad de derechos de la mujer en España.

Libros de éxito en Madrid, *Relato inmoral*, de Fernández Flórez; *Uno de los dos*, de Ramírez Angel; *Humo, dolor, placer*, de Alberto Insúa; *Años y leguas*, de Gabriel Miró; *La senda roja*, de Alvarez del Vayo; *Sobre casi todo*, de Julio Camba; *El muñeco de trapo*, libro de cuentos de Salaverría; *El humo de la gloria* y *El abogado del Diablo*, de Diego San José; *El anillo de esmeralda*, de Mariano Tomás; *La mujer de ámbar, Goya, El dueño del átomo* y *El caballero del hongo gris*, de Ramón Gómez de la Serna.

Visitan Madrid dos vistosísimos maharajás, el de Kapurtala y el de Patiala, seguidos de colorinescos cortejos. Ramón Pérez de Ayala ingresa en la Academia Española y Federico Ribas gana el premio de 15.000 pesetas al mejor cartel anunciador del aceite español. Es designado nuevo alcalde Juan Manuel de Aristizábal y son inauguradas ocho escuelas en Chamartín y una nueva sala de escultura en el Museo del Prado.

El director del circo Krone —cinco pistas, 700 animales, siete trenes especiales, 2.000 artistas— visita al ministro de la Gobernación, Martínez Anido, acompañado de una pantera amaestrada.

Pasa la dirección de *El Imparcial* a Graciano Atienza. Poco después, reorganización ministerial: Ardanaz, ministro del Ejército —ya no *de la guerra*—; García de los Reyes, ministro de Marina; el conde de los Andes, ministro de Economía Nacional —nueva cartera—; el general Jordana, comisario superior de España en Marruecos; el general Sanjurjo, director de la Guardia Civil, y el general Burguete, presidente del Consejo Supremo de Guerra.

El impacto del cine norteamericano es ya una realidad, algo que está en el aire, algo consustancial a la vida misma de la ciudad. Inflaman poderosamente las cintas de ambiente del Oeste, pero se han abierto camino, también, las comedias de acción dinámica y apasionada, a la tradicional manera de Hollywood, y las maneras y movimientos de los ases y estrellas del cine de allá van influyendo notoriamente en las actitudes de la juventud madrileña.

Entre los directores el astro máximo es, seguramente, Cecil B. de Mille, cuyos magistrales movimientos de grandes masas en el recuadro del cine tienen asombrado al mundo.

Entre las actrices sugestivas, que empiezan a hacer soñar a los adolescentes y a algunos también que ya no lo son, Nancy Carrol, la rubia mitad pícara y mitad ingenua; Gloria Swanson, tipo de mujer-pantera que ya está de vuelta de todo y que cada vez que deja caer los párpados produce un cataclismo; Mary Pickford, *la novia del mundo*, ideal espiritualizado de los enamoradizos de Norteamérica y ya no tanto de los de Europa; Mae Murray, adelantada de las «vamps» que habían de llegar inmediatamente después; Bebe Daniels, la encantadora Bebe Daniels, quizá menos arrolladora que otras, pero mucho más actriz y más humana; Pola Negri, dramática, enigmática, prometedora silenciosa de extraños países subyugadores; Mary Nolan, bonita por encima de otra condición cualquiera y ágil, graciosa, muy superficial y muy americana, y, por último, la sueca, Greta Garbo, la actriz-actriz, la que inicia la serie de la mujer interesante en el celuloide que, a la larga, había de vencer a la ingenua, a la «vamp», a la misteriosa y a todas las demás.

Entre ellos, el bigote, la sonrisa y los agudos ojos de Douglas Fairbanks, que, además, cuando besa a su *partenaire*, parece que se duerme, aunque algunos dicen que no es eso, sino todo lo contrario; Adolfo Menjou, el galán maduro, picarón y afrancesado, elegantísimo, encajando las derrotas que le inflingen los más jóvenes con una elegancia medio espartana y medio cínica; Ramón Novarro, de quien se dice que va a heredar la corte de histéricas admiradoras que dejó sin trabajo la muerte de Rodolfo Valentino.

Harry Carey es el prototipo del americano fuerte, alto, vacío y desenfadado; Tom-Mix, el héroe de las praderas, el que siempre llega en el momento justo de liberar a la hija del granjero de las garras del torvo cacique indio o del cruel bandolero del desierto; William Bart's, uno de los primeros del escalafón de los *duros* de Norteamérica —esos duros que uno se pregunta muchas veces si no son otra cosa que unos solemnes mal educados—; Lon Chaney, especializado en ponerse feo y hacer miedo a los niños en las películas de misterio, de horror y de crimen; Buster Keaton, *cara de palo*, que hace reir a base de no reir él jamás; Harold Lloyd, el cómico de las gafas, entrenadísimo en huir de los chinos que le persiguen aunque sea colgándose de una cornisa, en el vacío, a la altura del piso 32 de un rascacielos; Charlot, el inconmensurable; Jackie Coogan, el infantil héroe de todos los niños del mundo. Este es el cine norteamericano que los madrileños pueden ver en 1928.

Las películas españolas estrenadas en Madrid en la docena de meses de 1928 son: *El médico a Palos* en el cine Madrid, *El orgullo de Albacete* en el Callao, *El tren* en el Palacio de la Música, *Es mi hombre* en el Royalty, en el que también es presentada *La condesa María; La hermana San Sulpicio* en el Avenida, *La ilustre fregona* en el Palacio de la Música, *La loca de la casa* en el Madrid, *La sirena del Cantábrico* en el Argüelles, *Los misterios de la imperial Toledo* en el Real Cinema, *Pepe Hillo* en el Callao, *Pepita Jiménez* en el Palacio de la Música, *Rejas y votos* en el Pavón, *Rosa de Madrid* (versión de celuloide de la obra de Ardavín con el chotis de Barta) en el Palacio de la Música, *Sortilegio* en el Callao, *Una aventura de cine* en el Palacio de la Música, y, en el Avenida, *Viva Madrid que es mi pueblo*, con Marcial Lalanda como intérprete máximo.

En este 1928 se produjeron en Madrid 44 películas, entre largas y cortometrajes. El éxito del año fue seguramente la película *Viva Ma-*

drid que es mi pueblo, en cuyo reparto, además del ya indicado Marcial Lalanda, figuraban Celia Escudero, Faustino Bretaño, Carmen Viance, Javier de Rivera, Erna Bécker, Alfonso Orozco y José Sola, bajo la dirección de Fernando Delgado y con Enrique Blanco en la cámara.

El teatro cantado no queda atrás en este 1928 madrileño: se estrenan numerosas obras en el teatro Chueca, cuyo escenario da amparo a presentaciones como las de *El país de la revista*, de Vela, Moreno y Rosillo; *Las verbeneras*, de Anita Prieto, González del Castillo y música de Alonso y Belda; *El secreto de mi prima*, de Asenjo, Torres del Alamo y Rosillo; *La perla del amor*, de Llabrés, Subra y música de Tena; *La suerte negra*, de Muñoz Román y Serrano, con música de Alonso y Acevedo, y *Los mandarines*, de Muñoz Román y Serrano, con música de Acevedo y Díaz Giles.

En el Apolo, *La chula de Pontevedra*, de Paradas y Jiménez, música de Luna y Bru; *El último romántico*, de Tellaeche y música de Soutullo y Vert, y *Los flamencos*, de Romero y Fernández Shaw, con música de Vives.

El teatro de la Zarzuela tuvo temporada de ópera, brevísima temporada, en la que sobresalieron las versiones de *La italiana en Argel* y *Sansón y Dalila*. En zarzuela presentó *La marchenera*, de Luque, González del Toro y música de Moreno Torroba; *Contrabandista valiente*, de Dicenta, Paso y música de Morales; *Cantuxa*, de Torrado y música de Baudot; *Martierra*, de Hernández Catá y música de Guerrero, y *Guzlares*, de Carreño y Sevilla, con música de Morato.

Los estrenos musicados de Pavón fueron *La manola del Portillo*, de Carrere y García Pacheco, con música de Luna, y algunoso otros de menos trascendencia. En el Fuencarral, *La alborada*, de Ramos Martín y música de Lambert y la opereta de Kallman *La princesa del circo*. En Eslava, *El candil del rey*, de Palomero, con música de Marquina y Vela, y *Abajo las coquetas*, de Paso y Loygorry y música de Guerrero.

En el Romea, *El Rajá de Cochín*, de Muñoz Seca y Pérez Fernández, con música de Rosillo, y *El viajante en cueros*, de Paso y Estremera, con música de Calleja y Rosillo, título que, como era de esperar, llamó poderosamente la atención de los madrileños. En La Latina, *La Morería*, de Romero, Fernández Shaw y Millán; *La promesa*, de Dicenta, Escosura y Torner; *Don Amancio el generoso*, de Moncayo y Penella. En el Martín, *Los faroles*, de Paradas, Jiménez y Guerrero. En Price, *La orgía dorada*, de Muñoz Seca, Pérez Fernández, Guerrero y Benlloch.

En el Alcázar, *Chin-Chin*, de Aguilar, Solsona, Madrid y música de Clara. En Pardiñas, *La capitana*, de Sevilla y Carreño y música de Vela y Bru, y, por último, en el Novedades, *La mejor del puerto*, de Sevilla, Carreño y música de Alonso, obra ésta con la que sorprendió el incendio al popular teatro. En cuanto al teatro no cantado, el Alcázar presentó la actuación de una extraordinaria artista rusa, Varuschka, que durante muchos días fue el tema preferido de conversación en los saloncillos madrileños.

El célebre perro de Xaudaró (1928)

En este mismo teatro se estrenaron *El doctor Frégoli*, en traducción de Azorín; *Catalina María Márquez*, de Francisco Víu (obra de la que dijeron algunos cronistas que era la única, en todo lo que iba de siglo, en que el título era más largo que los nombres de los autores); *Más que Paulino*, de González del Castillo y Martín; *Un millón*, de Muñoz Seca y Pérez Fernández, y *Eureka*, una dinámica revista.

En Eslava se estrenaron *Cuento de amor*, traducción de Benavente; *Sonata*, de Francisco Víu; *Los que no perdonan*, de Gorbea; *Sí, señor, se casa con la niña*, de Sassone, y *Llovida del Cielo*, de Suárez de Deza. En el Infanta Isabel, *Dale un beso a papá*, de Suárez; *El raid Madrid-Alcalá*, de Fernández Lepina; *Por el nombre*, de Vela y Santander; *La eterna invitada*, de Juan Ignacio Luca de Tena y Miguel de la Cuesta; *Lola y Lolo*, de Fernández del Villar; *El último lord*, traducción de Morcillo y Gabirondo, y *Cuento de Hadas*, de Honorio Maura.

En el teatro de la Princesa son estrenadas *La Niña de los Sueños*, de José María Granada; *Paloma*, de Sassone; *La petenera*, de Serrano Anguita y Góngora; *El que no puede amar*, de Mac-Kinlay, y *No tengo nada que hacer*, de Sassone. En el Cómico, *La pena que mata*, de Poveda y Mélida; *Un alto en el camino*, con intercalados de flamenco, del Pastor Poeta; *El señor de Pigmalión*, de Grau; *La atropellaplatos*, de Paso y Estremera, y *De La Habana ha venido un barco*, también de Paso y Extremera.

En el moderno Fontalba, *La borrachera del sabio*, traducción de Marquina; *¡No quiero, no quiero!*, de Benavente; *¿Mi mujer no es mi mujer?*, de Navarro y Moris; *El doctor de moda*, de Navarro y Varela; *La dueña del mundo*, de Marquina, y *Antes, bésame*, de Romero Marchent y Ramos Albo. El Fuencarral, que en 1928 podía contarse también entre los modernos coliseos de Madrid, presentó *La Virgen del Infierno*, de Vidal y Planas; *Román el Rico*, de Cossío, y *Laura*, de Juan Fajardo.

También entre los muy modernos —recientemente reflejamos aquí su inauguración— estaba el Infanta Beatriz, que en estos doce meses estrenó *Su mano derecha*, de Honorio Maura; *Nopal*, un llamado cuadro revolucionario mejicano que despertó gran interés en Madrid; *Piel de España*, de Sassone y Martínez Sierra; *Te quiero, te adoro*, de Suárez de Deza; *Cándida*, de Bernard Shaw, y *El caballero Varona*, de Grau.

Triunfa en Apolo Blanquita Suárez; Enrique Chicote y Loreto Prado estrenan su comedia número 500; muere María Guerrero, y su cadáver, expuesto en el escenario del teatro en que dio sus últimas representaciones, es visitado por medio Madrid. El Gobierno decide comprar el teatro de la Princesa, convirtiéndolo en teatro Nacional.

Uno de los teatros más activos de la temporada madrileña de 1928 fue el Lara, que estrenó nada menos que *Esgrima y amor*, de los Quintero —con Carmen Díaz—; *Los hijos de trapo*, de Méndez de la Torre; *La cura*, de Muñoz Seca y Pérez Fernández; *La vida es más*, de Marquina; *La chica del Citroen*, de Suárez de Deza; *No hay dificultad*, de

Linares Rivas; *Naves sin hélice*, de Corrochano; *Fruta verde*, traducción de Martínez Sierra; *La maja*, de Ardavín; *Pasionera*, de los Quintero, y *Raquel*, de Honorio Maura, todo un ramillete variado en autores y en estilos, en repartos y en características.

Con menos profusión, pero también bastante activo, se mostró el teatro de La Latina, que presentó *El último mono*, la colosal bufonada de Arniches, con Aurora Redondo y Valeriano León; *¿Quién te quiere a ti?*, de Luis de Vargas; *Los cuatro caminos*, de Angel Custodio; *Tres encargos a París*, de Isabel y Galán y el divertimento *Noche de Cabaret*. En el Calderón, *Entre desconocidos*, de López de Haro; *El demonio fue antes ángel*, de Benavente, y *Sin razón*, ensayo escénico del torero Ignacio Sánchez Mejías, bien acogido por la crítica.

La temporada de Pavón fue también de las nutridas, con estrenos como *Monte abajo*, de Martínez Olmedilla, una versión libre —libérrima— del *Hamlet* realizada por Fernando de la Milla; *Más que la honra*, de González Parra, más alguna que otra de menos trascendencia. En el Chueca, que tantos estrenos líricos brindó y que ya hemos mencionado, *El hijo de mi mujer*, de Leandro Navarro; *La malcasada*, de Lucio y Gómez Hidalgo; *Contra genio, corazón*, de Uriarte; *Pilar Guerra*, de Díaz Caneja, y *El tabernero del barrio*, de García.

Se completó la temporada teatral madrileña de 1928 con los estrenos del Reina Victoria: *Un caballero español*, de Manzano y Góngora; *Alma en tormento*, de Sáinz de Robles; *La muralla de oro*, de Honorio Maura; *No quiere que le quiera*, de De Prada; *Virajes del corazón*, de Meca; *Cuerdo amor, amo y señor*, de Artis, y *Mi hermana Genoveva*, traducción de Gutiérrez Roig y Cadenas. Las novedades en la Comedia, *Pare usted la jaca amigo*, de Ramos de Castro, y *La chica del conjunto*, de Paso y Estremera; las de Apolo, no musicadas, *La piel de lobo*, de Arniches; *Mademoiselle Naná*, de Pilar Millán Astray; *Don Floripondio*, de Luis de Vargas; el alarde de Rambal al presentar un *Miguel Strogoff* impresionante en Novedades; los estrenos en el teatro del Centro, pocos pero sustanciosos, *Las adelfas*, de los hermanos Machado; *Pepa Doncel*, de Benavente, y una traducción de Florence Barclay titulada *El Rosario*, y dos diabluras de género ligero: *La casa de los peligros*, de Paso y Estremera, en Maravillas, y *La Protegida*, de Fontdevilla, en Martín.

Las principales figuras escénicas de Madrid eran, entre ellas, María Palou, Hortensia Gelabert, Concha Catalá, Leocadia Alba, María Luisa Moneró, Irene López Heredia, Loreto Prado, Margarita Xirgu, Catalina Bárcena, Carmen Díaz, Lola Membrives, Eloísa Muro, Ana Adamuz, Rosita Díaz Gimeno —pronto captada por el cine—, Esperanza Ortiz, Antonia Herrero, María Banquer, Aurora Redondo, Angelines Vilar, Josefina Díaz de Artigas, Rosario Pino, Pepita Meliá, Isabel Garcés, María Bru, Carola Fernán-Gómez, Irene Alba y, muerta María Guerrero, su hija, que continuó en escena con el mismo nombre.

De ellos, es de justicia destacar a Emilio Thuillier, Fernando Díaz de Mendoza, Salvador Soler-Mary —joven galán—, Manuel González, Rafael Calvo, Antonio Vico, Emilio Mario, Benito Cibrián, Vicente Soler, Lino Rodríguez y el polifacético Rambal. Como primeros actores del teatro de buen humor encontramos a Miguel Ligero, Pepe Isbert, Casimiro Ortas, Valeriano León, Antonio Riquelme, Enrique Chicote, Paco Melgares, Lepe y Alady, estos dos últimos muchas veces juntos en la misma cabecera de un cartel.

Entre las artistas cantantes de diverso estilo, Felisa Herrero, Conchita Supervía, María Caballé, Selica Pérez Carpio, Carmen Ruiz Moragas, Cándida Suárez y Olvido Rodríguez. Tonadilleras, es decir, intérpretes del cuplé españolizado, un tanto folklórico, Conchita Piquer, Rosita Cadenas, Conchita Constanzo, *La Goya*, Paquita Garzón, *La Yanquee*, Lola Rossell, Blanquita Suárez, Tina de Jarque, Isabelita Ruiz y Conchita Velázquez.

En el escalafón de los caballeros cantantes hallamos a Emilio Sagi-Barba —padre de Luis Sagi-Vela—, Rogelio Baldrich, Emilio Vendrell, Marcos Redondo, José Luis Tortosa, Pepe Romeu y algún otro.

De América del Norte, lugar de procedencia de todos los extraños ritmos de baile que arriba a España, llega un nuevo modo de moverse llamado el *yale*. Parece ser que el *yale*, aunque norteamericano, tiene una cierta procedencia europea, y más que europea, inglesa, de sangre azul, pues según dicen es un baile que el príncipe heredero de Inglaterra puso de moda en Los Angeles danzando con una estrella de cine.

Un periódico se pregunta: «Bueno, pero, ¿qué es el *yale*? Pues el *yale* es simplemente una mezcla, un comprimido de *Foxtrots*, de tango, de *bostons* y de *blues*. Todo el mundo lo sabe en Norteamérica y en Londres, en donde lo baila ya todo el mundo». Ya se sabe que Madrid está siempre dispuesto a aceptar lo que se hace en *todo el mundo*. El *yale*, bastante tonto, es una realidad en Madrid.

La inauguración del nuevo edificio de la Equitativa, en el número 71 de la calle de Alcalá, con toda solemnidad y con asistencia de la familia real, ha dado a aquel sector, entre Cibeles y la Puerta de Alcalá, un nuevo aspecto. El edificio forma esquina y tiene un valiente torreón elevado de tres a cuatro pisos por encima del nivel más alto del resto de la construcción.

Por dentro es suntuoso y su acceso a las piezas *nobles* se realiza ascendiendo por una llamada *escalera imperial*, vistosa, suntuaria, que recuerda algunos teatros de la ópera de Europa. La Equitativa, que inició su actuación con un capital desembolsado de 750.000 pesetas, en el año 1917, culminó su quinto año de existencia con 300.000 pesetas de beneficios y aumento del capital desembolsado a 1.625.000 pesetas.

La moda en 1928

Diva de divas: Raquel Meller (1928)

La Gran Vía estrena edificio: Palacio de la Prensa (1928)

Entierro de la reina María Cristina (1929)

La calle de Fuencarral a la altura del nuevo Museo Municipal (1929)

Los capitales asegurados, que a su comienzo sólo eran de cinco millones de pesetas, eran sesenta meses más tarde de sesenta millones. La Equitativa era, pues, alguien en Madrid, y su edificio de la calle de Alcalá, 71, vino a construir un poquito más aquel Madrid que se iba haciendo con bastante poca altura de miras por parte de sus autoridades municipales, creciendo a trompicones merced a los impulsos de la iniciativa privada.

Capítulo 11. LA PROPINA, SI; LA PROPINA, NO (año 1928). Nace la Revista **Estampa.** Muere **Madame Pimentón.** Inauguración del teatro Avenida. Entierro de Luis Esteso. La propina, sí; la propina, no. Ultimo baile de gala en Palacio. Segundo vuelo de Ramón Franco. Dirigible español. Inauguración del Banco de Crédito Exterior. **Gente de orden.**

Aparece en Madrid el primer número de un nuevo semanario: *Estampa,* dirigido por Antonio G. de Linares y fundado por Luis Montiel. *Estampa* nace destinado a llenar los domingos de una buena parte de la vida española durante unos cuantos años.

En las pantallas madrileñas hace irrupción una nueva pareja del cine americano, Janet Gaynor y George O'Brien, con la película *Amanecer,* estrenada en el Callao. Pronto, Janet Gaynor cambiará de *partenaire* cinematográfico y aparecerá en las carteleras ya para siempre al lado de Charles Farrell.

En el teatro Alcázar se celebra una curiosa reunión para tratar de la creación de la Casa del Actor; la reunión está presidida por un sillón vacío, cubierto de negros crespones que representan la presencia de la recién fallecida María Guerrero.

Muere pobremente, extrañamente, como había vivido, *Madame Pimentón,* uno de los tipos populares de Madrid, del que ya se hizo mención en detalle en el Tomo I de esta Historia.

Finalizando marzo, una disposición invita a los escolares y universitarios a vestir uniformes especiales, medida que no agrada a casi ninguno de ellos y que sólo es aceptada, muy parcialmente, en lo tocante a las prendas de cabeza, con las que se vio por Madrid a algunos estudiantes, muy pocos y por muy escaso tiempo.

La inauguración del teatro Avenida lleva a la Gran Vía un edificio más, situado dentro de la nueva línea moderna. Actúan en esta inauguración numerosos artistas, entre los que destacan Pastora Imperio, Custodia Romero y Conchita Piquer.

El Ayuntamiento madrileño decide que son demasiados los *taxis* que circulan por la capital y acuerda no conceder ninguna licencia más por tiempo indefinido.

Un expresivo anuncio de 1928

En el entierro de Luis Esteso, el más gracioso de los caricatos españoles, un periodista propone que en lugar de responso en serio se cuenten chistes suyos en torno a su tumba, mientras se desciende el féretro, por ser lo que a él más le hubiera gustado.

El Curso de Eugenesia, que se venía celebrando en la Facultad de Medicina de Madrid, con intervención de los más prestigiosos médicos de toda España, es suspendido por orden del Gobierno, por considerarlo inmoral.

En mayo se registra una curiosa disposición que tiende a suprimir las propinas en los restaurantes y hoteles, sustituyéndola por un recargo en la factura. Como esto ya lo venían haciendo algunos establecimientos, Madrid se convierte, a efectos de propinas, en un desbarajuste enorme, pues cada uno interpreta el asunto a su manera y según sus intereses y, como siempre, los más perjudicados son los que trabajan por cuenta ajena y los más beneficiados son los empresarios de hoteles y restaurantes. Es, en suma, una disposición dotada de buena intención pero de pocas luces, incompleta y tímida, que nace ya destinada a morir pronto, no por injusta sino por borrosa.

En Palacio se celebra una fiesta suntuosa, con baile de gran gala, al que son invitadas más de 4.000 personas. Ninguno de los asistentes podría imaginar, seguramente, que aquel iba a ser el último de tanto empaque. Ninguno sospecharía que el Destino ya tenía anotado el fin de aquella vida para un plazo relativamente breve. Una España empezaba a terminar. ¿Iba a durar mucho todavía este *maestoso final*...?

En noviembre se produce en Madrid una de las prohibiciones más sorprendentes a que los madrileños se venían acostumbrando a duras penas: la película *La última orden*, que había situado en el mundo entero al actor Emil Jannings a la cabeza de los dramáticos del momento, es retirada del cartel sin más explicaciones, cuando llevaba varios días proyectándose. Naturalmente, el asunto se convierte en la comidilla de las tertulias y en el tema preferido de todas las conversaciones. Los que no la han visto preguntan a los afortunados que la vieron qué sucede en la cinta, y cada vez es mayor la confusión y el asombro por tal prohibición.

Otra de las prohibiciones estatales referidas a espectáculos es la de la comedia de Benavente, *Para el Cielo y los altares*, en cuyos diálogos entendió ver el Gobierno de Primo de Rivera el peligro de que cada función pudiera convertirse en una manifestación pública de desagrado para con los hombres de la Dictadura.

Por el resto del mundo, más o menos lejos de Madrid, también suceden cosas interesantes en este año 1928. Una estadística nos entera de que ya ruedan por todo el Continente americano casi 35 millones de automóviles, mientras que el número de todos los de Europa se aproxima a los cuatro millones.

Corre el rumor de que unos pescadores árabes han capturado en el mar a dos sirenas. Llegada la embarcación al puerto de Adén resultan ser dos monstruos marinos, de aspecto bastante repulsivo y desde luego nada capaces de enloquecer de amor a los hombres del mar.

Se desborda el Támesis en Londres, ocasionando daños, pánico e incluso víctimas. El monumento a Cristo Rey que había en Méjico es volado con dinamita. Se inaugura el servicio de comunicaciones inalámbricas entre Estados Unidos y Alemania. Por primera vez, en Inglaterra, modelos perfeccionados del autogiro *La Cierva* son puestos a la venta por 900 libras esterlinas.

En Portugal es proclamado presidente de la República —por primera vez— el general Carmona. Mussolini pronuncia un desconcertante discurso en el Senado italiano, proclamando la necesidad y la conveniencia de ir convirtiendo toda la economía del país en la correspondiente a un Estado corporativo.

Se inaugura el servicio directo de teléfonos entre Madrid y Londres. Ramón Franco, Gallarza y Ruiz de Alda despegan con el hidroavión «Numancia» en la bahía de Cádiz, con el propósito de dar la vuelta al mundo, pero poco después amaran en La Rábida por averías del aparato.

Regresemos a Madrid. Se ensancha a duras penas la calle de Arlabán, que por su estrechez de ahora puede darnos idea de su estrechez de antes, y se ordena y se alinea lo que se puede la calle de la Cruz.

La Universitaria crece: constantemente se reciben aportaciones financieras para su edificación. Aparte del donativo real, inicial, de 2.391.000 pesetas, un especial sorteo de la Lotería contribuye también, y no poco. Luego van llegando donativos: desde California, un español envía dos millones de pesetas; José Menéndez, rey de las lanas, de Avilés, residente en la Patagonia, manda un millón de pesetas; un filántropo anónimo, 100.000 dólares; el conde de Jay, 200.000 marcos oro. Son éstas las primeras inyecciones de una Ciudad Universitaria que Madrid necesitaba imperiosamente y que hubiera sido mucho mejor que costease el poder público, sin acudir —ni aceptar— los óbolos de la iniciativa y la caridad de los particulares. Lo que se intentaba hacer lo merecía.

El 23 de febrero se promulga una disposición que tiende a combatir la pornografía. En realidad no es nada nuevo, ya que se resumen las nuevas medidas a recordar y a reafirmar el vigor de las de un año antes sobre el mismo asunto. La pornografía es duramente perseguida en todo el territorio nacional, y muy particularmente en Madrid y Barcelona.

El 19 de mayo ve la luz un Real decreto con la reforma de la Universidad. Puede decirse que esta disposición es una de las causas más directas de la caída del Gobierno de Primo de Rivera, puesto que acaba de poner a una gran mayoría de los estudiantes de toda España en contra del Gobierno e incluso del régimen, y ya es sabido la buena parte que las masas estudiantiles han de tener en la proclamación de la República.

Se autorizan unos primeros cálculos que estiman los gastos de construcción de la Ciudad Universitaria de Madrid en 130 millones de pesetas cifra considerable para 1928. En el preámbulo del estudio se dice que «excepción hecha del núcleo de estudios de Estrasburgo, en Alemania —que es más bien un gran centro de investigación—, la Ciudad Universitaria madrileña será la mejor, la primera de Europa. Tendrá una vía principal de tres kilómetros denominada avenida de Alfonso XIII, y dos calles principales. Sobre el arroyo de Cantarranas se construirá un airoso y moderno viaducto. Tendrán cabida en esta Ciudad todas las Facultades, y la de Medicina tendrá anexo un hospital con 1.500 camas.»

El 23 de junio se publica una Real orden reglamentando la enseñanza universitaria en las distintas Facultades.

Mientras tanto, Madrid arde en Congresos y celebraciones: Gran Exposición de Goya, Asamblea Paleográfica, Exposición del Traje Regional, Congreso de Urbanismo, Congreso de Urología, Exposición de Artistas Ibéricos, Congreso de Antropología, Asamblea Pedagógica, Centenario de Moratín, Congreso Jurídico de Aviación, etc.

El presupuesto de guerra, pacificada Africa, es inferior a los de los años inmediatamente anteriores: así, a los 454 millones de 1922, a los 484 de 1923, a los 358 de 1925, a los 442 de 1926 se oponen sólo 351 en 1928. El Ejército ha sido disminuido en efectivos, y si en 1923, con guerra en Africa, teníamos 311.000 hombres sobre las armas, en 1928 hay sólo 150.000, es decir, menos de la mitad.

El tonelaje de la Marina de Guerra ha aumentado considerablemente en los cinco años de Dictadura: de las 85.000 toneladas del comienzo a las 105.000 de 1928, es decir, veinte mil toneladas que, si ahora no son prácticamente nada —un acorazado moderno desplaza ya él solo 50.000—, entonces, y para los medios de España, eran algo muy serio.

Una Real orden del 10 de abril aprueba el plan y el programa de la enseñanza especial de orientación marítima y pesquera. Sin embargo, si se ha dado una especial atención a la flota de guerra, no lo ha sido tanto con la mercante: en 1922, es decir, antes del golpe de Estado, el total de embarcaciones de todo fuste, mercantes, con que contaba España, daba 1.211.439 toneladas; en 1928, la cifra había subido a 1.239.530. Esto es, un aumento de 28.000. No estaba proporcionado que habiendo aumentado los barcos de guerra 25.000 toneladas, los mercantes aumentasen sólo 28.000.

Un Real decreto del 24 de junio dispone que por parte del Real Aero Club de España, que en los últimos años habían registrado un auge

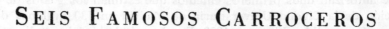

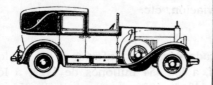
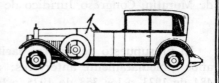
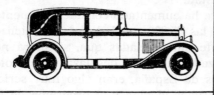

prometedor, se fomente en las diversas regiones españolas la creación de sociedades, a fin de fundar, en un futuro próximo, la Federación de Aeronáutica.

La aviación ya no es una noticia sino un hecho en el Madrid de 1928. España ha encargado a Alemania la construcción de un gran dirigible de pasajeros, con el que se cubrirá la línea Madrid-Buenos Aires. La aeronave —para la que al parecer se prepara un gran hangar en Sevilla y otro en Madrid— llevará nueve motores de 250 caballos cada uno y tendrá 400 metros de longitud, el doble, por tanto, que el famoso «Z. R.-33». Su precio, siete millones de pesetas. También se tiene en proyecto —muy avanzado proyecto— construir en Sevilla una inmensa fábrica para la producción de dirigibles prácticamente en serie. El dirigible que se construye en Alemania pesará 140 toneladas y podrá transportar cómodamente instalados a cien pasajeros. El recorrido desde Sevilla a Buenos Aires —10.000 kilómetros de distancia— se hará en tres días y medio al ir y cuatro días al regresar.

Se crea el Banco de Crédito Exterior. La nota oficiosa que aclara los motivos de la creación de esta nueva entidad bancaria dice, entre otras cosas, que «... el problema de la expansión comercial española es algo palpitante que a todos preocupa. Consciente de su importancia, el Gobierno da un paso decisivo, continuador de otros anteriores, no menos notorios, y declara una vez más su firme propósito de persistir en esta política, que, al par que altos ideales históricos y de raza, sirve supremas conveniencias económicas de nuestra Patria.»

Todo parece, en fin, que va viento en popa; todo parece un triunfo creciente, decidido, indudable, del Gobierno que radica en Madrid. Sin embargo, este 1928 es precisamente el año en que la oposición se ve más clara, más nutrida, más amenazadora. ¿Por qué...? Si el país va a mejor, si, como dicen las numerosas estadísticas publicadas en la prensa, todos los problemas han sido resueltos y la vida es fácil y prometedora, si el horizonte se ve optimista y sonrosado, ¿por qué la marea de la oposición crece y crece, sin que basten a calmarla discursos y notas oficiosas, fotografías en la prensa y carteles de la Unión Patriótica...?

¿Por qué si, efectivamente, hay más carreteras que en 1923, y más trabajo que en 1923, y un poco más de jornal que en 1923 —aunque también los precios han subido lo suyo—, y, sobre todo, mucho más orden que en 1923...?

Por la sencilla razón de que las masas obreras no tienen ninguna vocación de tuteladas, por la sencilla razón de que en Madrid hay docenas de miles de obreros de la construcción que desean tomar parte en lo que sucede en su país, y no quedar en segundo plano de trabajar, cobrar, comprar, dormir y vivir.

Algo pasa en España, como en cualquier lugar del mundo, y los trabajadores por cuenta ajena piensan, sienten que tienen derecho a ser parte de ese algo.

La Dictadura, con una evidente buena fe unificadora, ha caído, sin embargo, en un error abultado: el de separar en los campos opuestos a las llamadas gentes *de orden* y a las otras. Las gentes *de orden* son aquellas que jamás promovieron huelgas, ni tomaron parte en manifestaciones, ni pertenecieron a partidos o a sindicatos extremistas, ni asistieron a mítines revolucionarios. Las otras son... las otras. Y los jornaleros madrileños no necesitan hacer un esfuerzo de observación para darse cuenta de que la Dictadura es el *Gobierno* de las gentes *de orden* y de que ellos son, en cierto modo, *la oposición.*

Ellos también quisieran ser gentes *de orden.* No se da el caso —o apenas se da— de que personas cuyo nivel de vida es desahogado militen en los equipos revolucionarios: la revolución la hacen casi siempre los menesterosos, los desesperados, los que desde años sienten en su carne, en su estómago y en sus ojos que hay una tremenda injusticia dominándolo todo... ¡Ellos también hubieran querido ser gente *de orden!*

La Dictadura tiene sus razones, pero ellos también las tienen. La Dictadura, que en un tiempo récord está haciendo más que han hecho los gobiernos anteriores de Alfonso XIII en muchos más años, no ve, o no sabe ver, o no quiere ver el aliento de las almas humildes, y olvida que «no sólo de pan vive el hombre»; por eso, en 1928, la marea revolucionaria no sólo no ha disminuido, sino que acallada, escondida, esperando su ocasión próxima, ha crecido considerablemente. Pronto, muy pronto, va a comprobarse.

Capítulo 12. LA MUERTE DE MARIA CRISTINA (año 1929). Se inaugura la Telefónica. Un año decisivo para Madrid y para España. La Masa oral, arruinada. El Piernas. Los anuncios de la prensa. Muerte y entierro de María Cristina. El año taurino. Los cines que funcionan en Madrid. España-Inglaterra, 4-3. Los deportes. La Gimnástica. Libros de éxito. El arte de comer bien. Billetes de 50 pesetas. Carteleras de la Gran Vía.

Al comenzar 1929, los acontecimientos españoles se van precipitando y Madrid, situado en el centro geográfico y político de este polvorín acallado, siente más directamente los latigazos del Destino. Todo lo que sucede en el mundo no es importante por sí mismo sino en función de aquello que le rodea: todo lo que no es sincrónico es anacrónico.

Por eso, para aquilatar mejor la importancia, la trascendencia de los acontecimientos de España, será conveniente conocer primero el pulso del orbe entero. Es decir, cuando España en general y Madrid en particular se abocan a su año 1929, histórico —como todos ya los que conducen al 18 de julio de 1936—, ¿qué está sucediendo por ahí...?, ¿cuáles son los avatares de los diversos países en 1929...?

En Yugoslavia se produce una violenta evolución hacia la derecha, y el rey Alejandro disuelve la Asamblea, deja en suspenso la constitución, establece la censura previa y destituye a todos los ayuntamientos del país.

La pujante y moderna ciudad del cine de Hollywood sufre un incendio espectacular de costo incalculable. Se inaugura bajo los Apeninos el túnel más largo de Europa —18 kilómetros—, cuyas obras han durado más de ocho años.

El gobierno soviético acuerda expulsar del territorio ruso a León Troksky y a todos sus familiares; se inicia en Europa la costumbre anual de elegir una reina de belleza, denominada *Miss Europa* —a la manera norteamericana—, resultando elegida la representante de Hungría.

Alemania se conmueve ante la aparición de las víctimas del que habría de ser pronto conocido en el mundo entero como el Vampiro de

Dusseldorf; Paulino Uzcudun, a quien en los Estados Unidos siguen poniendo toda clase de dificultades por ser español, vence de manera rotunda al campeón Christner.

Luis II, príncipe de Mónaco, se proclama Dictador del pequeño país; Jansen, aviador estadounidense, establece una nueva marca de permanencia en el aire, en solitario, con veinticinco horas treinta y tres minutos, récord que ostentaba Charles Lindberg.

Charlot, en declaraciones a un periódico norteamericano, asegura que jamás trabajará en películas sonoras, ya que está convencido de que éstas acabarán siendo la ruina de la industria cinematográfica; Steindorf, piloto alemán, sube a 2.200 metros con 6.450 kilos de carga útil, batiendo otro récord, que estaba en 2.000 metros con 4.037 kilos.

En Cuba asciende al poder el general Machado, que pronto se hará tristemente célebre por su tiranía y por sus *porristas;* en Nueva York, Max Smelling vence por puntos a Uzcudun; poco después, otro boxeador vence también por puntos a Uzcudun: se trata del norteamericano Griffiths.

Todo esto no es sino una ligerísima visión del año 1929 fuera de las fronteras españolas. Hay más, hay mucho más, que iremos desarrollando en detalle en los capítulos sucesivos. Conforme nos vamos adentrando en la Historia de Madrid nos afianzamos más en que no hay novela de aventuras ni de intrigas que tenga tanta enjundia, tanto interés como la narración de lo sucedido en Madrid, sobre todo en los años inmediatamente anteriores al estallido de 1936.

La Gran Vía madrileña se enriquece con la terminación de uno de los edificios que más personalidad dan a esta avenida: la Telefónica, cuya construcción había sido iniciada en 1926. El arquitecto español Ignacio de Cárdenas es el artífice de esta aguja valiente que se levanta desde el centro madrileño en dirección a las alturas.

Los madrileños acuden a la Gran Vía a ver su Telefónica, que se parece un poco a esos rascacielos norteamericanos que nos ha repetido tanto el cine, pero que tiene un innegable sello personal. La Telefónica madrileña ha nacido con 682 ventanas. Ha costado 32 millones de pesetas. Han trabajado en ella 985 obreros durante cerca de mil días. En conjunto, unos 1.620 metros cuadrados de superficie. Aparte del roble, el nogal, el mármol, el hierro y el cemento, la mole se ha llevado tres millones y medio de ladrillos.

Los orígenes de esta Telefónica madrileña y nacional son éstos: como consecuencia del contrato firmado por el Estado con la Compañía Telefónica Nacional de España el 25 de agosto de 1924, ésta quedó con el encargo de concentrar en una sola mano el complicado sistema telefónico de España, elevando su nivel, perfeccionando el servicio en general y poniéndolo, en lo posible, a rango europeo o americano.

Existían en la fecha del contrato en todo el territorio nacional

78.124 teléfonos, de los cuales el 33 por 100 era explotado por empresas comerciales de diversa especie, el 8 por 100 por los organismos provinciales y municipales, el 30 por 100 por profesionales particulares y el 28 por 100 por el propio Estado.

Naturalmente, no existía el teléfono automático. Cualquier particular podía llegar a una tienda de artículos de electricidad y comprar un teléfono, y los había de muy variado tipo, de muy variado precio y de más variado funcionamiento. Todo esto debería quedar unificado, monopolizado, mediante el contrato del Gobierno con la Compañía Telefónica.

Había por aquel entonces unas 600 poblaciones que tenían teléfono, número bastante bajo si se tiene en cuenta que el número de ayuntamientos de España era el de 9.000, también muy aproximadamente. De 1925 a 1929 el número de conferencias interurbanas subió de poco más de tres millones a más de diez millones, esto es, un aumento superior con creces al 300 por 100.

Los teléfonos, aquellos cachivaches que en sus comienzos sólo habían provocado burlas, chistes y risas de los escépticos madrileños, se habían ido abriendo camino. Existía, de hecho, una España anterior al teléfono y una España posterior a él.

La reciente Compañía Telefónica compró todos los complicados tinglados de redes de clables, de postes, de instalaciones, y poco a poco, a una muy respetable velocidad, fue sustituyendo todo lo viejo por material nuevo, mucho mejor montado, a la vez que se formaban amplios cuadros de especialistas que, repartidos por todo el territorio nacional, contribuyeron eficacísimamente a crear un servicio aceptable, casi perfecto.

En su interesante libro *Historia del Cine Español*, Fernando Méndez-Leite, refiriéndose a 1929, dice:

> **"En los corrillos cinematográficos madrileños soplan por breves momentos ráfagas de optimismo: se habla mucho de la nueva Sociedad Cinematográfica Española, editorial recién constituida en la Corte, entre cuyos componentes del Consejo de Administración figuran, entre otros prestigiosos elementos: don Ignacio Suárez Somonte, don Valentín Ruiz Senén, don Juan March, don Olegario Riera, don Serapio Gallego, el reverendo padre Valdepares, don Jacinto Benavente, don Santiago Fuentes Pila, la señorita María de Perales, doña Carmen de Velacoracho, don Tomás Nicolau, don Agustín del Oro y don Pedro María Usera.**
>
> **"Aquella entidad que se había constituido con un millón de pesetas —estamos hablando de 1929— podría muy bien suponer la tan anhelada solución del problema cinematográfico español, teniendo en cuenta la acusada personalidad de la mayoría de sus consejeros, elementos bien definidos de las altas finanzas.**

"Todo el mundo abrigaba grandes ilusiones respecto al futuro de aquel intento, llamado a inyectar a la cinematografía española la savia que hasta entonces le había faltado por carencia de medios económicos para garantizar su normal desarrollo.

"No obstante, nada pudo hacer la tan cacareada fundación, que ni siquiera llegó a dar señales de vida. Los azares de la política dieron al traste con tan ambicioso proyecto, y al poco tiempo ya nadie se acordaba de lo que un buen día había ilusionado con razón a los tan castigados defensores de la pantalla hispana."

Se estrenan en 1929, en nuestra ciudad, buen número de películas españolas. *Agustina de Aragón*, dirigida por Florián Rey; *Colorín*, de Adolfo Aznar; la hispano-alemana *Corazones sin rumbo*, dirigida por Benito Perojo, que marcó un hito en la historia de la cinematografía española; *Charlot español, torero*, una humorada producida por Walken; *El gordo de Navidad*, de Fernando Delgado; *El león de Sierra Morena*, de Miguel Contreras; *El lobo*, versión de la obra de Joaquín Dicenta, hijo; *El Rey que rabió*, adaptación cinematográfica de la famosa obra del teatro lírico, realizada por José Buchs; *El suceso de anoche*, de León Artola; *Justicia Divina o secreto de confesión*, producida por Pepín Fernández; *La copla andaluza*, de Ernesto González; *La del Soto del Parral*, otro caso de transformación de una zarzuela en película, esta vez a cargo de León Artola; *La tía Ramona*, de Francisco Gargallo; *Los aparecidos*, de Buchs; *Los claveles de la Virgen*, de Florián Rey; *Los hijos del trabajo*, de Agustín Carrasco; *Raza de Hidalgos*, del antiguo actor Tony D'Algy; y en documentales unas cuantas docenas, unos buenos, otros regulares y otros francamente malos.

Los cines que funcionan en Madrid en 1929 son el Royalty, Real Cinema, Avenida, Cervantes, Príncipe Alfonso, Price (a temporadas), Gran Teatro (alternando con la comedia), Trianón, Eslava (alternando también), Ideal, Alcázar, Argüelles, Madrid, Teatro del Centro, Palacio de la Música, Gran Vía, Monumental, Cinema X, Princesa, Eldorado, Zarzuela, Callao, Bilbao, Maravillas, Goya, Pavón, San Carlos, Doré, Palacio de la Prensa, San Miguel, Comedia, Salón Regio, Cinema España, muchos de ellos teatros convertidos circunstancialmente en salas de proyección, por el imperativo de la taquilla.

Una de las preocupaciones del Madrid artístico es el peligro que corre —peligro de muerte— su querida Masa Coral. Los periódicos de todas las tendencias parecen extrañamente unidos en proclamar la necesidad de una solución, en llamar la atención de los madrileños sobre lo que supone para una ciudad como Madrid quedarse de la noche a la mañana sin la Masa Coral que tantos sacrificios y tantos esfuerzos había costado formar.

Extractamos de *Blanco y Negro* los siguientes párrafos:

"Constituida en 1.º de mayo de 1919, la Masa Coral de Madrid dio su primer concierto el día 15 del mismo mes y año con un programa en el que figuraba la Novena Sinfonía y la escena de la consagración de Parsifal. Desde entonces y durante los diez años de vida, la benemérita entidad no ha cesado de laborar en la medida de sus fuerzas en pro de la difusión y afianzamiento del arte lírico. Más de cien conciertos cuenta en su hoja de servicios.

"El Banco de España, que tan generosamente la tiene alojada, debía disponer del local el 1.º de septiembre. Y desde el 1.º de septiembre, si, como es nuestro deber, no lo remediamos entre todos, la Masa Coral de Madrid estará en mitad del arroyo. Sin medios económicos con que hacer frente a la adversidad, la Masa Coral no puede por sí misma valerse en tan grave contingencia. La Masa Coral es una institución que no pensó en el lucro. En compensación, el Ayuntamiento de Madrid —sonroja decirlo— la ha dejado desde hace algún tiempo sin la pequeña subvención con que antaño la favorecía.

"El Ayuntamiento de Madrid, que ha llegado hasta a subvencionar agrupaciones corales forasteras, y que usa y abusa de la Masa Coral a su antojo, tiene la comodidad de no subvencionarla ni darle residencia."

Aclaremos que la Masa Coral estaba dirigida, en 1929, por el popular maestro Rafael Benedito. Y continuemos leyendo *Blanco y Negro*:

"... No es posible consentir que la realidad llegue a lo irremediable. Quienes pueden y deben que pongan el remedio. Madrid lo exige. Al fin y al cabo, la Masa Coral es la modulación del alma lírica de Madrid, y de su "do de pecho" en la eternidad.

"Es de esperar que el hecho vergonzoso deje de ser inminente y posible. La Masa Coral, la hueste benemérita y admirada del maestro Benedito debe contar con un decoroso alojamiento."

Situado también en el Madrid de 1929, *el Piernas* es un sujeto que vive con bastante holgura de organizar banquetes y homenajes. Pero no como otros, que lo hacen a lo grande, llevándose la comisión gruesa del local donde se ha organizado la comida: *el Piernas* se conforma con la pequeña comisión de las imprentas en las que encarga unas tarjetas de invitación, unos pergaminos historiados que valen, entre todo, 150 o 200 pesetas.

El Piernas vive con el 15 por 100 que exige a algunos impresores incautos, sacando limpiamente un jornalito de cuatro o cinco duros diarios a lo menos. Todo para acabar entre dos bíblicos guardias del casco y la capita. El negocio se le termina porque todos los impresores de Madrid le conocen ya.

Dicen que se fue a Barcelona, pero no estamos seguros. En todo caso, eso ya no corresponde a esta Historia de Madrid, sino a la de la capital catalana. *El Piernas* fue un vividor de Madrid.

Breve repaso a los precios de 1929 en Madrid. Un anuncio de la prensa dice:

«Piel, curación en tres días de eczemas, erupciones, quemaduras, etcétera, con la maravillosa Pomada «19» del Dr. Piqueras. Caja una peseta.»

Se ve que las cosas de la piel preocupan lo suyo en este Madrid, porque aquí tenemos otro curioso anuncio:

«Permitid que vuestra piel coma este alimento sumamente nutritivo mientras dormís. 10.000 pesetas de garantía. 50 años y sin una arruga, ni mejillas flaccidas: un cutis fresco, firme y transparente. HERMOSAS ABUELAS. Nuestro nuevo estuche de belleza conteniendo tres pequeños tubos de Crema Tokalon, alimento para el cutis, y otros productos preciosos para la belleza, les será enviado contra remesa de una peseta para gastos de envío.»

Si la belleza preocupa en 1929, lo que no preocupa en modo alguno es el medio de adquirir una formidable pluma Parker, cuyos modelos «junior» y «lady» valen sólo 45 pesetas, pese a llevar el punto de oro. Por treinta duros le instalan a usted una noria patentada «Duero» que puede sacar hasta 200.000 litros de agua a la hora.

La pastilla de jabón Heno de Previa, tamaño grande, cinco reales. Un «meccano» para que jueguen sus hijos, desde 15 pesetas. Una vajilla de aluminio, que consta de 32 piezas, indicadísimas para futuros matrimonios, por sólo 60 pesetas, y si prefiere pagarla a plazos puede hacerlo abonando un duro al mes. Pero si la paga al contado aún le hacen un descuento y le cuesta sólo 52 pesetas, es decir, a menos de dos pesetas por pieza, teniendo en cuenta que van incluidos cazos, peroles, cacerolas, ollas, raseras, coladores, espumaderas, y todo en aluminio, oferta de Quillet.

Puede usted comprarse un automóvil «Buick», modelo 1929, es decir, recién llegado de los Estados Unidos. Este coche, que figura entre los *grandes* de la carretera, cuesta 14.495 pesetas el modelo más barato y 25.675 el más caro; si desea usted equipararlo con cuatro ruedas y una de repuesto de lujo, en alambre de acero, *que hace precioso*, le costará 975 pesetas más. «Buick» con carrocería Fisher y velocidades garantizadas de 120 kilómetros a la hora.

También puede usted comprar el «Pontiac», otro de los gigantes de la ruta: el *roadster* cuesta sólo 9.995 pesetas, esto es, dos mil duros menos «un» duro; el faetón, lo mismo; y de ahí, en escala ascendente hasta llegar al sedán convertible que vale —¡precio astronómico!— 11.995 pesetas.

¿Prefiere el automóvil «Oakland»...? Quizá la línea es menos estilizada, pero da una mayor sensación de consistencia: el modelo faetón

MADRID DEL AÑO 1929. GALERIA DE FIGURAS CELEBRES

A. Royo Villanova, conde de Romanones, R. Menéndez Pidal, Diego San José,
Carmen de Burgos «Colombine», A. Hernández Catá, V. García Calderón
Luis de Oteyza, E. Díez Canedo, A. de la Villa, Félix Urabayen, Dr. Juarros

MADRID DEL AÑO 1929. GALERIA DE FIGURAS CELEBRES
Enrique de Mesa, E. Estévez Ortega, Julio Camba, José Francés, conde
de López-Muñoz, J. María del Busto

MADRID DEL AÑO 1929. Los peatones que aguardan para cruzar (dibujo
de Sancha en *La Esfera*)

vale 12.975 pesetas, y, ascendiendo a lo largo de siete modelos diferentes, alcanzamos el lujosísimo *cabriolet*, cuyo precio es de 14.500 pesetas. ¡Casi tres mil duros! Gestos de asombro en las señoras de la buena sociedad, que es, en 1929, la única que va en automóvil.

¡Compre la revista *Agfa* si es usted aficionado a la fotografía! En quioscos, 40 céntimos, y trae profusión de reproducciones fotográficas. ¿Prefiere un buen libro para leer antes de dormir...? Le recomendamos *La Granada de los Cármenes*, el último éxito de González Anaya, 360 páginas, lujosamente presentado, 5 pesetas.

El cuidado de la belleza ha sido en todo tiempo una verdadera obsesión para la mujer, afortunadamente para los hombres, y los comerciantes, inteligentes, supieron acertar con el producto oportuno y, también, con la publicidad oportuna. Vean este anuncio:

«Contra las arrugas y carnes flojas, el Tratamiento Virginia, de Madame Vasconcel, para la noche. Elixir Virginia, 10 pesetas. Bálsamo Virginia 8 pesetas.»

Para limpiar el cutis, «Leche de Islandia», a 8 pesetas el frasco; para dar al cutis un tono ideal, «Leche de pétalos de rosa», a 8 pesetas el frasco.

El que tiene canas es sencillamente porque quiere, porque existe el «Agua de Colonia Sevillana», que es «el mejor producto para conservar los cabellos limpios y en su color natural, a 5 pesetas el frasco». Y vean este otro anuncio, muy de la época:

«La belleza de sus bucles revela la constancia con que usa Petróleo Gal. Frasco, 2,50 en toda España.»

«Bucles». La misma palabra tiene un fuerte poder retrospectivo, porque era un Madrid de bucles brillantes, el Madrid en que los hombres, parodiando ciertos aires sudamericanos, comenzaban a dejarse las patillas en punta afilada en diagonal hacia la mejilla.

Las patillas de puntas duraron media docena de años, no más, seguramente, pero, como se decía entonces, «hicieron furor». Estimamos que si un hombre saliera a la calle con aquellas patillas, separadas de nuestro tiempo sólo treinta y tantos años, haría volver la cabeza despectivamente a las gentes.

Todo el teatro de Jacinto Benavente, en rústica, es decir, en encuadernación corriente, pero constando nada menos que de treinta y cuatro tomos, 153 pesetas, y si prefiere comprarlos a plazos puede hacerlo, pagando 10 pesetas mensuales y con el 10 por 100 de aumento.

¿Prefiere leer a Galdós...? Los famosos Episodios Nacionales, que son cuarenta y seis tomos, valen en total 138 pesetas, esto es, cada libro a poco más de dos pesetas. Puede adquirirlos a plazos pagando cada mes 10 pesetas, con el recargo de cuatro duros en el total de la compra. Si los desea encuadernados en tela, los cuarenta y seis tomos le costarán 225 pesetas. ¿Hay quien dé más...? O, mejor dicho, ¿hay quien pida menos...?

¡No padezca de digestiones pesadas! Hay un producto efervescente que asegura la salud y coopera con la Naturaleza a la adaptación del organismo a los cambios de estación: Sal de Fruta Eno, cuyo frasco pequeño vale 3,25 pesetas, y el grande 6 pesetas.

¿Una máquina de retratar ultramoderna? Le recomendamos la marca Bessa, fabricada en Alemania, cuyo precio para el público español, incluido todo lo que hay que incluir, es de 68 pesetas, y tiene la garantía de Voigtlander. Colonias y esencias Piver de París, en venta en Madrid: frasco de perfume, 6 pesetas; frasco de loción, 4 pesetas; polvos, 2,95; jabón, 1,90.

1929: tiempos del valor de la perra gorda y de la perra chica; las «perras», así llamadas porque el saber popular empezó confundiendo a los leones graves que figuraban en las monedas con grandes perros echados a descansar bajo el sol español. Cualquier propina, una «perra gorda». Con dos «perras chicas» se hacían tres kilómetros en tranvía. Con dos «perras gordas» se veía una película de chinos en un cine de barriada.

Cada año tiene una particular página de sucesos y este 1929 no tiene por qué ser menos. En Milton, Estados Unidos, cierto ciudadano se niega a desalojar su casa para que sea ensanchada la calle: en vista de eso, las autoridades lo resuelven por el expeditivo procedimiento de cortar la casa verticalmente por la mitad, realizando las obras de la calle y permitiendo, cordialmente, que el vecino rebelde siga viviendo en la mitad restante.

Epidemia de influenza en Inglaterra: una disposición oficial ordena que todos los niños de las escuelas inglesas comiencen su jornada haciendo gárgaras con ciertos productos adecuados. No es difícil imaginar la facilidad de los chistes madrileños inspirados en lo de mandar a hacer gárgaras a todos los escolares ingleses. En las tiendas de Londres, las dependientas atienden al público con la cara medio cubierta por pañuelos, a la manera de los asaltantes de bancos...

Todavía en París se baten en duelo, en las afueras del Bosque de Bolonia, dos periodistas rivales, pero la prensa parisina registra la decadencia de estos actos, ya que lastimosamente «no ha habido ni sangre».

En Méjico, un atentado contra el presidente de la República, Portes Gil, ocasiona un grave accidente ferroviario con numerosas víctimas, resultando el presidente ileso. También en Méjico es ejecutado públicamente, con asistencia de su esposa, el asesino del general Obregón, José León Toral.

El conde de Romanones da a conocer su resolución de costear la estancia en el Asilo de San Rafael de diez niños cojos. En las manifestaciones violentas que tienen lugar en las calles de Viena ya interviene un equipo racista, seguidor del antiguo alcalde Lueger, y al que en tiempos perteneció un tal Adolf Hitler.

Escándalo en París, en Bruselas, en Berlín, en La Haya, con la aparición de un supuesto tratado franco-belga, lesivo para Holanda, Italia y Alemania. Cuando varios gobiernos estaban a punto de caer, cuando la Policía a duras penas podía contener a los irritados manifestantes en las calles, se descubrió que todo había sido una patraña inventada por un aventurero llamado Frank Heine, al que se detuvo y se envió a la cárcel para unos cuantos años.

Un rapidísimo incendio destruye en Los Angeles el Salón del Automóvil, abrasándose coches por valor de dos millones de dólares. En Daytona, la famosa playa norteamericana donde cada año se bate un récord de velocidad en bólido automóvil, se mata el corredor Lee Bible.

En una aldea bien cercana a Londres todavía son perseguidas dramáticamente dos mujeres, madre e hija, acusadas de practicar la brujería, y quemadas vivas, en medio de la alegría de la población que de esta manera considera haberse librado de terroríficos maleficios.

En París es detenido el maniático del *metro* que se divertía fingiendo desmayos en pleno viaje del ferrocarril subterráneo, para poder aproximarse así demasiado a ciertas viajeras jóvenes y atractivas. En Buenos Aires, la prensa registra la existencia de lo menos cinco mujeres de edad que aseguran ser la auténtica madre de Carlos Gardel.

La nota necrológica en Madrid recoge varios fallecimientos de importantes figuras. La muerte de María Cristina de Habsburgo y Lorena, ocasiona un gran colapso en la corte madrileña. La *austríaca* había nacido en 1858 y tenía, por tanto, setenta años. Reina consorte a los veintiuno, para sustituir dolorosamente el sitial dejado por la muerte de Mercedes, esposa de Alfonso XII; regente desde 1885, viuda del monarca tan opacamente fallecido en El Pardo y luego, desde 1902 en que Alfonso XIII obtuvo la mayoría de edad, Reina Madre, con notorias prerrogativas por expresa disposición del nuevo rey. El entierro y los funerales de María Cristina llenan de crespones negros varios días del Madrid de 1929.

En este mismo año, y también en la capital, muere Torcuato Luca de Tena, fundador de *ABC*. Dos actores cómicos, muy queridos del público madrileño, fallecen y dejan en la escena huecos bien difíciles de llenar: José Rubio y Antonio Suárez. Otros dos muertos notables del año son el ex-gobernador de Madrid, Manuel Semprún, y el popular periodista Eduardo Gómez Baquero, *Andrenio*. En Barcelona fallece el sabio doctor Ferrán.

La necrología en el resto del mundo registra también varios nombres trascendentes: el mariscal Foch, uno de los salvadores de la Francia de la Primera Guerra Mundial, cuyas exequias en París son realmente espectaculares; el gran duque Nicolás de Rusia, en el **exilio**, antiguo generalísimo de los ejércitos rusos en la misma contienda citada y heredero del Zar; el tenor Anselmi, quien, como se dijo en el capítulo oportuno del tomo I de esta Historia, causó verdadera sensación en los corazones femeninos que asistían a las noches de ópera en el Real; el famoso gobernante alemán doctor Stresseman, uno de los políticos más importantes de la Europa de la postguerra, y dos ex-presidentes de la República francesa, Emil Loubet, *el beatífico*, y Georges Clemenceau, *el tigre*

El año taurino cuenta con la sensacional novedad de la presentación en Madrid del primer matador de toros norteamericano, Sindney Franklyn, que toma la alternativa precisamente en la Plaza madrileña. Otros coletudos que reciben el doctorado en Madrid en 1929 son Ricardo González, Heriberto García y José Pastor.

Muere a consecuencia de una cornada el novillero alicantino Angel Carratalá, en quien la afición levantina tenía puestas, muy fundadamente, grandes esperanzas. Sufren cogidas de gravedad diversa *Chicuelo*, *Rayito*, Antonio Sánchez, *Gitanillo de Triana* y Andrés Jiménez. En Barcelona, el elegante Luis Freg es acometido por un toro que parecía inofensivo y recibe una cornada muy grave; gravísima la lesión de *Facultades* en Córdoba, y a *Serranito* se le tuerce de tal manera la evolución de la cornada que hay que amputarle una pierna.

El resumen de la temporada taurina madrileña de 1929 registra 30 corridas de toros, 25 novilladas, siete charlotadas nocturnas, dos diurnas y, aproximadamente, 15 becerradas benéficas, gremiales, etc. Los matadores de toros que vistieron más veces el traje de luces en Madrid fueron: Villalta, con diez, Marcial Lalanda, con nueve, *Fortuna* con siete, y Márquez, *Niño de la Palma* y Vicente Barrera, con seis. El novillero que actuó más veces, *Revertito*, cinco, y *Perete*, cuatro. Pocas alteraciones en el escalafón taurino, salvo el pase a novillero del valerosísimo banderillero Saturio Torón, *recordman* de cogidas.

Continúa creciendo velozmente todo lo que se relaciona de cerca o de lejos con el deporte. Se proclama campeón de España el Español de Barcelona, en la temporada de 1929, tras vencer al Madrid. Los equipos finalistas contaban con jugadores cuyos nombres tienen ya, en los viejos aficionados, un cierto sentido romántico: en el núcleo vencedor, Zamora, Bosch, Broto, Tena II, Padrón, Kaiser, González, Saprisa, Ventolrá, Solé y Trabal; los madridistas presentaron su equipo entresacando de su nómina que venía a ser, más o menos, ésta: Cabo, Vidal, Quesada, Morera, Urquizu, Prats, Peña, Uribe, Lazcano, Triana, Gaspar Rubio, López y Esparza.

Es el año de las victorias de la selección española de fútbol sobre las de Francia, Portugal y —caso insólito— Inglaterra. Francia sucumbió en Zaragoza por la goleada de 8-1. La alineación contra Portugal fue ésta: Zamora, Quesada, Urquizu, Prats, Solé, Peña, Lazcano, Triana,

Rubio, Padrón y Bosch, es decir, salvo excepciones, una buena amalgama de los conjuntos finalistas, Madrid y Español de Barcelona.

¡Victoria sobre Inglaterra! Se jugó el encuentro en el estadio Metropolitano de la barriada de Cuatro Caminos, la tarde de San Isidro y con un sol típicamente español, ante 30.000 espectadores, cifra muy considerable para 1929. En el ánimo de todos estaba que Inglaterra iba a ganar y que un empate sería un resultado honrosísimo. Comenzó mal el juego, marcando el delantero británico Carter dos goles, por dos fallos de Quincoces y Zamora, pero poco después marcaban Gaspar Rubio y Lazcano, poniendo el tanteador en un empate a dos. Los graderíos se transfiguraron con este resultado previo, que hacía nacer esperanzas: ¿era posible ganarle a Inglaterra...?

Poco después, el entusiasmo madrileño se vino abajo con un nuevo tanto marcado también por el infatigable Carter, y a los pocos minutos, una jugada iniciada por Lazcano y Goiburu y coronada por Gaspar Rubio logró el nuevo empate. Nuevamente clamaron los graderíos, con ese fuego sonoro de las multitudes españolas en general y las madrileñas muy en particular.

Había ido corriendo el tiempo: ya, el primer equipo que marcara podía quedar como vencedor. Todavía estaba casi jaleándose el tercer gol español cuando Goiburu llevó por cuarta vez el balón a las mallas inglesas, entre el delirio del público. Terminó el encuentro con el tanteo de España 4, Inglaterra 3, y de esto se estuvo hablando todo el año, porque ya en 1929 se entendía en Madrid que esto de vencer en fútbol a Inglaterra era algo trascendental, definitivo.

El Real Polo Hockey Club de Barcelona se proclama campeón de España en hockey sobre hierba; Lilí Alvarez es la tenista española más popular en el mundo; Luciano Montero consigue clasificarse campeón de España de fondo en carretera en ciclismo; el campeón español de los pesos plumas, José Gironés, queda como campeón continental al vencer en Barcelona a Knud Larsen; España vence a Portugal en tenis; la representación madrileña en el campeonato nacional de ciclismo está integrada por Francisco Mula, Angel Mateos, Telmo García, Sebastián Aguilar y Manuel López.

La entidad de deportes de más clase en Madrid es, sin duda, la Gimnástica, cuyo presidente sigue siendo Pompeyo Sevilla. La Gimnástica, que en tiempos ha tenido uno de los mejores equipos futbolísticos de España, ha desligado sus actividades de las balompédicas, quizá por considerar que habiendo adquirido el fútbol un auge espectacular, habiéndose iniciado la loca carrera del fútbol-negocio, nada tenían de común la Sociedad y este deporte. Al terminar la temporada oficial 1927-1928, la Gimnástica, de un plumazo, prescindió de la rama futbolística, en aras de conservar una puridad en sus otros deportes.

Todo el Madrid deportivo piensa que la ruptura entre la Gimnástica y el balompié va a suponer la ruina financiera de la popular Sociedad, y, sin embargo, sucede lo contrario: la deuda de 54.000 pesetas existente en 1928 ha bajado a sólo 23.000 en el otoño de 1929. La Gimnástica cuenta con el mejor gimnasio de España, en una nave de 25 metros por 21, es decir, 525 metros cuadrados, que multiplicados por los nueve metros de altura hacen un cubicaje de casi 5.000 metros. Cada año, la Gimnástica educa deportivamente a 2.000 muchachos madrileños, realizando con ello una labor importante en el perfeccionamiento de las nuevas juventudes de la capital. Sólo, todo ello, con las aportaciones de los socios, que son pocos más de mil, sin una sola aportación oficial, pues incluso las pobres mil pesetas al año que durante algún tiempo dio el Ayuntamiento son sólo un recuerdo.

Algunos de los futbolistas españoles que suenan en el mundillo deportivo son, aparte de los *equipiers* citados al dar las diversas selecciones de clubs y nacionales, Samitier, Eizaguirre, Obiols, Vallana (que en este año juega su partido de despedida) y Jáuregui.

En relación con el deporte en el mundo, hay que registrar la victoria del mayor Seagrave en la playa de Daytona, Estados Unidos, al conseguir con su bólido-automóvil la fantástica velocidad de 231 millas a la hora, que traducidas a kilómetros dan una cantidad exorbitante, y más para la época; la sorpresa en el famosísimo Derby de Epsom, con el triunfo del caballo «Trigo», montado por Marshall, y la clasificación del boxeador de color Alf Brown como campeón del mundo de los pesos gallos.

En Madrid se publican varios libros de extraordinario interés. Causan sensación las dos novelas fantásticas, humorísticas, escritas en un lenguaje revolucionario y totalmente nuevo, de Enrique Jardiel Poncela: *Espérame en Siberia, vida mía* y *Amor se escribe sin hache*. Francisco Camba da al público una de sus novelas más inspiradas: *Una morena y una rubia*. Palacio Valdés, que acaba de cumplir setenta y cinco años, publica su *Testamento literario*, jugoso como casi todas sus novelas. Santiago Vinardell termina *Genios y figuras*. Antonio de Hoyos y Vinent, *Sacerdocio*. El doctor Alvarez Sierra, pionero del importante escalafón madrileño de escritores-médicos, publica un libro titulado *La vida tal como la ven los médicos*.

Manuel Chaves Nogales, el hombre de *Estampa*, da a la imprenta, a su regreso de un largo viaje, el libro *Un pequeño burgués en la Rusia roja*. Luis Martínez Kleyser, *Talegos de talegas*. José María Salaverría, *Loyola*. Diego San José, *La Corte del Rey galán*. Y Julio Camba, *La casa de Lúculo*.

La casa de Lúculo es un libro sorprendente cuyo subtítulo es *El arte de comer*. En él hay un capítulo o un apartado dedicado al ajo. El ajo, eminentemente madrileño, perennemente presente en las inquietudes culinarias del Madrid de todos los tiempos, merecía el homenaje de figurar en tal libro. Y también en esta Historia de Madrid, por lo que copiamos a la letra el texto de Camba.

"La cocina española está llena de ajo y de preocupaciones religiosas. El ajo mismo yo no estoy completamente seguro de que no sea una preocupación religiosa, y, por lo menos, creo que es una superstición. Las mujeres de mi tierra natal suelen llevarlo en la faldriquera para espantar a las brujas, y sólo cuando el bulbo liliáceo ha perdido su virtud mágica en fuerza de rozarse con la calderilla, se deciden a echarle en la cazuela.

"Es decir, que el ajo lo mismo sirve para espantar brujas que para espantar extranjeros. También sirve para darle al viandante gato por liebre en las hosterías, y aquí quisiera ver yo a los famosos catadores de la corte del Rey Sol, que al comer un muslo de faisán averiguaban, por la firmeza de la carne, si aquel muslo correspondía a la pata que el faisán doblaba para dormirse o a la otra.

"Una de nuestras mayores hazañas culinarias la hemos realizado en la ciudad de Olvera al hacerle tomar estofado de burro a un destacamento bonapartista; pero no nos envanezcamos excesivamente. Aderezado con ajo, todo sabe a ajo, y los hosteleros, que para darle a uno gato por liebre, emplean además del ajo un relleno de tocino y municiones, podrán saltarle a uno una muela, pero no aumentarán su convicción.

"No digo que sólo en España se utilice el ajo como condimento. Todo el Mediterráneo trasciende a ajo, y aun dentro de la misma Francia, país de una cocina refinada, los marselleses hablan con un acento que, en su cincuenta por ciento, no tiene nada que ver con la prosodia, sino que es únicamente olor a ajos."

Y después de los ajos, algo más madrileño todavía: los garbanzos...

"... legumbre tradicional en España desde que los cartagineses nos gastaron la broma de plantarla en ella. Los garbanzos constituyen el truco de que, durante casi veintitantos siglos, los maridos españoles se han valido para entretener a las mujeres en casa.

"Generalmente no hay remojo ni cocción que los ablande, y eso va ganando el caldo, en el que no dejan más sustancia de la que dejarían un puñado de balines. A veces, sin embargo, la paciencia de la cocinera logra enternecerlos al punto de que se puedan comer, y entonces empieza lo verdaderamente absurdo.

"Nosotros consideramos nuestros garbanzos como una cosa muy seria: pero algo cómico debe haber en ellos cuando toda Roma se moría de risa al ver operar en escena al "pultifagónides" de Plauto. Este pultifagónides, o devorador de garbanzos, era un cartaginés llamado Poenus, y el pueblo romano lo miraba así como hoy miramos en las ferias al hombre que se traga los batracios vivos, o al que se introduce en el esófago teas encendidas.

"Los garbanzos son la base del cocido o puchero, y este cocido o puchero que solemos considerar un plato nacional, no tiene de nacional más que los susodichos garbanzos... Nuestro cocido no es más que la variedad española de un plato universal."

Madrid se mueve, Madrid vibra con plena independencia de las inquietudes y los azares de la política. Se inaugura el edificio del nuevo Colegio de la Paz, contiguo, anejo, a la Inclusa. Otra inauguración es la del Asilo de la Beata María Ana de Jesús, para niñas pobres, escrofulosas, raquíticas y lisiadas.

Margarita Nelken da una conferencia ante un copioso auditorio de señoras, en el Fomento de las Artes, bajo el título de «La mujer como fuerza espiritual». Obtiene por primera vez título de ingeniero industrial una mujer madrileña, Pilar Careaga. Se celebra el concurso de belleza en el que es elegida *Miss Madrid* Carmen de Toledo y *Miss Valencia* Pepita Samper, que poco después se convierte en *Miss España*.

El periodista José Cuartero gana el premio Mariano de Cavia. Visita Madrid la reina de Rumanía, a quien los madrileños tienen ocasión de ver en plena calle, en compañía de la reina Victoria Eugenia de España, haciendo compras en los establecimientos del Barrio de Salamanca.

El conde de Romanones lanza su famosa invitación a los estudiantes madrileños para que recorran a pie las carreteras españolas, rumbo a las Exposiciones de Barcelona y Sevilla, y varios grupos de colegiales y universitarios se ponen en camino, mochila al hombro, para visitar los dos extraordinarios certámenes internacionales.

En el número 77 de la calle de Menéndez Pelayo se hunde una casa, y la prensa madrileña saca esas consecuencias de siempre que, como siempre, no sirven para nada. Se celebra una gran manifestación de adhesión al Gobierno, que acude ante el ministerio del Ejército para escuchar la palabra del general Primo de Rivera.

Es designado secretario del Ayuntamiento madrileño, por concurso, Mariano Berdejo. Cerca de Cuatro Caminos se inauguran modernos bloques de casas militares, transformando radicalmente de aspecto el sector, extrarradio hasta poco antes.

Madrid recibe con agrado la llegada de los nuevos billetes de cincuenta pesetas, con la imagen de Alfonso XIII en el anverso y una reproducción de la fundación de Buenos Aires en el reverso. La tirada de la revista *Blanco y Negro* alcanza 105.000 ejemplares.

El suceso apasionante de Madrid es el proceso contra José González, que agredió a una señora en plena calle en presencia de su marido, provocando un violentísimo incidente. La audiencia condena al acusado a trece años de prisión, en medio de aplausos del público que llena la sala.

Otro de los hechos periodísticos es la desaparición de un conocido agente de negocios. Una revista dice: «La nota sensacional de la semana en el mundillo judicial y en el público comentario la constituye la fuga probable —para sus familiares posible secuestro o crimen más bien— del señor Gazapo, agente de negocios especializado en la liquidación de derechos reales. Muchas son las denuncias de notarios, entidades y particulares afectados considerablemente en sus intereses por esta desaparición que tiene todos los caracteres de alzamiento y estafa.

El hecho es que ninguna pista ha sido hallada hasta la fecha, pese a las gestiones de la Policía.»

Nombres y títulos de películas y artistas extranjeros que figuraron en las carteleras de los cines madrileños en 1929. Para los jóvenes, un batiburrillo de sonidos exóticos; para quienes vivieron aquello, ¡qué de recuerdos, qué de sugestiones y también qué de emociones! Muchas de las personas que ahora leen esto, con un buen fárrago de años a cuestas, eran jóvenes o eran niños en 1929 y acudieron a aquellos cines, a ver películas, por aquellos actores. Allá en los recovecos de sus memorias están, medio dormidos, muy cubiertos de polvo todos los nombres y títulos que vamos a decir.

El Madrid de 1929 vio en sus pantallas películas como *El destino de la carne*, por el coloso alemán Emil Jannings, y de este mismo formidable actor cintas como *El último*. Dominaba, naturalmente, el cine norteamericano, lanzado a una verdadera vorágine de producción.

Muchos recordarán *El Circo*, con Charlot y Merna Kennedy; *La quimera del oro*, obra cumbre de Charlot; *La bailarina de la ópera*, con Dolores del Río y Charles Farrell —este último a punto de formar pareja para mucho tiempo con Janet Gaynor—; *La nieta del Zorro*, por Bebe Daniels; *Ríe, payaso, ríe*, por el astro de las caracterizaciones dramáticas, Lon Chaney; *El Príncipe Estudiante*, por Ramón Novarro y Norman Shearer, la dulce Norman Shearer que dio la batalla en su rol de ingenua a las «vamps» de Hollyvood; *Beau Sabreur*, de la misma serie que *Beau Geste*, con Gary Cooper, entonces sólo un galán larguirucho y romántico, algo desgalichado y fuera de época, pero ya estupendísimo actor.

En *La mujer divina*, Greta Garbo, en la plenitud de su juventud y de su arte, enamora en hora y media de proyección a los hombres de las cinco partes del mundo; *Joaquín Murrieta*, por Richard Dix, el fornido galán norteamericano alternando con la enigmática rubia Thelma Todd; primera versión al cine de *Las cuatro plumas*, con Fay Wray, Clive Brook, Richard Arlen, William Powell y Teodor von Eltz.

De la serie terrorífica de Lon Chaney, *Los antros del crimen* y *La casa del horror;* se inicia en cine la carrera de Maurice Chevalier, ya maduro, triunfador como *chançonnier* en París, con una película arrevistada, movida, que reúne los métodos yanquis con la gracia francesa: *La canción de París*.

Douglas Fairbanks incorpora al celuloide la novela tremenda de *La máscara de hierro*, en que una vez más los norteamericanos lanzan una versión *made in USA* de la historia de Europa. Prodigio de fotografía, maravilla de exteriores, la película *La senda del 98*, con Ralph Forbes y Dolores del Río; la gracia pizpireta de la norteamericanísima Clara Bow se manifiesta en producciones como *Rosa la revoltosa* y *Llegó la escuadra*, alternando en esta última con el galán de galanes

James Hall; Fay Wray y Gary Cooper, soberbia pareja sentimental, unidos en *La legión de los condenados*.

El eterno galán Adolfo Menjou alterna con Catherin Carver en *Serenata,* una película suave como un libro de versos. Josefina Baker, la diablesa negra del faldellín de plátanos aparece en *La sirena de los trópicos*. Todo un mundo de películas variadísimas, movidísimas, en las que el arte y la técnica de Norteamérica iba ganando terreno día por día.

Todavía guardarán un sabor agridulce en la memoria quienes tuvieron ocasión de ver *Orquídeas salvajes,* con Greta Garbo, que se estuvo representando luego muchos años en España y en el mundo. *Siervos* por Lionel Barrymore; *Ninguna otra mujer* y *Los amores de Carmen,* por Dolores del Río, la mejicana que parecía escapada de un cuadro de Romero de Torres; *Spione,* por Gerda Marus; *Glorias ajenas,* por Esther Ralston y Neil Hamilton; *Amanecer* y *El Séptimo Cielo,* por Janet Gaynor; *Música celestial,* por Laura La Plante; *Un cierto muchacho,* por René Adorée; *La mariposa de oro,* por Lily Damita —que aparecía con vestidos estratégicamente cortados por la pierna, bastante arriba.

El arca de Noé, por Dolores Costello —otro de los alardes espectaculares del cine extranjero—; *El piel roja,* por Richard Dix, que fue una de las cintas con más puñetazos por minuto de las hasta entonces presentadas en España; *Ella se va a la guerra,* una graciosa película protagonizada por Eleanor Boardman y John Holland; *Icaros,* película de aviación que inauguró una buena serie de cintas de tema aviatorio y *Sombras blancas,* por Raquel Torres y Monte Blue.

Una buena colección de nombres de los astros y estrellas del cine de importación de 1929: Sue Carol, Marion Davies, Mirna Loy, Anita Page, Carole Lombard, Ethel y John Barrymore, Nancy Carroll, Richard Barthelmes, Lois Moran, William Powell, Betty Balfour, Billie Dove, Mary Briand, Lupe Vélez, Gustav Froelich, Jeanette McDonald, Lew Cody, Florence Vidor, Norma Talmadge, Pola Negri —quien por cierto después de un intenso drama matrimonial visitó España con su nuevo esposo, el príncipe Mdivani—, Edmund Lowe, Richard Arlen, Corinne Griffith, Mary Pickford, en 1929 ya considerada como actriz perteneciente a un tiempo pasado, Buster Keaton, Bebe Daniels, Louise Broks, Conrad Veidt —el galán alemán alto y rubio y de maneras educadas tan en contraste con los bruscos duros del cine americano—, Betty Copson, Mary Duncan, Catheryn Carver, el gigantesco y formidable actor de carácter Víctor McLaglen, la alemana Brigitte Helm —a la que vimos en la encarnación impresionante de La Atlántida, de Benoit—, Jack Holt, Lya de Putti, Tom Mix, Hot Gibson, Levis Stone —otro maduro del pelo gris conquistando como un universitario—, Nils Alster, Dita Parlo, Bárbara Kent, Fred Thomson, William Hart, Betty Amman, William Boyd...

Nombres que son casi una ensoñación. A buen seguro, algunos lectores, al conjuro de estos nombres, han podido cerrar los ojos y trasladarse en el poderoso vehículo de la imaginación a aquel 1929 madrileño en que todos estos artistas llenaban las carteleras multicolores de los cines de la capital. De ellos, ninguno queda en el quehacer de la actualidad cinematográfica.

Madrid estuvo animado los doce meses de 1929 por estas caras, a todo color, en los enormes rótulos de sus cines de estreno o de barrio, nombres que se aprendieron los chicos, que hoy son maduros, jóvenes de entonces que hoy son viejos. En la semblanza del Madrid de 1929 no podía faltar este recorrido espectacular por las novedades cinematográficas de la época.

En el último año del mandato del general Primo de Rivera puede resultar muy interesante el apoyo de la estadística en algo tan trascendente como el coeficiente de natalidad, con datos referidos exclusivamente a Madrid.

El 27 por 1.000 del año 1920 ha pasado en 1929 al 26 por 1.000. Poca importancia tiene esta diferencia, sobre todo si se tiene en cuenta que cualquier error en el procedimiento, perfectamente posible por los métodos de control de la época, puede alterar los datos en ese 1 por 1.000 casi inapreciable.

Pero lo verdaderamente curioso es la discriminación del coeficiente de natalidad por barrios o distritos, comparando un sector poblado por gentes de las llamadas *de buena posición*, esto es, un distrito bien nutrido, con otro sector poblado por familias obreras, o lo que es lo mismo, *mal nutrido*.

En el barrio de Salamanca —*bien nutrido*—, los datos son los siguientes:

En 1920 nacen 46 por 1.000; mortalidad infantil: 11 por 1.000

En 1929 nacen 29 por 1.000; mortalidad infantil: 1 por 1.000

En el barrio de la Plaza de Toros —*mal nutrido*—, los datos son los siguientes:

En 1920 nacen 43 por 1.000; mortalidad infantil: 22 por 1.000

En 1929 nacen 108 por 1.000; mortalidad infantil: 58 por 1.000

(*Fuente: Dr. Haro, Congreso de Eugenesia*)

Capítulo 13. DECLIVE DE LA DICTADURA (año 1929). Don Quijote y Sancho en la plaza de España. Se inaugura el Museo Municipal. Exposiciones de Barcelona y de Sevilla. Los madrileños de 1929. **Roskoff-Patent.** Paseos de la goma. El año teatral. La calle de Embajadores. El año aéreo. El crimen de **Ricardito** y Pablo Casado. **Indisciplina vial.** Crisis de Wall Street. Desfiles S. A. en Nuremberg. La Dictadura declina. Aparece el general Berenguer. Una nota decisiva de Primo de Rivera.

La creciente importancia de la aviación comercial impulsa en Madrid una Exposición de proyectos para un gran aeropuerto internacional, que se construirá en terrenos de la municipalidad de Barajas, a doce kilómetros del centro de la ciudad. Los diversos proyectos, presentados por notables arquitectos e ingenieros españoles, denotan la fuerte inspiración de análogas construcciones ya existentes en el extranjero, pero con cierta originalidad más madrileña que española.

Se inaugura con toda solemnidad el monumento gigante a Cervantes y al Quijote en la plaza de España. Arquitecto, Coullaut Valera. El ápice —a 40 metros de altura— está coronado por un grupo de cinco figuras que representan las partes del mundo, aludiendo a la fama universal del «Quijote». El costo total de la obra es de dos millones de pesetas. La estatua de Cervantes tiene cuatro metros de alta. Delante del monumento e independiente a él se hallan Don Quijote y Sancho Panza, montados en sus cabalgaduras. En el conjunto están casi todas las figuras cumbres de la novelística de Cervantes: la Gitanilla, Rinconete y Cortadillo, etc.

Otra inauguración trascendente en Madrid es la del Museo Municipal, en la calle de Fuencarral, frente al Tribunal de Cuentas. En él se ha reunido toda la iconografía procedente del Alcázar viejo de la capital. La colección de planos y vistas de Madrid que se encierra en este Museo es realmente sorprendente. Sin embargo, los madrileños, fieles continuadores de sus antecesores, mantienen la inveterada costumbre de no enterarse de aquello que se refiere a su Madrid, y el Museo —envidia de muchas capitales europeas— es apenas visitado y muy frecuentemente ignorado.

El esfuerzo de unos pocos hombres de estupenda voluntad cae casi en el vacío, porque a los madrileños —salvo escasas y honrosas excepciones— les tiene sin cuidado todo aquello que se refiere a Madrid y se interesan mucho más por los bucles rubios de las estrellas del cine norteamericano o por las añagazas de los contendientes de la lucha libre, deporte que día a día logra mayor número de adeptos.

Fuera de Madrid dos hechos destacan en la vida nacional con la categoría de acontecimiento: las inauguraciones de las Exposiciones de Barcelona y de Sevilla.

La de Barcelona está situada en la falda de la montaña de Montjuich y tiene sus límites urbanos en la plaza de España y en la gran avenida conocida popularmente como el *Paralelo*. Desde la citada plaza se entra en la Exposición a lo largo de una amplísima y grandiosa Avenida de América. Después de la Gran Guerra, puede asegurarse que ningún Estado europeo ha presentado un certamen de la categoría de éste.

El mayor de sus edificios, el Palacio Nacional, destinado al arte español, de estilo renacimiento, ocupa un área de 32.000 metros cuadrados y tiene una altura máxima en sus cúpulas de 60, con capacidad para 20.000 personas. Luego están los palacios de Arte Moderno, de Proyecciones, de las Misiones, de la Electricidad y el gracioso Pueblo Español, que recoge construcciones típicas de casi todas las regiones españolas.

Este Pueblo Español —único en el mundo— tiene un conjunto de 660 edificios, 20 calles y siete plazas, a cual más sugestiva. La Plaza Mayor, con los arcos clásicos de tantas plazas castellanas, ocupa 3.550 metros cuadrados. Pistas de tenis, teatro griego, fuente monumental —con el prodigio de agua y luz inventado por Buhigas—, estadio, piscina...

Preside la inauguración Alfonso XIII, que en su discurso, entre otras cosas, dice: «He tenido que dejar en casa los lutos que entristecen mi corazón (se refiere a la reciente muerte de su madre María Cristina), para acordarme de que únicamente debo servir a España...»

La Exposición de Barcelona supone un trastrueque de poblaciones en cantidades masivas como España no había conocido desde los tiempos de las dominaciones árabes. Al coincidir la abundancia de trabajo en Barcelona con la ruina de la zona minera de La Unión, en Murcia, miles de mineros sin trabajo han acudido a la capital de Cataluña donde, además, los jornales son bastante más elevados. Un número no menor de 15.000 jornaleros, que durante años han estado trabajando el duro trasiego de las minas de Mazarrón, de La Unión, de Cartagena, se traslada a Barcelona en vagones de tercera, en camiones, en carros, en tartanas o andando. Barcelona ha sido, en los años en que la Exposición se estaba construyendo, la mejor tierra prometida de España.

15.000 jornaleros, con sus mujeres, hijos y parientes, formaron en Barcelona toda una población flotante; se han asentado en los altos de Hospitalet, a la izquierda de las grandes avenidas de la Cruz Cubierta y Sans, integrando lo que había de ser la Torratxa de Hospitalet, barriada en la que no se habla apenas el catalán sino el castellano con acento murciano. Treinta mil, treinta y cinco mil, cuarenta mil murcianos se han hecho los propietarios de todo un barrio.

Hombres humildes que al llegar a la moderna urbe luminosa han creído renacer a un mundo de optimismo. Miles de niveles de vida aumentando y mejorando considerablemente han ido creando unas juventudes nuevas, con ideas sorprendentes. Muchos años más tarde, ios políticos catalanistas quedarían perplejos al comprobar que los más fervientes separatistas no eran los catalanes e hijos de catalanes, sino los hijos de aquellos hombres que durante años habían vivido miserablemente en las minas del sureste y que de pronto, en Barcelona, habían empezado a vivir como personas.

La Exposición de Sevilla, otro de los acontecimientos nacionales del año 1929, tiene un ámbito menor que la de Barcelona. La de la capital catalana es Universal, la de Sevilla Iberoamericana. También asiste el rey a la inauguración, con la reina y el general Primo de Rivera, presidente del Gobierno. En la Exposición de Sevilla hay un gracioso ferrocarril en miniatura y pabellones de todos los países de habla española en el otro Continente.

Las colonias españolas de Africa han enviado una representación compuesta por numerosos indígenas vistosamente ataviados, que son uno de los atractivos más picantes del certamen. Grupos folklóricos de toda España animan los diversos pabellones, con sus interesantes actuaciones. Pero, con todo, la Exposición de Barcelona queda muy por encima de este formidable alarde sevillano.

Echemos un vistazo despacioso, atento, al hombre y a la mujer de este 1929. ¿Qué les diferencian de nosotros, además de la normal evolución de las modas en el vestir? Fijándonos bien, brillan demasiadas dentaduras con los dientes de oro, lo cual no se entiende que sea algo que afea, sino, por el contrario, casi una muestra de buen nivel económico.

No todos pueden corregir sus deficiencias dentales con piezas de oro. Son muchas las personas que al sonreír lucen una o varias piezas doradas, cuando no es que sonríen a propósito para lucirlas. Esto ha desaparecido prácticamente.

Los lentes, las gafas, tienen también un diseño diferente al de años posteriores, sin estiramientos aerodinámicos: un caballete sobre la nariz y dos círculos redondos, absolutamente redondos, diseños que ahora no los lleva prácticamente nadie.

En los jóvenes de ambos sexos priva la brillantina en el cabello, y los ondulados marcados con el canto de la mano. El fijador también hace de las suyas, presentando, a remedo de ciertos cantantes hispanoamericanos, unas cabelleras compactas, negras, alisadas, domesticadas, densas, un poco a lo George Raft.

Las patillas —ya se ha dicho— son a menudo picudas, puntiagudas, y algunos lo exageran hasta lo indecible convirtiendo sus patillas en unos picos agudos, negros, poblados, que alcanzan el centro de la mejilla. En los caballeros de abdomen voluminoso, dedicados a los negocios en grande, suele saltar, a hipos de la digestión, la célebre leontina de oro, que era una de aquellas cosas utilísimas que no servían para nada. Desde uno de los ojales del chaleco hasta el bolsillo en que palpitaba el grueso reloj —muchas veces un *Roskoff-Patent*—, la cadena de oro venía a ser como una tarjeta de presentación. ¿Quién negaba un crédito a un señor que llevaba una leontina áurea y pesada?

Todavía se usa mucho el abanico. Todavía dura —y aún ha de durar hasta el comienzo de la guerra civil— el clásico paseo de los adolescentes a la caída de la tarde. El paseo es en Recoletos, o en la acera del Banco de España de la calle de Alcalá, o en la misma Gran Vía, desde la plaza del Callao hasta la confluencia con Alcalá; en los bulevares, desde la glorieta de Bilbao hasta la de San Bernardo; en la avenida de la Reina Victoria, en Cuatro Caminos, desde la glorieta de este nombre hasta lo que hoy es Clínica del Trabajo, aproximadamente. Es muy difícil que las juventudes que no conocieron aquel Madrid puedan hacerse una idea de cómo era sólo con estos bosquejos, pero para quienes lo vivieron, estas palabras les habrán ayudado a recordar.

Un número de *La Esfera* de este año recoge los versos de Carrere, que dan mejor que mucha prosa la semblanza de la calle de Embajadores:

> *Menestrala animación;*
> *clara luz primaveral,*
> *y horrenda de almazarrón*
> *la barraca de Pavón*
> *—melodramas de Rambal—.*
> *¡Truculenta evocación!*
>
> *Chulería*
> *a la clásica manera;*
> *pintoresca algarabía*
> *vocinglera*
> *del hortera*
> *y los castizos traperos*
> *sobre el hombro la soguilla*
> *y dos mugrientos sombreros*
> *de copa en la coronilla.*

MADRID DEL AÑO 1929. GALERIA DE FIGURAS CELEBRES

Ramón del Valle-Inclán y Pío Baroja

MADRID DEL AÑO 1929. Un modelo y «una» modelo

MADRID DEL AÑO 1930. Primo de Rivera conversa con los periodistas
al salir de presentar la dimisión al rey

MADRID DEL AÑO 1930. Caída la Dictadura, el general Berenguer sale de
Palacio de presentar su Gobierno al rey

La estridente pianola
canta el chotis de la Lola,
la del mantón alfombrao,
y en la puerta, el tostadero
lanza un oloroso vaho.
Voces del baratillero
y repique en las aceras
—taconeo chulapón
de jarifas cigarreras,
de arracadas y mantón—.

Cadenetas de colores
cuelgan de los corredores
de algún patio vecinal
—comadres que chismorrean,
menestrales que vocean
con donaire de sainete
y en la puerta un tenderete
de remendón de portal—.

Rincón castizo y ufano
que conserva su sabor;
barrio de San Cayetano
... y de Vicente Pastor.
Esta calle madrileña,
llena de sol y cantares,
parece que se despeña
riendo hacia el Manzanares.
El Portillo... Algún gitano,
color de cobre y patillas
lustrosas, avanza ufano
golpeándose en las rodillas
con su vara de avellano.
Tabernilla arrabalera,
con las mesas en la acera,
frascos de vino y fritanga,
animación populosa
y una plebeya y ruidosa
alegría de charanga.

Vamos a iniciar el repaso detallado a lo que fue la temporada de teatros en Madrid durante los doce meses de 1929. Naturalmente, todos los entendidos decían que la zarzuela había muerto y que otros tiempos pasados, lejanos, habían sido mucho mejores para el teatro cantado español, pero en Madrid hay una buena serie de estrenos líricos que demuestran lo contrario.

En el Apolo tenemos el estreno de *El caballero sin nombre*, de López de Sáa y Sepúlveda y música de Granados, y la reposición de *La Gran Vía*, fresca y lozana como en sus primeras representaciones de años atrás. En Price, *Las maravillosas*, de Paso y Borrás, con partitura de Soutullo y Vert, y *El mantón español*, espectáculo arrevistado de Guichot, con música de Guerrero.

En la Zarzuela, *Al dorarse las espigas*, de ambiente rural, escrita por Carreño y Sevilla y música de Balaguer, y *Coplas de Ronda*, de Arniches y Lucio, con música de Alonso. En Eslava, *El ceñidor de Diana*, de Paso, González del Toro y partitura de Alonso; *Noche de Verbena*, de Luis de Vargas y música de Vives, y la fantasía-revista *América Fragante*, que obtuvo bastante éxito. En Fontalba, *Las Hilanderas*, de Oliver y maestros Faixá y Mollá.

En La Latina, *A las tres*, de Ramón Peña y música de Roig, y *¡Oiga, oiga...!*, juguete arrevistado, también de los dos Paso (padre e hijo), con música de Casses y Mussó. Raquel Meller presentó con gran éxito en el Palace el espectáculo musicado por Guerrero y titulado *París-Madrid*, cuya publicidad ya estaba hecha por existir en la Gran Vía unos famosísimos almacenes conocidos precisamente por *Madrid-París*.

En la Comedia, *La guitarra*, de Carreño y Sevilla, con música de Fuentes y Navarro. En el Fuencarral, *La hermosa desconocida*, de Mantua, Beut y maestro Rosillo. En Romea, *El antojo*, de Paso, Borrás y maestro Luna, y *Por si las moscas*, de Vela y Campúa, musicada por Alonso y protagonizada por Celia Gámez. Por último, el Martín presentó *Arriba y Abajo*, de González del Toro y partitura de Guerrero, y *Chacha-chá*, de Silva Aramburu y maestro Font de Anta.

Es decir, entre zarzuelas, comedias musicadas, espectáculos arrevistados y fantasías más o menos folklóricas, una docena de teatros dedicados al teatro lírico en Madrid, unas cuantas buenas nóminas de cantantes actuando en lo suyo y ganándose la vida con mayor o menor holgura, y, desde el ángulo de mira del público, un promedio de más de 12.000 localidades permanentemente disponibles para presenciar teatro cantado, esto en un Madrid que contaba aproximadamente un millón escaso de habitantes.

En el Eslava se presentó, además, una troupe negra de Lousiana, Estados Unidos, con espectáculo musical muy dinámico y bastante poco entendible para los madrileños de 1929, que entonces, por fortuna, no estaban tan trabajados de rítmica americana y se mantenían frecuentemente fieles a los modos y maneras de la música española.

El teatro de humor presentó muchas nuevas humoradas, pues los maestros del género se hallaban en buen momento. Muñoz Seca estrenó *El alfiler*, en el Infanta Isabel; *¿Qué tienes en la mirada?*, en la Comedia, en colaboración con Pérez Fernández; *Pégame, Luciano*, en el Infanta Isabel, uno de los mayores éxitos de risa de aquel año, y *Los* *ilustres gañanes*, en la Comedia, también en colaboración con Pérez Fernández.

Arniches, *El solar de media capa*, en la Comedia; *La cárcel modelo*, en el Alcázar, en colaboración con Abati, y *Para ti es el mundo*, en Lara.

Considerando también teatro de humor el de costumbres de los hermanos Alvarez Quintero, registremos los estrenos de *Rondalla*, en el Español; *El niño me retira*, en la Zarzuela, y *Cien comedias y un drama*, en el Reina Victoria. El Cómico levantó el telón para el estreno de *El fenómeno*, de Mayral y Silva Aramburu; el Teatro del Centro presentó una farsa con el título de *El difunto era mayor*, original de Luis Manzano, *Los marqueses de Matute*, de Sevilla y Carreño y *Seis pesetas*, de Luis de Vargas.

La célebre canción de moda entonces, repetida hasta el hastío por todos los patios de vecindad, *La Cirila*, inspiró un nuevo estreno en Eslava, *Es mucha Cirila*, original de Vela y Moreno. En el Alcázar, *Don Cloroformo*, de López Durendes, y en la Zarzuela, *Una farsa en el castillo*, traducción de Fernández Lepina.

Linares Rivas, uno de los autores más populares de la época, estrena en este mismo año *Hilos de araña*, en el Lara, y *El pájaro sin alas*, en el Reina Victoria. En Eslava se estrenaron *La generalita*, de Abati y Jaquotot; *El camino de la felicidad*, de Marquina y Martínez Sierra; *Alicia sienta la cabeza*, traducción de Martínez Sierra; *Levanta, Magdalena*, de Carlos Baena; *Seamos felices*, de Martínez Sierra, y *El Conde de Madrid*, de Quintillá.

La temporada ofreció también *Oro molido*, de Federico Oliver; *La estrella de Don Pepito*, de Téllez Moreno; *La imagen*, de Marquina y Guichot; *El otro*, de Rodolfo Viñas, y *Lección de vida*, de Martínez Gatica; *De la noche a la mañana*, de Ugarte y López Rubio; *Cuento de aldea*, de Ardavín; *Vidas cruzadas*, de Benavente.

El coquetón teatrito del Barrio de Salamanca, el Infanta Beatriz, presentó *El fantasma de Canterville*, de Oscar Wilde, en estupenda versión de Ceferino Palencia; *La dama del antifaz*, traducción de Cristóbal de Castro; *Su sonrisa*, traducción de Cadenas y Gutiérrez Roig; *Ecos de sociedad*, de Jordán de Urríes; la versión de *Pequeñeces*, del Padre Coloma; *Volpone*, traducción de Sánchez Guerra y Artemio Precioso, y *El proceso de Mary Dugan*, traducción también.

En el Fuencarral, *Una cualquiera*, de Galeano y López Carrión; *Un suceso vulgar*, de Anita Prieto; *El chotis madrileño*, de Navarro y Pérez Moris, y *El alma de la copla*, de Quintero y Guillén.

El Español presentó *Las hogueras de San Juan*, de Juan Ignacio Luca de Tena; *La casa de Luján*, de Federico Santander y José María Vela, estrenos ambos, y una reposición de gran gala, *La vida es sueño*, de Calderón, con la muy interesante presencia de Ricardo Calvo.

La temporada del Fontalba alcanzó buenas alturas líricas con los estrenos de *La Lola*, de Antonio y Manuel Machado, y *Salvadora*, de

Página de anuncio en 1929

Marquina. El Alcázar estrenó *El club de los chiflados*, una traducción de los especialistas en el género José Juan Cadenas y su colaborador Gutiérrez Roig; *Los medios seres*, de Gómez de la Serna —no demasiada afortunada excursión teatral del desconcertante autor—, y *Han matado a Don Juan*, de Federico Oliver.

Los madrileños pudieron ver en el Teatro del Centro dos estrenos serios: la versión de *La dama del mar*, de Ibsen, en traducción de Cristóbal de Castro, y *Romance*, obra también procedente del teatro extranjero, en versión de Fernández de Lepina.

Aparte de los estrenos musicales y cómicos, la Zarzuela presentó *El espectador o la 4.ª realidad*, de Martínez Cuitiño, y otra traducción de los inseparables Cadenas y Gutiérrez Roig, *La araña de oro*, actuando asimismo en su escenario durante corto tiempo la compañía argentina que en aquellos meses recorría los principales teatros de España.

Dos estrenos medio en serio y medio en broma tuvieron por marco el teatro Cómico: *Los pollos-cañón*, de Fernández Villar, y *El hombre que vendió la vergüenza*, de Rodríguez de la Peña y Lapena, sin olvidar una graciosa comedia de Ramos de Castro titulada *Mira qué bonita era*.

Estaban trabajando, aunque no a pleno funcionamiento, los teatros Eldorado, Maravillas, Comedia y la Sala Rex, en cuyos escenarios fueron presentadas al público *El tanto de moda*, de Custodio y Olmedilla; *Sangre Torera*, de Pedro Llabrés y Subrá; *Nobleza baturra*, de Joaquín Dicenta, y *Acaba de publicarse*, traducción de Alberti y Chacón.

En resumen, una temporada teatral como las anteriores, poco más o menos. Sin embargo, el buen observador pudo registrar algo distinto: estaban ausentes en los diálogos de todos los estrenos las alusiones más o menos disfrazadas, más o menos hirientes al Gobierno, tan abundantes en los primeros años de los Directorios y del Gabinete del general. En parte, porque se sabía que no era conveniente indisponerse con el poder público; en parte, porque ya en 1929 se consideraba que un nuevo régimen estaba a punto de iniciarse, y nadie —y menos los autores teatrales— tenía prisa por atacar a quien prácticamente ya estaba caído, como habría de verse en seguida.

En estos doce meses la idea de la navegación aérea acusa un impulso considerable. El viaje alrededor del mundo del «Conde Zeppelin», comandado por el doctor Eckener, en sólo veinte días y cuatro horas, incluidas las etapas, fue la mejor propaganda para este medio de transporte, destinado, con el tiempo, a tan trágico fin. España se ha incorporado briosamente a la corriente, y además de su ya citado encargo a Alemania, ha construido su primer dirigible en los talleres del Servicio de Aerostación de Guadalajara, sobre planos del comandante de Ingenieros Maldonado de Mee. Este dirigible español —casi madrileño— tiene las siguientes características: 4.000 metros cúbicos, 12 metros de anchura, dos motores de 120 caballos cada uno y dos depósitos de esencia de 900 litros.

En Inglaterra se construye el gigante aerodinámico «R-100», que deja pequeño al «Zeppelin». En Estados Unidos se está montando el primer dirigible metálico del mundo, que resultará treinta y cuatro veces más fuerte que la nave de Eckener. Los países más poderosos del mundo, en fin, intentan emularse mutuamente mediante la construcción de monstruos aéreos: más longitud, más anchura, mayor capacidad de pasajeros, mayor autonomía de vuelo, más metros cúbicos de capacidad de gas, más comodidades, más velocidad. El final de todo esto lo conoceremos en uno de los próximos capítulos.

Alemania fabrica un hidroavión gigante «Rumpler», de diez motores de mil caballos cada uno, capaz de llevar 135 pasajeros y 35 tripulantes. Las cabinas y el puesto de mando van en las alas, y los enormes flotadores son depósitos de carburante. Se realizan primitivas pruebas de aprovisionamiento en vuelo, no de avión a avión, sino desde tierra, por un sistema tan ingenioso como complicado.

¡Sensación en Madrid! José María Ansaldo se casa y acto seguido, él y su esposa, con trajes de vuelo, embarcan a bordo de un avión. El célebre cronista de sociedad, Spottorno. dice: «¡Qué graciosa está la novia con su nuevo vestido de viaje...! Lleva un casquete de cuero que termina en piel sobre la frente y un «mono» forrado en piel asimismo que le cubre el cuerpo.»

Harper, en Estados Unidos, ensaya con éxito un dispositivo para impedir que los aviones se estrellen al caer en barrena: unas ranuras estratégicamente situadas en los planos vuelven al avión a su posición normal al entrar en barrena. Por primera vez nueve sacerdotes españoles acuden en peregrinación a Roma en avión, un «hidro» de la *Navigazione Aérea* de Génova.

Se ultiman los detalles para la puesta a punto de otro gigante de los aires, el «Do-X», para 100 pasajeros, de la serie «hidros»: está dotado con doce motores de quinientos caballos cada uno, tiene depósitos para 16.000 litros de esencia y 1.500 litros de aceite, mide 40 metros de longitud y 10 de altura, su peso es de 51 toneladas, su velocidad de 190 kilómetros-hora y su radio de acción de 10.000 kilómetros.

En su avión «Cruz del Sur», Kingsford Smith realiza proeza tras proeza recorriendo los cielos del mundo entero. Se logran los primeros vuelos prolongados a alturas superiores a los 8.000 metros. La Copa Schneider la gana un «hidro» aerodinámico, el «Flecha de oro», del teniente Waghorn, a la velocidad de 560 kilómetros-hora.

Se estudia en París un proyecto de Bleriot para avión de 230 pasajeros con asientos y literas en las alas. Se estudia en Canadá un proyecto de isla-aeropuerto a situar en el centro del Atlántico. Se lanza al aire el monstruoso «G-38» alemán, que lleva salón comedor y literas. Sí, este 1929 es el año del dominio de los aires.

El crimen más periodístico de todo 1929 es, sin duda, el perpetrado por Ricardo Fernández, *Ricardito*, en la persona de su patrón y amigo Pablo Casado. La cuestión salta a las primeras planas de toda la prensa nacional por la aparición, en la consigna de una de las estaciones madrileñas de ferrocarril, de restos humanos, en estado de descomposición, y en los que falta la cabeza.

Las averiguaciones llegan a enlazar este macabro descubrimiento con la desaparición de un extraño sujeto que vivía en Barcelona, y cuyos datos antropológicos coinciden con los de los despojos de Madrid. Los hechos, puestos trabajosamente en claro por la Policía, son los siguientes:

Ricardo Fernández, *Ricardito*, conocido invertido y camarero o *valet* de profesión, venía prestando servicio en el domicilio de Pablo Casado, como criado suyo y confidente, ya que también el señor de la casa gozaba de las mismas aficiones que su sirviente. *Ricardito* tuvo que ser a menudo testigo de las numerosas citas de su superior con otros elementos barceloneses de la misma especialidad, e incluso pasar por la humillación de servir el desayuno a anfitrión e invitado cuando éstos todavía no se habían levantado. *Ricardito* adoraba y odiaba paralelamente a Pablo Casado.

Las relaciones, antes excesivamente cordiales, entre Casado y *Ricardito* fueron agriándose, día por día —o mejor noche tras noche— hasta desembocar en la fecha del 8 de diciembre de 1929. A la hora de costumbre, Casado ordenó a su criado que le sirviera la cena. Por detalles sin importancia se originó una discusión entre ambos, que fue subiendo a mayores y que degeneró en una violentísima escena, tras la cual Casado se levantó y se marchó sin cenar, para regresar algo más calmado a eso de la una de la madrugada. A esta hora, no volvieron a discutir, pero no se hablaron. Casado ya había decidido lo que iba a hacer. *Ricardito* lo adivinaba.

Pero no había, hasta el momento, nada sangriento ni tremendo en la postura de ninguno de los dos. Casado había decidido despedir a su sirviente, rompiendo de esta forma toda clase de relaciones con él. *Ricardito* lo sospechó, y con esa sospecha se fue a acostar, pero no pudo conciliar el sueño. En su cabeza bullían deseos de venganza. Algo parecido a aquello de «mía o de la tumba» debió desarrollarse dentro del cerebro del criado, ya que, poco después, se levantó y fue sin hacer ruido a la habitación de Casado, después de proveerse en la cocina de una pesada plancha de hierro.

Aprovechando el sueño de Casado, y dada la coincidencia de que esa noche estaba solo, *Ricardito* golpeó varias veces la cabeza de su patrón, con la plancha hasta matarle. Dejó el cadáver en la cama y volvió a la suya a acostarse. Al día siguiente, domingo, descuartizó el cuerpo, cortándole la cabeza, envolvió en trapos y papeles los miembros ensangrentados, los puso en una gran caja, tiró la cabeza al mar y facturó la caja a Madrid, a consigna. La caja que fue el arranque de toda averiguación policíaca.

Un artículo de *La Esfera*, publicado en los primeros meses de 1929, viene a demostrar que la indisciplina vial en Madrid no es cosa de ahora, sino de siempre.

"**Los peatones que aguardan para cruzar a que el guardia de la porra haga la señal no se resignan a permanecer en el borde de la acera: poco a poco, primero uno, luego otro, descienden de él y avanzan un paso, luego dos... hasta que las dos líneas paralelas que formaban calle para el paso de tres o cuatro coches quedan sustituidas por una especie de embudo por donde sólo pueden pasar dos vehículos, cuando no uno solamente; los peatones, por apresurarse, dificultan así la circulación, y se retardan; el mismo número de coches tarda dos o tres veces más tiempo en circular... Los conductores de vehículos hacen algo semejante. Cuando el guardia silba, fingen no haber oído para que la fila sea cortada no delante, sino detrás de él, y aceleran la marcha, cuando debían retardarla, para pasar. Así, en lugar de detenerse en una línea perpendicular a la acera, pasan de ella, el peatón ha de cruzar un trayecto dos veces más largo y los coches tardarán doble tiempo en volver a marchar.**"

Este párrafo podría servir para la plenísima actualidad del Madrid de los años setenta. Queda patentizado que es característica del madrileño el amor a la excesiva individualidad, a la indisciplina, por buscar palabras de sonido lo más suave posible.

¿Qué sucedía en las estaciones del *metro* madrileño en 1929?

"**Cuando el metro se detiene en una estación a las horas de afluencia, es difícil descender: las gentes no se alinean a los lados de las puertas formando calle por donde los viajeros puedan salir; se amontonan frente a ellas y el viajero ha de romper un muro humano para abrirse paso. Los que quieren subir deberían esperar a que bajara el último para que entrara el primero, pero se apelotonan y el desventurado primero es materialmente aplastado entre dos olas de asalto. Eso sí: los que han trabajado tanto para bajar lo olvidan inmediatamente, y si han de volver a subir forman el muro como si nada hubiese sucedido... El empleado del metro o del tranvía pertenece a una raza enemiga del viajero. Sin embargo, sin viajeros no habría metros ni tranvías, y los empleados tendrían que buscar otro oficio.**"

Resulta extremadamente curioso que un comentario escrito en 1929 continúe vigente más de cuarenta años después de su aparición. El párrafo siguiente se refiere a los tranvías, pero sería de absoluta aplicación actual cambiándolo a los autobuses...

"¡Con qué aire vencedor pasa con el coche ante el público que aguarda en una parada sin detenerse y haciendo un gesto desdeñoso! ¡Si llueve y los parroquianos han de aguardar pisando barro, la satisfacción no tiene límites! Reparad en el conductor, llega a la parada; las gentes han de descender y han de subir, pero él no suelta la manivela —se refiere a la del tranvía— y así, apenas dada la señal, siempre demasiado pronto, por el cobrador, que también se siente molestado por la tardanza de los que suben o bajan, lanza el coche, y si hace caer algún viajero, aún se cree en el caso de increparle por su torpeza."

Lejos de Madrid hay dos importantes hechos cuya trascendencia alcanza indirectamente nuestras fronteras. Uno de ellos es la crisis o «crack» de los Estados Unidos, cuya economía se viene espectacularmente abajo, ocasionando catorce millones de parados en sólo tres meses de desastre, quebrando centenares de bancos, suspendiendo pagos miles de empresas y suicidándose unas cuantas docenas de capitanes de la industria y del comercio.

Un periódico define con cierto amargo humor lo que es una granja agrícola en cualquier rincón de Norteamérica: «Una extensión de tierra arable rodeada de acreedores por todas partes y cubierta de hipotecas, en la cual una familia de siete personas intenta en vano subvenir a las necesidades de un coche de ocasión cuyo depósito de gasolina está vacío.»

La crisis norteamericana influye poderosamente sobre el comercio internacional de Europa, y España no queda fuera de esta influencia. Si en Estados Unidos había catorce millones de parados y nadie tenía dinero para pagar los plazos de los receptores de radio, menos dinero quedaría disponible para pagar a Europa las adquisiciones de bienes de consumo.

Alemania, que tenía pendientes las reparaciones de guerra, sistematizadas mediante el famoso Plan Young, pagaba con dificultades, pues su situación económica era también catastrófica, lo que daba alientos a las ideas de Adolfo Hitler, cuyo credo se apoyaba frecuentemente en lo injusto de las reparaciones.

De aquí el segundo acontecimiento importante de 1929 fuera de Madrid, pero con repercusión indirecta en Madrid: el auge formidable de las huestes hitlerianas en toda Alemania y muy particularmente en Baviera.

La muerte del canciller Stresemann coincide casi con la ruina del Wall Street americano. El Banco Nacional de Darmstad cae en bancarrota y el Gobierno alemán clausura de momento todos los bancos del país. Alemania registra el impacto de la crisis norteamericana poniendo en la calle seis millones de parados. De esos seis millones de hombres sin medio de ganarse la vida, casi el 70 por 100 irán paradójicamente sólo un año más tarde a las formaciones del Partido Nacional Socialista.

1929 es también el año en que Hitler obtiene el inapreciable apoyo de Alfred Hugenberg, nada menos que presidente del Consejo de Administración de la firma Krupp. Poco después, Hitler consigue también el apoyo financiero de Kirkdorff, el dueño del carbón alemán, y el beneplácito indirecto de los herederos del Kaiser Guillermo II, alguno de los cuales viste ya la camisa parda de los uniformes de las SA.

En Nuremberg desfilan marcialmente 60.000 miembros de estas ya famosas SA, y las fotografías, repartidas por el mundo entero por la máquina de propaganda hitleriana, hacen ver una Alemania que se levanta de sus cenizas.

La repercusión de todo esto en Madrid es múltiple. De una parte, los adictos al general Primo de Rivera se sienten encantados con este auge sensacional de la nueva Alemania de Hitler, pero hubieran preferido que esto se hubiera realizado unos cuantos años antes, no ahora, en que la corriente de opinión española se hace por momentos más evasiva a los ideales de la Dictadura del general. De otra parte, los rivales del Gobierno se escandalizan por el tono excesivamente militar de este nuevo movimiento alemán, y temen que el general resuelva sus problemas a la manera hitleriana.

En Madrid, Giménez Caballero se adelanta o intuye a José Antonio Primo de Rivera. Un artículo suyo dice, entre otras cosas: «Nudo y haz: FASCIO. O sea, nuestro siglo xv, el emblema de nuestros católicos y españoles reyes, la reunión de todos nuestros haces hispánicos, sin mezclas de austrias ni borbones, de Alemanias, Inglaterras ni Francias.»

¿Qué va a pasar...? 1929 está ya terminando.

Transcribimos unos párrafos del libro del general Berenguer *De la Dictadura a la República:*

> **"Al comenzar el otoño de 1929 la impresión de desgaste del gobierno dictatorial ganaba terreno en el ánimo de la mayoría de los españoles; aun los que fueron sus más decididos partidarios comenzaban a considerar con desconfianza el porvenir. Si la calma política lograda con las Exposiciones de Sevilla y de Barcelona, especialmente con esta última, consiguieron desviar, por el momento, la atención pública de la preocupación que a todos dominaba, ésta volvió a imponerse ante las alarmas que aún perduraban por las intentonas de Ciudad Real y de Valencia a comienzos de aquel año y la liquidación de los procesos a que dieron lugar.**
>
> **"Muchos síntomas permitían apreciar que la hostilidad continuaba con fuerza cada vez más acentuada, sumándose a ella elementos de autoridad que hacían más amplio y daban mayor solvencia al círculo de los que negaban su colaboración a la Dictadura. Las actitudes de los ex presidentes de Consejos de Ministros, jefes de los gobiernos constitucionales que habían colaborado con la Corona hasta ocurrir el golpe de Estado, no aceptando formar parte de la Asamblea Nacional que instituyó Primo de Rivera, fue seguida, a poco, por la vo-**

tación del Colegio de Abogados de Madrid, en la que fueron elegidos para esa Asamblea, con evidente derrota de la candidatura gubernamental, las personalidades más destacadas de la oposición al Gobierno. Pocos días después, la Universidad de Valladolid elegía a su vez, como representante en ella, a Unamuno, entonces en el destierro.

"En la mayoría de las entidades, que aún conservaban la opción a elegir sus directivas, solía triunfar la candidatura opuesta al Gobierno. Aunque esa hostilidad se mostraba más ostensiblemente entre los sectores de las clases media y burguesía, entre los funcionarios del Estado y de la Magistratura, también entre las clases trabajadoras comenzaba a ceder el apaciguamiento conseguido durante los primeros años de la Dictadura, por su transigencia con los elementos socialistas, a los que respetó "una amplia libertad de movimientos" ante el apremio del creciente paro forzoso, de la crisis de trabajo, consecuencia de las acentuadas dificultades económicas, que ya obligaron a restringir empresas proyectadas y aún a paralizar parcialmente algunas de las obras emprendidas."

En otro párrafo de su libro, el general Berenguer agrega:

"El general Primo de Rivera, dándose cuenta de estas realidades que imponían poner fin a aquella interinidad ya tan prolongada, en el Consejo de Ministros del 31 de diciembre de 1929 expuso ante el rey un proyecto para convocar, en el curso del primer trimestre de 1930, unas elecciones municipales y provinciales, que sirvieran de base, pasado el mes de junio, a la constitución de una Cámara legislativa, que integrara los elegidos por sufragio individual agrupado en nueva colegiación de representaciones corporativas, y por lo existente de la que fue parte permanente del Senado hasta 1923, de designación real, cubriéndose, con esa alta designación, el medio centenar de vacantes ocurridas en dicha parte del Senado."

Después del Consejo de Ministros de 31 de diciembre de 1929, presidido por Alfonso XIII, pocas dudas podían quedar ya al general Primo de Rivera de que la oposición no estaba sólo en la calle, sino en Palacio también. Entonces acudió a un extraño plebiscito, a espaldas del Gabinete, consultando no al país, sino a los altos jefes militares, mediante una nota circular, reservada, en la que se decía, entre otras cosas, lo siguiente:

"Como la Dictadura advino por la proclamación de los militares, a mi parecer, interpretando sanos anhelos del pueblo, que no tardó en mostrar su entusiasta adhesión, con la que, más crecida aún, creo seguir contando hoy, ya que esto último no es fácil de comprobar numéricamente y lo otro sí, a la primera se somete, y autoriza o incita a los diez capitanes generales, jefe superior de las fuerzas de Marruecos, tres capitanes generales de Departamentos Marítimos y directores de la Guardia Civil, Carabineros e Inválidos, a que, tras breve, discreta y reservada exploración, que no debe descender de los

primeros jefes de Unidades y servicios, le comuniquen por escrito, y
si lo prefieren se reúnan en Madrid bajo la presidencia del más caracterizado, para tomar acuerdo, y se le manifieste si sigue mereciendo
la confianza del Ejército y de la Marina.

"Si le falta, a los cinco minutos de saberlo, los poderes de jefe de
la Dictadura y del Gobierno serán devueltos a Su Majestad el rey,
ya que de éste los recibió haciéndose intérprete de la voluntad de
aquéllos. Ahora pido a mis compañeros de armas y jerarquías que
tengan esta nota por directamente dirigida a ellos, y que, sin pérdida de minuto, pues ya comprenderán lo delicado de la situación que
este paso, cuya gravedad no desconozco, crea al régimen que presido,
decidan y me comuniquen su actitud.

"El Ejército y la Marina, en primer término, me erigieron Dictador, unos con su adhesión, otros con su consentimiento tácito; el
Ejército y la Marina son los primeros a manifestar, en conciencia, si
debo seguir siéndolo o debo resignar mis poderes."

Pese al carácter reservado de esta comunicación, no tardó en ser
divulgada y su efecto fue fulminante. Las organizaciones de izquierda
se alarmaron temiendo que si el Ejército daba su beneplácito al general, éste prescindiera de la consulta al pueblo y continuase gobernando
indefinidamente tal como lo venía haciendo. Los mismos políticos civiles enrolados en el Gabinete de la Dictadura quedaron en cierto modo
en precario, ya que la comunicación había sido elaborada y remitida
sin contar con ellos, sin siquiera darles cuenta *a posteriori,* ya que la
mayoría se enteraron por cartas particulares de algunos generales que
la habían recibido o por los comentarios, más o menos encubiertos, de
la prensa, que no pudieron hablar con claridad, ya que la Censura
prohibió todo comentario mediante una nota oficial, que decía así:

"Algunos periódicos han pretendido comentar la nota del general
Primo de Rivera publicada el domingo: a ello se opone la Censura por
entender que, en el estado actual, lo procedente es esperar el resultado de la consulta, y que del mismo, y de cuando sea necesario en-
terar al país, lo hará el jefe del Gobierno con la claridad y sinceridad
en el acostumbrada."

En el ambiente estaba, para los de dentro y los de fuera, para amigos
y enemigos, que el régimen se hallaba a punto de cambiar. Lo que
nadie se atrevía a suponer era si sería cruenta o incruentamente, ni
quién iba a ser la persona encargada por el rey de hacerse cargo del
Gabinete.

Capítulo 14. FINAL DE LA DICTADURA (año 1930). Nueva nota de Primo de Rivera. **Señores, ¿qué pasa en Cádiz?** Romanones vuelve a escena. El fin de la Dictadura. Gobierno Berenguer. **ABC** habla de la **vuelta a la normalidad constitucional.** Banderillas de fuego. Un hombre civil vestido de uniforme. La Gota de Leche. Los chistes y los chistosos de 1930. Bagaría, Xaudaró, Tono, Kaíto, Menda. La revista **Gutiérrez.**

El 1.º de enero de 1930, Madrid y España en general se sorprenden al leer en la prensa una comunicación del presidente del Directorio que, entre otras cosas, dice:

"La política es siempre paradójica. Las clases aristocráticas, porque entienden algo mermados, en los propósitos de la Dictadura, los privilegios que les otorgan determinados puestos en el Senado, se resisten a aceptarla y se distancian de ella y de su futuro programa. Y las conservadoras, olvidando o desconociendo que como partido político murieron y como clase social están en la Unión Patriótica, se niegan a sumarse a la Dictadura y a sus planes, porque se han aferrado al artilugio de la Constitución del 76. Y las que más afinidad mantienen con la Iglesia, porque a pesar de las palabras y hechos constantes de la Dictadura en relación y acatamiento de ella, no llega tal vez al punto máximo que incluyen en sus idearios, tampoco asisten a la Dictadura ni aplauden sus propósitos. Y la Banca y las industrias, que han doblado sus caudales, porque no pagan más, pero sí estrictamente los tributos que les corresponden; y la clase patronal, porque la Dictadura se interesa porque al obrero no le falten leyes de previsión ni de justicia social; y los funcionarios, porque aunque gran número ha logrado mejor retribución y todos más prestigio y disminución de descuentos, pero se les exige más puntualidad y trabajo; y la Prensa, por causas que a todos bien alcanzan; y otros sectores por razones tan deleznables como las apuntadas, no apoyan con calor a la Dictadura ni su evolución, y se suman inconscientes, a los que dicen que ya es vieja, cosa en la que no les falta razón si no comprometieran su herencia, propugnando como solución al problema volver al punto de origen, como si siete años hubiesen podido bastar —se precisaría el transcurso de una generación, treinta o cuarenta años— para sanear las lagunas y extirpar los anofeles."

El 5 de enero, Primo de Rivera, ajeno a lo escaso del tiempo que le queda en el poder, declara a los periodistas:

—Mi programa para 1930 es abarcar poco y apretar mucho; es decir, revisar, retocar, consolidar, ajustar e inspeccionar mi propia obra.

Pocos días después, en Caldas de Reyes, muy cerca de Vigo, se produce un hecho que tiene todo el sabor de los tiempos de la Inquisición: un sacerdote arranca de las manos de un muchacho un ejemplar del libro «Los tres mosqueteros», enciende una pequeña hoguera en la puerta de la iglesia y echa el libro al fuego.

Mientras tanto, la cotización de la peseta acentúa la alarma general y los estudiantes se muestran día por día más exaltados. La FUE dirige al general un escrito protestando contra las sanciones a Sbert, y Primo de Rivera les contesta con una nota oficiosa de las de *inserción obligatoria:*

> **«En cuanto al señor Sbert, la ofuscación de ustedes es más notoria, ya que serenamente sería difícil incluirle como estudiante efectivo en ninguna carrera ni disciplina, pues tránsfuga de unas a otras y sin aplicación para ninguna...»**

El periódico *El Sol*, que venía publicando unas encuestas cerca de los jóvenes sobre el amor, la política, la vida, la cultura, etc., aparece de pronto con la misma encuesta, pero con el apartado *política* suprimido.

El 25 de este mismo enero, el jefe del Gobierno, al salir y encontrarse con los periodistas que le rodean ávidos de noticias —noticias que se esperan sorprendentes—, les dice:

—¿Qué hay, señores? ¿Qué pasa en Cádiz...?

Cuando los periodistas le aseguran que todo Madrid está envuelto en rumores de que la Dictadura termina y de que Primo de Rivera se va, el general sonríe, cambia la conversación con cierta habilidad y se despide sin decirles ni que sí ni que no.

El 27, efectivamente, en Madrid no se habla de otra cosa: el régimen dictatorial está no ya en sus últimos días sino en sus últimas horas. ¿Es que el rey ha decidido acabar con el equipo primorriverista o es el propio general quien, cansado —o asustado—, desea despedirse?

El 28, *El Sol*, cuyas caricaturas de Bagaría espera el público porque son, más o menos veladamente, el pulso irónico de la situación política, se excusa entre los lectores con una nota breve, pero que todos entienden: «Nos es imposible publicar hoy la acostumbrada caricatura de Bagaría». La Censura, pues, ha tachado en la madrugada el dibujo del artista.

El conde de Romanones, que durante los seis años y medio de Dictadura se ha distinguido por su oposición al general Primo de Rivera, escribe al general Dámaso Berenguer una carta urgente en la que le dice:

"Mi querido general y amigo: Desde el día en que juntos fuimos ministros, sentí por usted viva simpatía y verdadera confianza; apoyado en esto, me permito dirigirle estas líneas, que entrego a su discreción.

"Hace tiempo que el horizonte político estaba cubierto de espesa cerrazón; desde ayer, la claridad ilumina el panorama y descubre que ha llegado la hora decisiva para la Patria y para el rey. El confiar el término o la continuación de la Dictadura al juicio de los generales con mando después de consultar éstos a los jefes que a su vez los tengan, constituye un hecho de gravedad mayor que el realizado el 13 de septiembre de 1923, niega las prerrogativas de la Corona, desconoce la fuerza legítima de la opinión y puede terminar con el prestigio del Ejército.

"Los generales deben inhibirse en el pleito que se les plantea; toda contestación suya es peligrosa y puede provocar la división o la indisciplina. El rey debe evitarlo a todo trance; para él ha llegado el momento de optar: o Jorge V de Inglaterra o Fernando de Bulgaria; ojalá se decida por lo primero, pero seguir como hasta aquí es gastarse sin honra ni provecho.

"No he cogido la pluma para exponer cuál es mi opinión respecto al rey, sino para decir a usted que la situación en que las circunstancias le han colocado le imponen un imperioso deber: el de no seguir contemplando inhibido el desarrollo de los acontecimientos.

"Tiene usted en el Ejército y en la política amigos con los que no cuenta ningún otro. A usted le toca hacer lo que ningún otro puede intentar. Perdone si peco de indiscreto, pero algunas veces, pocas, la indiscreción puede ser excusable en gracias al impulso que movió a cometerlas. Muy suyo affmo. Conde de Romanones."

Decidido por Alfonso XIII el fin del régimen de Primo de Rivera, éste, en una última entrevista con el Monarca le propone unos cuantos nombres para la constitución del próximo Gabinete, ya sin él. En una cuartilla, escrita nerviosamente, con enmiendas, acotaciones y tachaduras, los posibles ministros serían éstos: Presidente, el general Barrera o el general Berenguer; Gobernación y vicepresidente, Cierva o Goicoechea (figura encima la palabra «Anido», luego tachada); Hacienda: Argüelles, Figueras o Maura; Justicia: Matos, Cañal o Maura; Ejército: Berenguer, Barrera o Cavalcanti; Marina: Reyes, Salas o Cervera; Economía: Castedo; Fomento: Guadalhorce; Trabajo: Aunós o conde de Altea; Instrucción Pública: duque de Alba o Gascón y Marín. Es decir, el presidente del Gobierno de la Dictadura, saliente, sugiere al rey un Gobierno que ha de presidir otro, en el que se deslizan los nombres de cuatro generales, tres almirantes, dos duques y dos condes.

La corriente general, no obstante, es la de «carpetazo» a la situación anterior, con objeto de dar al país la impresión de que, definitivamente, en Palacio se ha dicho *no* a la Dictadura.

Sabedor de esto, Primo de Rivera insiste en carta urgente, reservada, a Berenguer:

"Mi querido general y amigo: Permíteme que vuelva a insistir en mi punto de vista de anoche sobre la conveniencia de que quede algún ministro de mi Gobierno en el que tú estás formando. Sólo creo podría obtenerse del señor Castedo, que sobre ser un gran técnico, creo que insustituible, no es político, y daría una sensación muy conveniente de cordialidad entre la situación pasada y la presente, evitándose actitudes que yo, de todos modos, dominaré; pero me sería más fácil así. De Guadalhorce no se podría lograr, pero el intento hubiera sido hábil y merecido. Tuyo, Miguel."

Todo Madrid sabe que algo grave está sucediendo en Palacio. Hay quien asegura con todo género de detalles que el Gobierno de Primo de Rivera ha sido disuelto por el rey y quien, por el contrario, está absolutamente seguro de que ha sido el propio general quien ha presentado su dimisión a Alfonso XIII. En la madrugada del 28 al 29, los periódicos reciben una nota oficiosa, de las clasificadas de «inserción obligatoria», que dice así:

"La madrugada del sábado, en que dando suelta al lápiz escribí a toda prisa las cuartillas de la nota oficiosa publicada el domingo, y sin consultarlas con nadie, ni siquiera conmigo mismo, sin releerlas, listo el ciclista que había de llevarlas a la Oficina de Información de Prensa para no perder minuto, como si de publicarlas en seguida dependiera la salvación del país, sufrí un pequeño mareo que me ha alarmado, y me obliga a hacer todo lo posible por prevenir la repetición de caso parecido, sometiéndome a un tratamiento y plan que fortalezca mis nervios y dé a mi naturaleza dominio absoluto sobre ellos.

"Desgraciadamente, los seis años de Dictadura, no cruel pero sí muy celosa en el mantenimiento de la disciplina social y en la persecución del hampa, y gérmenes de perturbación y morbosidad, no han logrado la total extirpación de esos males."

La nota se extiende en varios pormenores, no demasiado trascendentes, y acaba diciendo:

"Y ahora, a descansar un poco, lo indispensable para reponer la salud y equilibrar los nervios, ¡dos mil trescientos veintiséis días seguidos de inquietud, de responsabilidad y de trabajo! Y luego, si Dios quiere, a volver a servir a España donde sea y como sea hasta morir."

El mismo 29, los periódicos de toda España publican otra comunicación de inserción obligatoria:

MADRID DEL AÑO 1930. Berenguer, Primo de Rivera y Martínez Anido en el *relevo*

MADRID DEL AÑO 1930. Entierro del general Primo de Rivera. En la presidencia del duelo, sus hijos José Antonio y Miguel

Capitán Galán   Capitán García Hernández

Lectura en las calles de Jaca del Bando republicano del capitán Galán (1930)

"**NOTA DEL GOBIERNO.** El Consejo de Ministros ha conocido las razones personales y de salud que su Presidente ha expuesto, como motivo irrevocable para presentar su dimisión al rey, y los ministros, comprendiendo diáfanamente que la dimisión del presidente envuelve la de todos, le han rogado presente la de todos a Su Majestad."

Comienzan a llegar al palacio real extrañas comunicaciones de algunos de los capitanes generales en las que, en contestación al requerimiento de Primo de Rivera, muestran ferviente adhesión al rey, y soslayan con hábiles palabras la adhesión a la persona del presidente del Consejo. En honor a la verdad, hay que decir que también llegan otras comunicaciones en las que la fidelidad a Primo de Rivera se antepone a todo, pero, por lo pronto, no existe en los mandos militares del país la unanimidad de años antes, que el general espera y necesita para reformar su ya dificilísima postura.

Los políticos profesionales de la Monarquía, envalentonados por estas disensiones en el núcleo mismo del Ejército y de la Marina, asedian a Alfonso XIII, que ya estaba bastante decidido a prescindir del que durante más de seis años había sido su sostén y su persona de confianza.

Volvemos al libro del general Berenguer:

"**Fuera de Palacio transcurrió el lunes en el mismo ambiente de comentarios y de expectación con que había comenzado, sin translucirse consecuencia inmediata alguna a lo pasado. Por la noche, como otras anteriores, la calle de Alcalá, sobre todo en la llamada acera de la Granja del Henar, era un hervidero humano de estudiantes de ambos sexos, paseantes y curiosos, encuadrados por la policía y las fuerzas de Orden Público, donde no escaseaban los coscorrones ni los gritos subversivos. Toda la calle de Alcalá y accesorias estaban tomadas militarmente.**

"**En la mañana del martes el aspecto de Madrid era tranquilo y laborioso, el normal en sus horas matinales. La prensa no comentaba la nota, se limitaba a hacer cábalas sobre posibles consecuencias políticas derivadas de la situación del Gobierno. Aludía a alarmas y amenazas de revuelta, señalando la actividad y visitas en la Presidencia: por allí habían desfilado los más significativos mantenedores de la Dictadura tanto civiles, personalidades de la Unión Patriótica, como militares.**

"**Las calles seguían ocupadas militarmente. Los guardias de Orden Público prestaban servicio con carabina, señal manifiesta de que se temían desórdenes. En algunos lugares, de condiciones apropiadas, se veían fuertes retenes de la Guardia Civil a caballo, dispuestos a intervenir si era necesario...**"

"**En su despacho particular se encontraba el rey con su mayordomo mayor duque de Miranda, jefe superior de Palacio. Al terminar de darle las novedades me dijo el rey: —Dámaso, tenemos que hablar** de la situación. Siéntate y hablemos. Desde el primer momento abordó el rey el tema capital, poniéndome al corriente de la situación creada por el acto de consulta a los capitanes generales realizado por el presidente, y la forma y términos de ella; del desacuerdo interno del Gabinete, culminado en el desconcierto en él producido por la sorpresa de la nota; y por último, sin entrar en detalles de sus conferencias con el Dictador, que Primo de Rivera acababa de presentarle la dimisión. Ante ella, el rey deseaba que yo me encargara de formar Gobierno."

"El día en que al entrar don Dámaso Berenguer en la cámara regia —dice Mola en Lo que yo supe— recibió el encargo de formar Gobierno, acababa de cruzarse en la antecámara con el presidente dimisionario sin que le hiciera, como parecía lógico, la más leve confidencia.

"La superficial amistad, o mejor dicho, la frialdad de relaciones de ambos generales no justificaba tal conducta sobre todo si se tiene en cuenta que don Miguel Primo de Rivera, al verse forzado a abandonar el Poder, creyó oportuno aconsejar al rey la continuidad del sistema dictatorial y hasta se permitió dejarle una nota con varios nombres de personas que juzgaba conveniente formasen parte del nuevo Gabinete, a fin de proseguir la orientación iniciada por él, especialmente en la parte referente a obras públicas, motivo por el cual entre los relacionados figuraba su ministro de Fomento.

"El general Berenguer, respetuoso y digno, devolvió al monarca la nota y le manifestó que sólo aceptaría el poder a condición de elegir libremente sus colaboradores y convocar a Cortes ordinarias tan pronto como le fuera posible, pues había sido, era y sería enemigo siempre de dictaduras y entusiasta propugnador del régimen parlamentario.

"La actitud de firmeza que acabo de exponer, y muy posiblemente la dificultad de encontrar otra persona que quisiese hacerse cargo de la gobernación del país en aquellas desagradables circunstancias, obligaron al rey a aceptar las condiciones que se le imponían. Mas la solución fue tan poco del agrado del marqués de Estella, tan herido quedó en su amor propio, tan se creía árbitro de los destinos de España, que a los pocos días buscaba colaboradores para llevar a efecto otro nuevo golpe de Estado, con ánimo de asaltar el Poder, obligar al rey a abdicar e instituir una regencia bajo su personal tutela.

"Como era lógico, sus gestiones fracasaron rotundamente; se convenció de que la popularidad de otros tiempos había sufrido un duro quebranto, de que los amigos le abandonaban, y fue entonces cuando decidió expatriarse. Sin embargo, su temperamento inquieto no le permitía resignarse al infortunio, y aun desde París siguió alentando a sus incondicionales de acá. Cuando tal ocurría, casi mediaba el mes de febrero.

"No quisiera que una ligereza empañase la verdad rigurosa que me he propuesto resplandezca en todas las páginas de este libro, pero dejaría de ser sincero si no dijera que los manejos de elementos dictatoriales siguieron aún después de la muerte del general Primo de

Rivera: hubo reuniones, acuerdos y hasta se afirmó por cierto agente a mi servicio que una tarde se había celebrado una entrevista en la Casa de Campo, en la que cambiaron impresiones el rey y una elevada personalidad entusiasta de la Dictadura. Cuantas gestiones realicé para comprobar por otros conductos la veracidad de esta noticia resultaron infructuosas.

"Conseguida la colaboración más o menos directa de los prohombres monárquicos y oído su consejo, formaría el general Berenguer su composición de lugar y trazaría el programa político, fijando la fecha de la convocatoria de las Cortes, donde él esperaba que las pasiones políticas encontrasen amplio campo en que manifestarse; luego, enfocada la vida de la nación por los cauces de la legalidad, plantearía la cuestión de confianza para dejar paso a un Gobierno de partido, retirándose él a la vida privada con la satisfacción de haber prestado un buen servicio a España y a la Monarquía.

"Recuerdo que ya en pie, despidiéndome, le hice la siguiente pregunta:

—¿Así es que piensa usted hacer unas elecciones sinceras?

—Por mi parte serán completamente sinceras, se lo aseguro.

—¿Y espera usted conseguir una mayoría monárquica?

—Estoy convencido de ello. España, aunque usted lo dude, es monárquica —me dijo con cierto retintín—. Ahora y durante unos meses hemos de sufrir los efectos de los seis y pico años de Dictadura; pero luego, las pasiones se calmarán y todo se normalizará, ya lo verá. ¡Bah!, antes de un año podrá usted volver a sus soldados y yo a mis estudios sobre arte."

Presentada la dimisión del Gabinete por el general Primo de Rivera, Alfonso XIII encargó de formar Gobierno al jefe de su Casa Militar, general Dámaso Berenguer. Y es tiempo de decir que la Dictadura no fue sólo sostenida por los militares, sino por gran parte del pueblo. Es evidente que contra el Gobierno del general Primo de Rivera hubo siempre una fuerte corriente de oposición —como contra cualquier gobierno en cualquier época y en cualquier parte de la tierra—, pero es justo reconocer que no se distinguieron los líderes obreristas por la dignidad y entereza de su postura.

Buena parte de las organizaciones de trabajadores pactaron de muy buen grado con la Dictadura, y los que desde el primer momento se mantuvieron firmes en su oposición fueron unos pocos intelectuales a quienes el Gabinete dictatorial no beneficiaba ni perjudicaba en sus intereses materiales, pero no convencía.

La Dictadura no tuvo problemas, o tuvo muy pocos, con las densas masas de los cinturones industriales de las capitales fuertes, como Madrid, Barcelona, Zaragoza, Valencia y Sevilla. Los problemas se los dio a la Dictadura una enteca masa de hombres, abogados, estudiantes, periodistas, artistas, políticos, mientras que los dirigentes obreristas habían firmado una paz con la que todos vivían bastante bien.

A la caída de la Dictadura fue muy cómodo situarse en el campo de los que siempre habían deseado su derrumbamiento, pero en los seis años y medio que duró el Gabinete de Primo de Rivera, ciertos sectores que presumían de extremistas habían vivido muy a gusto en paz y compañía con los «reaccionarios» a quienes ahora, caídos, atacaban con furia. Los obreros merecían mejor suerte: sus dirigentes no merecían ninguna.

De todas formas, la traición primero a sus ideales y luego a la Dictadura misma no fue sino un breve entrenamiento para las muchas y sucesivas traiciones que el curso de la Historia de España les pondría en trance de hacer.

Los árboles que entonces no dejaban ver el verdadero bosque han sido talados por la inexorable marcha del tiempo, y ahora es fácil ver claro si así se desea. Si tan convencidos estaban los líderes obreristas de su razón, y tanta era su fuerza, ¿por qué fueron, al fin y al cabo, unos más en colaborar con un Gobierno que era, según ellos mismos, la negación de los intereses de las humildes clases trabajadoras a quienes decían representar...?

Las manifestaciones, el grito en la calle, el vuelco de tranvías, todo eso es espectacular y relativamente fácil, sobre todo cuando se tiene plena seguridad de que los guardias han recibido órdenes de permanecer quietos en la acera sin intervenir. Pero la historia no puede comprender cómo tanta doctrina política de reivindicación de clase se conformó tan apaciblemente con el Gobierno que era —ellos lo decían— lo más opuesto a su forma de pensar.

Cuando cayó la Dictadura resultó que todos habían sido antidictatoriales, pero no se les había visto por ninguna parte. Un periódico, un novelista, un catedrático, un colegio de abogados, un grupo de estudiantes fueron los únicos que lucharon y padecieron las consecuencias. ¿Los líderes obreristas...? A ellos les fue muy bien con el Gobierno de Primo de Rivera, al que apoyaron, aunque luego, derribado éste —y no por ellos— se rasgaran las vestiduras y se proclamasen los más antidictatoriales del mundo. Lección que ahí está.

Berenguer empieza sus gestiones para constituir un Gobierno que reúna las difíciles condiciones exigidas por el rey, por el cambio de régimen —fin de la Dictadura—, por el ambiente popular, por las ambiciones de los grandes partidos monárquicos, amasijo bien complicado de lograr

En primer lugar, se pone en comunicación con el general Marzo, ofreciéndole la cartera de Gobernación. A Pedro Sangro y Ros de Olano, especializado en cuestiones sociales y que se encuentra en Ginebra al frente de una Comisión de Trabajo, le ofrece precisamente esta cartera, telegráficamente. Al duque de Alba le pide que le reciba en su palacio de Liria para brindarle la cartera de Instrucción Pública.

Maura, que se encuentra fuera de Madrid, es convocado para la mañana del día siguiente: para él se reserva la cartera de Fomento.

Cambó, el presidente de la Liga Regionalista —partido derechista catalán con relativos visos de separatismo—, es convocado también por teléfono y esa misma noche, pese a hallarse enfermo, sube al tren para entrevistarse en la siguiente mañana con Berenguer. Para Cambó está preparada la cartera de Hacienda, a la que hizo bastantes remilgos alegando su estado de salud, y seguramente no demasiado convencido por las pocas promesas que para Cataluña estaba dispuesto a hacer este nuevo general en el poder.

Al día siguiente hay una entrevista cuatripartita en el palacio de Liria: el duque de Alba, propietario de la casa, el duque de Maura, Cambó y Berenguer. Para la cartera de Marina, Berenguer llama por teléfono al almirante Aznar, capitán general de la Armada, pidiéndole consejo acerca de quién es la persona idónea para el puesto, a lo que responde Aznar recomendando al almirante Carvia.

Como Maura rehusa el ofrecimiento, Berenguer llama a Matos para que se haga cargo de la cartera de Fomento. Matos acepta. ¡Ya hay resuelto algo, al menos! Cambó rehusa Hacienda, por lo que el general se dirige al gobernador del Banco de España, Figueras, para ofrecerle la cartera, pero sale del despacho de este último sin haber conseguido su aceptación. Esta *poltrona hacendística*, clave del Gobierno del país en una circunstancia gravísima, es el hueso más difícil de roer.

Berenguer ha de visitar al rey en la tarde del 29 de enero para decirle que sigue sin resolver la crisis, pues nadie quiere hacerse cargo de la cartera de Hacienda. A todo esto, el informe del general Bazán, director General de Seguridad, hace saber al nuevo jefe de Gobierno que

> **"... la actuación socialista durante los seis últimos años ha sido francamente gubernamental. La legislación obrera, y más especialmente la creación de los Comités Paritarios, ha sido causa determinante de que, pese a la enorme crisis de trabajo, los obreros afiliados al socialismo hayan resistido insinuaciones y gestiones, y se hayan negado sus jefes en repetidas ocasiones a cooperar en los movimientos de revuelta y agitación política para los que muchas veces fueron requeridos."**

En otro lugar, el informe dice que están afiliados al partido socialista «la universalidad del obrero de Madrid, unos 90.000; parte de los de Vizcaya, unos 35.000, y parte de los de Asturias, unos 60.000.» Sin hacer ninguna distinción entre Partido Socialista y Unión General de Trabajadores. El comunismo no existía legalmente: perseguido, sometidos a procesos sus principales jefes y suspendida toda su prensa. En cuanto a la C. N. T. y F. A. I., son muchos, pero —dice el informe— «sin organizar, sin disciplina y no son demasiado peligrosos».

El informe dice también que los anarco-sindicalistas tienen su máxima fuerza en Cataluña, donde se le calculan 200.000 afiliados, más 45.000 en Valencia, una cifra igual en Zaragoza y casi 60.000 en Asturias. Las tres agrupaciones republicanas, no sindicales, que actúan en la oposición, más o menos moderadamente, son la Alianza Republicana (radicales de Alejandro Lerroux), el Partido Republicano Socialista y un nuevo Partido Republicano «de derecha», organizado y en embrión, que acaudilla otro de los hijos de don Antonio Maura, Miguel.

En este informe del general Bazán hay un párrafo interesantísimo, porque demuestra un hondo conocimiento de la psicología de los españoles: «Todos estos elementos, que por sí y aisladamente carecen de importancia, pudieran unirse en una actuación común, sin perjuicio de destrozarse inmediatamente después de conseguido el objeto de su actuación». Sin saberlo, Bazán ha dado en el quid de un Frente Popular al que le faltan todavía unos cuantos años para nacer.

A la una de la tarde del 30 de enero, Berenguer, con una lista en el bolsillo, una vez ultimada la reunión en el palacio de Liria con algunos de los propuestos para ministros, llega a Palacio. Poco después, y en el preciso momento en el que la familia real se dispone a pasar al comedor, un ayudante se acerca a Alfonso XIII:

—Señor, el general Berenguer desea ver a Vuestra Majestad con toda urgencia.

El rey, que espera con cierta inquietud esta visita, que le ha de traer resuelta la endiablada crisis, abandona a los suyos y va al encuentro del general. Este, con pocas palabras de preámbulo, le da la relación: Presidencia y Guerra, general Berenguer; Gobernación, general Marzo; Hacienda, Argüelles; Justicia, Estrada; Marina, almirante Carvia; Fomento, Matos; Trabajo, Sangro; Instrucción Pública, duque de Alba. Falta la cartera de Economía, encomendada al ex ministro Wais, que está en el extranjero y no llegará a Madrid sino dos días más tarde.

En menos de cinco minutos, Alfonso XIII da una orden: «El nuevo Gobierno debe jurar hoy mismo a las cinco y media de la tarde». Y a la hora indicada se celebró la jura, en la que faltaron Wais, Sangro y Marzo, ausentes de la capital. Alterando la puntual costumbre de Palacio, la ceremonia sufre un breve retraso, pues cuando todos ya están en trance de firmar, alguien se da cuenta de que la fórmula del juramento es la que había sido redactada durante el tiempo de la Dictadura, de la que ha desaparecido la palabra «constitucional», que ha de ser agregada a toda prisa.

Terminada la jura, brevísimo Consejo de Ministros presidido por el rey. Pocos minutos después es facilitada a la prensa una nota que dice:

"Reunido el Consejo bajo la presidencia de Su Majestad, después de haber jurado el Gobierno con la fórmula acostumbrada, el presidente dio cuenta de la tramitación de la crisis desde que recibió el encargo de formar Gobierno, haciendo resaltar las facilidades que encontró y que agradece, pues ellas le han permitido la rápida forma-

ción del Gabinete. Sin entrar a concretar, trazó la línea general que el Gobierno ha de seguir para pacificar los espíritus y atender a la administración, marchando con buen deseo y al paso que las circunstancias lo consientan, hasta llegar a la muy deseada normalidad jurídica y constitucional."

De los diez hombres propuestos por Primo de Rivera, tres han sido tenidos en consideración y siete rechazados. No es, pues, un relevo demasiado hosco. Hacia lo constitucional pero «al paso que las circunstancias lo consientan». Las palabras han sido medidas. El castellano tiene eso de bueno: puede decirse lo que se quiere, y no más, y no menos.

Entre las primeras medidas del Gabinete Berenguer está la orden de levantamiento de destierro de Sbert, que por decreto de la Dictadura residía, sin posibilidad de estudiar oficialmente, en Palma de Mallorca. Pronto, el regreso de Sbert a la Península ocasionará apasionadas manifestaciones de júbilo por parte de los estudiantes de la F. U. E.

Se pone en libertad, prácticamente sin distinción alguna, a los numerosos artilleros y estudiantes encarcelados por haberse significado en contra de Primo de Rivera. Las medidas son tan radicales, tan rápidas que al general recién relevado del poder le hace el efecto de una revancha. No son sus amigos militares que le suceden y que se mantienen en una línea parecida a la que él orientó, sino un equipo nuevo, dispuesto a que los nuevos aires no se parezcan en absoluto a los anteriores.

El Estatuto de la F. U. E., que llevaba largo tiempo esperando ser autorizado por el Gobierno, y que repetidas veces había sido rechazado por los hombres de Primo de Rivera, es aprobado también con espectacular celeridad. Al propio tiempo, son rehabilitados varios catedráticos, entre ellos Ortega y Gasset, Jiménez de Asúa, Sánchez Román, Fernando de los Ríos y García Valdecasas.

Se restablece la ley de Administración de la Hacienda Pública y se acuerda la revisión de toda la obra de la Dictadura. Los Colegios de Abogados, que desde años atrás veían sus Juntas Directivas designadas por el Gobierno, recuperan la libertad de nombrar a sus miembros sin consultar para ello con el poder público.

Todo, en fin, parece denotar que una vez caído Primo de Rivera, el país va a gozar de una libertad paradisíaca, encabezado por este Gobierno del general Berenguer, a quien algunos ingenuos designan como *un hombre civil a ratos vestido de uniforme*. Pero este país, que no es que tenga de la libertad un concepto equivocado, sino que no tiene ninguno, confunde los términos y empiezan a registrarse casos que serían dramáticos si no fueran grotescos: las banderillas de fuego que se aplicaban en las plazas a los toros calificados de mansos, y que ponían en el aire del coso un tremendo olor de carne quemada, son exigidas por *la afición* de Ciudad Real, porque así *la fiesta volverá por sus fueros.* Los petos de los caballos, que han venido a humanizar la salvajada de los jacos despanzurrados sobre la arena, tampoco gustan a *la afición* de Ciudad Real, que entiende que la vuelta a la normalidad constitucional supone esta peculiar manera de la libertad: libertad para que los toros puedan desventrar caballos a la vista del público.

También se considera muy dueño de sus libertades el obispo de Bilbao, que prohibe tajantemente que las mujeres puedan entrar en los templos con medias *color carne* ni faldas por encima de la espinilla.

A comienzos de febrero llega a Madrid, para hacerse cargo de su flamante puesto de director general de Seguridad, el general Mola. Viene directamente de la circunscripción de Larache. Ha sido designado por el general Berenguer y en el valiente jefe de Africa funda el nuevo Gobierno muchas de sus esperanzas. Tras su presentación al general Marzo, reciente ministro de la Gobernación, Mola va a la Dirección General de Seguridad para cumplimentar al director saliente, general Bazán.

No es difícil observar que así como en el último Gabinete de Primo de Rivera la escala jerárquica de la gobernación del país se hallaba en manos militares, lo mismo viene a suceder ahora con el nuevo Gobierno elegido por Alfonso XIII:

Presidente del Gobierno: general Berenguer.

Ministro de la Gobernación: general Marzo.

Director de Seguridad: general Mola.

Tras la toma de posesión, Bazán dice a Mola:

—Ya se irá usted dando cuenta de lo que es esto. ¿Mi opinión, me pregunta?... Voy a permitirme darle un consejo: no se fíe de unos ni de otros, ni tampoco de lo que yo le pueda manifestar. Este es un cargo que cuesta dominar, porque no se puede proceder por los conocimientos de los demás, sino por lo que dicta el criterio propio.

Mediado febrero se nombran nuevos gobernadores civiles para todas las provincias, menos Madrid, que por el momento queda vacante. Regresan del extranjero Romanones y el general López Ochoa, emigrados durante los últimos meses de la Dictadura.

Se asegura —varios periódicos lo repiten— que el diario francés *Le Temps* venía contando, durante el tiempo de Primo de Rivera, con una subvención mensual de 30.000 pesetas por defender a ultranza a la Dictadura. Se publican las cifras de las emisiones de la Deuda de los Ayuntamientos y Diputaciones, que acusan una agravación durante los siete años afectados por el Gabinete caído:

1923	9 millones
1924	28 »
1925	71 »
1926	190 »

1927	158 millones
1928	198 »
1929	312 »

Pemán, que durante el tiempo de Primo de Rivera ha sido jefe provincial de la Unión Patriótica de Cádiz —el partido o movimiento creado por el general—, anuncia su retirada de la vida política.

El 24 de febrero es designado ministro de Instrucción Pública Elías Tormo. Designación importante, ya que siendo el de los estudiantes uno de los problemas más espinosos con que se enfrentaron los Gabinetes anteriores y este mismo de Berenguer, la prestigiosa figura de Tormo parece revestir al Gobierno de una solvencia que le es muy necesaria. Crítico de arte, arqueólogo afamado, catedrático en Santiago y en Madrid, rector de la Central, Elías Tormo trae a este turbulento y preocupado Gabinete Berenguer sobriedad, empaque, aplomo, dignidad.

En marzo, Marañón es elegido presidente del Ateneo de Madrid. En abril, y ya en vísperas del fin de este mes, se acuerda prohibir las manifestaciones tradicionales del primero de mayo, suspendidas durante el tiempo de Primo de Rivera. Sin embargo, se autorizan mítines y conferencias en toda España, y nadie podrá evitar —los hechos lo demostrarán— que a la salida los asistentes desfilen, más o menos pacíficamente, por aquellos lugares en los que, precisamente, las manifestaciones han sido prohibidas.

Una estadística de mediados de 1930 viene a demostrar a todo el país que el índice de analfabetismo en España no sólo no ha descendido, sino que goza de cifras elocuentes: más del 45 por 100 de los españoles ignora la lectura y la escritura. Por detrás de nosotros, en toda Europa, no están más que algunas regiones de Portugal y otras de la Grecia insular.

La Gota de Leche, institución de caridad que suministraba a las madres lactantes alimentos o leche para sus hijos —obra de la Dictadura— es suprimida por Berenguer. Las protestas más encendidas contra esta supresión no parten de La Nación, el periódico upetista fundado por el general caído; no parten de ninguna asociación católica de caridad: parten de los socialistas, que en su periódico portavoz defienden esta creación de Primo de Rivera.

La verdad es que el cambio de régimen, si puede llamarse tal al relevo de la Dictadura por el Gabinete del general Berenguer, no ha resuelto tantas cosas como muchos esperaban. Los precios de las subsistencias no sólo no han bajado sino que han subido aún un poco más. Una docena de huevos cuesta en la tienda nada menos que tres pesetas, un ciento de huevos 23,50, el aceite a sesenta céntimos el litro el no refinado y a sesenta y cinco y setenta céntimos el refinado, las patatas a veinte céntimos el kilo —¡aquellos tiempos en que sólo costaban quince céntimos y dos kilos un real!—, los cien kilos de harina de trigo, 63 pesetas... «¿Adónde vamos a parar?», se preguntan, atemorizadas, las amas de casa madrileñas.

Este año 1930 es capaz de hacer enfermar del corazón a cualquiera: una vara de percal que hace dos meses costaba sólo 1,40, ¡ya a 1,75...! Suben los precios sin proporción, sin previo aviso, ¡así no se puede vivir! Y dicen que van a elevar los precios de los tranvías, del metro y de los periódicos, tres servicios que en Madrid se resuelven cada uno de ellos con la clásica «perra gorda», los diez céntimos.

Madrid vuelve a conmoverse con un espectáculo que no había existido durante los años de la Dictadura: una huelga general de la construcción que dura dos días, como protesta por la actuación de la fuerza pública durante el entierro de las víctimas de una casa que se estaba edificando y se vino abajo, por culpa de los arquitectos, o del aparejador, o del contratista, o...

En Correos se descubre la sustracción de más de dos millones de pesetas de ciertas sacas de valores. Buen servicio de la Policía que en plazo relativamente breve detiene a los autores, empleados del Cuerpo. El comentario general es que los empleados de Correos cobran unos sueldos muy exiguos. Parece una cosa tradicional, pero uno de los gremios que más trabajan en España y con más rendimiento, es de los peor remunerados. Hay carteros de pueblo que tienen solamente una peseta diaria de consignación, aparte de las propinas. Si se tiene en cuenta que en 1930 no es extraño que alguien ofrezca propina de cinco céntimos, seguimos estando en lo de siempre: hay que pagar más a la gente que trabaja en Correos.

Otro asunto periodístico: de la secretaría judicial del distrito de Congreso desaparece un abultado sumario, instruido contra un personaje muy conocido y relevante, que había sido acusado de estafar algo así como dos millones de pesetas. Otros dos millones que pasan de unos bolsillos a otros por mérito de la quiromancia. Pero con una diferencia en relación con los empleados de Correos: que aquéllos fueron a parar a la cárcel y el opulento ladrón de esta segunda cantidad continuó tranquilamente paseándose por las calles madrileñas. Es lo que decían en ciertos barrios rebeldes de la capital: «¡todavía hay clases!»

Xaudaró, en *Blanco y Negro*, Bagaría, en *El Sol* y Menda, Kaíto y algunos más en *Gutiérrez* son sin duda los caricaturisats más intencionados de este año 1930 madrileño que andamos relatando. Uno de los chistes de Xaudaró —siempre con su famoso perrito en primer plano— figura una escena en tiempos de los romanos. Arriba, con letras grandes, se lee: «El cocinero de Lúculo». En la leyenda dice: «¡Acércate imbécil! ¿Cómo te atreves a poner en la minuta «patatas», si todavía no ha nacido el señor Parmentier? A lo que el cocinero, asustadísimo, responde: «Son patatas tempranas, señor.»

Otro dibujo se titula «Aguinaldo». Un matrimonio, bien abrigado

El prócer: —Hijo mío; nunca te comportes como un plebeyo. Acuérdate de tus nobles antepasados

(Menda en *Gutiérrez*, 1930)

como corresponde al frío de diciembre de Madrid, está mirando un escaparate... «Oye, Pepe: al marido de la Eufrasia quisiera enviarle dos botellas de cazalla». «¿Después de la charranada que te hizo ella?» «Precisamente. En cuanto se beba las dos botellas la hace tiras.»

Un tercer chiste de Xaudaró figura un poste eléctrico con un rótulo bien visible que tiene una calavera cruzada por dos tibias y un rótulo: «No tocar, peligro de muerte». Al pie del poste se ve a un hombre con rostro de infeliz, sentado en una piedra y tocando el acordeón. Cerca está el imprescindible perrito, con ojos de asombro. Un señor con barba se acerca al acordeonista... «¿Que lleva usted ocho horas tocando la «Marcha Fúnebre» de Chopin...? ¿Y por qué?» «Para suicidarme. Pero yo creo que ese cartelito debe estar equivocado.»

Y otro... Una celda de presidio. Por la pequeña puerta se ve asomar el gesto adusto del carcelero de uniforme. Dentro, sentado en un banco de madera, el reo, con cara de pocos amigos. El carcelero le dice: «Alégrese, hombre; tampoco le podemos ahorcar mañana porque no está completa la documentación. Falta la fe de vida.» Desde 1930 a nuestros días este chiste ha sido copiado numerosas veces por varios artistas nacionales y extranjeros.

También de 1930 es el chiste de Tono en el que el dibujo representa a dos impresionantes señores de sombrero, bigote y perilla, sobre un fondo de edificios cubistas. Se titula «Filosofando». Uno de ellos dice: «¡Qué vida ésta, don Motocicleto! Hoy desayuna usted café con leche y a lo mejor mañana se le para el reloj del comedor...» Es quizá el arranque del disparatismo.

Para los niños, la revista ideal es *Macaco*, que luego se prolonga en *Macaco, Macaquito y Macaquete*, con series graciosísimas como «Andanzas de Dorotea o la suerte de la fea», en inspirados dibujos de Kaíto. En un número bien visible de la revista *Gutiérrez* puede leerse con letras de regular tamaño: «Este número ha sido visado por la censura con gran sentimiento por mi parte.» Es un humor distinto, si se quiere, ingenuo para nuestro criterio de ahora, pero ¿cómo será enjuiciado el humor actual cuando hayan transcurridos otros cuarenta años?

Capítulo 15. **EL HOTEL DEL SEBO DE LA CALLE DEL TRIBULETE**
(año 1930). Cine madrileño y cine americano. Llega el cine sonoro.
La moda del cabello rubio. El año taurino. Veinticinco orejas para Villalta en Madrid. Lo que cuesta un traje de torear. El Madrid ficha a Zamora. La prensa pide piscinas. Madrid-Santander en patinete. Los pro-
vincianos de Madrid. Estadísticas de 1930. El **Hotel del Sebo.** Taxis y
coches de caballos. El mundo: seis millones de votos para Hitler; Gandhi; retirada francesa de Renania. Se inaugura el teatro Metropolitano.
El año teatral.

La carrera meteórica del cine español continúa, pese a que todos los
comentaristas especializados —que ya los hay— aseguran que 1930 es
un año de crisis en el campo del celuloide. Los locales madrileños de
exhibición presentan, entre una copiosa producción extranjera, día a
día mejor, más perfecta, unas cuantas películas españolas.

En el Cervantes, *Carolina, la niña de Plata*, realizada por Codorníé.
En el Avenida, *Cuarenta y ocho pesetas de taxi*, un título excesivamente
largo que costó mucho dinero en los anuncios por palabras de las ga-
cetillas, realización de Fernando Delgado.

En el Monumental, *El Empecinado*, de José Buchs, relatando con bastante destreza para la época uno de los capítulos más violentos y emotivos de la guerra de la Independencia. En el Cinema San Carlos, el año-
rante y viejo salón de los estudiantes, *Fatal dominio*, de Carlos Sierra.

Florián Rey presenta en la pantalla del teatro de la Zarzuela, que
alterna sus temporadas de género lírico con el cine, *Fútbol, amor y
toros*, un título muy comercial que constituye, desde luego, una empresa
también muy comercial. *Gloria*, de Adolfo Aznar, es estrenada en el
Cinema Bilbao, cerca de la glorieta del mismo nombre.

En el San Miguel, otra producción de Florián Rey, *La aldea maldita*.
En el Argüelles, *Las estrellas*, producida tres años antes por Luis Alonso. En el Cervantes, *Mal estudiante*, de Emilio Bautista, con bastante
desasosiego en la taquilla, y *Por un milagro de amor*, de Alonso, que no
aporta nada extraordinario a la indecisa historia del celuloide español.
En el Avenida, *Zalacaín el aventurero*, de Francisco Camacho, rodada en
1929. En la Zarzuela *L'auca del senyor Esteve*, en catalán.

Primeras figuras del cine español en este 1930 son, entre otras, Roberto Rey, Valentín Parera, Tony D'Algy, Félix de Pomés, Carlos San Martín, José Bódalo, Manuel Arbó, aparte de los ya citados en la reseña de los años inmediatamente anteriores.

En este mismo año, las pantallas madrileñas presentan unas cuantas películas extranjeras que, por el momento, consiguen en el público más aceptación que las nacionales. *El loco cantor*, con Al Jolson, trae la presencia de un mundo americano insospechado, con el simpático cantante embadurnado de negro. *La mujer ligera*, con un reparto verdaderamente impresionante: Greta Garbo, John Gilbert, Levis Stone y Douglas Fairbanks, hijo. *Los pecados de los padres*, con la dulzura incomparable de Jean Arthur y el formidable dominio de la mímica de un Emil Jannings en su mejor momento. *Trader-Horn*, película bastante larga, cargada de elefantes, leones, tigres, panteras, serpientes, gorilas, como jamás los han visto los madrileños de cerca y de bien, cinta de ensueño para mayores y pequeños que inexplicablemente no ha sido reprisada.

Los amores de una actriz, con la enigmática y teatral Pola Negri, vuelve locos a todos los hombres. Las revistas musicales, sensación del *sonoro: Broadway Melody*, con Bessie Love y Anita Page, y *Hollywood Revue*, con Polly Moran, la característica cómica Marie Dressler, Bessie Love y el galán de galanes Charles King. *Ella es así*, por Mirna Loy; *El pecado redentor*, por Dolores Costello; *El hombre que amo*, por Mary Brian y Richard Arlen; *Amores prohibidos*, por René Adorée y Ramón Novarro.

Con la llegada del cine sonoro, el impacto del cine americano se hace en el Madrid de 1930 más incisivo, más amplio, más rotundo. Muchos madrileños empiezan a moverse como ciudadanos de Los Angeles, y muy particularmente la juventud —y aún más particularmente la mujer joven— intenta a veces cómicamente ser un calco de lo que hacen las gentes del otro lado del mar.

Cuando la pantalla presenta al marido norteamericano secando la vajilla o ayudando a su esposa a poner la mesa, la sala madrileña de proyección se llena de murmullos mal acallados, de risas contenidas a duras penas. Pero esto, día tras día, mes tras mes, va dejando su huella. No son pocas las esposas madrileñas que, después de presenciar una cinta de Hollywood, llegan a su casa y dicen al marido: «Ya podías hacer tú lo que los americanos, que ayudan a sus mujeres en la casa», a lo que, naturalmente, este árabe redivivo, este moro camouflado que es el amo de casa madrileño se rebela incluso violentamente.

En las carteleras multicolores de los cines madrileños comienzan a aparecer los nombres de las nuevas figuras del celuloide, una nueva promoción de actores, directores y actrices, que los jóvenes se aprenden con una prisa que para sí la quisieran en la Universidad. Carole Lombard, la rubia que viene a poner inquietudes en los sesudos varones de todo el mundo; Kay Francis, la morena estilizada y elegante cuyos modelos copian los modistos de París y los de Madrid; la formidable pareja cómica de Stan Laurel y Oliver Hardy, en su mejor momento de producción; el alemán Willy Fritsch, que hace suspirar con su lánguida mirada a las adolescentes madrileñas; Ann Harding, una de las artistas más espirituales y finas del cinematógrafo universal; la serie de las «vamps», Vilma Banky, Fifí D'Orsay, Lois Wilson, Mae West —ampulosa hasta lo sorprendente—, y los galanes más o menos duros pero muy americanos todos ellos: William Haines, Wallace Reid, Reginald Denny, Lloyd Hamilton.

Lilian Harvey aporta con su cabellera rubia y sus ojos claros una inyección de germanismo en este cine casi totalmente americanizado, y Claudette Colbert viene a traer la gracia de Francia. En el apartado de las ingenuas, Loretta Young, Joan Bennet, Alma Rubens, Colleen Moore. Y ya en diversa mescolanza, nombres, más nombres plagados de fonética sajona: Marian Nixon, Ben Turpin, Bárbara Leonard, William Collier, Joan Crawford, Dorothy Jordan, Evelin Brent, June Collier, Barry Norton, Lupino Lane, Ben Lyon, Ricardo Cortez, Jacqueline Logan...

Para la mujer madrileña de 1930 es muy importante parecerse todo lo posible a las suaves figuras femeninas del cine americano: las peluquerías no dan abasto a teñir cabellos de rubio; jamás se ha vendido en las farmacias tanta agua oxigenada, y no es para curar heridas, sino para convertir cabelleras morenas en doradas.

¿Qué hacen las americanas para permanecer tan esbeltas? Se sabe que Greta Garbo ya no toma postres ni dulces, y que come casi siempre pan de centeno tostado, ensalada, legumbres y queso; que Norma Shearer come al mediodía cien gramos de carne, vegetales y frutas, y sólo frutas por la noche; que Anita Page ha perdido once kilos privándose de pasteles, cremas y dulces; que Leila Hyams ha desechado el pan, la mantequilla y los postres; que Alice White camina diariamente dos horas a buen paso...

La mujer madrileña lee todo esto con avidez: el resultado es que, en el Madrid de 1930, la víctima directa del cine sonoro americano es —¡quién lo dijera!— el cocido madrileño, que empieza a estar *demodé*.

En el mundillo taurino de Madrid hay que registrar la alternativa de *Maera*, al comienzo de la temporada, la de Domingo Ortega y la confirmación de alternativa de *Revertito*. Uno de los novilleros punteros de este tiempo, que actúa repetidas veces en la Plaza de Madrid con éxito, es Solórzano, cuya estampa de galán cinematográfico pone mucho entusiasmo en los aplausos del público femenino. Solórzano se doctora ya en septiembre en la Maestranza de Sevilla. Otros novilleros de cartel que actúan en Madrid son *Chiquito de la Audiencia*, hermano de *Curro Caro*, el valenciano y diminuto *Rafaelillo* —cuyo auge hemos de ver en las próximas temporadas—, Joselito de la Cal, Pepe Chalmeta, *Alcalareño II.*

La crónica negra nos la dan las dramáticas muertes de dos modestos novilleros: el onubense Pedro Carreño, en la Plaza de Ecija, ferozmente corneado, y el joven Pedro Montes, en la Plaza de Escalona.

En Madrid se rinde un homenaje a Nicanor Villalta, el brazo de acero, por haber conseguido nada menos que veinticinco orejas en el coso de la capital. En Barcelona, el durísimo *Pedrucho* se encierra con seis toros grandes a los que lidia con su muy particular estilo y da muerte con éxito. En la misma Plaza catalana toma la alternativa Gil Tovar.

En cuanto a las cogidas sin consecuencia demasiado graves, tenemos la de Heriberto García en Madrid; *Niño de la Palma,* que se hiere en la frente con el estoque, también en la plaza madrileña; Saturio Torón, en Pamplona; *Gitanillo de Triana,* en Bilbao, y *Valencia II* en Albacete.

Nota curiosa nos la da un reportaje de la revista *Estampa,* con el detalle meticuloso de lo que cuesta un traje de picador en 1930. Resumiendo, un picador lleva sobre sí a la Plaza prendas por valor de 1.690 pesetas, repartidas de esta forma: rellenos, 50 pesetas; botos o brodequines, 125; hierros (corto y largo), 300; botines y calzona, 135; codera y faja, 20; casaquilla y chaleco, 900; sombrero con moño, 150; espuela, 10.

El problema de la crítica taurina ocupa de cuando en cuando comentarios de los periódicos. De algunos periódicos. La crítica taurina, salvo excepciones, no es tal, sino una publicidad positiva o negativa, proporcional a la generosidad del diestro para con el cronista. Esto se sabe. Se conoce la existencia del *sobre.* Ciertos críticos taurinos viven incluso mejor que los toreros, con automóviles de lujo, fincas de caza y casas en propiedad, en un tiempo en que el 99 por 100 de los inmuebles son alquilados.

El procedimiento es sencillo: cuando un novillero comienza a despuntar, recibe la visita de un mensajero del opulento crítico, del hombre de fama que hace y deshace prestigios de toreros. Si el novillero, modesto, con apuros económicos en sus comienzos las más de las veces, se presta a suscribir una póliza de publicidad, que no debe ser firmada, sino simplemente convenida, desde ese momento el crítico convertirá los aplausos en vueltas al ruedo, las vueltas al ruedo en orejas concedidas y éstas en rabos y patas. Si no, el silencio o, lo que es peor, la crítica destructiva.

Una prestigiosa revista madrileña publica el 16 de septiembre de 1930 este recuadro: «Tomando el nombre de nuestro compañero... (aquí el nombre del crítico), un individuo se ha dirigido a varios toreros pidiéndoles dinero con el pretexto de una suscripción benéfica. Naturalmente, se trata de una estafa. Los toreros y representantes de toreros pueden tener la seguridad de que todo el que se acerque a pedirles algo, usando el título de redactor o colaborador de esta revista, es un estafador, y de que le quedaremos agradecidos si le hacen detener».

1930 es, deportivamente, el año en el que Ricardo Zamora, considerado desde varios años antes como el mejor guardameta del mundo, vive dos de los máximos acontecimientos de su vida íntima y profesional: se casa y ficha por el Real Madrid. Ramón Melcón, uno de los árbitros —con Escartín— más acreditados en España, asciende al rango de árbitro internacional.

En Navacerrada, Margot Moles y Manuel Pina se clasifican campeones de parejas mixtas de esquí. Paulino Uzcudun hace recuento de su historial boxístico: 48 combates realizados, 39 de ellos ganados —27 por k. o.—, siete perdidos —ninguno por k. o.— y dos nulos. José Gironés confirma su título europeo; Martínez de Alfara, el valenciano que tiene —dicen— dinamita en los puños, se proclama campeón de España de los semipesados.

Max Schmelling se clasifica campeón del mundo de todas las categorías por descalificación de Jack Sharkey, que había incurrido en un peligroso golpe prohibido, siendo discutidísima esta determinación de los jueces; poco después, Uzcudun pierde ante Tony Risko en Detroit; Kid Berg, inglés, derrota al cubano Kid Chocolate y se proclama campeón mundial de los ligeros.

En natación, Carmen Soriano vence en la piscina del Real Madrid en los 200 metros braza, clasificándose campeona española; en la tradicional prueba de la Laguna de Peñalara vencen Juan Escrivá de Romaní y Elena Potestad; Lucinda Moles gana la prueba de natación en el campeonato femenino en Madrid y Agosti vence en la prueba de natación celebrada en el estanque del Retiro, mientras toda la prensa madrileña, sin distinción de colores políticos, coincide en una petición angustiada: ¡piscinas, más piscinas para Madrid!

En fútbol, la selección española pierde en Praga contra los checos y gana en Bolonia contra los italianos; se celebra un partido de fútbol femenino en Madrid que causa gran sensación y no pocas risas y se vence a Portugal en Lisboa, con una selección integrada por Blasco, Beristain, Ciríaco, Quincoces, Urquizu, Prats, Esparza, Guzmán, Peña, Lafuente, Regueiro, Goiburu, Gorostiza, Aguirrezabala y Lazcano, no figurando Zamora por hallarse gravemente lesionado. El informe del doctor López de la Garma dice: «fractura de la escápula con el hueso abierto. Le hemos colocado un aparato para que los dos trozos de hueso se unan de nuevo. Espero que una vez pegado y solidificado podrá jugar. Es una fractura tan rara que se ve muy pocas veces. Aquí, donde diariamente vemos cinco o seis fracturas de huesos, en seis años habré visto seis a lo sumo como la de Zamora.»

Otra de las noticias futbolísticas importantes para la capital es el descenso del Atlético de Madrid a la Segunda División, ascendiendo a

— 209 —

cubrir su puesto el Deportivo Alavés. Futbolistas que suenan en toda España, aparte de los citados en la selección española, Guzmán, Galdós, Peña, Bosch. Ventolrá, Gil, Zaldúa, Yurrita, Gallart, Solé, Padrón, Rubio, Triana, Quesada y Lafuente.

En ciclismo, Mariano Cañardo gana la Vuelta al País Vasco; Manuel López se clasifica vencedor de la carrera de gran fondo, 150 kilómetros, organizada por la Unión Velocipédica Española, acuden al *tour* francés Mateu, Riera, Cardona, los dos hermanos Trueba y Cepeda. El comandante Ponte, a bordo del caballo «Vaguedad», conquista en propiedad la Copa Alfonso XIII en el Concurso Hípico Internacional de Madrid.

El auge del nuevo deporte, el *dirt-track*, tiene enloquecidas a las juventudes amantes de la motocicleta y del peligro. Y, por último, como noticia de calibre universal, la dramática muerte del célebre mayor Seagrave, sobre su canoa-bólido «Mis England II», cuando intentaba batir el récord mundial de velocidad sobre el agua.

En abril se inaugura el suntuoso y elevado Palacio de la Prensa, inaugurado ya no oficialmente el año anterior. Ocupa este Palacio un lugar estratégico, allí donde precisamente la Gran Vía, que tiene ya veinte años de vida, toma su ángulo y quiebra su recta a la altura de la plaza del Callao.

Un mes después, en terrenos de la Ciudad Universitaria, se inaugura el nuevo Colegio de Huérfanos de Ferroviarios, con instalaciones pensadas y realizadas con sentido bien moderno. Cerca de allí, meses más tarde, otra inauguración importante: la de la Fundación Del Amo, obra de los arquitectos Blanco Soler y Bergamín, destinada a residencia de estudiantes españoles e hispano-americanos.

Contemos también las casas que se hunden, en lo que la capital cuenta ya con una gloriosa tradición; el edificio número 36 de la calle de Alonso Cano, en construcción, se viene abajo estrepitosamente y en la catástrofe fallecen numerosos obreros, resultando heridos aún muchos más. El gremio de Albañilería de Madrid siente en su carne el rafagazo, pero la Unión General de Trabajadores, acostumbrada durante seis años y medio a guardar silencio con la Dictadura, se calla ahora también. Poco después, aún otro hundimiento: éste en la calle de Grafal y sin víctimas.

El famoso conde de Keyserling visita Madrid y pronuncia una interesante serie de conferencias, que muchos elogian y pocos entienden. Por fin, resulta elegido, en el laborioso concurso iniciado al efecto, el proyecto de monumento a la reina Cristina: se trata del presentado por el arquitecto Antonio Flórez y el escultor José Capuz.

Acto solemne y simpático en torno al popularísimo maestro Ricardo Villa, director tantos años ya de la Banda Municipal: el alcalde le hace entrega de una bandera regalada, como homenaje, por el vecindario madrileño.

Tiempo de seriales leídos, que aún no están inventados los radiofónicos; Madrid, o cierto sector populoso de Madrid, lee ávido cada semana la novela, publicada en la revista *Estampa* por capítulos, «Los golfillos de Madrid», de Luis del Val.

La circulación de carruajes, en su mayoría automóviles en la línea de la época, aunque no faltan algunos coches de caballos, y muchos carros tirados por mulas o burros, se detiene en la Gran Vía: ¿qué está pasando...? La mirada de las masas sigue las peripecias de un extraño trepador que está escalando la fachada de uno de los más altos edificios de la rúa, el escalador portugués Néstor Lopes.

José Oliver, ciclista madrileño al que le falta una pierna, va a iniciar la vuelta a España en bicicleta, acompañado de un perro. Enrique Agulló realiza la travesía Madrid-Santander en patinete, y consigue que al llegar a la capital de la montaña no le encierren en el manicomio. El alcalde de Madrid, marqués de Hoyos, está en todas partes: inauguraciones, catástrofes, fiestas, funciones, manifestaciones deportivas, incendios... Es lo suyo.

En 1930, Madrid tiene un millón escaso de habitantes. Concretamente, según el censo oficial, 952.832. De todos ellos, madrileños auténticos, esto es, nacidos en la villa, no hay más que 353.363. En números redondos, sólo una tercera parte de los habitantes de la capital son madrileños de verdad. Los demás se clasifican así: 26.621 vasconavarros, 27.139 gallegos —algunos procedentes de larga estancia en América, esto es, «indianos»—, 2.298 canarios, 36.414 asturiano-cantábricos (así les define el censo de 1930), 68.275 leoneses, 68.893 andaluces, 96.245 ciudadanos de diversas provincias de Castilla la Vieja, 167.691 de Castilla la Nueva, 21.761 extremeños, unos 12.200 catalanes, 18.845 aragoneses, 36.332 valencianos y murcianos y 18.000 extranjeros.

La vida comercial la atienden alrededor de 7.000 establecimientos abiertos al público, de ellos, 1.500 tiendas de ultramarinos, 1.080 lecherías, 755 carnicerías, 780 carbonerías y 710 panaderías. Los locales dedicados a diversas industrias suman 27.148. Los pisos habitables son exactamente 305.028, en 23.358 inmuebles. La población activa es bastante reducida, lo que viene a demostrar que ya en el Madrid de 1930 eran muchas las personas que vivían de milagro y, desde luego, sin aportar el mínimo esfuerzo ni para su provecho particular ni para el general provecho del país.

De casi un millón de habitantes, son asalariados alrededor de 35.000, menos del cinco por ciento. 15.000 albañiles, 700 canteros, 1.800 carpinteros, 900 vidrieros y fontaneros, 900 embaldosadores, 600 marmolistas, 300 estucadores, 5.300 peones de diversas especialidades, 310 escultores decoradores, 1.511 pintores, 850 ladrilleros y tejeros y más de 70.000

funcionarios y empleados en ministerios, organismos más o menos autónomos, Diputación, Gobierno civil, Ayuntamiento, etc.

Una población, en lo económico, eminentemente negativa —como algunas capitales de Estado—, con una sobrecarga de números rojos por servicios y pocos números azules por producción. Hay en el Madrid del 1930 más de 150 iglesias, 111 conventos de religiosas y 51 de religiosos. Tres Institutos de segunda enseñanza: el del Cardenal Cisneros, el de San Isidro y el Instituto-Escuela. 34 cines frente a 22 teatros, aparte de que, como ya se ha dicho, muchos de los tradicionales teatros se «pasan» temporalmente al negocio del celuloide por la poderosísima razón de que es bastante más taquillero.

Entre las profesiones no controladas están las de mozo de cuerda; hombres sin ninguna traza de atletas, que suelen esperar en las esquinas o en la puerta de algunas tabernas determinadas, con las cuerdas o correas al hombro, a que alguien les contrate para trasladar un baúl de una casa a otra, para lo cual, si el baúl es excesivamente pesado, se ayudan de un carro de alquiler —carro de mano—, que les cuesta 40 céntimos a una peseta la hora.

Los maleteros de las estaciones, que poco después serán ya perfectamente organizados por las autoridades ferroviarias, aún no se sabe si para bien o para mal de ellos y de los viajeros. Los guardacoches, con propinas y sin sueldo, muy felices cuando reciben cincuenta céntimos por su servicio. Y más, muchos más. Quizá sea Madrid una de las ciudades del mundo con más profesiones sin control. En 1930 y después.

En la madrileñísima calle del Tribulete existe un original establecimiento, conocido como «Hotel del Sebo», a causa de que allí nada se guisa con aceite de oliva, sino con la grasa o sebo de los propios alimentos. Comen en el «Hotel del Sebo» muchos mendigos del distrito y algunos trabajadores de humildísima condición. Un cubierto cualquiera se compone de oreja de ternera, veinte céntimos; patatas fritas, diez céntimos; chicharrones, diez céntimos; pan, diez céntimos, y vino, diez céntimos; es decir, por seis «perras gordas» poco menos que un festín. En este establecimiento, auténtico palacio de la mugre, se sirven de 200 a 250 «cubiertos» a mediodía y otros tantos a la hora de cenar, con un ingreso diario de unas 100 pesetas, y constituye un saneado negocio para el propietario.

La prensa madrileña se queja ostensiblemente de los notables aumentos en el precio de la carne, que ha alcanzado las astronómicas cifras de 4,90 el kilo de vacuno de 1.ª, 3,90 el de 2.ª y dos pesetas el de 3.ª

Se están pavimentando la calle de Fuencarral y la glorieta y calle de Toledo, y como son demasiados los madrileños desocupados que ocupan los alrededores de estas obras para curiosear, estorbando y poniendo nerviosos a los obreros, el alcalde da la orden de que se impida esta «actividad» de los mirones.

En las encuestas públicas sobre el deseo o no de anexión de los pueblos del cinturón de Madrid, nadie acaba por ponerse de acuerdo, pero ya es seguro que Vicálvaro, Villaverde y Chamartín tienen interés en convertirse en distritos madrileños, y Vallecas y Carabanchel están, en cambio, apasionadamente en contra de la anexión.

Los taxis están más caros que en Barcelona, donde la tarifa está en 0,30 cada salto del contador; en Madrid, después de muchas discusiones, se acuerda establecer 0,80 por bajada de bandera, 0,60 por salto y el 15 por 100 de la recaudación más jornal de ocho pesetas diarias para los conductores asalariados.

A propósito de los taxis, hay en Madrid 3.218 al terminar 1930 (a los que aún hacen la competencia 325 coches de caballos de alquiler). El resto del tráfico rodado madrileño lo constituyen 15.105 coches particulares, 1.623 oficiales, 4.560 camiones y camionetas, 7.098 bicicletas, casi 5.000 carros de tracción animal, 1.148 motocicletas, 525 tranvías motores y 82 remolques y ¡todavía! 1.250 coches de caballos de lujo, particulares. Todo esto ha ocasionado que en los doce meses de 1930 se hayan registrado 722 atropellos, con 51 muertos, 343 heridos graves, 292 de pronóstico reservado y 186 leves.

En 1930, Madrid se come treinta y ocho millones de kilos de carne de todas clases: 82.708 vacas, 43.337 terneras, 449.292 cabezas de ganado lanar, 4.682 corderos lechales y 50.128 cerdos, contando solamente en estas cifras de cabezas de ganado las sacrificadas en el Matadero Municipal.

En el concurso promovido por el Ayuntamiento para ensanche y modernización de Madrid, resulta premiado el arquitecto madrileño señor Zuazo Ugalde, con el primer premio, en colaboración con el arquitecto alemán señor Jansen. Este proyecto tiende a poner en comunicación las carreteras de acceso a Madrid sin estorbar la circulación propia del núcleo central, y contiene, además, muchas y muy importantes mejoras más para Madrid.

Un mundo enloquecido sigue su curso. En la pugna que mantienen sordamente el presidente alemán, mariscal von Hindemburg, y el jefe del partido nacional-socialista, Adolfo Hitler, las cosas ruedan bien para este último. El viejo militar, vencedor de Tannenberg, ha de ver cómo un antiguo cabo de la primera guerra se le va subiendo a las barbas, no ya día a día, sino hora a hora, minuto a minuto. El cambio de canciller no resuelve nada: muerto Stressemann asciende el doctor Bruning, muy empacado de ideales modernos y liberales, a quien el líder austríaco declara inmediatamente la guerra.

El descontento de los alemanes ha encontrado su aglutinante en Hitler y las elecciones del 15 de septiembre lo demuestran: a los escasos 800.000 votos nacional-socialistas de 1928 responden ahora nada menos que 6.400.000, es decir, no ya los 70 diputados que Hitler esperaba, sino 107. Antes eran solamente 12 y estaban prácticamente dominados en el Parlamento: ahora, con la centena sobrada, a la apertura de las sesiones, el 13 de octubre, acuden estos nuevos 107 diputados vestidos de uniforme, formados y marcando el paso.

El estado mayor de Hitler lo componen unos hombres todavía prácticamente desconocidos, pero que darán mucho que hablar a las futuras páginas de la Historia: Strasser, Goebbels, Goering, Frick, Hess, Bormann, Himler, Franck, Darré, Wagner, Von Schirach, Rosemberg, Dietrich, Funk.

En la India, Gandhi, que acaudilla el movimiento de la desobediencia civil para obtener la evacuación de las tropas inglesas y la liberación del país, es arrestado por orden de Londres. En Argentina y Perú se registran violentas revoluciones, con asesinatos y fulminantes caídas de los gabinetes ministeriales.

En la lista de ilustres muertos de este 1930, registremos el fallecimiento de lord Baldfour, uno de los más clarividentes políticos ingleses; el de la reina Victoria de Suecia, el del célebre explorador danés Nansen, el de Conan Doyle —creador de *Sherlock Holmes*— y el de Sigfredo Wagner, hijo de Ricardo Wagner, en Bayreuth.

Un avión, cuyo nombre es sencillamente un signo de cierre de interrogación entrecomillado, pilotado por los franceses Costes y Bellonte, realiza por primera vez el vuelo sin escalas París-Nueva York, y sus tripulantes obtienen así el premio de 25.000 dólares ofrecido por un periódico norteamericano.

La época del dirigible comienza a declinar: el «R-101», orgullo de la técnica británica, cae en Beauvais y fallecen cincuenta personas. En cambio, su casi gemelo el «R-100» hace sin novedad su primer viaje a América. Nos vamos aproximando a la hecatombe definitiva que decidirá el acabamiento de la era del dirigible.

El último día del mes de junio, las tropas francesas se retiran de los territorios de Renania, en demostración de buena voluntad, adelantándose cinco años a lo establecido, ya que se había acordado, a raiz de la terminación de la guerra, que permanecerían quince años y sólo llevaban diez. La Historia está en su sitio: todo sucede como meticulosamente dispuesto por un hado juguetón y maligno.

Poco después, en Addis-Abbeba, capital de Abisinia, en medio de una colorinesca ceremonia, es coronado emperador Haile-Selassie. La seguridad de su cetro no se decidirá en su propio país, sino en Italia, en Roma, en el despacho de Mussolini.

El problema catalán se ha agudizado día por día a raiz de la caída de la Dictadura. Los hombres de los sindicatos únicos, tenidos a raya por Martínez Anido, empiezan a volver a ser dueños de las calles de

Barcelona. Pero lo peor que puede sucederle al gobierno del general Berenguer es la difícil mescolanza entre sindicalistas de la extrema izquierda, anarquistas más o menos puros y separatistas.

Porque si bien la lucha contra sindicalistas y anarquistas tiene un claro sentido de problema de orden público, el llamado *problema catalán* es mucho más delicado y hay que tocarlo con las puntas de los dedos. La sensibilidad catalana es pocas veces bien comprendida desde Madrid. Berenguer lo sabe. Por eso, ordena personalmente a su director general de Seguridad que acuda a la capital de Cataluña, permanezca allí el tiempo que considere necesario y regrese para informarle cumplidamente.

Al retorno del director general —Mola—, éste escribe un informe en el que, entre otras cosas, se dice lo siguiente:

> **"El general Despujol y yo seguimos largo rato hablando sobre la situación de Barcelona en todos sus aspectos: político, militar, social y hasta policíaco. Esto último para mí era en extremo interesante.**
>
> **"En el orden político, había observado el general que las restricciones impuestas por la Dictadura a las manifestaciones regionales habían traído como consecuencia una agudización de los sentimientos separatistas, que se manifestaban por la inclinación a la izquierda extrema de muchos sectores que fueron siempre apolíticos o se mantuvieron subordinados a las inspiraciones de la Lliga.**
>
> **"Sin embargo, Despujol tenía la impresión de que una vez que iniciasen su actuación los directores de ésta, atraerían a ella gran parte de esos elementos e incluso de los que se mantenían afectos a la Unión Patriótica, ya en franca descomposición.**
>
> **"El problema no lo veía difícil, sobre todo si el Gobierno no regateaba hacer algunas concesiones de índole exhibicionista, a la que tan aficionados son aquellas gentes, como por ejemplo: autorizar el uso de la bandera regional, permitir el homenaje anual a Casanova y levantar la prohibición que pesaba sobre "La Santa Espina", canción popular que no tiene de separatista más que el sentimiento íntimo de los que la cantan, pues su letra dista mucho de la de Els Segadors."**

La sorpresa teatral es la aparición del activísimo Metropolitano, en Cuatro Caminos, con todo un repertorio de estrenos musicales: *La boda de la Paloma*, con letra de Parera y Prada y partitura de Ferrer; *Las bellezas del mundo*, de Tomás Borrás, Antonio Paso y música de los ya populares Soutullo y Vert; *¿Qué tiene la jota, madre?*, de Pedro Llabrés, Subrá y maestro Tena; *¡Adelante, señores, pasen ustedes!*, divertida revista con libro de Muñoz Seca y Pérez Fernández y partitura de Roig y Rosillo, y la presentación de la bailarina Pilar Calvo.

El Romea, dedicado también al espectáculo musical y ligero, pone en cartel una revista de Vela y Campiña, con música de Rosillo, titulada *Colibrí* y un movido espectáculo arrevistado que se titula *Me acuesto a las ocho,* con segunda intención ya desde el mismo título. En el Chueca, teatro musical también: *La ley seca,* con libro de Carreño y Sevilla, y *La mujer de bandera,* de Dicenta y Paso y partitura de Estela.

Por regla general, la caída de la Dictadura ha dado nuevas alas a los autores teatrales, que no desaprovechan la ocasión de intercalar chistes políticos o intencionadas letrillas satíricas en los cantables. Puede decirse que no se estrena en Madrid en 1930 una sola obra teatral que no lance alguna frase sarcástica sobre el cambio de régimen.

En el Reina Victoria actúa Conchita Piquer, con Ramón Peña, ambos a la cabeza de una compañía de operetas y revistas. En Pavón, se estrena *Los hombres cabales,* con letra de Vivas Díaz y Gutiérrez Gil y música del maestro Sama. En Eslava, dos títulos de tentación: *Las pantorrillas,* que lleva, naturalmente, mucho público a la taquilla, y *Las guapas,* esta última de Castillo y Muñoz Román, musicada por los maestros Alonso y Belda.

Guerrero continúa al frente de las huestes del Martín y presenta *El país de los tontos,* de Paradas y Jiménez. En Maravillas, una revista muy divertida titulada *La pandilla;* un título que algunos periódicos incluso se niegan a admitir en su publicidad, *Me caso en la mar,* gansada de Padilla con partitura del maestro Penella, y *Mundo Gráfico* —aprovechando el título de la popular publicación semanal—, letra de Silva Aramburu y música de Lleó y Ulierte.

Obras inspiradas directamente en el acabamiento del sistema del general Primo de Rivera son las tituladas *La Dictadura,* de López Alarcón, y *El lápiz rojo* —alusivo al temido trazo escarlata de la Censura—, de los dos Paso y Silva Aramburu. El Calderón da cauce a un estreno zarzuelero, *Fiereza,* de Bergua y maestro Lapuerta; *El abanico de Su Majestad,* de Tomás Luceño, Moya Rico y maestro San José; *Mari-Lorenza,* de Escohotado, Rosales y música de Baudot, y *Baturra de temple,* libro de Redondo del Castillo y música de Moreno Torroba.

También el Fontalba hace sus pinitos líricos con el estreno de *El mesón de la Florida,* de Márquez Pontes y maestro Sama. En el Palacio de la Música el gran tenor Hipólito Lázaro ofrece a Madrid un concierto inolvidable. Más o menos, éste es el resumen de la temporada del teatro musical en el Madrid de 1930. Se acusa un incremento de teatro hablado y un decrecimiento del cantado. Quizá sea este *año treinta* el primero en registrar un acentuado declive del teatro musical español.

La libertad renacida da a muchos autores temas inspirados y sobre todo deja cauce al lenguaje, que se expresa ahora mejor que en los seis años transcurridos desde el 13 de septiembre de 1923. Veamos los títulos: en el Muñoz Seca, *Los andrajos de la púrpura,* de Benavente, enunciado que ya dice bastante por sí solo. En Fontalba, *Mariquilla Terremoto,* de los Quintero —admirablemente protagonizada por Carmen Díaz—; *La de los claveles dobles,* de Luis de Vargas, y *Siegfried,* de Giraudoux, en traducción de Díez Canedo. En el Infanta Isabel, *El mi-*

llonario y la bailarina, de Pilar Millán Astray; *Hacia la vida,* de Sofía Blasco; *Paso a nivel,* de Claudio de la Torre, y *Olimpia,* de Molnar.

En el Español, que presenta este año a Josita Hernán como damita jovencísima, *Sancho Avendaño,* de Linares Rivas; *Peleles,* de Víu; *Sombras de sueño,* de Unamuno (recién llegado del destierro que le ha levantado el Gobierno Berenguer); *La moza del cántaro,* de Lope de Vega; *La casa de naipes,* de Ugarte y López Rubio; *La prudencia en la mujer,* de Tirso, en versión de Cristóbal de Castro, estupendamente puesta en escena por Margarita Xirgu; *La calle,* traducción de Chabás, y *El gran teatro del mundo,* de Calderón.

En el Infanta Beatriz, *Satanelo,* de Muñoz Seca, y *Che, Isidoriño,* de Adame y Torrado. En la Zarzuela —durante una corta temporada con la mundialmente famosa Pawlova—, *El protagonista de la virtud,* de Benavides, obra ganadora de un concurso; *Labios pintados,* del uruguayo Bengoa; *Esta noche me emborracho,* de Carreño y Sevilla; *El tonto más tonto de todos los tontos,* de Paso y Borrás; *¡Viva Alcorcón que es mi pueblo!,* de Carreño y Ramos de Castro, y *Maya,* una desdichada traducción de Azorín.

En el Reina Victoria, *Pirueta,* de Fernando de la Milla, y dos traducciones: *El séptimo cielo* y *El crimen de John Tanderson.* La orden del antiguo gobernador de Madrid de que las señoras no usen sombrero en los teatros se cumple solo a medias, y los espectadores de reducida talla o se quedan sin ver la función o acaban el tercer acto con fuerte tortícolis.

En el Cómico, donde reaparece Amalia Molina, después de prolongada ausencia, se estrena una de las obras más acertadas de Luis de Vargas: *Las pobrecitas mujeres.* En el mismo escenario, *Me lo daba el corazón,* de Honorio Maura, y *La Academia,* de Muñoz Seca y García Alvarez.

En Eslava, *Juan sin Tierra,* de Marcelino Domingo, obra discutidísima no sólo por su mayor o menor mérito, sino por la personalidad política del autor, destinado a ser pronto uno de los ministros de la República. En el Fuencarral se estrena nada menos que un drama en verso de Orriols titulado *Athael.* En el Lara *Los duendes de Sevilla,* con el formidable binomio taquillero de los hermanos Quintero y Carmen Díaz; *Para ti es el mundo,* de Arniches, con Concha Catalá, y *Doña Hormiga,* también de los Quintero. En este mismo escenario del Lara es presentada una nueva dama joven, poderosamente atractiva: Ana María Custodio.

En La Latina, *reprise* de *La Malquerida,* estreno de *Los amos de Curtidores,* de Gorbea, y de *El divino derecho,* de Alcira Olivé. En un restaurante de La Bombilla, Loreto Prado y Enrique Chicote reciben un caluroso homenaje popular, al que asisten más de 600 personas. También recibe un homenaje y muy merecido Francisco Serrano Anguita por el éxito de su comedia *Manos de plata,* una de las más bellas obras teatrales de todo lo que va de siglo.

Una de las temporadas más variadas y nutridas es la del teatro de la Comedia, cuyo escenario alberga en los doce meses de este 1930 todos los géneros del teatro no musical. *Contente, Clemente*, de Antonio Paso, es un buen éxito de risa, dentro de la ligereza y facilidad del estilo particular de este autor. *La torre de la cristiana*, de Quintero y Guillén, no se parece en nada a la anterior, como tampoco se parece a ninguna de las dos obras citadas la comedia de costumbres de Carreño y Sevilla titulada *Lo mejor de Madrid*, estrenada poco después. Tras *La mar y sus peces*, de Paso y Sáenz, todavía llega más risa al escenario de la Comedia con *La Perulera*, de Muñoz Seca y Pérez Fernández.

Digno paréntesis entre tanta carcajada es la presencia del recitador González Marín, cuya figura señera llena por sí sola la escena y cuya palabra segura, candenciosa, decidora, impresiona al público madrileño. En el repertorio de González Marín no hay fronteras políticas y caben desde Pemán a García Lorca y desde Enrique de Mesa a Fernando Villalón. González Marín ha traído a Madrid una honda majestad andaluza, sensible, una inyección que ha estado haciendo mucha falta en el burbujeante y poco trascendente público de los estrenos de la capital.

Continuando con la temporada de la Comedia anotemos *El chófer*, de Antonio Paso y Tomás Borrás; *¿Cómo nos presentamos?*, de Salazar y Rigabert y *La condesita y el bailarín*, de Honorio Maura.

En el Alcázar —ahora ya, en este 1930, empieza a escribirse indistintamente con «k» y con «c»—, se estrenan *Anfisa*, de Andreiew; *La Maricastaña*, de Sassone; *La vieja rica*, de Fernández Villar; *Papá Gutiérrez*, de Serrano Anguita, y *La sombra*, de Nicodemi. Se presenta en este escenario del Alcázar la actriz mejicana María Teresa Montoya, muy bien acogida por el público.

En el Avenida tenemos, entre otros, cinco estrenos importantes: *El amante de Madame Vidal*, traducción de un entretenido vodevil de Verneuil; *Lo de siempre*, de Manuel y José Góngora; *Los amigos del hombre*, de Benavente, que ocasiona poco después una parodia muy mala titulada *Los amigos del hambre*; *Orestes I*, de Ximénez de Sandoval y Sánchez de Neyra, y *Cásate con mi mujer*, una traducción realizada por Tomás Borrás.

El Calderón, dedicado en 1930 preferentemente al género musical, presenta, no obstante, una comedia de José Castellón titulada *Monte de abrojos*.

El movimiento literario madrileño de 1930 se anima con la aparición de una buena serie de novelas de sus autores predilectos: *El amante invisible*, de Alberto Insúa; *El pájaro en la jaula*, de Pedro Mata; *La Nardo*, de Ramón Gómez de la Serna; *Yo he sido casado*, de Rafael López de Haro; *El año de la derrota*, de José Francos Rodríguez; *Sor Alegría*, excursión novelística muy afortunada del doctor César Juarros; *La infeliz aventura*, de Roberto Molina; *El pecado de María Luz*, de

Miguel Ródenas; *La niña del alcalde*, de Miguel de Castro, y *El ventrílocuo y la muda*, de Samuel Ros.

Alejandro Casona publica un libro de poemas titulado *La flauta de Safo*, y Juan José Domenchina otro bajo el título de *El tacto fervoroso*.

La caída de la Dictadura ha supuesto un poco de libertad en todo lo literario, no obstante continuar casi tan rígida como durante los seis años y medio anteriores la censura previa de la prensa.

Capítulo 16. LA BOLSA DEL AMOR DE EL LIBERAL (año 1930). Precios y salarios en 1930. Aparece el periódico **Más.** Los tranvías de Madrid. Los más fuertes contribuyentes de la capital. Bolsa del amor de **El Liberal.** 36.000 automóviles en Madrid. Luz verde y luz roja. Reforma de la plaza de España. Los muertos del Tajo. El muerto de la cesta. El **Chichito.** El crimen de la calle de Silva. Más crímenes pasionales. Otra vez a vueltas con la propina. Muerte y entierro de Primo de Rivera. El Pacto de San Sebastián.

Son cosa muy importante los anuncios de la sección de varios de *El Liberal.* Todo un mundo galante se sirve de estos breves mensajes, a sólo unos céntimos la palabra, para las aventuras más inesperadas.

"**Señorita educada, con urgencia desea protección. Nada de jóvenes. Lina, Hortaleza, 45.**"

Tienen mala fama los hombres jóvenes en el Madrid de 1930. Bueno, mala fama o poco dinero, porque...

"**Viuda veintiséis años admitiría discreta protección caballero posición mayor cincuenta años. Continental 2349.**"

Tan ameno como el más divertido artículo del periódico resulta leer estos anuncios, en los que se esconde el azar, o en los que campea el descaro:

"**Caballero americano protegería señorita agraciada. Absténganse profesionales. Renar, Carretas, 3.**"

¡Hay que ver cómo suena a llamada morbosa la soledad en esta página de anuncios de *El Liberal!* El lector madrileño se sorprende al comprobar cuántas mujeres desgraciadas hay en la ciudad.

"**Señora bien, sola, apuro momentáneo, aceptaría ayuda caballero. Leonor, Alberto Aguilera, 45.**"

La angustia económica lleva a extremos insospechados: un establecimiento compra de todo con tal de ayudar a los que sufren de problemas de dinero:

"**Compro papeletas Monte, alhajas y dentaduras de oro. Plaza Santa Cruz, 7, platería.**"

Se repite la paradoja de tantos que tuvieron que empeñar los dientes de oro para poder comer.

"**En casa particular deséase señorita derecho novio.**"

Esto no quiere decir, ni mucho menos, que la dueña de la casa, al alquilar una habitación a cualquier muchacha de buen ver, la autorice a tener novio; el feudalismo de 1930 no llega a tanto. Lo que sucede es que la propietaria o arrendataria del piso advierte que no verá con malos ojos las visitas del novio a la señorita en cuestión.

"**Abogado, consulta de tres a seis. Pobres gratis.**

No es difícil de imaginar cómo andará la escalera de este jurista, al que ideamos joven aún, casi recién salido de las aulas y sin malear. Otro abogado es más explícito:

"**Abogado, consulta cinco pesetas. Absoluta discreción.**"

Hay otros anuncios que son como una llamada angustiosa, pero en cuyas palabras campea el perfume de la aventura.

"**Viuda joven úrgenle cincuenta pesetas. Preciados, 7, escribir Continental.**"

El Liberal hace las veces de inmensa Celestina para arreglar *apaños* entre mujeres jóvenes y señores maduros.

"**Pintor edad necesita modelo quince a veinte años pagando quince pesetas hora, todo decente.**"

¿Qué es lo decente, el pintor, la edad del pintor, el trabajo, la chica...?

"**Completamente sola, cedo habitación, Tortosa, 5.**"

Es muy posible que la señora que ha puesto este anuncio quiera decir que, por estar sola, no habrá llantos de niños ni ladridos de perros ni otros ruidos en la casa... Pero también es muy posible que no quiera decir nada de eso.

"Caballeros formales quieran ayudar señoras, señoritas, escriban enviando sello. Carranza, 3, Rosita."

Ya lo ven: Rosita se encarga de comunicar a los caballeros ayudadores con las señoras y señoritas necesitadas de ayuda. ¿Cabe más caridad...? Y todo por un sello de correos. Hay otros anuncios equívocos, por llamarlos de alguna manera:

"Joven bien parecido propietario estudio pintor admite compañía tardes joven aficionado a pintura."

En las lentas mañanas del Madrid de 1930, los cristales que desde la calle dejan ver los interiores de los numerosos cafés, descubren a muchos caballeros, señoras, señoritas y jóvenes, bien parecidos o no, devorando las columnas de anuncios de *El Liberal*.

Ayuda mucho a hacerse una idea exacta de la época que se estudia el detallado repaso a los precios. Pero, naturalmente, los precios no tienen ningún valor comparativo si no se conocen los salarios. Empecemos por ver despacio algunas tarifas para después realizar el parangón con los sueldos.

Hacerse un vestido en la modista cuesta de 8 a 12 pesetas, según el barrio y según la fama de la artista. Una tienda de la calle de Leganitos, 43, anuncia varios artículos a precios convincentes: camisas de percal para caballero, 4,95; piezas de tela de 5 metros, 3,95; calcetines para niño hasta la talla 2, diez céntimos; corsé faja con gomas —todavía andamos en plena época del corsé—, 1,95; corte de colchón, 6,95; medias de seda torzal, 1,25; medias de hilo, 1,35; medias de seda natural, 3,50; calcetines de seda en fantasía, 1,40.

Hay pisos de sobra y los alquileres están asequibles: un exterior con seis habitaciones en el número 35 de la calle de Gaztambide, 95 pesetas al mes y un duro para el portero. Un exterior bajo en la calle de Espronceda, número 6, con cinco habitaciones, 80 pesetas al mes.

En una pensión de la calle del Barco, número 9, ofrecen estancia completa, con lavado de ropa, baño, terraza soleada y teléfono, por 5,50 al día.

Por poco dinero se puede presenciar un buen espectáculo; una de las obras de más éxito en el 1930 madrileño está en el Pavón, con butacas de patio a una peseta, de entresuelo a tres reales y del principal a sesenta céntimos. En el Maravillas se puede ver la representación de *Pepa Doncel* por seis reales la butaca en la función de tarde y dos pesetas en la de noche. En pleno carnaval madrileño, la entrada al baile de máscaras en el Salón Luminoso de los Cuatro Caminos vale dos pesetas para los caballeros y nada para las señoritas.

Las copias de máquina cuestan solamente treinta céntimos las cien líneas. Una ondulación permanente, que es lo *chic*, 12 pesetas, y garantizan enorme duración. La casa Ford presenta sus modelos de 1930 a precios exorbitantes: el *roadster*, 6.000 pesetas; el coche para taxi, 9.125, y el *town-car*, lujosísimo, un sueño de automóvil, 10.650 pesetas.

Coches de segunda mano pueden adquirirse por 1.300 pesetas al contado y 1.400 en dieciocho mensualidades; es decir, se compra un automóvil en buen uso por menos de 16 duros al mes, sin entrada ni fiador. Una camioneta de segunda mano cargando una tonelada, 9.000 pesetas al contado y 10.000 a plazos, advirtiendo al comprador que el vehículo «se da con 20 litros de bencina en el depósito».

Leer es también muy barato: «Novelas y Cuentos», que está reproduciendo todos los mejores títulos de la literatura universal, ofrece sus fascículos, con una obra completa, por sólo veinte céntimos. Para la tos, caramelos pectorales del doctor Cenarro, a sólo treinta y cinco céntimos la caja. Un secafirmas para despacho, en madera, con cien hojas de papel secante, seis reales. Para los enfermos graves de tuberculosis, el Real Sanatorio de Guadarrama brinda pensión completa, con asistencia médica por afamados especialistas, desde 20 pesetas diarias.

Y ahora, los sueldos. Así llegamos a la conclusión de lo que es realmente el valor adquisitivo de la peseta, deduciendo la auténtica situación de quienes trabajan por cuenta ajena, sin politiquerías de un bando ni del otro.

Los bomberos ingresan al servicio con sueldo inicial de 3.000 pesetas al año, y van ascendiendo por años de servicios, independientemente de las subidas de sueldo que obtengan por ascenso en la categoría. 3.000 pesetas de sueldo al año son tanto como 250 al mes, es decir, un jornal diario de 8,33.

Los veterinarios del Ayuntamiento de Madrid ingresan con 4.000 pesetas de sueldo anual, también susceptible de aumentos constantes por años de servicios, esto es, las célebres 333,33 pesetas mensuales que son el sueño dorado de muchos jóvenes oposicionistas que le dicen a la novia: «en cuanto gane las 333,33 al mes, nos casamos».

Como en buena economía está calculado que el alquiler de la casa no debe ser superior a la quinta parte de los honorarios que se perciben y es facilísimo en el Madrid de 1930 encontrar pisos, y no de extrarradio, por 50, 60, 70 y 80 pesetas al mes, los novios oposicionistas no son excesivamente soñadores, sino más bien realistas.

Los conductores y cobradores de los tranvías de Madrid tienen jornal de ocho pesetas diarias al ingresar, y, como en los casos anteriores, ascienden también en salario por años de servicio. Los guarda-agujas y los limpiavías, considerados como de categoría poco menos que ínfima en la Sociedad Madrileña de Tranvías, ganan 7,50 al día al empezar sus relaciones con la empresa, con opción también a ir ascendiendo poco a poco.

No le debe ir muy mal a la Compañía, pagando estos salarios, ya que en el ejercicio de 1929 cierra con 8.400.000 pesetas de beneficio. Los aprendices de cualquier oficio vienen ganando, en 1930, unas cuatro pesetas por día, sin ascensos por años de servicio, sino sólo al pasar de peones a oficiales, según la especialidad.

Pero todos éstos son los sueldos y salarios bajos, los de la inconformidad, los de la mala suerte. Hay, en cambio, otros empleos y prebendas en los que se gana mucho más, por ejemplo el Instituto Nacional de Previsión, cuyos presupuestos, autónomos, no dependen de los generales del Estado. El Instituto Nacional de Previsión paga muy bien, en proporción a lo que son los sueldos habituales de los funcionarios públicos.

En el 1930 de los periódicos y los tranvías a diez céntimos y los alquileres a veinticinco duros en pleno Barrio de Salamanca, un Jefe de Negociado del Instituto de Previsión, con diez años de servicio y con jornada de mañana y tarde puede sacar sin esfuerzo en torno a las 1.000 pesetas mensuales. Y no necesita trabajar en otra cosa para vivir con holgura, hacer sus veraneos, comprarse un automóvil, que puede pagar a 150 pesetas mensuales, y ahorrar en el Banco o en la Caja de Ahorros tres o cuatro mil pesetas por año, cifra de respetable consideración para la época.

La matrícula de automóviles alcanza el 36.000. Cada día salen de la capital veintitrés trenes, de ellos, ocho por la Estación del Norte, catorce por la del Mediodía y uno por la de Delicias. Funcionan en Madrid veintitrés bibliotecas públicas, pero hay más de 20.000 niños sin escuela.

Una Real orden prohibe la asistencia de los menores de catorce años al boxeo y a los toros, por considerar estos espectáculos como excesivamente violentos y peligrosos para la formación del niño.

El Ayuntamiento de El Pardo recarga un céntimo por litro de gasolina en los surtidores de su jurisdicción, que son el de Puerta de Hierro y el del Puente de San Fernando, y este encarecimiento provoca numerosas protestas de los motoristas y automovilistas.

Aparece un nuevo periódico de la noche, titulado Más: director, Enrique Meneses y subdirector Eduardo Marquina.

Un industrial madrileño, Jesús Rodríguez Arribas, obsequia a trescientos pobres de Cuatro Caminos y Tetuán de las Victorias con raciones de cocido caliente. Por otra parte, la Asociación Matritense de Caridad sostiene a 1.028 asilados. El número de indigentes en la capital de España es pavoroso; puede decirse que Madrid se dedica a socorrer a Madrid.

La ciudad cuenta con 472 coches-tranvía, que prestan buenos servicios, sobre todo a la Sociedad que los administra. El Canal de Isabel II, aumentado considerablemente en los últimos años, está trayendo ahora a Madrid 285.000 metros cúbicos de agua cada día.

Como para designar concejales hay que tener en cuenta, según las últimas disposiciones, a los máximos contribuyentes de cada localidad, la prensa publica la relación de los más poderosos contribuyentes de Madrid, que son, por este orden:

1.º **El marqués de Fontalba.**
2.º **Don Tomás Allende.**
3.º **El conde de Romanones.**
4.º **El duque de las Torres.**
5.º **Don Demetrio Palazuelo.**
6.º **Don Adolfo Zulueta.**
7.º **El duque de Arión.**
8.º **El marqués de Amboage.**
9.º **Don José Martí Prast.**
10. **Don Rafael Muguiro.**

Han estrenado casco blanco los guardias de la porra. No hay que decir los chistes que aparecen en todas las esquinas madrileñas. Poco después, al ser designado alcalde de Madrid el marqués de Hoyos, el caricaturista *Menda*, en *El Liberal*, publica un chiste en el que conversan dos castizos:

—¿Con qué objeto habrán hecho alcalde al marqués de *Hoyos?*
—Con vistas a la *pavimentación.*

Se inicia la gran reforma de la plaza de España desapareciendo varias casas de las calles de Leganitos, Río, Reloj, Mendizábal y Martín de los Heros. Se estudia la pavimentación de la calle de Raimundo Lulio y se saca a subasta la construcción del depósito número 4 del Canal de Isabel II. Madrid se mueve. Sólo que no lo suficiente.

El tráfico rodado y el movimiento de peatones en las calles madrileñas, con sólo esos 36.000 automóviles matriculados, es un desastre, una anarquía. El alcalde, Aristizábal, reúne a los periodistas para explicar, una vez más, cómo deben ser obedecidas las señales del tránsito.

Nadie conoce exactamente el comportamiento que debe seguirse ante la aparición de la famosa luz ámbar de los semáforos. El alcalde insiste: tanto los coches como los peatones se abstendrán de iniciar el avance hallándose encendido el citado disco, y sólo aquellos que lo hayan iniciado deberán proseguir. Los peatones deberán seguir en todo caso su mano derecha, a fin de evitar el encuentro con los que vienen en sentido contrario.

Los periodistas reflejan todas estas instrucciones del alcalde en sus periódicos, pero el pueblo madrileño continúa haciendo caso omiso de las señales y de las instrucciones. *¡Es mucho Madrid* para que le digan cuándo hay que andar y cuándo hay que pararse!

La afluencia hacia Madrid de los desocupados de otras provincias aumenta el problema del paro en la capital. Es curiosa, a este respecto, la nota publicada por la Asociación de Dependientes de Peluquerías y Barberías de Madrid, en la que advierte a los peluqueros de toda España que se abstengan de venir a buscar trabajo a la corte, pues ya hay en Madrid demasiados parados del mismo oficio.

¿Qué le falta a Madrid? Cada periódico, cada tendencia afirma lo que le parece —si la censura se lo deja—. *El Socialista* entiende que lo que falta en Madrid es el extrarradio urbanizado, una escuela normal de maestras, otra escuela normal de maestros, dos institutos de 2.ª enseñanza, diez grupos escolares como mínimo, construcción de mercados estratégicos y anexión de los pueblos de alrededor, para adecentarlos de agua, alcantarillado y escuelas.

Un mendigo y una mendiga, los dos mayores de cincuenta años, se presentan ante el párroco de San Ginés para que les case. Sólo llevan viviendo juntos veintiocho años. Están dispuestos a abonar cuarenta céntimos por la ceremonia. Poco después ya están casados y son muy felicitados por los numerosos pobres de la plantilla del barrio.

Por la calle de Barquillo baja un automóvil conducido por el duque de Gor, hombre ya de bastante edad. Cerca de la plaza del Rey, el vehículo atropella a un hombre de sesenta y un años. La prensa dice «un anciano», con lo que volvemos a tocar, siquiera de pasada, el tema del alargamiento de la vida, ya que en la actualidad se miraría uno mucho de denominar *anciano* a un hombre de tal edad.

El duque recoge a su víctima, malherida, y en su coche la lleva a la Casa de Socorro. Los gestos de los médicos no dejan lugar a dudas: el hombre atropellado va a morir. El duque comienza a sentirse mal y pide sentarse. Poco después fallece la víctima. A los pocos minutos, al saberlo el duque, sufre un ataque cerebral y muere en el acto. No ha podido sobrevivir a la impresión.

En la Cuesta de la Vega aparece un hombre muerto con una cesta en la mano. Es madrugada, y los guardias se alejan un poco para llamar por teléfono. Cuando regresan, el cadáver sigue allí, pero la cesta ha desaparecido. Desde esa noche, Madrid conoce el suceso como *el muerto de la cesta.*

El *Chichito*, especialista en sustracciones a la americana, cae en manos de la Policía. El procedimiento del *Chichito* es el siguiente: lujosamente vestido acude a un establecimiento de tejidos donde adquiere —condicionado a que lo acepte su mujer— un lote de tapicerías o cortes de vestidos o trajes, por valor de 600, 800 ó 1.000 pesetas. Da una dirección, Antonio Acuña, 10, y por la tarde un dependiente del establecimiento se presenta con todas las telas para ver si la esposa del cliente acepta o no y coincide con el gusto de su marido.

El dependiente queda en el *hall* mientras el *Chichito*, sonriente, amabilísimo, ruega al empleado que aguarde unos instantse. Se trata de convencer a la mujer. Pero cuando el dependiente lleva media hora sin que nadie le diga nada y sin escuchar un solo ruido dentro de la casa, comienza a escamarse, y con muchísima razón, porque el *Chichito* ha desaparecido por otra puerta con su cargamento, que la tienda nunca ya jamás volverá a ver.

En el número 10 de la calle de los Abades, Emilio Rodríguez discute fuertemente con su esposa: ¡él es el dueño y señor de la casa y los demás, a obedecer! De la discusión se pasa a mayores. El tiene que reforzar su autoridad, y para ello, decide arrojar del domicilio a la esposa, a sus seis hijos, al perro y a los dos gatos que eran casi como de la familia. Luego, ante el temor de que intenten entrar por la fuerza, clavetea la puerta que da a la escalera con maderas. Puerta que no se abrirá sino a empellones de la Policía.

En el 4 de la calle de Ministriles, en una casa de las de *mala nota*, un individuo apuñala a una mujer y, creyéndola muerta, se envuelve en una sábana, aparece en una ventana, da un grito para que todos le vean y se arroja al patio, matándose.

En la Casa de Socorro del Distrito de Hospicio se presenta una mujer para ser curada. Tiene una puñalada en el costado, pero no es demasiado grave. Los médicos la atienden, la curan, pasan luego a la dependencia contigua para tomar unos documentos y cuando vuelven la mujer apuñalada ha desaparecido.

Pero lo que tiene loco al lector madrileño no es nada de esto, sino la misteriosa aparición de cadáveres en el Tajo, cadáveres que, por todos los datos, corresponden a personas llevadas desde Madrid. Pero, ¿llevadas, cómo...? ¿Vivas y luego asesinadas a orillas del río, o muertas ya desde aquí o desde cualquier punto de la carretera...?

Cuando el juzgado entiende con todo ello, cuando los mejores investigadores policiales de Madrid andan metidos en el asunto, trabajando sin descanso, se produce el hecho inesperado: el crimen de la calle de Silva. El crimen de la calle de Silva desplaza de las mejores columnas de la prensa a los pobres muertos del Tajo y a todos los otros pobres muertos que constantemente aparecen por la ciudad. El crimen de la calle de Silva tiene su leyenda sentimental y todo.

Diego conoció incidentalmente a Angela. Diego era maestro de obras y ganaba bastante dinero. Hombre de algo más de cuarenta años, casado, pero, al parecer, no demasiado feliz en su matrimonio. Angela, mujer de más de treinta años, era atractiva, inteligente, sensitiva y tenía... "las cosas que hay que tener".

Diego y Angela llegaron a la conclusión de que lo mejor era que él abonara los gastos para poner un piso, a nombre de ella, a lo que no se negó, ni mucho menos, la madre de ésta, destinada a acompañarla. Diego frecuentaba el piso de Angela, y los dos eran muy felices y todo iba muy bien, incluso con sus ramalazos de celos, que no hacían sino incentivar el oculto amor de ambos.

Llegó una ocasión en que Diego tuvo que irse a Andújar, por razón de su trabajo, y cuando llevaba allí tres meses, escribiéndose a diario con Angela, ésta, de pronto, le conminó a regresar en el plazo de quince días a Madrid. "Si no —decía la carta—, liquidaré este piso y me iré a vivir con el primero que se me ocurra".

Diego no pudo venir en el plazo indicado y Angela cumplió la amenaza prometida. En el interín, la esposa de Diego fue puesta en conocimiento de todo lo que había. Al regresar Diego a Madrid, reanudaron él y Angela sus relaciones, si bien a trompicones, no como antes.

Después, durante una prolongada estancia en Ubeda, también por razón del trabajo de él, instaló un bar y lo puso a nombre de Angela, para tenerla cerca y que ella pudiera vivir. Intervino la esposa y el tinglado se fue a tierra, separándose de nuevo los dos amantes. Pasan los años. Diego se va a Guinea a trabajar, de donde vuelve envejecido y sin dinero. Acude a Angela y reanudan sus relaciones.

El, quitándolo de sus más perentorias necesidades, presta a Angela 300 pesetas para que efectúe la mudanza a un piso que han tomado entre los dos en la calle de Silva. Pero como ese dinero hacía falta en casa de Diego incluso para comer, él se lo reclama: "Devuélvemelo, siquiera sea poco a poco". Ella tiene el dinero, pero se niega a devolvérselo.

Diego está desesperado. Se cita con Angela en un bar de la plaza de Santo Domingo, a las diez de la noche, pues teme que su esposa le vea llegar a la casa de la calle de Silva. Pero dan las once y Angela no ha acudido a la cita. Entonces, él, después de deambular tres cuartos de hora por los alrededores de la casa, se decide a subir. Discuten: ella sigue obstinada en no devolver ni un céntimo.

El se exaspera: en su casa no se come ni se cena y viven prácticamente de limosna de los parientes y amigos. Avanza sobre Angela, le da un golpe, la derriba, le pone una rodilla en el pecho, ya en tierra, y aprieta su cuello hasta que ella deja de respirar. La ha matado. Entonces, arregla las ropas de la cama, la pone encima y huye, sin saber adónde ir. Desde luego, no a su casa.

Dos días escondido por el extrarradio, otros dos días sin salir del Retiro ni por la noche, a pesar del frío de marzo. La prensa de Madrid airea el crimen y la misteriosa desaparición de Diego, al que se da por seguro asesino. Y un día, Diego se presenta en el Juzgado de Guardia: "Soy el asesino de la calle de Silva". El asunto ha terminado. "¿Puedo enviar por unos pañuelos a mi casa?" Los guardias, mientras tanto, le prestan uno. Diego no cesa de llorar.

La caída de la Dictadura ha vuelto a poner sobre el tapete en toda España, y muy particularmente en Madrid, el tema de las propinas. Algunos de los periódicos de la capital sacan a primer plano la rancia discusión, más o menos acallada durante los años de Primo de Rivera, de si debe o no debe darse la propina, de si debe o no debe recibirse la propina. Incluso los escritores de más altiva talla entran en lid, cada cual con su opinión por delante. Merece la pena reproducir aquí un fragmento del artículo publicado por Antonio Zozaya en *Mundo Gráfico*:

"La propina debe desaparecer, no ya por la dignidad de los servidores, sino por la de los que tienen necesidad de hacerse servir. Ya no son aquellos sus criados, sino los de la Sociedad, lo cual no es lo mismo. No podemos mirarlos como inferiores, no siéndolo para la mayor parte de los parroquianos en cultura, en maneras, ni algunas veces en dinero.

"El instante de la propina en hoteles, restaurantes y lugares de recreación es muy penoso para quien siente que en su bolsillo hay menos plata que en los del servidor que le finge agradecimiento, y que en el fondo de su alma compadece su evidente pobreza. Las cosas han cambiado. Ya no se tira la escarcela a la faz de los escuderos; hay que entregarla en bandejas de plata y pidiendo indulgencia a quien la sostiene en sus manos, que bien puede haber sido un príncipe ruso o llegar a ser, con el tiempo, presidente de una República, como algunos de los Estados de la Unión Norteamericana.

"Por mi parte, declaro mi rubor al entregar las famosas propinas. En mis antecesores ha debido haber aristócratas, y hay un castillo que lleva mi apellido en Vizcaya; ha habido, sin duda, héroes y caudillos y hasta figuras del Mesías como Adán; pero es indudable que ha habido rapabarbas y destripaterrones, ¡a Dios gracias! Y El sabe qué clase de gentes remotas, por buenas y austeras que hayan podido ser, que si lo fueron las cercanas.

"No siento el orgullo de los abolengos, y es seguro que si he vivido alguna otra vez sobre la tierra, he sido en ella simple trabajador. Por eso, el dar la propina me avergüenza; me parece que el ofendido me va a gritar: "¿Quién eres, mentecato, para humillarme con tu limosna? Eres de carne como yo, y tienes que trabajar para vivir muy modestamente. Procura pagar bien, y ello será bastante; porque lo que necesitamos los trabajadores no son limosnas, sino equidad, de la que hay tan poco en el corazón de los favorecidos por la fortuna.

"Y así entrego la propina con miedo y arrepentimiento anticipado; y cuando el servidor ocasional me da las gracias, me apresuro a replicar humildemente: "¡Las gracias a usted!"

Pese a todo esto, los salarios son bajos, insuficientes; con razón o sin ella, los que dan la propina saben que ésta suaviza los gestos y lubrica los servicios; los que han de recibirla saben, por otra parte, que con sólo aceptarla y dar las gracias viven mejor. El resultado es fácil de adivinar: la propina continúa. Algunos establecimientos madrileños la suprimen, aumentan las ventas como consecuencia y pueden, por lo tanto, aumentar también ligeramente los jornales de su personal, pero esto es sólo la excepción que confirma la regla.

El 16 de marzo muere en la habitación de un hotel parisino el general Primo de Rivera. Sus hijas Carmen y Pilar habían salido a oir misa. Cuando regresan le encuentran tendido en el lecho, con las gafas sobre la frente. No respira, pero su hijo Miguel corre, no obstante, a avisar a un médico amigo de la familia, el doctor Baudeloc de Pariente, que se limita a certificar la muerte por ataque cardíaco.

Padecía diabetes y estaba convaleciente de una fuerte gripe, pero la causa cardíaca ofrece pocas dudas. Por la tarde desfilan por el hotel el embajador de España, Quiñones de León, Calvo Sotelo, Sofía Blasco, Niní Castellanos y otras personas más o menos allegadas. Cuando José Antonio se entera, exclama:

—Lo han matado. Dado su temperamento, la forma en que se produjo la crisis y los hechos posteriores que él ha conocido cuando ya no era presidente del Consejo han acabado con él.

Madrid se dispone a presenciar el entierro del hombre que durante casi siete años ha polarizado los afectos y los odios de España. Cierta pitonisa inoportuna publica en un periódico que el sino de Primo de Rivera estaba marcado por el número 13, y para demostrarlo, añade:

—Por encima de él, Alfonso XIII; por debajo de él, Martínez Anido, cuyas letras suman trece; su mandato ha durado seis años, cuatro meses y trece días; setenta y seis meses que sumados dan trece; su dimisión ha sido en 1930, fecha que también suma trece.

El entierro es todo un problema para el Gabinete Berenguer. Si el fin del Gobierno Primo de Rivera ha supuesto la vuelta a la normalidad constitucional; si prácticamente casi todos están de acuerdo en que la Dictadura ha sido un período felizmente acabado, ¿cómo rendir honores máximos al hombre que protagonizó tal período...?

Se estudia meticulosamente el itinerario y se evitan las calles céntricas. Se cursan órdenes a las unidades militares que acudirán al entierro. Se desea rendirle honores, pero no demasiados. Bofetada póstuma, que el muerto no recibe, pero que se adjudica para sí su hijo José Antonio.

La comitiva fúnebre recorrerá, desde la Estación del Norte, el paseo de la Virgen del Puerto, la calle de Segovia, el paseo Imperial, con desfile y despedida en la plaza de las Pirámides. En la presidencia, el infante don Fernando en representación del rey, el Gobierno en pleno y los hijos José Antonio y Miguel presidiendo el duelo familiar.

La fuerza militar de honores se integra con una sección de la Guardia Civil de Caballería, cuatro piezas del Regimiento de Artillería a Caballo, los caballos montados por el general, ensillados de gala, escuadra con banda y piquete del Regimiento de León; luego representaciones oficiales, clero con cruz alzada. A continuación, el féretro sobre un armón de artillería, escuadra y banda del Regimiento de Saboya y una Sección de Alabarderos.

No es un capítulo final. Es un primer capítulo de todo lo que, por el extrarradio y no por las calles céntricas, va pensando José Antonio Primo de Rivera, tras el cuerpo muerto de su padre.

Hay historiadores que aseguran que es en estos momentos cuando verdaderamente nace el embrión de lo que pocos años más tarde será Falange Española. La realidad es que el 2 de mayo de este 1930, el hijo del célebre general muerto acepta el cargo de vicesecretario general de la Unión Monárquica, en cuyas filas —dice Alvarez Puga en su *Historia de la Falange*— militaban muchos antiguos colaboradores de su padre. Su integración en este grupo fue más por veneración hacia la figura de su progenitor que por compartir la idea de los afiliados. Así al menos lo entiende el referido historiador.

El 17 de agosto se reúnen en el domicilio de Unión Republicana de San Sebastián los prohombres republicanos españoles. Puede considerarse como inspirador de esta reunión al Partido Socialista, con el propósito de lograr una mínima unión entre las numerosas ideologías republicanas, con vistas a actuar conjuntamente contra la Monarquía. Los reunidos son:

Alianza Republicana	Alejandro Lerroux Manuel Azaña.
Partido Radical-socialista	Marcelino Domingo. Angel Galarza. Alvaro de Albornoz.
Derecha liberal	Niceto Alcalá-Zamora. Miguel Maura.
Acción Catalana	Manuel Carrasco Formiguera.
Acción Republicana de Cataluña	Matías Mallol y Bosch.
Estat Catalá	Jaimé Ayguadé.
Federación Republicana Gallega	Santiago Casares Quiroga.
Invitados con carácter personal	Gregorio Marañón (que no asistió por hallarse ausente de España). Indalecio Prieto. Eduardo Ortega y Gasset. Felipe Sánchez Román.

Uno de los acuerdos más importantes es el de constituir un Comité Revolucionario integrado por Alcalá-Zamora, Azaña, Ayguadé, Prieto y Galarza. Pero en perfecta técnica revolucionaria, hay que tener previsto —por si este Comité es descubierto y apresado— uno de reserva, que constituirán Maura, Mallol y Sánchez Román.

Otro de los acuerdos es designar unas comisiones que deberán entrevistarse con representantes del Partido Socialista, de los militares republicanos y del Partido Comunista, así como con las organizaciones sindicales, para llegar a formar un frente único contra la monarquía.

Poco después se da a la luz el famoso *manifiesto revolucionario*, que revuelve a gran parte del país y que ocasiona el encarcelamiento de la mayoría de sus firmantes.

El grupo dirigente ha crecido desde agosto a diciembre y el manifiesto figura con las firmas de Alcalá-Zamora, Lerroux, Fernando de los Ríos, Azaña, Casares-Quiroga, Prieto, Maura, Largo Caballero, Marcelino Domingo, Albornoz, Nicolau D'Olwer y Martínez Barrio. En realidad, los republicanos ya tienen en este último mes de 1930 dispuesto su equipo ministerial, en la forma siguiente:

Presidencia	Alcalá-Zamora.
Gobernación	Maura.
Guerra	Azaña.
Gracia y Justicia	De los Ríos.
Instrucción Pública	Domingo.
Economía	D'Olwer.
Estado	Lerroux.
Hacienda	Prieto.
Marina	Casares Quiroga.
Trabajo	Largo Caballero.
Fomento	Albornoz.
Comunicaciones	Martínez Barrio.

Capítulo 17. MADRID BAJO LAS BOMBAS (año 1930). Berenguer se equivoca. Benavente, republicano. Reorganización ministerial. Un entierro dramático. El rey visita los cuarteles. Sublevación de Jaca. Sublevación de Cuatro Vientos. Aviones con bombas sobre Madrid. Queipo de Llano y Ramón Franco. Fusilamiento de Galán y García Hernández. Romance del capitán Galán. La artillería de Campamento. Fallan los paisanos. La columna Orgaz.

Las libertades restringidas que están conociéndose desde la ascensión al poder del Gabinete Berenguer permiten la inauguración del monumento a Pablo Iglesias, en el cementerio civil madrileño. Un mes después, el jefe del Gobierno, en ocasión de unas declaraciones a los periodistas, dice:

—**España no es republicana. En el campo no existe en absoluto el republicanismo y en las ciudades existe menos de lo que muchos creen. La inmensa mayoría de la nación es monárquica. De eso estoy completamente convencido. Si viniera la República, en este despacho en que estamos estaría el general A o el general B.**

Al día siguiente escribe Ramiro de Maeztu:

"Hay que desechar las ideas trasnochadas, tales como la del sufragio universal."

Como se ve, los hombres representativos del monarquismo de 1930 tienen una idea bastante equivocada de lo que es —con razón o sin ella— la realidad nacional. Desear que continúe la Monarquía y odiar el sistema republicano es una cosa, y admitir que la inmensa mayoría de los votantes desea la caída del régimen real es otra.

Once meses después —como veremos oportunamente y con todo género de detalles—, las palabras de Berenguer y la sentencia de Maeztu tienen una respuesta rotunda, con mayorías republicanas, que el propio rey Alfonso XIII no ha de dudar en calificar de aplastantes.

En un acto en el Coliseo Pardiñas, Jacinto Benavente lee unas cuartillas hábiles, en las que dice —sin decir— todo lo que puede en contra de la Monarquía. Termina así:

"... Y ahora, en terreno más práctico —mientras llega el día—, procuremos todos, cada uno en la medida de nuestras fuerzas y nuestras capacidades, trabajar por la instrucción, la cultura, la educación del proletariado."

Ya en noviembre, nuevos sucesos luctuosos vienen a ennegrecer el horizonte madrileño. Con ocasión del entierro de los obreros muertos en la casa hundida en la calle de Alonso Cano, se escuchan gritos primero contra los arquitectos del edificio, luego contra la empresa constructora, después contra el Gobierno, por último contra la Monarquía, contra el rey. La Policía da una carga contra los que ya airadamente se han convertido en manifestantes irritados: sablazos, disparos, pedradas, golpes... Al final, tres muertos y numerosos heridos.

Las actitudes se enconan: al día siguiente, huelga general en Madrid. El Gobierno dispone que el entierro de las víctimas de estos sucesos se realice en el cementerio, sin séquito ni solemnidad alguna. La clase obrera recibe esto como una afrenta más. La huelga general se extiende a Barcelona, a Valencia, a Cádiz, a muchas provincias más, donde menudean también las manifestaciones, los encuentros con la policía, los muertos y los heridos. El Gabinete registra una crisis parcial y tres nuevos nombres entran a renovar el equipo ministerial, Matos, Estrada y Montes Jovellar.

«El 8 de noviembre —dice Gutiérrez Ravé— inició S. M. el rey una visita a los cuarteles de Madrid, comenzando por el de Intendencia, en los Docks. Allí revistó las fuerzas, que formaron en su honor, y recorrió detenidamente todos los pabellones, talleres y los hornos, examinando y probando muestras de las diversas piezas de pan que se fabricaban.

»En la sala de estandartes se dirigió familiarmente a los jefes y oficiales, felicitándoles por la labor que realizaban, tanto colectiva como individualmente, por España, por el Ejército y por el Cuerpo de Intendencia.

»Recordó que era ésta la segunda vez que visitaba el edificio y que la primera lo había hecho en compañía de su augusta madre. Exhortó a todos a continuar laborando como lo hacían, y expuso la satisfacción gratísima que se llevaba de su visita. El día 12 visitó el cuartel de Wad-Ras, y en el cuarto de banderas, el coronel, don Emilio de las Casas, le renovó la adhesión de todos.

»El rey dijo que siempre había tenido predilecto amor por el 50 de línea, el glorioso Wad-Ras; pero que este cariño no podía por menos de aumentarse después de haberlo visto con detalle y haber podido apreciar el caudal de entusiasmo y de laboriosidad que significaba la perfección observada en todos los locales.

»En tono de camaradería alabó luego el estado de instrucción de los reclutas, pese a los pocos días que llevaban de enseñanza, y terminó encargando al coronel Casas que hiciera constar en la orden del Cuerpo su grata impresión.

»El día 21 visitó el rey el Regimiento 1.º Ligero de Artillería, que tiene su cuartel en Getafe, felicitando al coronel Orozco y demás jefes y oficiales por su labor, y el 24 estuvo en el cuartel del Conde Duque, donde se alojaba la Sección de Automovilismo del Regimiento de Radiotelegrafía. Aquí felicitó al coronel Gil Clemente, para que lo hiciera constar en la Orden del Regimiento, e hizo que se cursara un radio de saludo al Ejército de Africa.

»El día 25 estuvo el Monarca en la Escuela de Tiro de Infantería, con campamento en Carabanchel, donde el coronel Abriat le expresó la satisfacción de todos por la visita, renovándole su adhesión inquebrantable.

»En fechas posteriores visitó el monarca otros cuarteles, y el día 28 el Casino de Clases, en el que dirigió la palabra a los concurrentes, que le ovacionaron largamente.»

El 26 de este mismo noviembre se ha producido un hecho novelesco y sorprendente: la escapatoria de Ramón Franco de Prisiones Militares. Pero como de esto hay numerosas versiones, es aconsejable leer al principal protagonista. El propio Ramón Franco, en su libro *Madrid bajo las bombas*, páginas 137 a 144, lo relata así:

"Era la noche del sábado. La calle del Rosario estaba muy concurrida por gente trasnochadora. A la una y cuarto pasaron, como de costumbre las dos parejas de la Guardia Civil que hacían su servicio. El centinela dormitaba dentro de su garita. Por primera vez en todo el invierno una espesa niebla descendía hasta el pavimento.

"El Ayuntamiento de Madrid, ávido de economías, apagaba en estas horas un farol sí y el otro no, y era precisamente el farol vecino a nuestra ventana el que sufría los rigores económicos. Madrid quedaba peor alumbrado que cualquier pueblo de una lejana provincia, favoreciendo robos y atracos, ya que la Policía dedicaba toda su actividad a molestar y perseguir a las personas decentes por sus ideas republicanas.

"A las dos, hora señalada para la llegada de Rada, la panadería descansaba. Un cuarto de hora más tarde comenzaba de nuevo la tarea. Llegó Rada a la hora exacta. Detuvo el coche entre la ventana y el centinela, con los faros encendidos. Le acompañaba el hermano de Alfonso Reyes, capitán de Inválidos, que con gran emoción cooperaba a nuestra fuga. Lanzamos el pañuelo con el escrito, y no fue visto. Preparamos un nuevo pañuelo, que esta vez fue recogido, y sirvió para encontrar el primero. Rada levantó el capot del motor e hizo que éste produjera un fuerte ruido. Sacó las herramientas, como simulando una avería. El centinela miraba con curiosidad la maniobra.

"Alfonso Reyes y yo estábamos pesarosos de nuestra decisión anterior, pues era imposible encontrar una noche más apropiada para la fuga.

"Rada se acercó al centinela y le pidió una cerilla. Este le dijo que no tenía, pero que podía pedirla en la vecina panadería. Aprovechó este momento para comprobar que el centinela, deslumbrado por los faros, no veía nada de lo que pasaba detrás del coche.

"El ruido del motor despertó a los vecinos, que se asomaron a las ventanas, alarmados.

Esto nos sirvió de ensayo para rectificar la hora y los detalles sobre la proyectada evasión. Debíamos fugarnos más tarde, cuando el ruido del motor de la panadería reanudara su monótona canción, mientras que, por el contrario, el coche debía hacer el menor ruido posible y colocarse más cerca de la ventana.

"Unos grupos de paisanos, armados con pistolas y bombas de mano, vigilaban las puertas de prisiones y del cuartel, para evitar que una alarma imprevista hiciera fracasar la fuga.

"En la mañana del día siguiente, domingo 24, me informaron que la orden de traslado seguía en pie, y en vista de ello decidí fugarme la misma noche.

"La misa se celebró en la capilla con la tranquilidad de siempre.

"A mediodía le transmití a Rada las órdenes para aquella noche, a las dos y media, poniendo previamente de acuerdo nuestros relojes. Las horas pasaban lentamente. Las visitas de la tarde se me hicieron insoportables. Con mi familia, y bajo pretexto de mi traslado, saqué de Prisiones todo mi equipaje.

"Nuestros trabajos nocturnos, que hacíamos descalzos para amortiguar el ruido de nuestros pasos, nos producían frecuentes catarros. Esta noche, desde muy temprano, comenzamos a maniobrar. En los bolsillos metimos toda clase de objetos y las herramientas de que nos habíamos servido. No olvidamos tampoco las bombas y pistolas que teníamos escondidas debajo del altar. Terminamos de cortar el barrote por uno de los lados; por el otro estaba ya casi cortado. Creímos que con sólo tirar de él se quebraría. No fue así. Se dejó arrancar antes que romperse.

"Con mucho cuidado le dejé en la alacena de mi cuarto, entre unos periódicos.

"Por no poderlos llevar encima dejé en la celda un buen cuchillo de cocina, la vajilla, parte del tabaco, una botella de coñac y un "putching" de boxeo.

"Humorísticamente dejé escrita una cuartilla con mi testamento presidiario. Al coronel y al oficial de servicio les dejaba "un paquete", lo que en el "argot" militar significa un arresto.

"La casualidad hizo que el oficial carcelero fuera el mismo de la bronca anterior, lo que nos proporcionó la pequeña satisfacción de la venganza, unida a la grande de conquistar nuestra libertad.

"Sujetamos la cuerda a los barrotes y la preparamos con cuidado para lanzarla al exterior. Dejamos unas cartas de despedida a nuestros compañeros, que dormían a pierna suelta y sin sospechar lo que iba a ocurrir. Uno sólo estaba despierto, el de la celda número 16, y esto nos obligaba a emplear un gran sigilo en nuestras maniobras. Cuando nos marchamos creo que todavía estaba despierto. Sobre él cayeron algunas maldiciones. Reyes no quería perder su reloj despertador y le metió en el bolsillo. Cuando pasaba cerca del preso número 16, comenzó a sonar el timbre del despertador escandalosamente. Pasamos un gran susto, que se convirtió después en una risa irresistible.

"Por el hueco del barrote sacábamos todo el busto a fin de espiar la calle. Como era domingo, el público transitó hasta muy tarde. La niebla no quiso ayudar nuestra fuga, y en esta noche no apareció. Yo no quería marchar sin despedirme, y escribí dos cartas, una al coronel de la prisión, agradeciéndole sus atenciones y rogándole que tratara mejor y más humanamente a los presos de tropa, y otra al general Berenguer, cuya copia puede verse a continuación, y que en forma clandestina circuló por toda España:

CARTA AL GENERAL BERENGUER

«Excelentísimo Sr. D. Dámaso Berenguer.

»No he perdido ningún territorio ni he producido por ineptitud la muerte de 10.000 españoles.

»Confié en sus palabras cuando vino a restablecer la Constitución en todas sus partes. No fue esto lo que hizo, sino solamente salvar a la Monarquía, haciendo caso omiso del sentir popular, hoy más oprimido que nunca.

»Los que de corazón somos liberales sentimos sonrojo al ver la libertad escarnecida y pisoteada. Me habéis encerrado en una jaula de hierro, sin pensar que los gorriones mueren dentro de las jaulas, y pensando en su ofuscación que era de la misma naturaleza que usted, que vivió encantado en una jaula de oro.

»Por salir en defensa de la libertad ciudadana me tuvisteis aprisionado, pero nunca amordazado. Mi pensamiento vuela más alto que toda la gloria que para España ganó el «Plus Ultra». Poco a poco el pájaro rebelde, con su pico, ha quebrado los barrotes de hierro, y todo el orín de los mismos lo ha lanzado al viento para que sirva de ejemplo al país, que está anhelando romper sus cadenas.

»Hoy soy yunque y usted martillo; día vendrá en que usted sea yunque y yo martillo pilón.

»Mientras tanto, no olvide que a la libertad he entregado mi vida y que sólo a ella he de servir.

»Si para ello tuviera que ponerme frente a mis amigos de hoy, también lo haría, cumpliendo un penoso deber.

»Salgo de Prisiones por la puerta grande, que es la del sacrificio por un ideal. Creo que en estos momentos mi papel se desarrollará en el extranjero.

»Allí intento ir. Si caigo, no importa; mi nombre pasará al marti-

rologio de la libertad. ¿No envidia usted mi camino recto, cuando el
suyo se aparta cada día más de la senda liberal?

»*Deseo que siga usted cosechando desaciertos en su tortuoso ca-*
mino de gobernar.

»*Que Dios guarde su vida.*

»*Ramón Franco.*

»*Cavernas militares, 26 de noviembre de 1930.*»

"Los momentos eran cada vez más emocionantes. A las dos y cuarto empezó el trabajo de la panadería. A las dos y media en punto llegó el coche, parándose delante de la ventana y encandilando con sus faros al centinela. Este debía pertenecer a las fuerzas recién llegadas a Madrid, y en vez de dormitar en la garita, paseaba garbosamente con el fusil al hombro. Parecía poco satisfecho de la presencia del coche y luchaba por mirar por un lado y otro de la garita, a través de la zona luminosa.

"Desde nuestra ventana se le veía mirar, y parecía imposible que no viese la cuerda que en aquel momento pendía hasta cerca de la calle.

"Pablo Rada descendió del coche, que dejó con el motor en marcha, se acercó al centinela y le pidió una cerilla; al decir éste que no tenía, entró en la vecina panadería y pidió unas tenazas para reparar una avería, pues la noche anterior ya había pedido cerillas. Todo esto era con objeto de estar cerca del centinela e impedir que hiciera fuego contra nosotros, si se daba cuenta de nuestras intenciones. Mientras tanto, Reyes, el inválido, que lo acompañaba, estaba detrás del coche para detener a todo transeúnte que intentara pasar en aquel momento.

"Sacando los pies a través de la abertura de la reja pasé fácilmente por la misma. Había intentado salir de cabeza y me di cuenta que no era posible. Llevaba en la boca una pequeña pipa, mascota que me acompañaba en todas mis empresas. También había hecho conmigo el vuelo a Buenos Aires.

"Dos o tres brazas por debajo de la ventana la cuerda estaba toda liada, y no tuve más remedio que suspenderme con una mano, mientras con la otra desenredaba aquélla. Estaba en esta faena cuando Reyes comenzó el descenso, cayendo sobre mi cabeza. Tuve que agarrarme fuerte y decirle que se aguantara; pero como tenía la pipa en la boca se me cayó a la calle, perdiéndola con gran pena.

"No pude aguantar el peso de Reyes; la cuerda se deslió de golpe y yo caí rápidamente, deslizándome por aquélla, sin recobrar el control de mi descenso, hasta que tropecé violentamente con el pavimento. La incesante gimnasia hecha en Prisiones me había salvado del descalabro. Los gruesos guantes que llevaba me evitaron perder la piel de las manos. Pocos segundos después llegaba Reyes a mi lado, recogíamos la cuerda —para evitar que se ahorcara con ella el coronel—, y nos metimos en el coche, apagando los faros. Cuando Rada salía de la panadería con las tenazas, la difícil maniobra estaba ya concluida."

En la tarde del 12 de diciembre, Madrid se estremece ante un rumor que minuto a minuto va cobrando importancia y carácter de veracidad: en Jaca, población de la provincia de Huesca, se ha sublevado la guarnición al grito de «¡Viva la República!» Parece ser que también se registran brotes de rebelión en distintos puntos del país. El Gobierno restablece automáticamente la censura de prensa y da a los periódicos y a las dos emisoras de radio madrileñas una nota oficial sobre los acontecimientos:

> **"Esta mañana, parte de la guarnición de Jaca, unida a elementos extraños, adoptó una actitud de franca rebeldía. La negativa que para secundarla han opuesto los jefes militares de mayor graduación, las autoridades, la guardia civil y los carabineros, originó una colisión que obligó al alcalde, con los carabineros y guardias civiles, a replegarse al cuartel de éstos. Los sublevados requisaron los automóviles y camiones que hallaron a mano y a primeras horas de esta tarde emprendieron su marcha hacia Huesca. habiéndoles cerrado el paso en el camino fuerzas de la guardia civil y carabineros concentrados en el desfiladero de Ayerbe..."**

En el curso de la noche y de la mañana siguiente, Madrid va conociendo algunos detalles más. El general Lasheras, gobernador militar de Huesca, ha resultado herido en un brazo. Un capitán de la Guardia Civil y un número han resultado muertos. La lucha se ha decidido a favor de las fuerzas leales al Gobierno. Varios militares comprometidos en la sublevación vacilaron en el último momento y no se unieron a ella.

La rebeldía de Jaca ha sido dirigida por los capitanes Galán, García Hernández y Sediles, que han sido detenidos en unión de otros quinientos suboficiales y soldados rebeldes. Se declara el estado de guerra en diversas provincias. El 13, a medio día, se sabe ya, además, que el capitán Galán es soltero y tiene treinta y un años y que García Hernández es casado y tiene treinta años. Se dice que van a ser juzgados sumarísimamente y fusilados. La inmensa masa republicana comienza a tejer en torno a ambos una natural aureola de heroísmo y de ejemplo.

Pero lo de Jaca no ha sido un chispazo aislado. El Gabinete Berenguer tiene conocimiento de brotes de rebelión por todo el territorio nacional, y, lo que es peor, de sublevaciones detalladamente preparadas, pero que todavía no han estallado. La mañana del 14 transcurre, no obstante, tranquila en Madrid. La gente lee ávidamente los periódicos y escucha la radio esperando algo más grande, algo más trascendente que ese *acto de indisciplina* de la provincia de Huesca. Mientras tanto, el consejo de guerra formado a toda prisa en Huesca condena a la pena de muerte a Galán y García Hernández.

Inmediatamente se registran dos reacciones completamente distintas en las personas comprometidas en la rebelión: unas se acobardan y disimulan como pueden su identificación con los rebeldes; otras, por el contrario, se consideran responsables de la muerte de sus dos correligionarios, por no haberse sublevado también a tiempo.

Al amanecer del día siguiente se produce la sublevación del aerodromo militar de Cuatro Vientos. La versión del propio jefe del Gobierno dice lo siguiente:

"Aproximadamente a las siete de la mañana recibí recado telefónico de la Capitanía General y de la Dirección General de Seguridad, en que se me daba cuenta del levantamiento de Cuatro Vientos, sin que se tuvieran noticias de que el movimiento se hubiera extendido a otras dependencias militares de la plaza.

"En contacto con las autoridades militares y comprobada la falta de comunicación con Cuatro Vientos, que confirmaba que allí ocurría algo anormal, se tomaron las medidas conducentes a hacer frente a la situación en sus peores consecuencias, disponiéndose la formación de una columna en el Campamento de Carabanchel, inmediato a aquel aerodromo, que a las órdenes del general Orgaz había de marchar sobre él para reducirlo.

"Hacia las ocho y media de la mañana comenzaron a volar sobre la capital algunos aviones rebeldes, arrojando proclamas y octavillas revolucionarias.

"A poco llegaron a Buenavista todos los ministros, a quienes se había dado aviso de lo que ocurría. Reunido el Gobierno, se acordó la declaración del estado de guerra en toda España, en vista de la extensión que iban formando los movimientos de huelga y los actos de agresión a la fuerza pública.

"La mañana transcurría en la expectación natural, dada la gravedad de los acontecimientos. De provincias no venían noticias que pudieran alarmar; tampoco la seguridad de que las cosas no se complicarían. No obstante, lo que acontecía en Madrid podía ser de trascendental importancia para arrastrar a otros a la revuelta. En Madrid mismo, a esa hora temprana, no podíamos tener la seguridad de que el movimiento no se extendiera, aunque las primeras impresiones eran tranquilizadoras. Las tropas del Campamento de Carabanchel estaban organizándose para marchar sobre Cuatro Vientos; aún no había tiempo material para que hubieran podido actuar. ¿Nos estaba reservada alguna sorpresa desagradable al emplearlas...?

"Lo que más enervaba el ambiente eran los vuelos de los aparatos rebeldes; la población entera los seguía con curiosidad, sin expresar temor alguno al peligro que representaban de una agresión desde el aire. El Gobierno tenía algunas garantías de que no podría ocurrir por las órdenes dadas a los Parques de Artillería respecto al almacenaje de municiones.

"Había que limitar la acción de los aviones rebeldes actuando también desde el aire. El jefe del aerodromo de Getafe, que ya se había incorporado a su puesto, estaba en contacto con el Ministerio y nos había dado cuenta de que su personal permanecía leal. Se le dio orden para que salieran algunos aparatos, con personal de confianza, para dar caza a los aviones rebeldes que sobre la población estaban volando y arrojarlos del cielo de Madrid.

"Hacia las nueve y media salieron dos aviones de Getafe, que, ciñendo de cerca al único avión que entonces volaba sobre la capital, lo obligaron a retirarse a Cuatro Vientos.

"No fue éste el primer vuelo que hacían los aviones de Getafe: según dio cuenta después el jefe de aquel aerodromo, también habían volado otros dos aparatos: "uno para observar desde el aire, y otro con instrucciones de tomar tierra, si lo veía factible, en Cuatro Vientos, e informarse. Ambos regresaron cumplido su cometido: el último con noticias concretas del personal sublevado y dando cuenta de la mucha desorganización que allí había."

"Cerca ya de las diez volvieron a volar los aparatos rebeldes sobre la capital. Se dio entonces orden a Getafe para que salieran los aparatos y procedieran a batirlos con ametralladoras.

"Poco después de las once comunicaba a Guerra el jefe de Getafe: "Que los oficiales a sus órdenes, aun cuando nada hayan de hacer contra el Gobierno, desean no tener que ejercer acción alguna contra sus compañeros de Aviación, dando palabra de que no se sumarán a los rebeldes."

"A poco llegaba la noticia de la ocupación de Cuatro Vientos por las tropas del general Orgaz, que vino oportunamente a resolver la desconcertante situación que la actitud de los aviadores de Getafe nos planteaba."

Esto dice el general Berenguer en las páginas 247 a 250 de su libro *De la Dictadura a la República,* editado por Plus Ultra, Madrid. Y líneas más adelante explica cómo se desarrollaron los acontecimientos en el interior del aerodromo de Cuatro Vientos:

"Poco después de las seis de la mañana se presentó en Cuatro Vientos un auto en el que iban dos jefes de escuadra de los que allí prestaban servicio con otros varios oficiales, la mayoría de Aviación. Reconocidos por el centinela como jefes y oficiales del servicio, les abrió la puerta y pasaron directamente al pabellón de oficiales, desde donde llamaron por teléfono al oficial de guardia. Este se presentó a los pocos momentos, dándoles las novedades, siendo entonces desarmado por sorpresa por los recién llegados y recluido. Acto seguido hicieron lo mismo con el sargento de guardia y con la tropa de servicio.

"Reducida la guardia, se dirigieron al pabellón donde se alojan los oficiales que por estar de servicio o habitar en Cuatro Vientos, allí tienen sus habitaciones. Trataron de convencerlos diciéndoles que se había sublevado toda la guarnición, sin conseguir que se les unieran más que dos de ellos; el resto, siete, entre los cuales un jefe, fueron sacados de sus habitaciones y encerrados en los cuartos de corrección para la tropa.

"Seguidamente, uno de los jefes rebeldes se dirigió al dormitorio de la escuela de mecánicos, y haciéndoles levantar les dijo que toda la guarnición de Madrid y las del resto de España habían proclamado la República, y que para evitar efusión de sangre estaban todos obligados a unirse al movimiento. Los mecánicos aceptaron y después de armados los trasladaron al patio central.

"A continuación, otros jefes y oficiales, cuyo número había ya aumentado por la llegada de otros autos al aerodromo, hicieron lo propio en los otros dormitorios de la tropa, arrastrando a la rebelión a los que en ellos se encontraban, coaccionados por la actitud de la compañía de mecánicos.

"Entretanto dieron entrada al aerodromo a todo el personal de paisanos preparados al efecto y posteriormente al personal de obreros de talleres, conminándoles a tomar las armas, con lo que consiguieron formar un grupo seguramente superior a un millar de hombres.

"A medida que iban llegando los ómnibus de oficiales y personal de empleados que concurrían a su hora habitual de servicio, eran coaccionados en igual forma, y los que se negaban eran encerrados en los cuartos de corrección, y llenos éstos, en el pabellón de oficiales. En total, unos veinte oficiales solamente formaban el núcleo de los que favorecían la sublevación, algunos de ellos ajenos al Arma de Aviación.

"Disponiendo de la radio del aerodromo, cuyo personal era favorable al movimiento, lanzaron proclamas a todas las estaciones, dando noticias falsas sobre el alcance y extensión de la rebelión. Al mismo tiempo salieron en vuelo sobre Madrid varios aparatos para lanzar partes y octavillas excitando a la rebeldía, volando en diferentes veces hasta unos ocho o diez aparatos.

"En el aerodromo reinaba la más absoluta desorganización, sin que se concretaran decisiones ni órdenes, comenzando a apoderarse el desaliento de la mayoría al ver que no se notaba ningún movimiento de apoyo de parte de las tropas del Campamento de Carabanchel ni se recibían noticias de sublevación en otras localidades.

"Avanzada la mañana, aislados de todo contacto con el exterior y sin que aparecieran los apoyos de que les habían hablado los iniciadores del movimiento, empezó a decaer la moral en todos, incluso en los jefes, que ya comenzaban a darse cuenta de que la cosa estaba perdida, empezando a cambiar impresiones entre ellos sobre lo que procedía hacer, dado que todo aconsejaba abandonar la empresa.

"En esta situación de incertidumbre se encontraba en una de las explanadas del aerodromo, formando un pequeño grupo los jefes principales del movimiento, cuando se acercó un soldado y dijo a Ramón Franco que en Campamento estaban emplazando la artillería para batir el aerodromo. La noticia de que los artilleros tampoco reaccionaban en su favor y que se disponían a batirlos determinó la desmoralización de todos. Se vio discutir calurosamente al grupo que formaban los jefes de la rebelión. Poco después, uno de ellos, el aviador más caracterizado, dijo: Hay que marcharse porque dentro de poco será tarde ya.

"Antes de que rompiera el fuego la artillería del Campamento despegaron del aerodromo tres aparatos con los principales cabecillas de la revuelta, a lo que siguió la huida a campo traviesa de muchos de los que en el aerodromo se encontraban, en tanto que otros procedían a poner orden en los ánimos y disponerlo todo para la entrega. Al sonar el primer cañonazo de las baterías se izó la bandera blanca, saliendo un oficial para parlamentar con las tropas leales. Poco después tomaba posesión de Cuatro Vientos el general Orgaz con las fuerzas leales. Eran las doce y cuarto de la mañana."

Esta es la versión del general Berenguer, jefe del Gobierno. La imparcialidad de esta HISTORIA DE MADRID desea ofrecer ahora la narración de los mismos hechos escrita por uno de sus principales intérpretes, el comandante Ramón Franco, segundo jefe de la sublevación, de la que era primero el general Queipo de Llano. En su libro *Madrid bajo las bombas*, página 165 y siguientes, editado por Zeus, Madrid, Ramón Franco dice:

"A las cinco de la mañana, hora señalada para la marcha, salimos de casa de González Gil, en dos coches, varios oficiales, vestidos de uniforme, además de Rada y algún otro familiar y el jefe del grupo de los paisanos que habían de esperarnos en el aerodromo Loring.

"Como los coches habían rodado toda la noche en busca de nuestros amigos, uno de aquéllos se quedó sin gasolina en la calle de Alberto Aguilera, lo que pudo comprometer la expedición, pues sin duda debíamos de llamar la atención a tales horas y en días de alarma e inquietud.

"Mientras el coche fue a cargar gasolina, nos quedamos paseando en la oscuridad de una calle próxima. Reanudamos el viaje sin incidentes. Pasamos por las inmediaciones de la Cárcel Modelo, por el Cuartel de la Montaña, por el Puente de Segovia y por la carretera de Extremadura sin que se notaran precauciones anormales. Nadie nos dio el alto ni se fijó en nosotros.

"Llegamos al aerodromo; entraron en él directamente Pastor y González Gil, mientras los demás nos ocultábamos tras unas tapias, esperando un aviso.

"El grupo de paisanos no apareció por parte alguna. Esta fue una de las primeras defecciones que me sorprendió. Otro grupo, que debía impedir el paso por el Puente de Segovia, tampoco lo hizo, sin que hasta la fecha haya podido aclarar los motivos.

"Viendo que del aerodromo no salían a buscarnos entramos Rexach y yo. Nos dirigimos a las compañías, donde llegamos a tiempo de levantar a la tropa de Aviación y a los mecánicos con González Gil y otros oficiales.

"Les dijimos que la República se estaba proclamando en toda España; que en Madrid también la íbamos a proclamar, pero que necesitábamos luchar con otras fuerzas. Si alguno no era republicano, o no se sentía con ánimos para dar su sangre por la República, que se quedara, pues no queríamos obligar a nadie.

"Respondieron con gran entusiasmo a nuestra llamada y ni uno solo quedó en el dormitorio. Vivas a la República, mueras al rey y vivas a los oficiales allí presentes fueron la primera manifestación de su entusiasmo.

"Cuando salían a formar y les distribuimos el armamento y las escasas municiones que había, llegaban al aerodromo los demás oficiales comprometidos. Entre ellos estaba el general Queipo de Llano, de uniforme, acompañado de otro jefe que vestía una guayabera de Caballería y un sombrero de estilo mejicano.

"Este día ni la guardia era nuestra, ni el jefe de día y capitán de día tampoco, ni lo eran algunos oficiales que dormían en el aerodromo. Con gran pena, por la violencia que cometíamos con queridos compañeros nuestros, no tuvimos más remedio que encerrarlos y ponerles una guardia. Uno de ellos, F. F., se mostró decidido a unirse a nosotros y conservó su libertad. Ello motivó que Rexach y yo, emocionados, le diéramos la mano a hiciéramos las paces con él; después no volvimos a verle.

"Una vez formadas las fuerzas fuimos a sublevar una compañía de Ferrocarriles Militares, cercana al aerodromo, para sumar sus hombres a los nuestros.

"En cocheras había varios camiones. Como en el aerodromo no había bombas de aviación, tuvimos que enviar dos camiones a buscarlas a Retamares, a algunos kilómetros de Cuatro Vientos. Collar fue el encargado de hacerlo marchando con los dos camiones y unos cincuenta hombres al polvorín, y obteniéndolas sin gran violencia. Allí requisaron otro camión y con los tres bien cargados regresó al aerodromo.

"La estación de radio de Cuatro Vientos empezó entonces a lanzar despachos con la proclamación de la República en España, para levantar el espíritu en muchas provincias, avisos que en alguna posesión española produjeron un gracioso incidente.

"En el aerodromo no había proclamas revolucionarias y había que hacerlas. En la pequeña imprenta del mismo se hicieron varios miles de ejemplares. En las proximidades de Madrid teníamos otras doscientas mil dirigidas a los soldados, y enviamos un coche a recogerlas.

"Cuando el coche llegó ya hacía un gran rato que la radio daba la noticia de nuestra sublevación y fue verdaderamente extraño que no lo detuvieran. Serían las ocho de la mañana cuando volaron los primeros aviones sobre Madrid, primero sin proclamas, después con ellas. Las bombas no estuvieron en condiciones hasta las diez de la mañana. Como emblema revolucionario pintamos en los aviones la escarapela roja, con la que más tarde llegamos a Portugal.

"A primera hora llegó al aerodromo un taxi con unas señoritas que iban a volar. A cada momento llegaban tranvías con personal obrero del mismo. Esto era muy extraño. La explicación fue que en Madrid no se había proclamado la huelga general y reinaba la mayor tranquilidad. Esto mismo observaron los primeros aviadores que volaron sobre Madrid. Las calles estaban animadas, circulando toda clase de vehículos. Los cuarteles también estaban tranquilos. No cabía duda: éramos los únicos que respondíamos a nuestros compañeros de Jaca, y estábamos abandonados a nuestras propias fuerzas.

"Ya tarde, la columna se puso en marcha, al mando del general Queipo de Llano. Este iba acompañado por oficiales de bandera en cuestiones guerreras. Carretera adelante, al frente de las fuerzas, llegaron cerca de Campamento. Detuvieron a dos oficiales de Caballería que iban de paseo. Estos informaron al general que en Madrid reinaba la mayor tranquilidad.

"Mientras tanto, por el campo de tiro avanzaban unos carros militares. Un brillante oficial republicano, al mando de una Sección, se encargó de apresarlos. Iban al mando del suboficial de Húsares de Pavía, don Manuel Silva Alvarez. No hicieron la menor resistencia. Al suboficial lo condujo de la brida (!) un soldado de Aviación, con el fusil en bandolera. Con el personal de los carros se mezclaron algunos soldados de Aviación, y en esta forma entraron en el aeródromo. En los carros iban municiones de fusil, pues aquel día el Regimiento de Caballería debía hacer ejercicios de tiro. Estas municiones eran como una gota de agua que había de calmar la sed que de ellas teníamos. Yo estaba en el aeródromo y presencié la entrada de aquella caravana. Los soldados de Caballería, mezclados a los de Aviación, daban estruenduosos vivas a la República y el suboficial Silva se resignaba a ser conducido por un joven soldado de Aviación, sin hacer el menor gesto de rebeldía.

"Llegan las bombas y en contra de la opinión de algunos, que ya lo dan todo por perdido, salgo decidido a bombardear el Palacio Real. Me acompaña Rada, que se encarga de hacer el bombardeo. Llegamos sobre Palacio. Hay dos coches en la puerta. En la plaza de Oriente y explanadas juegan numerosos niños. Las calles tienen su animación habitual. Paso sobre la vertical del Palacio, dispuesto a bombardear, y veo la imposibilidad de hacerlo sin producir víctimas inocentes. Paso y repaso de nuevo, y la gente sigue tranquila, sin abandonar el peligroso lugar. Doy una vuelta por Madrid, regreso a Palacio y no me decido a hacer el bombardeo. Si llevara un buen observador precisaría uno de los patios interiores, pero Rada no es más que un aficionado y no puedo responder del lugar donde caerán nuestros proyectiles."

Lo demás, el fracaso del movimiento republicano, la huida a Portugal, el apresamiento de los oficiales que no pudieron escapar pertenece ya a la crónica siguiente, recordada o leída por casi todos los españoles en alguna ocasión. El capítulo *Cuatro Vientos* ha terminado. De todas formas, Madrid continúa acercándose a una de las fechas clave de su historia: la del 14 de abril de 1931.

Mientras tanto, como una estela romántica del alzamiento, queda en labios de no poca gente el llamado *romancillo del capitán Galán*, cuya letra se ampara en una música muy conocida:

¿Dónde vas, niña bonita
con esa cara de abril?

—Voy corriendo a mi ventana
que el capitán va a venir.

—No corras entonces, niña,
que esta noche no vendrá
diciéndole a los soldados
que consiguió levantar,
al salir para la guerra,
palabras de amor y paz.

Cada palabra una rosa
de sangre semejará.
¡Cada palabra una gota
del corazón de Galán!

Tú llevarás la bandera.
A mí al airón darme ya.
Lo tejí con fina seda
y fue mi trenza el torzal,
dice la niña que llora
cuando las tropas se van.

Ventanas que ya no escuchan
palabras de enamorar,
rejas tristes y calladas,
¿sabéis algo de Galán?
¿Va por los montes huido?
¿Hizo a sus tropas triunfar?
¿Lo tienen preso y se juntan
a formarle tribunal?

¿Dónde vas como la Virgen
tallada en blanco marfil?
Voy a ponerme de luto
que ya sé que lo perdí.

Capítulo 18. TODO A 0,65´ (año 1931). Reorganización urbana de Madrid. La gripe se llama **aúpa**. El ladrón-barbero. Muerte y semblanza de Enrique García Alvarez. Los precios de 1931. **Madrid-París** y el **todo a 0,65.** Reapertura del Ateneo. Un programa de radio. **Horrible drama de celos.** Lo que come Madrid. Máquinas tragaperras. Los jornales de los **chauffeurs.** Estadísticas nacionales. Los deportes. Más sobre las propinas.

En enero de 1931 se hace público un valiente proyecto, con sus más y sus menos de razón, para organizar y descongestionar Madrid. Según él, se crearán dos nuevas zonas de residencia obrera, una en la parte derecha del río Manzanares y otra en lo más alto del Puente de Vallecas, entre la barriada y el pueblo del mismo nombre. En la margen izquierda del río, es decir, separada de la zona de residencia obrera antes citada por el curso del agua, comunicada por un nuevo puente, se establecerá la llamada Zona Industrial del Sur.

Cuatro Vientos y Carabanchel Bajo quedarán clasificados definitivamente como Zona Militar. Cerca de Barajas se construirá un inmenso parque de deportes, con terrenos para todas las especialidades, y el centro de la ciudad se considerará como Zona Comercial.

El Barrio de Salamanca, Argüelles y otros quedan como Zona Residencial para clases medias y altas, si bien el proyecto no deja esto excesivamente claro. Los puentes de Segovia y de Toledo quedarán prohibidos al tránsito rodado, siendo de exclusiva utilización de los peatones. No deja de ser audaz exponer todo esto a la población madrileña de enero de 1931.

Las feas e incómodas partes exteriores de las estaciones del «metro» de la Red de San Luis y la Puerta del Sol deben desaparecer en un plazo corto. Se suprimirán las Sacramentales, unificando el servicio en un solo cementerio, el de la Almudena, agrandado, embellecido, cuyos jardines vendrán casi a encontrarse con los del Retiro, prolongados a su vez hacia el Norte y confundidos con los del pequeño pero bonito Parque del Este.

Los tranvías, que son el enredo más grande que tiene la capital, hasta el extremo que de las veinticinco líneas en servicio nada menos que trece circulan por la calle de Alcalá, en el tramo de Cibeles a Sol, serán también reorganizados, quedando sólo como enlace del centro con las barriadas, pero sin cruzar la urbe de un lado al opuesto.

El proyecto también cuenta con grandes reformas y ampliaciones del ferrocarril suburbano: se crearán nuevas líneas del «metro» desde el Abroñigal a Tetuán de las Victorias, a través de Chamartín y la Castellana; otra desde el Puente de Toledo a la glorieta de Ruiz Jiménez, pasando por el paseo de las Acacias, Menéndez Pelayo, Alcalá y Príncipe de Vergara; otra desde la Castellana al Nuevo Puente de la carretera de Cádiz; otra de Goya a Argüelles a lo largo de los Bulevares, y una última desde el Banco de España a Puerta de Hierro, a través de la Gran Vía, la plaza de España y la avenida central de la Ciudad Universitaria.

No demasiado lejos de Madrid, en Valladolid, la política nacional del inmediato futuro empieza a tejer sus redes. Un joven castellano, procedente del Colegio Católico de Mannhein, Alemania, inicia un movimiento en febrero de este mismo 1931. El título no puede ser más sonoro: Junta Castellana de Actuación Hispánica.

Como muchos hombres de su época —dice Alvarez Puga en su «Historia de la Falange»—, quedó profundamente impresionado por el aparato del partido nazi alemán, por sus desfiles y manifestaciones. Incluso llegó a concebir a Adolfo Hitler como el representante del cristianismo frente al marxismo.

Nacen también por estas fechas las Juntas de Ofensiva Nacional Sindicalista, integradas por hombres de 18 a 45 años, ni menores ni mayores de los topes indicados, porque *los españoles de más edad no podrán intervenir de un modo activo en nuestras falanges.* («La conquista del Estado», Ramiro Ledesma Ramos).

Pese a su aire revolucionario y juvenil, los problemas económicos llevarán, a no tardar mucho, a estas Juntas de Ofensiva Nacional Sindicalista a aceptar donativos que con varios nombres les envían algunos financieros del Norte de España, muy directamente vinculados a las ideas y a las entidades políticas de la Monarquía.

«La conquista del Estado» es, entre otras cosas, el título de un semanario que ve la luz por primera vez, exactamente un mes antes de la proclamación de la República, esto es, el 14 de marzo de 1931. En este primer número se publica un *manifiesto político de la conquista del Estado,* cuyos puntos —muchos de ellos antecedentes de lo que va a ser pronto Falange Española—, dicen así:

1. **Todo poder corresponde al Estado.**
2. **Hay tan sólo libertades políticas en el Estado, no sobre el Estado ni contra el Estado.**

3. El mayor valor político que reside en el hombre es su capacidad de convivencia civil con el Estado.

4. Es un imperativo de nuestra época la superación radical, teórica y práctica, del marxismo.

5. Frente a la sociedad y al Estado comunistas oponemos los valores jerárquicos, la idea nacional y la eficacia económica.

6. Afirmación de los valores hispánicos.

7. Difusión imperial de nuestra cultura.

8. Auténtica colaboración con la Universidad española. En la Universidad radican las supremacías ideológicas que constituyen el secreto último de la ciencia y de la técnica. Y también las vibraciones culturales más finas. Hemos de destacar, por ello, nuestro ideal en pro de la Universidad magna.

9. Intensificación de la cultura de masas, utilizando los medios más eficaces.

10. Extirpación de los focos regionales que den a sus aspiraciones un sentido de autonomía política. Las grandes comarcas o confederaciones regionales debidas a la iniciativa de los municipios deben merecer, por el contrario, todas las atenciones. Fomentaremos la comarca vital y actualísima.

11. Plena e integral autonomía de los municipios en las funciones propias y tradicionalmente de su competencia, que son las de índole económica y administrativa.

12. Estructuración sindical de la economía. Política económica objetiva.

13. Potenciación del trabajo.

14. Expropiación de los terratenientes. Las tierras expropiadas se nacionalizarán y serán entregadas a los municipios y entidades sindicales de campesinos.

15. Justicia social y disciplina social.

16. Lucha contra el farisaico caciquismo de Ginebra. Afirmación de España como potencia internacional.

17. Exclusiva actuación revolucionaria hasta lograr en España el triunfo del nuevo Estado. Método de acción directa sobre el viejo Estado y los viejos grupos político-sociales del viejo régimen.

El equipo dirigente de esta tendencia está nutrido por los siguientes nombres:

Juan Aparicio	Ernesto Giménez Caballero
Ricardo de Jaspe Sanromá	Manuel Souto Vilas
Antonio Bermúdez Cañete	Francisco Mateos González
Alejandro M. Raimúndez	Ramón Iglesias Parra
Antonio Riaño Lanzarote	Roberto Escribano Ortega

La inspiración de los movimientos autoritarios europeos es bastante clara: «*Nacemos de cara a la eficacia revolucionaria. Pretendemos derrumbar el armazón burgués y anacrónico del militarismo pacifista. Queremos al político con sentido militar de responsabilidad y de lucha*».

El año 1931 ha comenzado para Madrid con un mal índice de salubridad, pues la epidemia de gripe está haciendo verdaderos estragos. La gente lo toma a broma, pero el porcentaje de mortalidad es subido y los cementerios hacen horas extraordinarias. Como cada año, la gripe estrena un apodo, registremos el de este año: los madrileños la llaman «aúpa», y pronto toda España la conoce con el mismo apelativo. Cuando alguien estornuda o tose en público, los que están cerca comentan: « ¡aúpa! », y todos saben que se refieren a la gripe.

Un Real decreto del Gobierno Berenguer deja sorprendidos a los madrileños: los rectores de las universidades tendrán el adjetivo de «magníficos» y usarán los trajes y ceremonias de 1859. Si se dirigen por escrito a universidades del extranjero habrán de hacerlo en latín. Los madrileños casi no se lo creen, pero es cierto: está escrito. Es un Real decreto: ¡a obedecer!

La picaresca madrileña se enriquece poderosamente con la presencia de un ciudadano, barbero de profesión, que acaba de caer en manos de la Policía. Su última fechoría, la que le ha llevado a la cárcel, ha consistido en disfrazarse de capitán de la Guardia Civil, hacerse acompañar por un cabo y un número —de los de verdad— de este Cuerpo, para cometer un robo audacísimo a un pagador de la Compañía de Ferrocarriles de Madrid-Zaragoza-Alicante, aquella famosa «M. Z. A.». Más de trescientas mil pesetas caen de momento en poder del aventurero, pero no llega a disfrutarlas por la oportuna intervención de los agentes.

La prensa de Madrid, ávida siempre de noticias de esta estirpe, que tanto ayudan a que la gente compre periódicos, airea el asunto y pronto el barbero-ladrón es un ente popular en la Villa, hasta el extremo de que no son pocos los periodistas que acuden a prisión a hacerle entrevistas, como si fuera una estrella del teatro o del cine.

En una de estas entrevistas, la realizada precisamente por Pedro Massa, el ladrón-barbero se expresa con una asombrosa facilidad de palabra. Cuando el reportero le pregunta qué piensa hacer cuando salga de la cárcel, el otro responde:

—Comprendo que quedaría muy bien si le dijera que pienso hacerme cartujo, pero no sería cierto, ni nadie lo creería. «Trabajaré» —la palabra «trabajaré» entre comillas—, imaginaré nuevas diabluras, a ver si consigo redondearme un poco y sentar plaza de hombre de bien, que es la más fructífera de todas.

En la historia de este individuo hay de todo: grandezas y miserias, dentro siempre de lo agitado e inesperado de su difícil profesión. Parece ser que en cierta ocasión, hallándose en un hotel de cierta localidad de Andalucía, pudo observar a un señor ya de edad que llevaba siempre un abultado maletín consigo. El señor no abandonaba el maletín ni siquiera cuando bajaba a desayunar. Durante varios días, el aventurero se dedicó a observar a su futura víctima que, por las trazas —no cabía duda— llevaba en el maletín un copioso botín de dinero o de joyas. De no ser así, ¿a qué venía tanto afán por no alejarse ni un solo instante del dichoso bagaje...?

El ladrón-barbero alquiló una habitación contigua a la del misterioso huésped, y se dedicó a seguirle, pretendiendo encontrar aquel instante de descuido en que se alejase siquiera medio metro del ansiado maletín. Pasaron los días. La cuenta del hotel iba ascendiendo, pero nuestro hombre pensaba que bien podían arriesgarse los tres o cuatro duros diarios del hospedaje con tal de hacerse al final con la prenda codiciada.

Por fin, después de casi veinticinco días de asedio, y cuando incluso había conseguido hacerse amigo de su víctima posible, el viejo entró en una cabina telefónica y dejó el maletín en el suelo, con la puerta entreabierta. Sin perder un instante, el ladrón cogió el maletín y salió corriendo, sin hacer el menor caso de los gritos y aspavientos del otro, que acabó sentándose en una silla y poniéndose a llorar. Con el maletín aferrado en las manos, nerviosamente, nuestro sujeto estuvo corriendo mientras le duró el aliento. Luego, en las afueras, se sentó, tranquilizó su respiración un poco y forzó la cerradura.

Dentro no había más que un vestido de mujer, unas fotografías y una esquela: dulces recuerdos sin duda para el viejo, pero que para él no suponían nada. En vista de eso, decidió no pagar la cuenta del hotel. ¡Hacerle perder a él nada menos que veinticinco días de su preciosa vida...!

Fallece Enrique García Alvarez, *el rey de la gracia*. Muere joven, relativamente, pues sus cincuenta y ocho años no son senectud ni siquiera en este tiempo. Deja escritas doscientas setenta comedias. Había nacido en la calle del Barquillo. Acaba su vida en el piso de la de Villalar, número 7. Uno de sus primeros chistes, según lo contaba él mismo, surgió cuando el futuro escritor tenía sólo tres o cuatro años de edad.

> **"A los tres años y un día dije un chiste, el primero de la serie, que molestó bastante a la esposa de un tenedor de libros amigo de casa.**
>
> **—Mi hermano —dijo la referida señora conversando sobre el Carnaval— se disfrazó el año pasado de demonio, porque tiene un carácter jovialísimo como pocos.**
>
> **—¿De manera que de demonio? —exclamé yo—. Entonces —afirmé—, necesariamente saldría con su esposo...**
>
> **—¿Con mi esposo? ¿Y por qué?**
>
> **—¡Hombre...! Si iba de demonio, ¿qué cosa más natural que fuera con un "tenedor"?**
>
> **La señora me dirigió una mirada como para devorarme."**

Habiendo decidido los padres de Enrique García Alvarez que estudiase bachillerato, le inscribieron en el Instituto, y aquí, en el examen de Historia, se produce otra de las anécdotas de este hombre, nacido para hacer reir. Después de preguntarle sobre los fenicios y responder el niño que de los fenicios no sabía nada absolutamente seguro, pasaron a preguntarle sobre la batalla de Covadonga. El pequeño Enrique contestó que tampoco estaba seguro de lo de la batalla de Covadonga. Y así, cinco o seis preguntas más. El presidente del tribunal le interpeló bastante airado:

—En fin, ¿hay algo de lo que esté usted completamente seguro?

—Sí, señor.

—¿De qué, vamos a ver?

—De que me van a suspender.

La respuesta, por inesperada, hizo gracia no sólo a los del tribunal, sino a los bedeles y a los otros niños que esperaban ser examinados. El ambiente se caldeó de carcajadas y cuando el examinado recogió su papeleta pudo leer, con la sorpresa natural, la palabra «aprobado».

Toda la vida de Enrique García Alvarez es puro chiste. No tuvo jamás problemas económicos, por pertenecer a una familia *bien acomodada,* como se decía entonces. Cuando tenía dieciocho años y sin que sus padres hubieran conseguido que empezase una carrera, estrenó una zarzuela, en colaboración con Antonio Palomero y música del maestro Benavente, titulada *La trompa de caza,* en el Eslava, que sin ser un éxito arrollador fue un buen negocio de taquilla durante unos cuantos días.

Su primer triunfo definitivo es *La marcha de Cádiz,* obra que desde el primer día de representación queda ya asentada en el repertorio clásico de todas las compañías españolas de zarzuela. *La marcha de Cádiz* se mantuvo en cartel 400 representaciones seguidas de la primera embestida y situó a García Alvarez en la fila de honor de los autores españoles del momento. Otro de sus éxitos grandes fue *Alma de Dios,* en colaboración con Arniches y partitura de Serrano, con 600 representaciones seguidas a teatro lleno.

García Alvarez no sólo era escritor, sino también compositor, y de él son numerosos bailables de las zarzuelas estrenadas durante más de treinta años. En resumen, su muerte es sentida por todo Madrid. Aquí sí que hay unanimidad de sentimientos. Aquí sí que van juntos en el recuerdo y el dolor todas las clases sociales.

Si siempre es interesante seguir —como estamos procurando hacerlo— la curva de los precios, en estos momentos muchísimo más. En realidad, la radiografía de este 1931 exigirá una natural división en dos grandes partes: una hasta el 14 de abril, fecha de la proclamación del nuevo régimen, y otra desde ese mismo 14 de abril hasta el 31 de diciembre. Veamos, pues, algunos precios del primer mes de uno de los años más históricos de España en general y de Madrid muy en particular.

En el número 90 de la calle Vallehermoso anuncian preciosos pisos exteriores por el alquiler de 90 pesetas al mes. Un armario de una luna, 70 pesetas; de dos lunas, 98 pesetas. Un automóvil *Chrysler* de segunda mano, con 22.000 kilómetros recorridos, 5.000 pesetas, con facilidades hasta dos años. Si se dividen 5.000 pesetas entre los veinticuatro meses que están contenidos en esos dos años, nos salen a mensualidades de 208 pesetas. Es decir, por poco más de cuarenta duros al mes puede adquirirse todo un *Chrysler*, que gasta mucha gasolina, pero a 60 céntimos el litro.

Dentro de este mismo capítulo de automóviles, alquilar una jaula en un garaje, es decir, más o menos una habitación individual para el coche, cuesta de 30 a 45 pesetas al mes, según el barrio, el tamaño y el servicio. La limpieza diaria del automóvil dentro del mismo garaje, de 10 a 15 pesetas al mes —aunque hay algunos mozos que lo hacen incluso por un duro, ¡cinco pesetas al mes por lavar y secar cada día un coche!

Aprender a conducir cuesta a 70 pesetas, y en estos catorce duros están incluidas la tramitación y obtención del carnet de conducir. El certificado médico es obtenido a lo sumo con el desembolso de cuatro pesetas, y algunas agencias lo facilitan ya firmado por el médico, sin que el médico haya visto al aspirante a conductor; poco más o menos lo mismo que ahora, sólo que algo más barato.

Camas turcas, 25 pesetas. He aquí otro abjetivo que prácticamente ha caído en desuso. ¿Quién dice ahora eso de cama *turca...*? Camas de matrimonio, de hierro, como está mandado, 90 pesetas, y de madera, 65. Comprar una casa en los barrios del extrarradio —que por el ensanchamiento de Madrid son lugares ahora céntricos— supone un desembolso no mayor de 30.000, 35.000 ó 40.000 pesetas. Una máquina de escribir para trabajar en casa por las tardes y sacarse un sobresueldo, 175 pesetas. Es decir, en enero de 1931 cuesta menos comprar una máquina de escribir de lo que cuesta ahora alquilarla.

Vean un curioso anuncio de la época:

"Se vende uniforme de cuota, puesto una sola vez, por 22 pesetas."

Tiene mucho contenido este anuncio: no sólo nos da la pauta de lo que cuesta un uniforme del Ejército en buen paño, no sólo nos recuerda la barbaridad de la existencia de soldados de cuota que redimen su servicio —y muchas veces su vida— por dinero, sino que nos dice que hay jovencitos que por una cosa o por otra logran ponerse el uniforme una sola vez, con lo cual, y por el mérito de ser *de buena familia,* ya han cumplido con sus obligaciones militares. Los soldados de cuota son, en enero de 1931, un anacronismo, una injusticia: algo a extinguir que, naturalmente, a no tardar mucho, será extinguido.

Los Grandes Almacenes *Madrid-París* ocupan los espaciosos bajos del actual número 30 o el 32 de la Gran Vía. Son famosos sus precios únicos del *todo a 65.* Por 65 céntimos se pueden comprar infinidad de artículos variados, desde unas medias de señora hasta una lata de sardinas en tomate. Sus precios deben ir también al registro de tarifas que andamos estudiando, a fin de dar una imagen lo más fiel posible de lo que es el Madrid de los meses inmediatamente anteriores a la proclamación de la República. Un tazón con su plato, tazón panzudo en la línea de la época, setenta céntimos.

Por *once perras gordas*, esto es, una peseta y diez céntimos, *Madrid-París* ofrece unos preciosos azucareros de cristal en modelos variados. En su sección de alimentación, el arroz a una peseta el kilo. Por treinta céntimos, un pañuelo de batista, pero comprando media docena se consigue una notable economía: 1,50; resulta un pañuelo gratis.

Una cacerola con su tapadera y todo, de 18 centímetros de diámetro, 2,75, o, como dicen las viejas, *once reales*. Una caja de cartón conteniendo tres docenas de pinzas para tender la ropa, en madera de buena calidad y alambre de acero inoxidable, 55 céntimos... ¡55 céntimos no cada pinza, sino la caja con las tres docenas de ellas!

Una corbata de seda artificial, muy de moda en los *años treinta*, una peseta y sesenta céntimos. Un metro de crespón *marrocain* de 90 centímetros de ancho, 1,45. Un martillo de carpintero importado —suponemos que importado el martillo y no el carpintero— 1,50, *seis rales* o reales. Un infiernillo de alcohol, con su mecha y todo y aún una mecha de repuesto, una peseta. Elegantísimo opal estampado de 80 centímetros de ancho, 1,45 el metro.

Y ahora tomamos calle de la Montera abajo y nos vamos a la Puerta del Sol. Todavía puede verse una parada de coches *de punto* movidos por *tracción de sangre*. Viejos caballos obedientes a viejos cocheros al pescante de viejos artefactos. En los *Almacenes de la Puerta del Sol* los precios son también interesantes. Usted puede adquirir un bonito delantal con encajes, para la doncella de la casa, por sólo 85 céntimos. Una mantelería para comida, seis cubiertos, con alegres franjas de colores, 6,75. ¿Quién no regala una mantelería por 6,75...? Juegos de cama bordados, *calidad superior*, 12,90.

Estos Almacenes de la Puerta del Sol tienen unos juegos de cama muy adecuados para ajuares de novia, con bordados de florecitas de colores, metidos en elegantes cajas de cartón con relieves alegóricos, todo ello —sábana de arriba y sábana de abajo, ambas grandes— por 22,50. Es fácil casarse en tales condiciones... Serra, en la Ribera de Curtidores, anuncia que alquila smokings y chaquets, para bodas, desde tres pesetas, y las chisteras a dos reales, con garantía de la cédula personal.

Vamos a puntualizar: si todo lo que sucede en 1931 es trascendente, por ser el año del cambio de régimen de Monarquía a República, puestos a elegir entre los doce meses, nos quedamos con marzo —prólogo— y abril —capítulo primero.

El 11 de marzo, después de una serie de peripecias que sería farragoso registrar aquí, se autoriza la apertura del Ateneo. La Directiva convoca inmediatamente una larga serie de conferencias, a cargo de destacadas figuras de la intelectualidad española; casi el cien por cien de estas personalidades pertenecen a las filas del creciente republicanismo o, por lo menos, a los que se consideran más o menos dentro del grupo llamado «al servicio de la República», que encabezan, como ya hemos dicho en otro lugar, Ortega y Gasset, Marañón y Pérez de Ayala.

El alcalde de Madrid, Ruiz Jiménez, consigue convertir en un hecho lo de las tarifas de los taxis, que tiene un límite máximo de 70 céntimos, autorizándose también otras de 60 y 40 céntimos, pero en todos los casos con prohibición absoluta de aceptar propinas. El propio alcalde, pocos días después de ponerse en vigor esta disposición municipal, reúne a los periodistas y les cuenta una anécdota:

> "Ayer tomé un taxi porque estaba lloviendo. Al llegar al final del recorrido, el taxímetro marcaba una peseta. Dí una moneda de dos pesetas al chófer y éste me devolvió una de a peseta. Intenté darle propina y no me la aceptó.
> —¿Por qué? —le pregunté.
> —Porque han empezado a regir las nuevas tarifas y no se admite propina.
> —¿Y quién ha dispuesto eso?
> —El alcalde.
> Miré al chófer, y seguí preguntándole:
> —¿Usted conoce al alcalde?
> —Yo; no, señor.
> —¡Pues el alcalde soy yo!
> Y para celebrar lo cumplidor que era aquel hombre le regalé un habano y quedamos muy amigos."

Conviene agregar que estas tarifas eran con saltos en el taxímetro de diez en diez céntimos, cada 143 metros, considerándose como bajada de bandera los repetidos 70 céntimos.

¿Cómo es un programa de radio en Madrid, precisamente en los días que preceden a la proclamación de la República...? La mañana transcurre, naturalmente, sin emisión, salvo ciertos programas de noticias que se dan entre las ocho y las nueve y media. Se abre el programa de sobremesa a las dos de la tarde con las famosas *campanadas de Gobernación*.

De un día cualquiera tomamos: *La bien amada*, de Padilla; *Adiós, montañas mías*, de Larregla; *Quo Vadis?*, de Chapí; *Lucrecia Borgia*, de Donizetti; *El asombro de Damasco*, de Luna; *Rapsodia portuguesa*, de Pinto. Suspendida la emisión, se reanudaba a las siete: naturalmente, campanadas de Gobernación. Luego, una charla titulada *Mujeres del teatro de Benavente*. Música de Zarzuela.

A las nueve y media, otra vez el reloj de Gobernación y sus populares campanadas. Después, ópera, zarzuela, opereta, sinfonía y una charla de Velasco Zazo sobre curiosidades del viejo Madrid. A las doce de la noche, otra vez las campanadas y despedida hasta el día siguiente. De cuando en cuando, alguna retransmisión teatral. Las retransmisiones teatrales tienen enorme éxito entre los oyentes, la mayoría de los cuales siguen siendo con auriculares y receptor de galena.

La popularidad del periódico *El Liberal* no se mantiene únicamente por la divertida y escabrosa sección de *varios* en sus anuncios por palabras, sino por la agilidad casi artística de sus reporteros de sucesos, que saben convertir diabólicamente cualquier tragedia de barriada en todo un folletín capaz de entontecer a los lectores no demasiado exigentes.

En enero de 1931, bajo un epígrafe en gruesos titulares que dice nada menos que: «Horrible drama por celos en el Puente de Vallecas», puede leerse algo tan inefable como esto:

"**La puerta del pisito de la tragedia se encuentra abierta. Una habitación regular y de no grandes dimensiones, pobremente amueblada, se halla en el mayor desorden. Muebles tirados; algún cuadro pende de un solo lado de la pared. El suelo, materialmente encharcado de sangre. Sangre en todas partes. Sangre en las paredes, en los muebles derribados, en las ropas tiradas, algunas de ellas retorcidas como por una mano crispada por la desesperación en lucha con la muerte. Y bajo el dintel de una habitación que se abre a la derecha, el cadáver de un hombre, el de Juan Fernández. Encogido como en un dolor supremo, agarrotado, bañado en sangre; parece todo él como pintado con almagre.**

"**No hay luz eléctrica en la vivienda y se alumbra con unas velas que han traído unos vecinos, mudos de espanto ante el siniestro cuadro. Con rojos y negros chafarrinones habría que pintar la escena horrible. Un poco más allá, sentado en el suelo y la cabeza apoyada en el filo del asiento de una butaca, el cadáver de ella; como el del marido, también chorrea sangre. Durante la ausencia del marido en Mérida, la esposa admitió un huésped, Francisco Salguero, de dieciocho años.**

"**El marido volvió de Mérida a mediados del pasado mes de diciembre para pasar las Navidades con su familia. La presencia del huésped no le agradó, hasta el extremo de que a poco de llegar le dijo que se marchara de la casa; pero el huésped, que no ha trabajado durante todo este tiempo, le contestó que no iba a irse ahora que acababa de encontrar trabajo y podría pagar lo que debía. Anteayer mismo fue la conminación; hubo disputa, pero nada se resolvió. Ya el marido parece que tenía terribles celos de su mujer con el huésped, tantas** veces citado. Estos celos, a creer a la vecindad, no eran ni mucho menos infundados.

"Anoche, según ha dicho el huésped, serían las doce, oyó ruido sordo de disputa y a poco ya un grito: —¡Socorro, socorro!— Parece que los hijos gritaron entonces al huésped: —¡Huya que le van a matar! El huésped salió en ropas menores al pequeño comedor y vio cómo el marido acababa de derribar a tierra a su mujer, cosida a puñaladas. Esgrimía el parricida un cuchillo de cocina de regulares dimensiones. En un momento los hijos lucharon con el padre; y éste con el huésped, según una versión. Parece que entonces, con una navaja de afeitar, el huésped, para defenderse del padre, asestó a éste varios cortes que le hicieron caer muerto a tierra."

En fin, todo un estilo. Por sólo diez céntimos, en un día cualquiera de 1931, *El Liberal* no sólo ofrece las últimas noticias de la política nacional y extranjera, no sólo proporciona las señas exactas de una señora que tiene imperiosa necesidad de ser protegida por un señor, sino que facilita estas novelas terroríficas por entregas que tienen de malo lo peor que pueden tener: que no han sido inventadas.

Madrid consume al año veintisiete millones de kilos de pescado. Es fama que en Madrid se come el pescado más fresco incluso que en Galicia y, como hemos visto con anterioridad, en el caso de la merluza, en ocasiones más barato que en el mismo Vigo, puerto de llegada de las flotillas de captura. Las condiciones de conservación, deficientes todavía, hacen que cada año se pierdan en la capital 200.000 kilos de pescado, que hay que tirar a la basura, es decir, que de cada cien kilos que entran en Madrid, uno se pierde por putrefacción.

Los madrileños consumen en esta época aves en cantidad de 1.229.000 unidades al año, bien poca cosa, pues resulta, más o menos, a una y un cuarto por habitante en los largos doce meses que el año tiene. Se comen 627.000 conejos, 23.000 pichones y perdices y 22.400 pavos y patos, cifras verdaderamente miserables para una población que ronda el millón de habitantes.

Las grandes masas obreras de la población madrileña se alimentan con artículos de mucho volumen y no demasiado poder nutritivo. El cocido sigue siendo, con el potaje y los callos, plato de condumio cotidiano. Es relativamente barato preparar un cocido en el Madrid de los primeros meses de 1931.

La mortalidad ha aumentado en la capital considerablemente, en parte a causa de la enorme epidemia de gripe que, no sólo aquí, sino en toda España, en Europa y en Asia está haciendo estragos. Particularmente en enero, el índice de mortalidad sube del 19 por 1.000 al 26 por 1.000. Las enfermedades del corazón, que venían llevándose un 37 por 1.000, suben pavorosamente al 73 por 1.000.

En la barriada de Cuatro Caminos, la Policía da una batida y se incauta de numerosas máquinas de las llamadas *tragaperras*, que según la nota oficiosa están enriqueciendo a unos y arruinando a los más. El 17 de enero son aprobadas las esperadas bases de trabajo de los obreros del transporte mecánico, que vienen a apuntalar los salarios de estos profesionales, a quienes desde hace poco tiempo no hay más remedio que ir tomando ya en serio.

El anquilosamiento, la desidia, la inercia, tanto de los poderes públicos como de los grupos sindicales encargados de representar a estos trabajadores, ha ocasionado un enorme retraso en la puesta a punto de sus jornales. Se estaba en que el transporte público era algo de cocheros de *simones* y *manuelas*. La presencia de los vehículos de motor mecánico, un hecho patente desde más de quince años atrás, se admitía, pero no del todo.

Ahora, sí: ahora, los profesionales del volante son unos asalariados por cuenta ajena con sus reglamentos de trabajo como los demás. Cobrarán los chóferes de abonos y coches de gran turismo nada menos que 350 pesetas al mes; los de coches de casinos y taxímetros, jornal de ocho pesetas, 15 por 100 de la recaudación y nada de propinas; los conductores de *autonius* al servicio del ferrocarril, cinco pesetas y propinas libres; los conductores de camión, 12 pesetas diarias y dietas si viajan de noche (caso de los chóferes de los grandes camiones del pescado que vienen desde Galicia); los cobradores de autobuses, 10 pesetas; los lavacoches, 10 pesetas.

Todo ello referido a la jornada máxima de ocho horas y total de cuarenta y ocho a la semana. Este último detalle es importante.

En 1931 no están todavía a disposición de la clase médica los modernos métodos que en los años posteriores se han ido conociendo. Por lo tanto, los porcentajes de mortalidad de la nación española son muy diferentes de los actuales. Veamos: España cuenta, según estadísticas de marzo de 1931, con 22.290.000 habitantes.

Las cifras de marzo de 1931 nos dan 420.497 muertos por año en todo el país, y las principales causas, también en guarismos anuales, son: por cáncer, 15.172; por cirrosis, 4.508; por tuberculosis —enfermedad *diva* y que figura siempre en toda la larga serie de los años veinte y treinta—, nada menos que 32.897. Mueren, pues, por tuberculosis, en la primavera de 1931, 90 personas cada día, bastantes más que ahora, a pesar de ser la población española mucho más numerosa.

Otra de las dolencias típicas que ha remitido considerablemente gracias a los formidables avances científicos es la bronquitis crónica, que mata cada año casi 11.000 personas, y en el mismo caso está la neumonía, con la importante cifra de 9.154 muertos por año.

Sin que nadie sepa por qué, España es en 1931 —y sigue siendo en la actualidad— uno de los países con menor proporción de suicidas: sólo 903 en la ya citada famosa estadística al cabo de doce meses largos, lo que da un promedio de 75 suicidios al mes, dos y medio al día, menos de la tercera parte de lo que registran las cifras de Alemania y menos de la cuarta parte que en los países escandinavos donde en 1931, y ahora, el índice de vida ha sido superior.

El tifus se lleva a los cementerios, en 1931, unas 4.500 vidas cada año, la meningitis casi 12.500, la senilidad, esto es, los muertos *de viejo*, 22.279. Como esta HISTORIA DE MADRID recogerá también las estadísticas en las fechas clave. será curioso establecer comparaciones.

La situación política nacional, de la que detalladamente vamos a ocuparnos en otros capítulos, impone en Madrid, a finales de febrero de 1931, dos cambios importantes en su gobernación provincial y local: es designado alcalde de la capital un político romanonista, Joaquín Ruiz Jiménez, ya citado, y gobernador civil Fernando Weyler, hijo mayor del célebre capitán general Valeriano Weyler.

Continúa a marchas forzadas la pavimentación de la glorieta de Toledo, dejando en el centro la célebre Puerta, para la que, en una sesión del Ayuntamiento, se piden jardines y arbolitos, que no se conceden porque —versión oficial— no hay dinero en el presupuesto.

Mal comienza el 1931 deportivo para Madrid. El equipo de fútbol argentino Gimnasia y Esgrima, que realiza una excursión por nuestro país, se enfrenta al Real Madrid, al que vence por el tanteo de 3-2. Con gran énfasis y bastante desconocimiento de lo que valía el once criollo, la dirección técnica del Madrid alineó un equipo prácticamente de reservas, y el encuentro no se convirtió en goleada en contra de los madrileños de puro milagro. Estos son los jugadores madridistas en tal ocasión: Vidal, Torregrosa, Ochandiano, Bonet, Antonio, Peña, Lazcano, Eugenio, Gurruchaga, Galé y Olaso.

El Atlético de Madrid obtiene un fichaje sensacional. Sus cifras hacen sonreír ahora. Se trata del jugador Arteche. En el contrato de traspaso se hacen constar 20.000 pesetas como cifra-precio. El jugador percibirá, además, el fabuloso sueldo de 500 pesetas al mes, más una prima de treinta duros por partido ganado y una prima de 400 pesetas por cada uno de los ganados de los ocho encuentros que el club considerase como los más importantes de la temporada.

En marzo, Uzcudun se enfrenta en Los Angeles con otro de los púgiles norteamericanos, el californiano Kennedy. Este combate ha sido precedido de una copiosa campaña de prensa antiespañola por parte de los diarios estadounidenses. Uzcudun, que se encuentra en su mejor momento, sufre una especie de veto por parte de los organizadores del boxeo yanqui. Después de tres *rounds* dramáticos, el boxeador español vence al americano por k. o. en el cuarto asalto.

El primer equipo del Real Madrid —que ya dentro de unos días dejará de denominarse *Real* a raiz de la proclamación de la República—, refuerza su cuadro con las adquisiciones de dos jugadores procedentes del Deportivo Alavés: Ciríaco y Quincoces, una de las mejores parejas defensivas de todos los tiempos; un delantero procedente del Real Irún, Luis Regueiro, y un canario del que se habla mucho y muy bien en todos los medios futbolísticos de la Península: Hilario.

La Liga no comienza en los meses anteriores al cambio de régimen, sino sólo el 22 de abril, es decir, cuando se cumple una semana casi justa de la caída de la Monarquía.

En una carrera ciclista celebrada en la carretera de La Coruña, un perturbado que ocupaba su sitio en la primera fila en la Cuesta de las Perdices da de pronto un salto y se arroja al paso de las bicicletas. Cinco corredores caen al suelo aparatosamente, y el causante es retirado por la Cruz Roja, lleno de rasguños y moraduras. Cuando la Policía le interroga declara muy serio que había pretendido suicidarse. Los periódicos comentan que se trata, seguramente, del primer caso de la historia de los suicidas en que se intenta la muerte arrojándose al paso de unas bicicletas.

En unas declaraciones a los periodistas, Gaspar Rubio dice que ha oído decir que dentro de unos años asistirán a un solo partido de fútbol más de 40.000 personas, pero que eso no es otra cosa que ganas de fantasear y de exagerar, y que el fútbol no logrará una entrada así ni siquiera en el más decisivo encuentro internacional.

Capítulo 19. LA PROCESION DE LA SANGRE (año 1931). El mundo de 1931: D'Anunzio y Joe el Panadero; el impacto Hitler-Mussolini en Madrid. Guadalajara y Romanones. Se preparan las elecciones municipales. Revueltas estudiantiles en San Carlos. El artículo 29. Nueva clausura del Ateneo. Cae Berenguer, sube Aznar. La peseta. Juicio a los sublevados de diciembre de 1930. Incidente entre el general Burguete y José Antonio Primo de Rivera. La procesión de la sangre. El Madrid teatral y cinematográfico del último período de la Monarquía.

Paréntesis hacia fuera. Ayuda a comprender y a medir lo que sucede dentro de casa el conocimiento de las cosas que pasan lejos de ella. El poeta D'Anunzio, que forma parte del estado mayor ideológico de Mussolini, escribe una carta a cierto escultor amigo suyo encargándole la confección de un panteón. No tendría nada de anecdótico esto, ya que cualquiera está en su perfecto derecho de preocuparse por su propia tumba, a no ser por cierta apostilla de la carta: «Mi pe'ición —dice— es muy urgente».

La Cámara de los Diputados de Checoslovaquia ɛcuerda otorgar al anciano presidente Masaryk un regalo en metálico por valor de veinte millones de coronas, más de 120.000 libras esterlinas, con ocasión del cumplimiento de su ochenta aniversario. Masaryk es una figura nacional de proyección universal. El viejo político agradece la donación pero renuncia a ella, devolviéndola para que sea entregada a las instituciones de beneficencia pública, pero —buen conocedor de las debilidades humanas— designa un inspector de toda su confianza para que compruebe que el dinero llega allí donde ha sido destinado.

Una de las figuras más populares del hampa norteamericana es, sin duda, *Joe el Panadero,* que pertenece a la comisión directiva de uno de los *clans* de *gángsters* más poderosos del país. Por un arreglo de cuentas nada claro, *Joe el Panadero* cae acribillado a balazos. Los hombres de su banda, e incluso algunos de las bandas rivales, intervienen en uno de los más vistosos entierros de todas las épocas: en un carruaje de maderas labradas, empenachado y orlado de cintas alusivas, cubierto de coronas, va el féretro cuyo precio rebasa los 15.000 dólares, en caoba con lujosos relieves en bronce y plata. Tras el furgón, varios coches con coronas, y detrás hasta ciento sesenta automóviles de *amigos*, casi todos ellos armados de pistolas cuando no de metralletas, dispuestos a hacer respetar aquel alarde.

Ese día, la Policía permanece como atemorizada. Los *gangsters* no sólo no se han asustado por este pequeño contratiempo del asesinato de *Joe*, sino que lo han aprovechado para decir a Nueva York y al mundo que ellos piensan seguir. El entierro de *El Panadero* se convierte, pues, en una descarada manifestación de fuerza del bandolerismo norteamericano, ante la mirada atónita y asustada de quienes tienen la misión de reprimirlo.

Un ministro del Gobierno de Lituania se divorcia de su esposa y contrae segundo matrimonio. El Papa se niega a reconocer este segundo enlace. Se registra una campaña de prensa en Lituania en torno a este asunto. Se enconan ambas posturas hasta llegar a la decisión más original: Lituania y el Vaticano rompen sus relaciones diplomáticas a causa del amor apasionado de su ministro.

La Policía de Budapest detiene a un extraño caballero, de presencia irreprochable, de costumbres honorabilísimas, de prestigio en todo el país, pero que tiene una curiosa manía intolerable: sólo le divierte volar trenes, y lleva tres volados en poco tiempo, con buen acopio de muertos y heridos.

Dos figuras proyectan su fuerza, desde fuera de España, sobre este país, por lo desconcertante de todas sus acciones: Mussolini y Hitler. Así, por este orden: primero Mussolini y luego Hitler. El italiano tiene cuarenta y ocho años; el líder austríaco de los nacional-socialistas alemanes, cuarenta y dos. Ambos proceden de la Primera Guerra Mundial. Mussolini lleva en el poder ya nueve años; Hitler está acercándose al poder día tras día, si bien aún gobierna Brüning. En Italia, los acontecimientos se atropellan siempre en la misma dirección, que es la del gobierno absoluto, la total concentración de poderes en manos del Duce.

Después de haber utilizado con oportunidad y habilidad tanto a los dirigentes de la masonería como a las masas católicas, ahora Mussolini no sólo vuelve las espaldas a unos y a otros, sino que casi ordena su persecución. Son disueltas todas las asociaciones de la juventud católica que no formaban parte de la famosa *Opera Nazionale Balilla*.

Pío XI promulga una encíclica intentando aclarar la tensa situación entre el Vaticano y el Gobierno de Italia. Mussolini prohibe la compatibilidad entre el hecho de pertenecer al Partido Fascista y a organizaciones católicas, e incluso el directorio de este Partido acusa a la Santa Sede de estar de acuerdo con los fracmasones.

Todo esto se lee en España, se comenta en España, va dejando su huella en España, como se verá años después, dramáticamente. Más de 600.000 muchachos italianos comienzan una seria preparación premilitar, bajo la dirección de los *camisas-negras*.

La encíclica papal no es publicada en Italia, donde la Censura la habría prohibido, sino en Francia, y desde allí difundida a toda Europa, lo que encoleriza a Mussolini que jura acabar con el Vaticano. En Madrid todo esto se recibe con bastante confusión, ya que algunos de los que simpatizan con el Duce no por eso se hallan dispuestos a renunciar a su catolicismo.

Hitler, que atraviesa una crisis pasional, enamorado de una sobrina suya, recibe uno de los impactos más dramáticos de toda su biografía: la delicada Geli, enamorada también de su tío, pero convencida de que él no se casará jamás con ella, se dispara un tiro de revólver en el corazón.

Durante toda una noche, este hecho pudo cambiar la historia del mundo, pues el propio Fuhrer estuvo a punto de suicidarse, al conocer la muerte de su sobrina. Sólo la presencia de Gregor Strasser —su correligionario y directo rival en el mando de los nacional-socialistas—, evitará este segundo suicidio.

Transcurren unos días en los que todos temen que Hitler intente quitarse la vida, y su chófer le esconde el revólver. El futuro jefe de Alemania se niega a comer, permanece fechas y fechas sin afeitarse, sin querer ver a nadie. Por fin, Goering consigue aportar la frase oportuna: «Alemania lo espera todo de usted, *mein Fuhrer*». Hitler vuelve a la realidad. Toda su política vuelve a ponerse en marcha briosamente.

¿Qué momentos vivimos...? Estamos en 1931. Alemania cabalga a toda velocidad. Desde Madrid se observa con mucha atención esta galopada. En Madrid hay también algunos admiradores de este extraño austríaco que habla constantemente de próximas grandezas y que odia a Francia.

Otra vez en Madrid francófilos y germanófilos, pero todo es bastante diferente a lo de 1914. La guerra no ha comenzado, pero ya se olfatea. Y no son pocos los que abiertamente la desean.

En los tres meses y medio que transcurren desde el 1.º de enero al 14 de abril, los acontecimientos se precipitan espectacularmente. El Gobierno del general Berenguer, que no sabe ya qué medidas tomar ni qué actitud es la acertada para contener la efervescencia creciente de los estudiantes, ordena unas vacaciones extraordinarias de treinta días. Durante un mes, pues, los universitarios no podrán encontrarse en los locales de las universidades, que permanecerán cerrados, medida que no sólo no resuelve nada, sino que tiende a empeorar el mal estado de ánimo de las masas estudiantiles.

El dominio que el conde de Romanones ejerce sobre grandes zonas de la provincia de Guadalajara —vox pópuli— lleva al caricaturista de cierto periódico a presentar un chiste en el que el político exclama:

—¡Mira que decir que en Guadalajara hay caciquismo...! ¡No lo consentiría yo, que soy allí el amo...!

El Gabinete de Censura cursa una curiosa orden: ese rótulo obligatorio de inserción en la prensa diaria en el que se lee: «Este número ha sido visado por la Censura», no deberá ocupar más del ancho de dos columnas, y sólo ha de ir una vez en cada periódico. Con ello se sale al paso de las jugarretas de algunos diarios madrileños, que, al sufrir tachaduras de la Censura de casi media página, ocupan todo ese espacio con enormes letras en las que se lee precisamente lo de: «Este número ha sido visado por la Censura».

En una reunión con los periodistas, el general Berenguer, presidente del Gobierno, dice:

—El ser republicano no es un pecado: es una equivocación.

Dos días después, Madrid conoce una nota oficial en la que el Gobierno da cuenta al país de su propósito de rematar su labor dejando en marcha un Parlamento, libre elección para los cargos municipales de los ayuntamientos pero... exceptuando la alcaldía-presidencia, que será designación gubernamental.

No cae bien esta aclaración gubernamental y son muchos los sectores que exigen que no sólo los concejales y los tenientes de alcalde, sino los mismos alcaldes sean de elección popular. La lucha en este asunto está comenzada. Poco días más tarde, nueva nota del Gobierno, suavizada: sólo serán de designación oficial aquellos alcaldes de las capitales de provincia, de las cabezas de partido judicial y de aquellos pueblos que, sin ser cabeza de partido, tengan igual o mayor vecindario que los anteriores, siempre que no bajen de 6.000 habitantes.

En resumen, un Gobierno que se bate defendiendo unas posiciones, las de gobernar más o menos directamente sobre los enclaves municipales más importantes del país. Va a ser curioso el espectáculo de un gabinete ministerial cediendo posiciones constantemente ante el cada día más crecido estado levantisco de la oposición.

El 29 de enero, los jefes del recién creado Partido Constitucionalista (Bergamín, Sánchez Guerra, Melquíades Alvarez, Burgos Mazo, Villanueva) acuerdan no tomar parte en las elecciones. El último día de enero, Berenguer accede al fin a suprimir el derecho gubernamental de designar alcaldes por el famoso artículo 29, de manera que todos lo serán por el voto popular. La oposición ha vencido en este campo. Aún ha de vencer en otros más.

Febrero se inicia con vientos de inquietud en general y muy en particular por la actitud de los estudiantes. Los universitarios, que vienen de pasarse seis años y medio combatiendo a la Dictadura del general Primo de Rivera continúan lo mismo que si no hubiera habido cambio de Gobierno, quizá porque, en realidad, este cambio de Gobierno se ha notado bastante poco.

El día 9 queda levantada la censura de prensa, a la que humorísticamente se conocía en toda España como *Doña Anastasia.* Sin embargo, las instrucciones son duras a la Policía y la disciplina sigue siendo severa.

El día 10, los intelectuales del grupo *Al servicio de la República* lanzan un manifiesto. Encabezan este documento Ortega y Gasset, Marañón y Pérez de Ayala, y dice así:

> "Nuestra agrupación irá organizando, desde la capital hasta la aldea y el caserío, la nueva vida pública de España, en todos sus haces, a fin de lograr la sólida instauración y el ejemplar funcionamiento de nuestro Estado republicano."

El 11, el Ateneo abre sus puertas sin permiso de la autoridad y el Gobierno ordena la detención de la Junta directiva y la incautación de sus locales de la calle del Prado. En esta misma fecha, *El Liberal* es multado por disposición gubernativa.

El 14, crisis total: Berenguer, enfermo, resigna sus poderes ante el rey. Alfonso XIII visita a su jefe dimisionario en el ministerio del Ejército, para ver de arreglar la crisis, pero no consigue nada. Las elecciones anunciadas quedan, por el momento, suspendidas, y la prensa de la oposición achaca todo a una maniobra de altos vuelos para no ir a las urnas nunca.

Este mismo día, en Segovia, los del grupo *Al servicio de la República* tienen anunciado un acto público; el gobernador lo prohibe, pero ante la actitud de gran parte de la población se resigna y lo autoriza. Hablan Marañón, Ortega y Gasset, Pérez de Ayala y Antonio Machado.

Al día siguiente, Sánchez Guerra es encargado por el Rey de formar Gobierno. Consultado Cambó, presidente de la *Lliga Regionalista de Catalunya*, aconseja un Gabinete de apoyo en la izquierda. Sánchez Guerra acude a visitar a los presos políticos, lo que es muy bien visto por los republicanos y muy mal visto por los monárquicos.

El 17, se restablece la previa censura. Sánchez Guerra visita al Rey para decirle que se considera fracasado en el intento de formar Gobierno y que resigna el encargo. Un automóvil recorre las calles de Madrid haciendo propaganda para una manifestación monárquica. Va ocupado por Fernando Primo de Rivera, Alejandro Urzáiz y el Marqués de Villanueva. En plena Gran Vía, unos grupos republicanos lo interceptan y después de hacer salir a sus ocupantes le prenden fuego.

El Rey parece ser que ha intentado montar un gabinete dirigido por un civil, pero como esto no ha podido ser, acude de nuevo a sus nutridos escalafones militares: queda encargado el almirante Aznar, que en poco tiempo logra presentar su lista de un Gobierno de concentración monárquica:

Presidencia y Marina, Aznar
Gobernación, Marqués de Hoyos (hasta entonces alcalde de Madrid)
Estado, Conde de Romanones
Gracia y Justicia, Marqués de Alhucemas
Hacienda, Ventosa y Calvell

Ejército, Dámaso Berenguer
Fomento, Juan de la Cierva
Economía, Conde de Bugallal
Trabajo, Gabriel Maura
Instrucción Pública, Gascón y Marín.

Este nuevo Gabinete entra con buen pie, y en su primera reunión proclama que España tendrá elecciones municipales en el plazo de un mes. En realidad, serán casi dos meses, pero al menos la intención es buena.

El 2 de marzo, el Duque de Maura —que tiene a su hermano Miguel en el Comité Revolucionario de los republicanos—, escribe una carta al líder catalán Cambó, para ponerse de acuerdo sobre la formación de un gran partido constitucionalista, católico y monárquico. Se trata de contrarrestar la creciente oleada republicana que apoya toda su propaganda —o casi toda— en la actuación de la Dictadura ya vencida. Los constitucionalistas tratan de demostrar que se puede ser monárquico y antidictatorial. Cambó responde con una carta larga: está más o menos de acuerdo, siempre que las futuras Cortes estudien y resuelvan el problema catalán.

El famoso decreto sobre los alquileres sufre prórroga tras prórroga: naturalmente, con unas temibles elecciones municipales a la vista, es inteligente retrasar todo lo posible cualquier autorización para la subida de las rentas de pisos, ya que esto arrojaría nuevas masas disgustadas en brazos de los candidatos republicanos.

El 6 de marzo, a la salida del Consejo de Ministros, el titular de Instrucción Pública, catedrático Gascón y Marín —que es ministro por primera vez y no como político sino como técnico—, hace, no obstante, unas sensacionales declaraciones de buena fe:

—**Sufragio, sufragio y nada más que sufragio. Nada de mitades de los Ayuntamientos ni de voto corporativo. Nada de lo que se decía por ahí. Todos hemos estado absolutamente de acuerdo.**

El gobierno Aznar es, pues, un paso más hacia las libertades electorales: no habrá alcaldes de designación gubernamental; todos serán elegidos por el pueblo.

La Unión Patriótica, la agrupación —no quiere ser llamada *partido*— fundada por Primo de Rivera en apoyo de su Gabinete dictatorial, ha ido decreciendo en importancia desde la caída de su jefe. Ahora, prácticamente, ya no es nada. Ha bastado un año de gobiernos no dictatoriales para que la inmensa mayoría de sus huestes *chaqueteen*, como dice y entiende el lenguaje popular. Su Junta directiva acuerda aconsejar a sus socios que voten apoyando las candidaturas monárquicas.

Una mañana se presenta en Prisiones Militares el capitán piloto de aviación La Roquette, que pese a su apellido francés es español. Está acusado de haber conducido a Portugal el avión en que se salvó el general Queipo de Llano, sublevado en Cuatro Vientros contra la Monarquía. La Roquette es ingresado inmediatamente en la celda que de tantos días ya le esperaba.

El coronel Maciá, líder de la *Esquerra* catalana, declara que él desea para Cataluña todas las libertades civiles, plena democracia, libertad de prensa, de conciencia, de cultos; separación de la Iglesia y el Estado; anulación de jurisdicciones especiales; establecimiento del jurado y enseñanza obligatoria y gratuita. Este programa, más conciso que el de la *Lliga* de Cambó, logra aumentar en poco tiempo considerablemente las filas de la *Esquerra*.

Con todas estas vicisitudes de la política nacional, en medio de estos inquietos avatares, se da la paradoja de que la peseta sube y sube: el dólar, que a final de febrero se cotizaba a 9 pesetas y 46 céntimos, está mediado marzo a 9,25; la libra ha pasado de 46 pesetas a 45,50. Ya finalizando marzo, el dólar queda en 9,20, la libra en 44,75. Aunque no sea más que en esto, el pueblo y el rey se alegran paralelamente.

Para que nada falte a este apasionante marzo de 1931, se celebran dos grandes juicios esperados por el público y jaleados por la prensa: el de los sublevados de Jaca y el del Comité Revolucionario Nacional. En el primero se produce un incidente dramático. El capitán Domingo, defensor del capitán Sediles, exclama:

—Rebelión militar es alzarse en armas contra la Constitución del Estado, contra el rey, los Cuerpos Colegisladores y contra el Gobierno legítimo. El 13 de septiembre se cometió este delito. España llevaba ocho años viviendo sin Parlamento, sin Gobierno legítimo, sin libertades públicas y con la constante vejación de llamar a los españoles no conformistas escoria de la raza, hijos espúreos y malos ciudadanos sin que nadie...

Al llegar a estas palabras le interrumpe el general presidente del Tribunal:

—¿Es una defensa o una acusación...?

A partir de aquí, todo el proceso navegará por derroterros de inusitada violencia. Sediles es condenado a muerte. Los estudiantes de toda España vuelven a levantarse pidiendo el indulto para él; la Casa del Pueblo publica en toda su prensa una nota en la que se une también fervorosamente a la petición de indulto; en la Cibeles se concentra una manifestación de ferroviarios que solicitan lo mismo; de toda España llegan hasta el Gobierno las mismas peticiones.

Las elecciones están ya ahí, a un paso; el rey concede el indulto y a Sediles le es conmutada la última pena por la de cadena perpetua. El día 19 regresa del destierro Santiago Alba. Cuando los periodistas le preguntan si viene a formar parte de otro posible Gobierno, dice que no sabe nada. Sin embargo, la llegada de este famoso político llena a muchos de inquietud, precisamente porque nadie o casi nadie puede presumir de conocer sus verdaderas intenciones.

El 20 se inicia el proceso contra los firmantes del manifiesto revolucionario, en las Salesas. El clamoreo popular es enorme. Toda la noche han estado centenares de madrileños haciendo cola para presenciar el juicio. Los procesados son Alcalá Zamora y Miguel Maura, defendidos por Ossorio y Gallardo; Largo Caballero, defendido por Bergamín; Fernando de los Ríos, defendido por Sánchez Román; Alvaro de Albornoz, defendido por Victoria Kent, y Casares Quiroga, defendido por Jiménez de Asúa.

El tribunal lo preside el general Burguete, presidente del Consejo Supremo de Guera y Marina, con un civil, García Parreño, como juez instructor, y un fiscal militar, Valeriano Villanueva. Después de muchos discursos y exhibiciones de ambos lados, se piden ocho años de prisión a cada uno.

El 23 arrecian los estudiantes en sus alborotos. Una manifestación cuya autorización tenían solicitada de la Dirección General de Seguridad es prohibida por el general Mola. En la Puerta del Sol se producen graves incidentes a la salida de los periódicos, que el público espera con avidez.

Una penosa interrogante envenena los aires madrileños durante estas graves horas del 23 y madrugada del 23 al 24. Según sea la condena, es posible que estudiantes y obreros se lancen a la calle. El 24 se publica el veredicto, no ocho años, sino seis meses de privación de libertad, por lo que quedarán libres inmediatamente.

Este mismo día se levanta la suspensión de garantías constitucionales. Estamos a sólo veinte días de distancia de la proclamación de la República. Pero eso aún no lo sabe nadie. Ni siquiera los mismos republicanos.

En los últimos días de marzo los acontecimientos parecen precipitarse, como si cada hecho y cada persona tuvieran la conciencia cierta de su *rol* de prólogo de lo que se avecina. Arrecian los días turbios en la Facultad de Medicina de San Carlos, y continúan produciéndose heridos. Como una cadena interminable, cada herido constituye motivo para nuevas protestas y nuevos heridos.

Y de San Carlos a la Puerta del Sol: aquí, junto a Gobernación, parecen darse cita ya cada noche los más exaltados de un bando y de otro. Como casi siempre, los altercados universitarios de Madrid tienen repercusión en los centros estudiantiles de toda España, y poco a poco van llegando a la capital los telegramas que confirman el inquieto estado de ánimo de todas las universidades del país.

El 27, el general Burguete, presidente del Consejo Supremo de Guerra y Marina y presidente del Tribunal Militar que ha juzgado a los miembros del Comité Revolucionario, da a la prensa una larga nota, quizá excesivamente literaria, pero clara y agresiva, en la que se muestra totalmente contrario a la Dictadura de Primo de Rivera. Entre otras cosas dice:

"... **Que no se hable más del fantasma de la Dictadura, que sorprendió a la mayoría del Ejército, y que éste aborrece desde hoy, porque considera todo pronunciamiento en el Ejército un delito contra el honor y casi —en estos momentos graves de la Nación en que intenta por medios legales rehacerse— como un delito de traición a lesa Patria."**

La nota del general Burguete produce un revuelo considerable en todos los medios políticos y militares del país. El Gobierno, que desea ser lo más liberal posible, pero que tolera de mala gana las censuras al Gabinete de Primo de Rivera, destituye a Burguete y le envía arrestado dos meses al castillo de Santa Catalina, en Cádiz. El general Mola, director general de Seguridad, dimite; el Gobierno no le admite la dimisión y le ordena continuar en su puesto. El general, entonces, exclama:

—Será con más poderes, si acaso...

—Será —le aseguran oficiosamente desde el despacho de Gobernación.

El ataque de Burguete a la Dictadura encuentra pronta respuesta en el hijo del Dictador, José Antonio Primo de Rivera, que publica un artículo en el periódico *La Nación*, órgano de la Unión Patriótica, en el que, entre otras cosas, dice:

"**En el archivo del general Primo de Rivera quedan pruebas epistolares del respeto y "admiración" con que aquel otro general le favorecía. El respeto de inferior a superior es reglamentario. Mas no la admiración. Cuando se dice a un superior que se le admira, es porque se le admira de veras, o porque trata de adulársele vergonzosamente."**

Cuando Burguete tiene conocimiento de este artículo, responde con otra nota, también bastante larga, entre cuya espesa prosa viene a considerar a José Antonio como *un muchacho irrespetuoso cuyo amor filial comprende*. Y mientras tanto —ya 30 de marzo, a quince días de la República— la Policía de Mola sigue deteniendo sindicalistas exaltados y en un garaje de la calle de Ayala es descubierta una caja de bombas y un paquete de pasquines socialistas.

De no ser por el trasiego extraordinario que las próximas elecciones municipales han provocado en todo el país, abril sería, o al menos lo parecería, uno más, con sus huelgas estratégicas, sus crímenes pasionales en las calles céntricas de Madrid, sus estrenos teatrales y sus mítines políticos.

Pero, no: la proximidad del temido confrontamiento con el republicanismo ha puesto en las esferas oficiales todo un permanente estado de nervioso temblor. Pese a que *La Nación* —upetista—, *El Debate* —católico— y *A B C* —monárquico— aseguran que el triunfo electoral será para el rey, hay en los mismos que esto escriben para su columna diaria del periódico el miedo a la poderosa coalición republicano-socialista.

Los sondeos de la opinión pública, no tan organizados a la americana como habrán de conocerse años después, dicen bastante claro que en Madrid y en las capitales de las provincias-clave es muy posible la mayoría republicana, y eso tiene inquietos, naturalmente, a los que aprietan en sus manos las riendas de los poderes públicos.

Mientras tanto, Madrid continúa con sus calles desastrosas de disciplina y pavimentación. Está intentándose sacar dinero de algún recoveco del presupuesto municipal para adecentar la espaciosa e importante calle de Santa Engracia, y los vecinos se quejan del pésimo estado del adoquinado; se prometen desde la poltrona municipal reformas y mejoras en todos los distritos, y seguramente, las promesas son de buena fe, pero como andamos en vísperas de elecciones, el madrileño medio, socarrón y desconfiado, piensa que no son sino argucias electorales.

El casero de la viuda del capitán García Hernández, fusilado éste en diciembre anterior por los sucesos de Jaca, decide colaborar al desenvolvimiento de esta mujer, rebajándole el alquiler —caso insólito— de las 85 pesetas mensuales que venía pagando por su piso de Torrijos, 56, a sólo 50 pesetas al mes.

Los primeros días de este decisivo abril de 1931 son los de la Semana Santa, y las calles madrileñas olvidan por unas horas la creciente amenaza republicana para engalanarse de mantillas y peinetas. El Viernes Santo, con ocasión del paso de la procesión por la calle Mayor, se promueve una riña entre unos vecinos que querían verla desde la primera fila y unos jóvenes que salían de un café y que deseaban lo mismo. La riña degenera en lucha abierta, con brillantes navajas en las manos. Hay carreras, gritos, cuerpos pisoteados, y poco después, cuatro Casas de Socorro de Madrid no dan abasto a atender a los heridos y magullados, aunque ninguno grave.

La tensión nerviosa de Madrid está a flor de piel: cualquier chispazo involuntario puede hacer saltar el incendio, cualquier discusión toma inmediatamente derroteros políticos. Los numerosos bandos se han resumido en dos: republicanos y monárquicos; con el rey o contra el rey, aunque a Alfonso XIII apenas se le nombra en estos encuentros dialécticos.

El Ayuntamiento, que también alberga en su salón de sesiones en-

Rodolfo Valentino   Gary Cooper   Anita Page

Norma Shearer   Maurice Chevalier   Greta Garbo

FIGURAS DEL CINE UNIVERSAL EN 1930

Gabinete del almirante Aznar (último Gobierno de la Monarquía) 1931

Escenas de la proclamación de la República en Madrid, 14 de abril de 1931

cuentros inamistosos, registra un fuerte altercado con motivo del problema de la recogida de basuras en la capital. El alcalde declara a los periodistas que ha aumentado la obra social municipal, ya que se están suministrando nada menos que mil novecientas setenta comidas cada día en las cantinas escolares a los niños pobres de Madrid.

En los tres meses y medio anteriores a la proclamación de la República, las películas que llevan más público a las taquillas son *La dama misteriosa*, por Greta Garbo; *Cascarrabias*, formidable creación de Ernesto Vilches; *El hipócrita*, por el coloso Emil Jannings; *El precio de un beso*, con José Mojica (el futuro fray José de Guadalupe), que está en su mejor momento como cantante y en uno de sus peores momentos como actor, alternando en esta cinta con la finísima Mona Maris; *Tempestad*, uno de los alardes del cine de exteriores, por John Barrimore —el del perfil que desmaya a las mujeres— y Camile Horn; *Oriente Express*, por Lil Dagover; *Troika*, por Olga Tschechowa; *Lirios silvestres*, delicado romance por la delicada Corinne Griffith; *El gaucho*, por Douglas Fairbanks, en un *rol* en el que luce su bigote mejor que nunca.

Entre las producciones cómicas destacan, entre otras muchas, *Ladrones* y *Un par de marinos*, por la pareja Stan Laurel y Oliver Hardy —o *el gordo y el flaco*, como les conocen todos los niños españoles—, y dos películas de Buster Keaton: *El comparsa* y *Cameraman*. En el cine musical descuellan las producciones *El rey del Jazz*, por Paul Witheman; *Follies 1930*, *El gran charco*, por Chevalier, y *El chico del saxofón*, por Clive Borden.

En cuanto al movimiento teatral, en Eslava, *Los chamarileros*, sainete de Arniches, Abati y Lucio; en la Zarzuela comienza el año con la revista argentina *Buenos Aires en Madrid, Estampas iluminadas*, de Bayón y Romero, y ya en febrero, *El hombre deshabitado*, de Rafael Alberti, obra esperada con cierta ansiedad y cuyo estreno será comentadísimo por el valor de la comedia y porque al final de ella, Alberti, desde el escenario, dirige unas palabras al público y termina gritando: «¡Viva el exterminio! ¡Muera la podredumbre teatral!»; todo ello en medio de un regular escándalo.

Poco después, la Zarzuela presenta *He encontrado una hija*, de Leandro Navarro y Monís, y *La respuesta no llegó*, de Solá. En el Alcázar, *No seas embustera*, de Molnar, y *Mari-Bel*, de Coello de Portugal. En el Cómico, *¡Que trabaje Rita!*, de Estremera y Valdés; *Una mujer simpática*, de Ramos Martín, y *Doña Dolores*, de Antonio Paso, estupenda creación de Loreto y Chicote.

En Fontalba, *Madreselva*, de los Quintero; *Proa al sol*, de Lázaro, y *El hombre que se deja querer*, de Bernard Shaw. En el Fuencarral, *Los pícaros estudiantes*, de Casañal, Galán y maestro Mediavilla; *La sierra brava*, de Palomero y maestros Barrera y Alonso, y *La Maragata*, de López Alarcón y Escosura, música de Cases y Torner.

En el Muñoz Seca, *Adán o el drama empieza mañana*, de Sassone, y *De muy buena familia*, de Benavente. En el Maravillas, dos estrenos: *Ku-Klux-Klan*, animado espectáculo musical de González Alvarez, Carballeda y maestro Penella, y *El pájaro rojo*, revista de Ginés y maestro Parera.

El Lara presenta *Han cerrado el portal*, de Ardavín, y *Tierra en los ojos*, de Serrano Anguita. En el Calderón, *La castañuela*, de González del Castillo, Muñoz Román y música de los maestros Acevedo y Alonso, y *La cautiva*, de Sevilla y Carreño, con partitura de Guridi.

Buena proporción de estrenos musicales en la primavera de vísperas de 1931. En Romea, *La niña de La Mancha*, de Vela y Campúa y música de Rosillo. En Price, *Los pelaos*, de Paso, González del Toro y música del maestro Morató. Aún otra en Fontalba: *Anna Christie*, de Eugene O'Neill.

Como cada temporada, drama en verso de Marquina: *Fuente escondida*, en el Español. En la Comedia, *La guapa*, de José María Granada y Téllez Moreno. En el Infanta Beatriz, *El anillo de Saturno*, de Vicente de Pereda, y en el Ideal Room, *La sintética*, de Agüero, Oliver y maestro Arquelladas.

No, los madrileños no tienen demasiada ocasión de aburrirse en la primavera de 1931, contando además con las dos emisoras de radio —Radio España y Unión Radio (esta última la actual Radio Madrid)— que rivalizan en mejorar sus programas día por día.

Por si es poco, los *cabaretes*, las *cupletistas*... Paquita Garzón, que actúa frecuentemente en el *music-hall* del Hotel Palace; las hermanas Laura y Victoria Pinillos, bellamente provocativas, tanto que durante su estancia en Buenos Aires fueron casi asaltadas por una comisión de cuatro docenas de esposas furiosas, que consideraban que eran peligrosísimas para sus maridos; *La Sultanita*, triunfadora tarde y noche en el escenario de Romea; Liana Gracián, uno de los cuerpos más esbeltos del Madrid de 1931 que, extrañamente, no abunda en grasas como la mayoría de sus compañeras de especialidad; Magda de Bries, fina, sugestiva, en la línea enigmática y elegante de Greta Garbo y una de las mejores bailarinas que pasaron por los escenarios madrileños; Estrellita Castro, verdadero torbellino escénico, caso increíble de furia española sobre las tablas, artista extraordinaria que pone en pie al público con sus canciones y con su gracejo salpicado de picardía; Amparito Taberner, hija de una célebre tiple valenciana del mismo nombre; Reyes Castizo *la Yankee*, una rubia sevillana que al decir de ciertos críticos pone frío y sudor en la espina dorsal de los espectadores; Celia Gámez, la argentina definitivamente españolizada, auténtica reina de la revista; Perlita Greco, otra criolla españolizada; Blanquita Pozas, que revuelve a los espectadores amantes de las ampulosidades.

El último Sábado de Gloria de la Monarquía, 4 de abril, a diez fechas vista de la proclamación de la República, el movimiento teatral madrileño registra tres estrenos y unas cuantas novedades. Entre los estrenos destaca la comedia de Benavente, titulada *Literatura*, que pone en el escenario del Alcázar la compañía de Juan Bonafé y Hortensia Gelabert, con un galán joven de buena apostura que se apellida Fernández de Córdoba.

En el Cómico, *Los mesianistas*, adaptación de la célebre obra extranjera, realizada por Horacio de Castro, hijo del escritor Cristóbal de Castro, con la compañía de María Banquer, Luis Peña y Félix Dafauce. El tercer estreno, en el Fontalba: *Topacio*, de Marcel Pagnol, con Enrique de Rosas, Matilde Rivera y Ricardo de Rosas.

Se presenta en el Reina Victoria Irene López Heredia con la reposición de *La escuela de las princesas*, de Benavente, y en el Maravillas, zarzuela, con la compañía de Pepe Romeu, Regina Zaldívar y Rosita Cadenas, que presentan *El último romántico*. Selica Pérez Carpio reaparece en el Calderón con *La Calesera*, de Alonso.

En Eslava, la gracia sajona de la bailarina Miss Dolly, con la compañía que dirigen Faustino Bretaño y Laura Pinillos. En el Fuencarral, una formidable compañía de variedades que encabezan *Rámper*, Goyita Herrero y Lolita Méndez. Y en el Price, inauguración de la temporada de primavera, circo y variedades, promovida por la famosa empresa Corzana-Perezoff.

Días antes de la proclamación de la República, casi sólo horas antes, Madrid asistirá a tres estrenos más: *Paca Faroles*, de Luis Manzano, en el Lara; *El cuento del lobo*, de Molnar, en el Reina Victoria, y *Marcha de honor*, zarzuela de Leandro Blanco y Lapena, música de Soutullo y Vert, en el Maravillas.

Hay buenas corridas de toros el Domingo de Resurrección y el lunes siguiente: Posada, *Niño de la Palma* y *Armillita Chico* para el primer cartel, y Villalta, *Cagancho*, *Gitanillo* y Solórzano para el segundo.

Y aún hay toros el mismo domingo 12 de abril, fecha de las elecciones municipales, a plaza llena, con Fauto Barajas, Antonio Posada y Saturio Torón.

La campaña electoral arrecia: los periódicos aumentan día por día el espacio que conceden a la información de las ya próximas elecciones. *A B C* dice:

> **"¡Católicos! El programa mínimo de la coalición revolucionaria es la libertad de cultos; la persecución del catolicismo y su clero; la extirpación de la fe religiosa; el sectarismo rojo. Recordad los atentados a los templos, la semana trágica. ¡Rentistas! La única bancarrota de España ocurrió bajo la República."**

El Liberal arguye:

"¡Españoles! La República velará por los intereses sagrados de la producción y del comercio, del libre y patriótico desenvolvimiento de la industria. Las rentas mal adquiridas y la animosidad de los latifundistas, la plutocracia absorbente de las iniciativas y de la vida de las clases media y trabajadoras, en cambio, serán enérgicamente batidas."

En la pared de la derecha: «¡Votad a la Monarquía!» En la de la izquierda: «¡Vota a la República!» Los barrios madrileños se estremecen más hondamente según se acerca el esperado 12 de abril. Pero en la calle hay un clamor bastante claro, que sólo pueden dejar de oir los sordos, los voluntariamente sordos.

Capítulo 20. LAS ELECCIONES DEL 12 DE ABRIL (año 1931). Las pre-elecciones gubernamentales. Ambiente electoral. Nuevas luces en la glorieta de Bilbao. Incidentes en la Puerta del Sol. Jornada deportiva del 12 de abril. Romanones, inquieto. Candidatura republicana por Madrid. Candidatura monárquica por Madrid. Resultados del encuentro electoral en Madrid y en España. Circular del general Berenguer. Negociaciones. Encontradas actitudes de Sanjurjo y La Cierva. Se prepara la salida de la Familia Real.

Madrid vive sólo para las ya muy próximas elecciones. El número de Ayuntamientos en España es de 8.943, y el de concejales el de 80.280. Unos días antes del 12 de abril, el Gobierno acude al célebre artículo 29 y proclama nada menos que 14.018 concejales monárquicos y 1.832 concejales antimonárquicos.

Solamente en la provincia de Madrid son proclamados por el citado procedimiento 144 monárquicos y sólo diez antimonárquicos.

Es evidente que entre los miembros del Gabinete Aznar hay una inopia casi absoluta. El viernes 10, el conde de Romanones, que es uno de los de mayor pericia, dice a los periodistas:

—La proporción de diez monárquicos por uno republicano será la del domingo próximo. Pero quisiera que ya fuera domingo. Hay días que no hacen falta, y mañana sábado debiera borrarse del calendario. Es un día que sobra.

Este mismo viernes 10 se inaugura el alumbrado eléctrico de la glorieta de Bilbao. Todo el barrio baja o sube para ver la querida glorieta iluminada eléctricamente por dos farolas centrales, audaces, de cuatro brazos cada una, y catorce farolas más, de menor cuantía, en el encintado de las aceras. Total: 44.000 bujías. «¡Luz para que se vean los carteles electorales!», opinan algunos.

El sábado 11, por la noche, entre las once y las doce, varios grupos rivales se enfrentan en la Puerta del Sol. «¡Viva el rey!», gritan unos; «¡Viva la República!», gritan otros. Este es un grito subversivo. Acuden dos secciones de guardias de Seguridad que son recibidas con silbidos por los republicanos y con aplausos por los monárquicos. Son detenidos algunos de los que vitorearon a una República si bien presentida aún no nacida. Silbidos que arrecian, palos, algún disparo y después de la media noche vuelve la normalidad. Una normalidad caliente. Mañana, elecciones.

La cotización en la Bolsa de Madrid en este sábado de vísperas es la siguiente:

1 franco francés	0,35
1 franco suizo	1,75
1 libra esterlina	44,20
1 dólar	9,09

El Liberal de este sábado 11, dice:

> **"Los más interesados en guardar el orden son los republicanos y socialistas, que tienen seguro el triunfo por la mayoría en casi todos los distritos de Madrid. Guardar el orden no es "dejar hacer", porque en este caso no se produciría ningún incidente, pero les robarían los votos y las actas. Guardar el orden es entregar a las autoridades a los que cometan delitos contra los sufragios armando el menor ruido posible."**

Precisamente el mismo domingo 12 de abril en que, mediante las elecciones municipales, España va a cambiar su destino, en los medios deportivos se registra el anual acontecimiento de la iniciación de la Copa de España de Fútbol. Muchos electores han acudido a votar por la mañana para no perderse el encuentro, titulado de sensacional por la prensa, entre el Racing de Madrid y el Sevilla F. C. Los otros encuentros tienen lugar en Barcelona, en Logroño, en Vitoria, en Irún, en Valencia, en Sevilla y en Santander.

El Racing de Madrid sale al campo con una alineación espectacular, que hace concebir, con razón, muchas esperanzas a sus seguidores: Polo, Arturo, Calvo, Moreno, Rodríguez, Peña, Bernabéu, Menéndez, Quesada, Ateca y Pérez de la Serna. Frente a él, el Sevilla presenta a Eizaguirre, Monje, Iglesias, Rey, Abad, Arroyo, Roldán, Gual, Campanal, Adelantado y Brand.

No comienza el partido demasiado fácil para los madrileños, que esperaban que todo iba a ser poco menos que un paseo sobre el campo, pero a pesar de la durísima resistencia de los sevillanos el encuentro, *el match*, queda en un 2-0 a favor del Racing de Madrid.

Los otros encuentros se resuelven así: el Barcelona, que tiene frente a él un enemigo tan de poca trascendencia como el equipo de Don Benito, que anda galleando y se ha convertido en decisivo para la Copa, se deshace de su rival por el abultadísimo tanteo de 9-0; el Racing de Santander es en esta jornada el único equipo que pierde en su propio campo, ante el Arenas Club, por 0-2; en Sevilla, el Real Betis acaba prácticamente con las esperanzas de la Real Sociedad de San Sebastián por 5-1; el Deportivo de Logroño arrolla a la Cultural Leonesa por 7-0; empatan el Deportivo Alavés y el Sabadell F. C. a dos goles; el Valencia F. C. vence a duras penas a un Iberia de Zaragoza que se defiende sabiamente, obteniéndose el tanteo de 2-0, y, por último el Real Unión gana al Celta de Vigo por 3-1. *Real* Unión, *Real* Sociedad, *Real* Betis.

Ninguno de los jugadores de todos estos equipos sospecha, mientras corretea por el campo en esta tarde del 12 de abril de 1931, que es la última vez que su conjunto se denominará así: miles de votos, cayendo con el ruidito del papel doblado en el interior de miles de urnas por toda España, están borrando suavemente la palabra *real* de la actualidad nacional.

Mientras los balones van y vienen impulsados por tanta energía juvenil, el curso de la Historia de España está registrando uno de sus momentos más importantes. Sí, también en muchos otros lugares que no son Madrid los electores votan por la mañana para poder dedicar la tarde a presenciar el encuentro local de de esta primera jornada de la Copa de España. Muchos quedan roncos de tanto gritar en el campo de fútbol; muchos van a continuar enronqueciendo a través de las calles, unas cuantas horas después, con ocasión de la proclamación de la República.

Este 12, domingo, el conde de Romanones, ministro de Estado en el Gabinete del almirante Aznar, ha salido al campo en su automóvil. El viejo y astuto político no puede esta vez solazarse repartiendo su mirada a derecha e izquierda de la carretera, pese a lo atractivo del paisaje en primavera. En su cabeza bullen las atemorizadoras cifras que sus secretarios le han facilitado la víspera, cifras que dan por seguro un triunfo republicano en Madrid.

El conde tiene casi la certeza de que en la capital va a registrarse un auténtico barrido de las candidaturas monárquicas, si bien cabe esperar que en el distrito de Buenavista la lucha electoral se resuelva a favor del rey.

La coalición republicano-socialista ha presentado en este sector madrileño —el más aristocrático, el de las casas *de los ricos*— una candidatura temible: Fernando de los Ríos, catedrático; Pedro Rico y Miguel Maura, abogados. De los Ríos, socialista: los otros dos, republicanos.

El apellido Maura significa —todavía— moderación, republicanismo —digamos— del centro derecha. Y como se sabe que el Gobierno que tiene previsto el Comité Revolucionario tiene a Miguel Maura como ministro de la Gobernación, parece que las gentes de orden del distrito de

Buenavista, donde se halla enclavado el barrio de Salamanca, pueden esperar una República moderada.

Romanones, que ya ha ordenado a su chófer que regrese a Madrid, piensa que las votaciones en Buenavista quizá compensen la catástrofe que se espera en los otros sectores. No le pasa inadvertida la agudeza de la Coalición Republicano-Socialista, que así como en otros distritos ha presentado algunos candidatos obreros (un embaldosador y un mecánico en Congreso, un zapatero y un albañil en Hospicio, un tipógrafo y un ferroviario en Hospital, panaderos, metalúrgicos y el estuquista Largo Caballero en otros distritos), ha reservado para Buenavista tres candidatos letrados.

En las primeras horas de la mañana de este domingo trascendental, los barrenderos, turnándose en equipos para poder ir a votar, han derramado carros de arena en la Puerta del Sol y en las calles céntricas, a fin de que si la caballería se ve forzada a actuar, no resbalen los cascos de los caballos sobre el adoquinado o el asfalto.

En la madrugada del sábado al domingo ha habido varios incidentes, pues algunos grupos de obreros han descubierto a equipos de bomberos que, por orden del director general de Seguridad, Mola, estaban arrancando de las paredes carteles de propaganda republicana y socialista. No obstante ello, la prensa de izquierdas de la mañana recomienda calma, ya que —dice— «el triunfo es seguro». *El Liberal*, particularmente, advierte:

> **"Durante el día de hoy estarán acuarteladas las tropas y fuertes retenes de la Guardia Civil ocuparán posiciones estratégicas. Que pasen el día en los cuarteles sin la menor intervención en la calle es lo que más conviene a las candidaturas de la alianza republicana. No nos dejemos arrastrar a la revuelta y al motín por los agentes provocadores."**

El automóvil del conde de Romanones ya está de nuevo en Madrid. El ministro de Estado no hace sino pensar en ese distrito de Buenavista, del que espera una votación cerradamente monárquica, pese a lo dulcificado de la candidatura contraria. Apenas llegado a su despacho comienza a pedir conferencias a los gobernadores civiles romanonistas y a otros que sin serlo son amigos suyos... Las noticias le hacen palidecer.

Las candidaturas presentadas por la Conjunción Republicano-Socialista para las concejalías del Ayuntamiento de Madrid no han sido preparadas a la ligera. Es de ver la armonía entre hombres procedentes de la Universidad, técnicos, obreros y profesionales liberales. Es de ver también cómo para cada distrito se ha preparado lo más idóneo:

Buenavista

Fernando de los Ríos	Catedrático	Socialista
Miguel Maura	Abogado	Republicano
Pedro Rico	Abogado	Republicano

Centro

José Mouriz	Farmacéutico	Socialista
Rafael Sánchez Guerra	Periodista	Republicano
Honorato Castro	Catedrático	Republicano

Congreso

Manuel Muiño	Embaldosador	Socialista
Celestino García	Mecánico	Socialista
Fabián Talanquer	Industrial	Socialista

Hospicio

Lucio Martínez Gil	Zapatero	Socialista
Eduardo Ortega y Gasset	Abogado	Republicano-Socialista
Antonio Fdez. Quer	Albañil	Socialista

Hospital

Andrés Saborit	Tipógrafo	Socialista
Trifón Gómez	Ferroviario	Socialista
Rafael Salazar Alonso	Abogado	Republicano

Chamberí

Cayetano Redondo	Tipógrafo	Socialista
Niceto Alcalá Zamora	Abogado	Republicano
Fernando Coca	Médico	Socialista

Inclusa

Manuel Cordero	Panadero	Socialista
Eugenio Arauz	Médico	Socialista
Alvaro de Albornoz	Abogado	Republicano

Latina

Julián Besteiro	Catedrático	Socialista
Rafael Henche	Panadero	Socialista
José Noguera	Abogado	Republicano

Palacio

Eduardo Alvarez	Mecánico	Socialista
Miguel Cámara	Abogado	Republicano
Francisco Cantos	Profesor	Republicano

Universidad

Wencesleo Carrillo	Metalúrgico	Socialista
Fco. Largo Caballero	Estuquista	Socialista
Angel Galarza	Abogado	Radical-Socialista

La candidatura monárquica se integra con los nombres siguientes:

Hospicio

Eduardo Guillén Estrada

Manuel Rodríguez González

Francisco García Moro

Chamberí

Ramón de Madariaga Alonso

Fulgencio de Miguel

Dionisio García Guerrero

Centro

Luis María de Zunzunegui Moreno
Aurelio Regúlez Izquierdo
Andrés González Alberdi

Hospital

Enrique Flores Vallés
Apolinar Rato y Rodríguez San Pedro
Pedro Cartón

Buenavista

Santiago Fuentes Pila
Conde de Vallellano
Isidro Buceta Buceta

Universidad

Máximo Elices
Luis Barrena y Alonso de Ojeda
José Layús Barrera

Latina

Enrique Fraile Yuste
César Cort Boni
Modesto Largo Alvarez

Inclusa

Marqués de Encinares
Francisco Antonio Alberca
José Bellver Cano

Congreso

Mariano García Cortés
Serafín Sacristán Fuentes
Jenaro Marcos Cernudo

Palacio

Antonio Pelegrín Medina
Felipe Ruimonte Baquero
Dimas de Madariaga Almendros
José de Gregorio Cuenca

En la madrugada del domingo al lunes se conocen ya con bastante exactitud los resultados de las elecciones en Madrid y en las principales capitales: Barcelona, Valencia, Sevilla y Zaragoza. La cuestión es bastante clara: en Madrid, y por distritos, la lucha queda resuelta así:

Buenavista

De los Ríos (socialista)	9.858
Maura (republicano)	9.848
Rico (republicano)	9.746
Total	**29.452**
Vallellano (monárquico)	6.186
Buceta (monárquico)	6.154
Fuentes Pila (monárquico)	6.054
Total	**18.394**

Centro

Sánchez Guerra (republicano)	4.726
Castro (republicano)	4.651
Mouriz (socialista)	4.615
Total	**13.992**
Zunzunegui (monárquico)	2.701
Regúlez (monárquico)	2.686
González (monárquico)	2.667
Total	**8.064**

Congreso

Talanquer (socialista)	8.164
Muiño (socialista)	8.123
García Santos (republicano)	8.051
Total	**24.338**
Marcos (monárquico)	4.543
Sacristán (monárquico)	3.935
García Cortés (monárquico)	3.884
Total	**12.362**

Hospicio

Ortega y Gasset (E.) (republicano-soc.)	5.549
Martínez Gil (socialista)	5.243
Fernández Quer (socialista)	5.226
Total	**16.018**
Rodríguez (monárquico)	3.055
García Mozo (monárquico)	2.936
Total	**5.991**

Hospital

Salazar Alonso (republicano) 11.333
Saborit (socialista) 11.202
Gómez (socialista) 11.201

Total 33.736

Flores (monárquico) 2.306
Rato (monárquico) 2.085

Total 4.391

Chamberí

Alcalá Zamora (republicano) 12.048
Coca (socialista) 11.805
Redondo (socialista) 11.805

Total 35.597

De Miguel (monárquico) 4.183
Madariaga (monárquico) 3.969
García Guerrero (monárquico) 3.918

Total 12.070

Inclusa

Albornoz (republicano) 9.908
Arauz (socialista) 9.721
Cordero (socialista) 9.537

Total 29.166

Alberca (monárquico) 1.456
Marqués de Encinares (monárquico) 1.254
Gil Serrano (monárquico) 1.071

Total 3.781

Latina

Besteiro (socialista) 11.341
Nogueras (republicano) 11.340
Henche (socialista) 11.008

Total 33.689

Fraile (monárquico) 2.474
Cort (monárquico) 2.162
Largo (monárquico) 2.150

Total 6.786

Palacio

Cantos (republicano)	6.656
Cámara (republicano)	6.653
Alvarez (socialista)	6.190
Total	19.499
Ruimonte (monárquico)	3.745
Total	3.745
Pelegrin (independiente)	3.537
Total	3.537

Universidad

Galarza (radical-socialista)	12.249
Largo Caballero (socialista)	12.125
Carrillo (socialista)	11.901
Total	36.275
Barrena (monárquico)	3.251
Layús (monárquico)	3.047
Elice (monárquico)	3.011
Total	9.309

El resumen de la votación en Madrid nos da un total, teniendo en cuenta sólo los tres candidatos mejor situados por cada distrito, como sigue:

Republicanos y socialistas	270.954
Monárquicos	84.893

En Barcelona, donde han competido casi furiosamente los candidatos de la Izquierda Catalana (*Esquerra*), los radicales de Lerroux, la *Lliga Regionalista* (derecha) y los socialistas, los resultados son éstos:

Radicales	10	concejales
Esquerra	25	"
Repub. independientes	2	"
Socialistas	1	"
Lliga	12	"

Esto es, un ayuntamiento con 38 concejales republicanos y 12 casi monárquicos. Más o menos la misma proporción de Madrid: por cada monárquico, tres republicanos o socialistas y *un poquito más*.

En Valencia, 32 concejales republicanos y 18 monárquicos. En Zaragoza, 32 republicanos y 15 monárquicos. En Sevilla, 32 republicanos y 16 monárquicos. Y así, más o menos en la misma proporción, casi todas las provincias, sobre todo las provincias decisivas con fuerte núcleo obrero.

El ministro de la Guerra, general Berenguer, se adelanta a posibles acontecimientos cursando un telegrama circular a todos los capitanes generales. En este telegrama, cifrado, se les anuncia la victoria electoral de las candidaturas republicanas y se les recomienda confianza en el mando. «*Los destinos de la patria han de seguir* —dice el texto telegráfico—, *sin trastornos que la dañen intensamente, el curso lógico que les imponga la suprema voluntad nacional.*»

Este telegrama no ha sido acordado en Consejo de Ministros, sino que es una particular iniciativa del titular de la cartera de Guerra, por lo que el general Berenguer ha de recibir la directa invectiva de algunos de sus compañeros de Gabinete, que estiman que pese a los votos, ha de hacerse algo para que continúe el rey.

La estadística de la votación es clara, rotunda —como el mismo rey reconocerá en su mensaje de despedida—, pero lo que más hunde a los políticos monárquicos es el resultado, sintomático, de ese distrito madrileño de Buenavista en el que esperaban la derrota espectacular de los candidatos republicanos.

No ha sido así: incluso el barrio de Salamanca ha votado esta vez contra los monárquicos: 28.644 votos para Fernando de los Ríos, Miguel Maura y Pedro Rico y sólo 18.394 para el conde de Vallellano, Buceta y Fuentes Pila, monárquicos. Y las votaciones de algunos de los distritos populares de Madrid son impresionantes: en Inclusa, 29.166 los republicanos y 3.781 los monárquicos; en Hospital, 33.736 los republicanos y 4.391 los monárquicos; en La Latina, 33.689 los republicanos y 6.786 los monárquicos.

¿Qué puede hacerse contra esto...? Negociar. El duque de Maura —cuyo hermano Miguel forma parte del Comité revolucionario— sondea las posibilidades de que continúe el rey, se forme un Gabinete constitucional y se convoquen elecciones a diputados. La respuesta del Comité es negativa:

—Aunque nosotros accediéramos, la masa está ya casi en las calles y no obedecería nuestras órdenes. El rey debe marcharse de España cuanto antes.

El 13 por la tarde se celebra Consejo de Ministros urgente. A su final, el conde de Romanones facilita una nota a la prensa en la que, entre otras cosas, dice:

—No se oculta al Gobierno el alcance político de los resultados de estas elecciones, la afirmación expresivamente adversa a los partidos monárquicos.

En la mañana del 14, Alfonso XIII recibe al general Berenguer, al duque de Maura y al almirante Rivera. En pocas palabras queda la cuestión aclarada: se trata de abandonar temporalmente el poder real, para lo cual el rey debe lanzar un manifiesto a la Nación. De su redacción queda encargado el duque.

Todo ha de ser en minutos. La gente empieza a invadir las calles. Los estudiantes desfilan por la Gran Vía cantando *La Marsellesa*, mitad en francés, mitad en español. El documento ha de hacerse público sin demora: que Madrid sepa cuanto antes que el rey ha decidido marcharse. El duque pasa a una sala contigua y comienza a dictar...

La Cierva dice:

"Se le veía entero, resuelto en la palabra y en el ademán, pero nervioso y preocupado. Nos dijo que no había podido constituir Gobierno. Los constitucionalistas habían contestado al rey que ya era tarde y que él había decidido marcharse. En el acto el conde de Romanones manifestó que con gran dolor de su corazón tenía que aconsejar a Su Majestad que inmediatamente saliera de España. Los demás callaron o asintieron.

"Yo entonces insistí con gran energía en lo que había dicho al rey por la mañana, y pidiendo perdón por la vehemencia patriótica de mi expresión, protesté de que tal cosa hiciera Su Majestad, porque se había de estimar siempre como una deslealtad a España; que si no había podido formar otro Gobierno, nosotros teníamos el deber, ante nuestra conciencia y ante la Patria, de defender a la Monarquía, como habíamos jurado, y yo estaba resuelto a hacerlo sin vacilaciones.

"El rey insistió en que no quería que por él se vertiera sangre. Repliqué que si él nos abandonaba se vertería mucha sangre y muchas lágrimas por los fieles españoles, que no podrían comprender que de tal manera les dejara indefensos. El rey tenía momentos de resolución, pero en otros, durante la dramática escena, decaía.

"Dije entonces a los ministros si creían que nosotros teníamos facultades legales para aconsejar y autorizar que el rey abandonara el Trono, como se proponía hacerlo. Romanones insistió en que era fatal hacerlo, para evitar males mayores. Entonces pregunté a Berenguer, que estaba junto a mí:

"—Pero, mi general, ¿es que no vamos a defender al rey y a la monarquía, como usted afirmó ayer, contestando a mis requerimientos? ¿No cuenta usted ya con la lealtad del Ejército, como tantas veces ha asegurado al Consejo de Ministros en estos últimos días?

"—Es que Sanjurjo me dice que no se puede contar con gran parte del Ejército —respondió Berenguer.

"—¿Ha hecho usted alguna comprobación de esas afirmaciones? ¿Ha llamado usted a los jefes de Cuerpo? ¿Qué opina su hermano, el capitán general de Madrid? ¿No ha adoptado usted, en fin, medidas urgentes y eficaces? —dije con exaltación.

"—Yo creo —contestó Berenguer— que sería peligroso e inútil pedir al Ejército que interviniera."

Es decir, que el ministro La Cierva fue —según cuenta él mismo— el único dispuesto a defender a la Monarquía en contra de la voluntad popular expresada en las elecciones del 12 de abril. Para Berenguer, ministro de la Guerra; para Rivera, ministro de Marina; incluso para el ministro de la Gobernación, la voluntad nacional debía ser respetada. Para La Cierva, no. No lo dice la Historia. Lo dice él mismo. Su fórmula hubiera sido echar las tropas a la calle.

En *La caída de Alfonso XIII*, Camba refleja así el célebre día de las elecciones:

«El domingo, día de las elecciones, amaneció encapotado y gris. En coches descubiertos, mujeres de los dos bandos, con igual entusiasmo, repartían candidaturas. A la puerta de los colegios, que pronto iban a abrirse, otras muchachas, ardiendo en su fervor catequista, seguían repartiéndolas por las colas ya formadas para correr, empujándose, a la llegada de nuevos votantes:
»—¡La republicana!
»—¡La monárquica!
»—¡La de la revolución!
»—¡La del orden!
»Muchos rechazaban el ofrecimiento enseñando su papeleta dobladita entre los dedos. Eran hombres de convicciones, que no iban a esperar un azar de última hora para decidirse. Pero tanto en el rechazo como al recogerlas mostraban una efusión cordial, de pueblo que sabe dirimir pacífica y civilizadamente el problema de su destino. Y era una explosión de júbilo entre las repartidoras de la revolución al ver a algún sacerdote de la cola aceptarle su candidatura.
»Fue un asombro cuando hasta la cola llegó el rumor de que no en todas partes la cosa se deslizaba con la misma sencillez. A la puerta de la Biblioteca Nacional parece que había habido un choque entre republicanos y monárquicos. En la Puerta del Sol, la Policía estaba dando cargas. Pero nada volvió a decirse de nuevos jaleos. Los rumores se extinguían en su propia inconsistencia o insignificancia. Vítores aquí al ver a elementos que jamás votaron, personajes de la alta burguesía, banqueros y hasta aristócratas, acudir, sin importarse ya de cuál fuese su papeleta, al plácido torneo donde estaba decidiéndose la suerte del país.
»Y de pronto, delante de mí, lo increíble. Acababan de llegar por el fondo unos tricornios, que, al principio, con general asombro, supusimos guardias civiles, pero pronto se vio que eran alabarderos, la guardia interior de Palacio, viniendo, antes de entrar en servicio, a cumplir aquella gran misión ciudadana. Aplausos monárquicos, y, visiblemente en broma, del ramillete de las catequistas republicanas se destacaron dos de las más bonitas y marchosas:
»—Traéis ya vuestra buena candidatura empalmá, ¿no, resalaos?
»—No, no traemos nada.
»—Pues vamos a sacaros de ese apuro.

1931. Alfonso XIII desembarcando en Marsella del crucero «Príncipe Alfonso»

1931. Ramón Gómez de la Serna en su célebre tertulia del Café de Pombo

Don Niceto Alcalá-Zamora, primer presidente de la República española (1931)

»Y les alargaban, sonriendo, seguras del rechazo, las candidaturas donde aparecían aquellos nombres que para ellos serían la suprema abominación. Pero lo que rechazaron fue a las señoritas de la propaganda monárquica, que acudían sin apresurarse, dando por descontado su triunfo.

»—Queremos la otra.

»—¿La republicana? —preguntaron casi santiguándose.

»—La republicana —aseveraron tranquilamente.

»—¡Vivan los alabarderos con ciudadanía! —gritaron las de la República, al entregársela como envuelta en un beso.

»Un momento en que el marqués de Hoyos, ministro de la Gobernación, asomó, casi no tuve que preguntarle nada. Viéndome en el rostro más que la interrogación la desesperanza, me cogió al paso:

»—Mal, muy mal. La mayor parte de esos señores dicen que el resultado estaba previsto. Para mí, se lo confieso, es una sorpresa de la que no acabo de salir.

»—¿Pero entonces?

»—¿Las elecciones? Perdidas o poco menos. Hasta ahora un triunfo inconcebible de los republicanos. Romanones lo ha dicho hace unos minutos, al enterarse de lo de su feudo: «Pues si hemos perdido en Guadalajara hemos perdido en toda España». Y como ese demonio de hombre no se ha equivocado nunca, a partir de entonces las mismas noticias de Sevilla, de Valladolid, de Valencia, de La Coruña... Menos mal que en los pueblos es otra cosa, por lo visto. ¡Pero las capitales! ¿Tendré yo la culpa? ¿Podría de algún modo haberlo evitado? Aún hay quien no le da a eso más importancia que a un descalabro fácil de contrarrestar. Pero a la mayor parte no les llega la camisa al cuerpo. Romanones ha acabado por dirigirse al general Sanjurjo, que también está ahí: «Hasta hoy ha respondido usted de la Guardia Civil. ¿Podrá seguir diciendo lo mismo mañana?»

»—¿Y qué contestó el general?

»—No hizo más que bajar la cabeza.

»Cuando a las ocho y media, sin nada ya que hacer allí me disponía a marchar, salía el conde de Romanones, encontrándose de tal modo mezclado a los periodistas de la antesala, que no me reconoció. Acudieron a él los periodistas como polluelos de una granja que acaban de sentir el aproximarse de la mozallona encargada de echarles el trigo. Rascándose la florida nariz, al modo sagastino, no se quedó con nada en el cesto:

»—El resultado no puede ser más desagradable para nosotros los monárquicos. ¿Qué ganaríamos con ocultarlo? Los republicanos llevan mayoría en todas las capitales. Hasta San Sebastián, la playa de los reyes, ha votado en contra. ¡Hasta Guadalajara! Son ocho años que han hecho explosión. Esta es la verdad, por mucho que duela. ¿Qué ocurrirá mañana cuando el país la conozca?»

Capítulo 21. PROCLAMACION DE LA REPUBLICA (año 1931). El trece.
La circular reservadísima a los capitanes generales. Ambiente de grandes cambios. Madrid olfatea la República. El 14 de abril. El pueblo en las calles. Punto de vista de Alfonso XIII. Pocos nobles en Palacio. Exodo real. Los antis. El Gobierno Provisional. Los cinco primeros decretos republicanos. Curiosas escenas madrileñas. Alfonso XIII a Marsella vía Cartagena. Cartelera madrileña del 14 de abril. Casos pintorescos. El regreso de los exilados. La República en marcha. Pueblo difícil. Azaña y Berenguer. La Casa de Campo cedida a Madrid.

El 13, por la mañana, el ministro del Ejército envía a los capitanes generales la siguiente Circular *reservadísima*:

> "Las elecciones municipales han tenido lugar en toda España con el resultado que, por lo ocurrido en la propia Región de V. E., puede suponer. El escrutinio señala hasta ahora la derrota de las candidaturas monárquicas en las principales capitales: en Madrid, Barcelona, Valencia, Sevilla, etc., se han perdido las elecciones.

> "Esto determina una situación dificilísima que el Gobierno ha de considerar en cuanto posea los datos necesarios. En momentos de tal trascendencia no se ocultará a V. E. la absoluta necesidad de proceder con la mayor serenidad por parte de todos, con el corazón puesto en los sagrados intereses de la Patria, que el Ejército es el llamado a garantizar siempre y en todo momento.

> "Conserve V. E. estrecho contacto con todas las guarniciones de su Región, recomendando a todos absoluta confianza en el mando, manteniendo a toda costa la disciplina, y prestando la colaboración que se le pida al del orden público.

> "Ello será garantía de que los destinos de la Patria han de seguir, sin trastornos que la dañen intensamente, el curso lógico que les imponga la suprema voluntad nacional."

En la Puerta del Sol, por la tarde, algunos grupos, no demasiado numerosos ni demasiado exaltados, ondean pequeñas banderolas republicanas y se acompañan de cánticos y vivas alusivos a la República.

Los guardias les ven y les dejan hacer. ¿No acaban de ganar las elecciones los republicanos rotundamente?

Algo va a pasar, y si algo va a pasar los guardias no ven ninguna razón para ser ellos los que inicien violentamente los acontecimientos. Un nuevo orden llega: no hay ninguna razón para enfrentarse con él torpemente.

Una poco nutrida manifestación republicana se detiene en la Gran Vía frente al Casino Militar y aplaude frente a sus balcones. Se considera que en los militares hay una copiosa mayoría de republicanos. De nuevo, los guardias de seguridad permanecen quietos, indiferentes. Sin embargo, cuando la manifestación alcanza la confluencia con la calle de Alcalá, salen al paso dos camionetas de guardias civiles que les impiden continuar, y de buenas maneras les invitan a disolverse. Como los manifestantes no obedecen, se producen algunas descargas cerradas, se deshacen los grupos y hay que recoger del suelo algunos heridos.

Alrededor de las diez de la noche, los aledaños del Palacio de Oriente son un hervidero humano. Prudentemente es retirada la guardia del exterior. Los dirigentes republicanos ya han anunciado oficialmente que nadie atacará a las personas reales siempre que éstas se decidan a marcharse. Poco después, casi a las doce de la noche, la orquestina que actúa en el popular café Cristina de la calle Mayor interpreta, entre grandes ovaciones, *La Marsellesa*.

A las diez y media de la mañana del 14, el almirante Aznar, jefe del Gobierno, llega en su automóvil a Palacio. Hay, naturalmente, más periodistas que nunca, y éstos se muestran excesivamente ávidos de noticias...

—Pero, ¿qué es esto, señores, amigos y compañeros...? Digo compañeros porque estamos siempre juntos. ¿No vengo todos los días a esta hora? Pues, nada, señores: despacho ordinario.

Un periodista más decidido le pregunta:

—¿Es de veras despacho ordinario...? Se espera otra cosa.

—Rumores y nada más que rumores —responde el almirante—. ¿No se dijo anoche que el rey se había marchado? Pues ahí arriba le tienen ustedes...

Cuarenta minutos después sale Aznar de Palacio. De nuevo le acosan los periodistas. El jefe del Gobierno impone silencio con un ademán y dice:

—Son cuatro cosas sencillas las que tengo que decir a ustedes; mejor dicho, una sola. El Gobierno ha aconsejado a Su Majestad que puesto que en el Gabinete faltan algunos sectores monárquicos —y me refiero a los constitucionalistas—, los representantes de esos sectores deben exponer ante el soberano su parecer, y lo que piensan acerca de esto de las elecciones.

—Pero, ¿se queda el rey? —pregunta un periodista.

—No existe crisis política, señores. Que conste eso. De lo que se trata es de que como el rey no oye más que a los representantes de los

— 292 —

MADRID DIA 17 DE
ABRIL DE 1931
NUMERO SUELTO
10 CENTS.

ABC

DIARIO ILUSTRA-
DO AÑO VIGE-
SIMOSEPTIMO
N.º 8.833

REDACCION Y ADMINISTRACION: CALLE DE SERRANO, NUM. 55, MADRID

AL PAIS

*He aquí el texto del documento que el Rey
entregó al presidente del último Consejo de ministros, capitán general Aznar:*

Las elecciones celebradas el domingo me revelan claramente que no tengo hoy el amor de mi pueblo. Mi conciencia me dice que ese desvío no será definitivo, porque procuré siempre servir a España, puesto el único afán en el interés público hasta en las más críticas coyunturas.

Un Rey puede equivocarse, y sin duda erré yo alguna vez; pero sé bien que nuestra Patria se mostró en todo momento generosa ante las culpas sin malicia.

Soy el Rey de todos los españoles, y también un español. Hallaría medios sobrados para mantener mis regias prerrogativas, en eficaz forcejeo con quienes las combaten. Pero, resueltamente, quiero apartarme de cuanto sea lanzar a un compatriota contra otro en fratricida guerra civil. No renuncio a ninguno de mis derechos, porque más que míos son depósito acumulado por la Historia, de cuya custodia ha de pedirme un día cuenta rigurosa.

Espero a conocer la auténtica y adecuada expresión de la conciencia colectiva, y mientras habla la nación suspendo deliberadamente el ejercicio del Poder Real y me aparto de España, reconociéndola así como única señora de sus destinos.

También ahora creo cumplir el deber que me dicta mi amor a la Patria. Pido a Dios que tan hondo como yo lo sientan y lo cumplan los demás españoles.

Nota del Gobierno acerca del mensaje.

El ministro de Hacienda facilitó a última hora de ayer tarde la siguiente nota:

«El Gobierno no quiere poner trabas a la divulgación, por parte de la Prensa, del manifiesto que firma D. Alfonso de Borbón, aun cuando las circunstancias excepcionales inherentes al nacimiento de todo régimen político podría justificar que en estos instantes se prohibiera esa difusión.

Mas como el Gobierno provisional de la República, segurísimo de la adhesión fervorosa del país, está libre de todo temor de reacciones monárquicas, no prohibe que se publique ni cree necesario que su inserción vaya acompañada de acotaciones que lo refuten de momento.

Prefiere y basta que el país lo juzgue libremente, sin ninguna clase de sugestiones ministeriales.»

partidos políticos que figuran en el Gobierno, y como en éste faltan esos sectores de los que hablo, creemos que debe oírseles.

—¿Va a meter el rey republicanos en el Gabinete? —pregunta otro.

—¡Qué cosas! Nuestro parecer, el parecer de cada uno de nosotros, lo conoce ya Su Majestad. Ahora conviene que conozca el parecer de esos elementos monárquicos que no están en el Gobierno. No es tampoco que esos elementos piensen de otro modo distinto al nuestro, ya que también nosotros somos constituyentes.

—Pero el resultado de las elecciones...

—No olviden ustedes que sólo son unas elecciones municipales. El asunto debe resolverse en unas Cortes Constituyentes, aunque no deja de ser evidente que una parte del país se ha manifestado por otra forma de Gobierno.

—Señor presidente, el triunfo republicano estimamos que no deja lugar a dudas.

—La inmensa mayoría de los concejales es monárquica, aunque el triunfo de los no monárquicos lo hayan conseguido en las grandes capitales.

Otra versión pone en boca de los periodistas y de Aznar el siguiente diálogo:

—¿Hay crisis, señor presidente?

—¿Quieren ustedes más crisis que acostarse con un pueblo monárquico y encontrársele al despertar republicano?

Esta misma fuente —Camba— escenifica la salida de Melquíades Alvarez después de su entrevista con Alfonso XIII:

—¿Es verdad que el rey se marcha esta tarde? —preguntan los informadores.

—No lo sé.

—¿Forma usted gobierno?

—No, señores La hora de los constitucionalistas ha pasado ya. Esto es lo que con mi lealtad y mi franqueza he dicho al rey.

—¿Entonces?

—He aconsejado a Su Majestad que el Gobierno haga entrega del Poder a quien represente al partido republicano.

El 14, a las 7,30 de la tarde, un automóvil llega a la Puerta del Sol y difícilmente se abre paso entre los compactos grupos allí estacionados. Desde las cuatro y minutos de la tarde ondea ya una bandera republicana en el palacio de Comunicaciones. En este automóvil viajan Alcalá-Zamora, Lerroux, Azaña, De los Ríos, Maura y Albornoz. Todos penetran en el edificio del ministerio de la Gobernación.

A la entrada, unos guardias saludan militarmente y otros no. Eduardo Ortega y Gasset, designado primer gobernador civil republicano de Madrid, es enviado al edificio de la calle Mayor a hacerse cargo de su

puesto. Miguel Maura, primer ministro de la Gobernación de la República, va directamente al despacho del subsecretario.

—Aun cuando sea ésta una toma de posesión poco protocolaria, vengo a hacerme cargo del ministerio de la Gobernación del Gobierno Provisional de la República.

—Me doy por enterado —responde el subsecretario, Marfil, y abandona su sillón.

Llamado urgentemente a Gobernación, el general Sanjurjo, director
de la Guardia Civil, se pone a disposición del nuevo Gobierno. A la
salida, los periodistas rodean a Sanjurjo:

—¿Alguna novedad, mi general?

—Nada, señores, sino que vamos a actuar.

—Actuar, pero, ¿cómo?

—¿Y cómo ha de ser? Vamos a actuar con el Gobierno constituido

Miguel Maura se asoma al balcón del ministerio. La Puerta del Sol
es un hervidero:

—¡Pueblo de Madrid! Permaneced vigilantes mientras el rey esté
en Palacio. El pueblo, con su ciudadanía, lo desarma. Seguid con orden
y entusiasmo como hasta ahora, pero vigilantes mientras esté en España la representación del régimen caído. Y ahora, como digo, ¡calma,
entusiasmo y a trabajar! ¡Viva España! ¡Viva la República!

Una camioneta del Ejército, mandada por un teniente de Ingenieros,
se cruza con otra camioneta de la Guardia Civil. Los elementos de esta
última pretenden arriar la bandera tricolor que llevan los soldados. Se
produce una fuerte discusión y el teniente dice:

—Pero, ¿no saben ustedes que Sanjurjo ya se ha puesto a disposición del Gobierno republicano...?

Los guardias civiles quedan perplejos un momento. El teniente aprovecha y exclama:

—¡Esta es la nueva bandera! Y se pone rígidamente en posición de
saludo. Los soldados presentan armas. Al minuto, los guardias civiles
también. Desde las aceras, muchos paisanos que han contemplado la
escena con los nervios en tensión aplauden y dan vivas al Ejército y
a la Guardia Civil republicana.

Empiezan a verse por Madrid muchos taxis con banderitas de la
República y pequeños gorros frigios en los contadores. Una manifestación de muchachas aparece por la calle de la Montera cantando bastante mal La Marsellesa.

Mientras tanto, los hombres del Comité Revolucionario, convertidos
ya en miembros del primer Gabinete republicano, trabajan afanosamente en los despachos del ministerio de la Gobernación. Los primeros decretos, preparados con bastante antelación, ya están dispuestos
para salir. Llevan fecha del 14 de abril. Estas históricas disposiciones
son las siguientes:

1. Decreto nombrando al presidente del Gobierno Provisional.
2. Decreto nombrando a los ministros.
3. Decreto promulgando el Estatuto Jurídico.
4. Decreto de Amnistía.
5. Decreto creando el ministerio de Comunicaciones.

Otras disposiciones designan gobernador civil de Madrid a Eduardo Ortega y Gasset, como ya se ha dicho; alcalde de la capital a Pedro Rico, comandante de la guarnición de Madrid al general Ruiz del Portal y director general de Seguridad a Carlos Blanco, cuatro puestos clave en Madrid para la positiva gobernación de la metrópoli y del país.

Romanones cuenta los momentos trascendentales del 14 de abril con todo detalle:

"En el curso de la conversación, el rey me dijo que sería conveniente celebrase yo con urgencia una entrevista con Alcalá Zamora, para conocer sus propósitos y tener cabal idea de la verdadera situación. Sin duda, al hacer tal encargo recordaba que hacía veinticinco años el hoy presidente del Gobierno Provisional de la República, en calidad de secretario particular mío, formaba parte del acompañamiento regio en el viaje que hicimos a las Islas Canarias. El encargo era para mí penoso, pues siempre lo es el presentarse con bandera blanca en petición de armisticio y reconocer el vencimiento.

"Para que la entrevista fuera más rápida y en terreno neutral acudí a los buenos oficios de mi entrañable amigo el doctor Marañón. Pocos minutos fueron precisos para que a casa del renombrado doctor acudiéramos Alcalá Zamora y yo. A la conversación, por petición mía, asistió el doctor Marañón. El tono de ella no pudo ser más cordial. Alcalá Zamora comenzó diciéndome:

"—Usted me conoce bien desde hace veinticinco años, y por eso sabe que no soy hombre capaz de disimular la verdad. Esta se impone La batalla la han perdido ustedes. No queda otro camino que el de que el rey salga de España, y que salga inmediatamente. La proclamación de la República se hará antes de que el sol se ponga. El rey debe resignar sus poderes ante el Consejo de Ministros. No sería prudente su salida por Irún, porque allí, como en San Sebastián, existe una gran excitación contra él. Sería mejor que saliera por la frontera portuguesa.

"Escuchando esto de Alcalá Zamora comprendí que era inútil toda discusión y me limité a decirle que pondría cuanto había escuchado en conocimiento del rey y del Consejo de Ministros. En la calle, a la puerta del domicilio del doctor, había un numeroso grupo de gente joven y bien portada que no ocultaba su alborozo.

"Retorné a Palacio. En la antecámara, tres o cuatro grandes de España, pues éstos comenzaban a acudir al conocer la gravedad de la situación. La conversación que con el rey mantuve no la olvidaré mientras viva. Era el derrumbamiento de toda una vida y se mantuvo dentro de una calma escalofriante. El rey, sereno cual no le he visto

nunca, escuchó cuanto le dije. Me dijo que estaba dispuesto a redactar en seguida un mensaje a la Nación, y me hizo indicaciones sobre su contenido.

"Yo insistí en la trascendencia de que declarase su firme voluntad de no resistir lo que la Nación expresaba categóricamente. En aquella conversación, algo dijo el rey sobre el infante don Carlos. Esta solución era ya tardía, como me manifestó el propio Alcalá-Zamora, que admitía que quizá esa fórmula hubiera sido posible un año antes... En los alrededores de Palacio, a aquella hora —dos y media de la tarde—, no había grupos y la tranquilidad era completa.

El propio Alfonso XIII, en sus declaraciones a Cortés Cavanillas, refiriéndose a los últimos momentos de la Monarquía, dice lo siguiente:

"...Lo que sucedió después es bien sabido. Se discute mucho si yo debí o no marcharme. Ante la ausencia de un cariño y de una adhesión que para mí eran esenciales como rey de España, no debía revolverme con la violencia. Yo no podía desconocer que el alcance de la votación del 12 de abril iba dirigido contra mi persona.

"En la calumnia y en la difamación contra el rey habían intervenido, consciente o inconscientemente, los enemigos de la Monarquía y aquellos que llamándose monárquicos se consideraban resentidos por acciones u omisiones mías. Quiero decir los mismos que se ofendieron en 1923 porque entregué el poder a Primo de Rivera. Y los que se ofendieron en 1930 porque acepté la dimisión de Primo de Rivera. Más el frente revolucionario con ex-consejeros de la Corona.

"España había entrado en barrena y casi todos aseguraban que la República era el único régimen apto para salvarla. La voz del deber me aconsejó lo que hice."

Más adelante, Alfonso XIII, refiriéndose a aquellos que le aconsejaban echar las tropas a la calle y ahogar el resultado de las elecciones, agrega:

"Sé que hubiera podido defenderme y ganar la batalla contra viento y marea. Pero, como dije en mi manifiesto de despedida, quise apartarme de cuanto fuera lanzar a un compatriota contra otro para sostenerme en precario hasta unas elecciones generales que, en aquella atmósfera, hubieran depuesto, con escarnio, al símbolo de la Monarquía."

Y después, la queja de los miedos de última hora de quienes debieron estar en Palacio en aquellos momentos y no estuvieron. Alfonso XIII añade:

"Cuando decidí mi salida, sólo muy pocos leales aceptaron llegar hasta Palacio para despedirme. Sin embargo, como tengo un profundo conocimiento del corazón humano y de sus flaquezas afectivas, no me apesadumbró la ausencia de tantas caras como conocía que debieron sentirse abrumadas y aturdidas por los gritos de las turbas. A las cinco de la tarde me despedí de mis ministros; agradecí profundamente los ofrecimientos de los que pretendían hacer frente a la situación, y no tuve ningún reproche para los que, sin duda con la mejor intención, se excedieron en el servicio ajeno.

"Poco después me enteré de que Miguel Maura, hombre de considerable prestancia escénica, había proclamado la República desde los balcones del Ministerio de la Gobernación."

La tarde del 14 de abril de 1931 ha ido avanzando hacia su destino. Sí, a las cinco, el rey —que prácticamente ya no es rey— se despide de sus ministros —que prácticamente no son ministros ya—. Una hora después, a las seis, la bandera tricolor ha sido izada en el mástil de Gobernación. Se ha producido el relevo. Por ahora, sin muertos ni heridos. Todo va bien.

Cuando Alfonso XIII, desde los balcones de Palacio, había visto desfilar grupos de personas arbolando banderolas y cantando, dijo al conde de Romanones:

—Estos son los que el domingo votaron la candidatura republicana. Muchos, muchos no votaban a la República, votaban contra mí.

Lo que viene a confirmar lo que se dice en otro lugar de esta Historia.

Cuando el automóvil de Romanones va a salir de Palacio por la puerta de costumbre, unos agentes de Policía le sugieren la conveniencia de no hacerlo por allí, sino salir por Caballerizas y alejarse a través del Campo del Moro, lo que el conde estima también muy acertado.

Resuelto el viaje de Alfonso XIII a bordo de un barco de guerra, se trata ahora de arreglar la salida de Victoria Eugenia y de sus hijos. Romanones llama por teléfono al doctor Marañón, que está realizando inestimables servicios de enlace entre el Comité Revolucionario y el Gabinete Aznar, y queda encargado el célebre médico de realizar las gestiones necesarias.

A las siete de la mañana, Marañón telefonea a Romanones: Victoria será acompañada por el general Sanjurjo, director de la Guardia Civil.

Entre las ocho y media y las nueve de la noche sale Alfonso XIII del Palacio Real rumbo al exilio. Viste un traje gris a rayas, camisa de cuello blando y sombrero flexible. Acaba de tomar una cena ligera y fuma uno de sus célebres cigarrillos largos. Si en algo se le nota el nerviosismo es por lo aprisa que el cigarrillo se consume y por las rápidas miradas de despedida que dirige a todo cuanto le rodea: paredes, balcones, cuadros. Particularmente, su mirada se detiene un poco en el gran retrato de su madre, la reina Cristina.

Le acompañan hasta el automóvil su jefe de la Casa Militar, general Pozas; su montero mayor, conde de Maceda, y el intendente de Palacio, conde de Aybar. La caravana se compone de tres coches. Los ocupantes, además de Alfonso XIII, son el ministro de Marina, almirante Rivera; el infante don Alfonso, el duque de Miranda y tres ayudantes.

Al pasar frente a la guardia de alabarderos, el oficial que la manda grita, no demasiado fuerte:

—¡Viva el rey!

Alfonso XIII por toda respuesta, le mira significativamente y dice casi en voz baja:

—¡Viva España!

En el momento de montar en los vehículos, el grupo más próximo lo componen el general Lóriga, las marquesas de Camarasa, de Villanueva y de Someruelos y algunos ayudantes de servicio.

Alfonso XIII ocupa su automóvil, un *Dusemberg* de lujo, velocísimo para las velocidades de la época, y en los otros dos coches se acomodan sus acompañantes.

Una pequeña masa de curiosos espera la salida de los coches en la calle de Bailén. Los automóviles se dirigen a la carretera del Campo del Moro, Cuesta de la Vega y carretera de Andalucía. Una hora más tarde atraviesan Aranjuez, donde Alfonso XIII puede observar a la gente en la calle celebrando ya la llegada de la República. Nadie, sin embargo, molesta a los coches de Palacio.

La corta caravana va ganando pueblos en su ruta hacia Cartagena, donde espera el barco de guerra. Si se tiene en cuenta que ninguno de los pueblos del recorrido cuenta con carretera de circunvalación o variante, es fácil suponer lo que es el paso de los tres coches oficiales por las estrechas callejuelas que en Villatobas, Quintanar de la Orden, el Pedernoso, las Pedroñeras, la Mota del Cuervo, etcétera, constituyen tramos de la petulante carretera general.

Sin embargo, nada hay escrito, en ninguna parte consta, que estas gentes que en la noche y en la madrugada celebran —incluso con no poco vino manchego en el estómago— la venida de la República, hayan molestado al rey. En Murcia hay una corta detención ante un paso a nivel cerrado. El guarda-agujas, al reconocer a Alfonso XIII, le dice:

—Yo he votado por la República, pero conste que usted le cae simpático a mi mujer.

El automóvil que conduce a Alfonso XIII llega a las cuatro de la madrugada a Cartagena. Se dirige directamente a la calle Real, al Arsenal. Le recibe el capitán general, almirante Magaz, con visible emoción. Alfonso XIII le pregunta.

—Bueno, ¿que pasa por aquí?

—Tranquilidad absoluta, señor —dice Magaz—. En todas partes se han encargado de los Gobiernos civiles los presidentes de las Audiencias.

—¿Y aquí...? ¿Han tomado posesión del Ayuntamiento los republicanos?

—Sí, señor, esta tarde.

—¿Quienes? ¿Algunos de los concejales elegidos el domingo?

—Exactamente, señor.

Todo está dispuesto con precisión militar. Sólo ocho minutos más tarde, el rey depuesto embarca en la gasolinera que ha de conducirle al crucero de su exilio.

El viaje desde Cartagena a Marsella a bordo del buque «Príncipe Alfonso» no puede ser grato para el monarca destronado. Independientemente de la amargura y de las añoranzas naturales, está el estado de ánimo de la tripulación. Se sabe que la gran mayoría del Cuerpo General de la Armada es monárquico, pero las noticias que se tienen de los otros Cuerpos de menos empaque, y sobre todo la marinería, son todo lo contrario.

Como el Gobierno Provisional de la República ha dado la orden de arriar la bandera de dos colores e izar con toda solemnidad la de tres —ya con la inclusión de la franja morada—, y esa orden ha sido cursada a todas las unidades militares, el pequeño comité republicano que actúa a bordo del «Príncipe Alfonso» desea dar cumplimiento a la orden general en la que, desde luego, no se ha caído en hacer una excepción con este buque.

Algunos oficiales, que han recogido las intenciones de los marineros republicanos del buque, preguntan al almirante Rivera, que acompaña a Alfonso XIII, qué deben hacer. El almirante encontrará la fórmula de mediación: la orden será cumplida inmediatamente que el expatriado abandone la nave.

Una vez que Alfonso XIII desembarca en Marsella y la artillería de a bordo dispara las salvas de ordenanza, una vez que el «Príncipe Alfonso» cruza la línea de las aguas jurisdiccionales francesas, mientras la proa del barco enfila de nuevo hacia puertos españoles, se forma el piquete en cubierta, se arría la bandera bicolor y se iza la tricolor, a la que todos, naturalmente —los oficiales monárquicos y los marineros republicanos y los contramaestres entreverados y los fogoneros anarquistas—, saludan respetuosamente, con diversas emociones nada parecidas.

Durante el viaje, Alfonso XIII había solicitado del comandante del buque que le dejase como recuerdo una bandera roja y gualda, con el escudo real, de las varias con que contaba el buque. Al iniciarse el desembarco en Marsella, insistió en su solicitud que —todavía no sabemos por qué, aunque es posible que exista una causa de reglamento— le fue denegada.

El monarca destronado, que durante el viaje de Madrid a Cartagena en automóvil y de Cartagena a Marsella en barco había mostrado entereza y serenidad, perdió todo su aplomo al pisar tierra francesa y parece ser que hasta lloró, apoyado ligeramente en su último ministro de Marina, almirante Rivera. Inmediatamente se rehizo, después de rogar a Rivera que le perdonase aquella debilidad momentánea, y dio comienzo a su largo y definitivo período de rey exilado.

Si Alfonso XIII se hubiera dejado llevar por algunos de sus conse jeros, empecinados en olvidar el arrollador porcentaje republicano del domingo anterior y que pretendían nada menos que echar el Ejército a la calle para anular el resultado de las elecciones, el 14 de abril quizá no hubiera visto el nacimiento de la República, pero hubiera sido una fecha sangrienta para España, comienzo de otras más sangrientas aún.

Alfonso XIII ha dejado ordenado que el documento de despedida sea publicado inmediatamente. Sobre el borrador escrito a máquina ha rea lizado algunas correcciones. El texto queda así:

"Las elecciones celebradas el domingo me revelan claramente que no tengo hoy el amor de mi pueblo. Mi conciencia me dice que ese desvío no será definitivo, porque procuré siempre servir a España, puesto el único afán en el interés público, hasta en las más críticas coyunturas. Un rey puede equivocarse y, sin duda, erré yo alguna vez; pero sé bien que nuestra patria se mostró en todo momento generosa ante las culpas sin malicia. Soy el rey de todos los españoles y también un español. Hallaría medios sobrados para mantener mis regias pre rrogativas, en eficaz forcejeo con quienes las combaten. Pero, resuel tamente, quiero apartame de cuanto sea lanzar a un compatriota con tra otro, en fratricida guerra civil. No renuncio a ninguno de mis de rechos, porque más que míos son depósito acumulado por la Historia, de cuya custodia ha de pedirme un día cuenta rigurosa."

En el párrafo siguiente es donde aparecen las rectificaciones: el original, no publicado, dice:

"Para conocer la auténtica y adecuada expresión de la concien cia colectiva, encargo a un Gobierno que la consulte convocando Cor tes Constituyentes..."

El párrafo rectificado y publicado dice:

"Espero a conocer la auténtica y adecuada expresión de la con ciencia colectiva..."

Suprimiendo lo demás. Y enlaza con esto otro:

"... y mientras habla la Nación, suspendo deliberadamente el ejer cicio del Poder Real y me aparto de España, reconociéndola como única señora de sus destinos. También ahora creo cumplir el deber que me dicta mi amor a la Patria. Pido a Dios que tan hondo como yo lo sientan y lo cumplan los demás españoles."

Como se han hecho tantos comentarios sobre este trance de la Histo ria de España, es conveniente ahora, al cabo de los años, desentumecer los textos verdaderos: no cabe duda de que Alfonso XIII no quiso lanzar a las tropas sobre un pueblo que, al menos por el momento, se acababa de manifestar mayoritariamente republicano.

No tiene duda el párrafo primero: «Las elecciones celebradas el domingo me revelan claramente que no tengo hoy el amor de mi pueblo». Sólo los que deliberadamente estaban decididos a equivocarse podían dejar de entender lo que estaba claro como la luz.

Cuando en el último Consejo de Ministros, que presidió el ministro de la Guerra, general Berenguer, le ofreció la acción de las tropas —no demasiado convencido del éxito posible de las operaciones—, Alfonso XIII declinó la responsabilidad, dijo un: «De ninguna manera» y, levantándose, dio por suspendido el Consejo.

Un grupo de manifestantes se detiene en la plaza de Isabel II ante la estatua de esta reina. Uno de los más exaltados exclama:

—¿Y con ésta, qué hacemos...?

—¡Dejarla, que era una mujer! —responde otro.

Interviene una vieja del barrio:

—¡Si era reina sería como los demás! ¡A por ella!

El grupo se divide en dos bandos confusos: hay quien opina que la estatua debe ser derribada y hecha añicos porque «no queremos más reyes ni reinas ni estatuas de éstos»; hay quien procura calmar los ánimos:

—Ya dirá el Gobierno de la República lo que hay que hacer y lo que no hay que hacer.

—¡Aquí no hay más gobierno que nosotros...!

Unas piedras empiezan a herir el monumento. Poco después, la efigie de Isabel II es arrastrada por el suelo. Cuando el grupo se retira, uno de los más exaltados pregunta a otro:

—Esta Isabel II, ¿es la de Colón y eso...?

El grupo acude ahora allí cerca, a la Plaza Mayor, donde se encuentra la estatua de Felipe IV.

—¡Este sí que fue un fulano...!

No se discute. En menos de cinco minutos, Felipe da con sus costillas en tierra.

—Si hemos derribado a uno vivo de carne y hueso, ¿vamos a dejar a éstos...?

Un automóvil propiedad de cierto prócer muy significado recorre la calle de Alcalá. Los manifestantes observan que en la puerta de la cabina lleva grabada en oro una coronita ducal. Cierran el paso al vehículo y conminan al conductor:

—¡Tú, borra eso!

El chófer, hombre de bastante edad, se asusta ante la actitud del grupo: no obstante, obedece y con un destornillador, de mala manera, borra la corona ducal de la portezuela. Uno de los manifestantes le entrega una bandera republicana de pequeño tamaño y le dice:

—¡Y lleva eso en el coche, que no sé si sabes que se ha proclamado la República!

El conductor va a instalar la banderita, pero interviene otro manifestante:

—¡Ni hablar de eso! La bandera republicana es para los republicanos y no para los duques ni los marqueses —y le arrebata la enseña.

El periódico *A B C*, en el número de este 14 de abril, comienza la información general con un gran epígrafe en el que se lee: «GRAVE SITUACION POLITICA». Y después, en varias páginas de comentarios y noticias redactados de forma que no dejan traslucir ni lo que ha pasado ni lo que va a pasar, da los resultados adversos lealmente.

Diez páginas después el periódico reproduce unas declaraciones del ministro de la Gobernación de la Monarquía, según las cuales en el conjunto de España han salido triunfantes, por elecciones libres o designados por el artículo 29, los siguientes concejales:

Monárquicos	22.150
Antimonárquicos	5.875

que es tanto como decir que los republicanos han ganado, pero que no han ganado, y que aunque han ganado, es como si no hubieran ganado, porque han ganado, pero casi no han ganado, ya que no han ganado tanto como dicen que han ganado: trabajo y palabras más de un predistigitador que de un periódico. Olvidando el pequeño detalle de que una cosa es ser concejal por elección popular y otra es serlo por nombramiento gubernamental o poco menos.

El Decreto de Amnistía dice en el preámbulo, que por regla general los delitos políticos, sociales y de imprenta responden a un sentimiento de elevados ideales y han sido impulsados por el amor a la libertad y a la patria, y además legitimados por el voto del pueblo en su deseo de contribuir al restablecimiento de la paz general.

Queda derogado el Código Penal de 1928 —código conocido en los medios legales como «de la Dictadura», que sólo será realmente sustituido un año después por el de 1932, «Código de la República». La calle de Alcalá pasa a llamarse de Alcalá Zamora (presidente de este Gobierno Provisional).

También desaparecen los nombres de aquellas calles y plazas que recuerdan el régimen recién extinguido: la de las Infantas se llamará ahora de los Mártires de Jaca (los capitanes Galán y García Hernández, fusilados en diciembre último); la calle de la Reina tomará el nombre de la Justicia.

La verdad es que los hombres representativos de la República tienen en sus libretas de notas todo previsto: no ha sido la República una improvisación, sino algo largamente esperado y preparado. Desde los colores y la línea de los nuevos uniformes hasta el texto de las circulares que serán dirigidas a los nuevos gobernadores civiles, desde las instrucciones a las alcaldías de Madrid y Barcelona hasta las cartas privadas a los jefes del catalanismo moderado de izquierdas para que coordinen y ultimen sus aspiraciones.

Pero aparte de todo esto, está la masa en la calle con honda y sincera alegría, pero con el eterno amor al desbarajuste que parece ser cotidiana afición de gran parte de los españoles. Hay una serie de palabras que han muerto: monarquía, rey reina, infantes, príncipes, duques, condes, marqueses...

Se ha entrado en una era nueva, y son muchos los que con esto se hacen un verdadero lío: ¿debe o no debe derribarse la estatua de Felipe II, puesto que también fue rey en su día...?; ¿debe o no debe entrar el oficial de panadería a la misma hora de la madrugada en el lugar de su oficio como venía haciendo *con el rey...?;* ¿deben seguir saludando los soldados a los superiores cuando se cruzan con ellos por la calle?; ¿deben seguirse renovando en el Monte de Piedad las papeletas de empeño?; ¿debe ser...? ¿no debe ser...?

La verdad es que las alianzas políticas, a la hora de firmarse suelen constituir momentos de optimismo, pero luego, a la hora de gobernar, a la hora de convertir en decretos lo que eran ilusiones, se transforman en problemas.

Apenas asentado el Gobierno Provisional de la República empieza la renovación de cargos en toda España. En lo que concierne a Madrid, es designado gobernador civil Eduardo Ortega y Gasseta, hermano del filósofo del mismo apellido perteneciente al grupo al servicio de la República, ya citado en capítulos anteriores. Cesa el alcalde monárquico y es nombrado para sucederle Pedro Rico, concejal triunfante por el distrito de Buenavista. Se designa presidente de la Diputación a Rafael Salazar Alonso. Como capitán general de la Primera Región, Queipo de Llano, que estaba exilado en París como consecuencia de los sucesos de Cuatro Vientos de diciembre de 1930 y que, apenas proclamada la República, regresa a Madrid y es ascendido a general de División.

El miércoles 15, varios coches de bomberos patrullan por Madrid. Su misión es detenerse allí donde el escudo nacional, en las fachadas de ciertos edificios, esté presidido por la corona real. Donde se puede, se quita la corona; donde no, se cubre con un lienzo. El público rodea los coches de los bomberos y aplaude.

El oficial que manda las tropas de servicio en Palacio queda sorprendido cuando le llega el relevo, con los soldados en traje de diario y en número muy reducido. Nada de esto es improvisado: todo estaba anotado en ciertos cuadernos de los hombres del antiguo Comité Revolucionario, hoy ya ministros.

Un decreto del Gobierno Provisional declara fiesta nacional el 15 de abril de 1931, y para los años sucesivos siempre ya el 14 de abril. Azaña ministro de la Guerra, es consultado acerca de si en los cuarteles debe arriarse la bandera monárquica y colocarse en su lugar la republicana. Responde que no, sino que procede esperar a que se promulgue el correspondiente Decreto sobre cambio de bandera.

«En la Armada —le dicen— se ha cambiado la bandera en algunos barcos.»

«No es cuestión mía. No mando en los barcos de guerra, señores», responde.

El general Cavalcanti —marqués de Cavalcanti— acude a presentarse al ministro del ramo. El es el presidente del Consejo Supremo de Guerra y Marina que, como dijimos en su lugar, sucedió al general Burguete, desterrado a Cádiz. Azaña le confirma —muy provisionalmente— en el cargo y Cavalcanti a la salida dice a los periodistas:

«Todos deben colaborar con el Gobierno, no obstante las diferencias de ideales y matices políticos, inspirándose únicamente en el orden y en el bien de la Patria.»

El general Riquelme, que había pasado a la reserva por Primo de Rivera en 1929, y no rehabilitado por el Gabinete Berenguer ni por el del almirante Aznar, es reintegrado al servicio activo y ascendido a general de división, en mérito a que, entre otras cosas, ya tenía el número uno de los generales de brigada cuando sufrió el carpetazo de la Dictadura.

Cambian los nombres de dos ministerios: el del Ejército pasa a llamarse de la Guerra, el de Gracia y Justicia se denominará sólo de Justicia. Todo esto en el sólo término de las veinticuatro horas siguientes a la proclamación de la República.

La cartelera cinematográfica madrileña del 14 de abril de 1931 nos ayuda en cierto modo a hacernos una idea de lo que es el madrid artístico del momento. Se proyecta en el Palacio de la Música una película sensacional, de ambiente aviatorio, *La escuadrilla del amanecer*, con un reparto de excepción: Douglas Fairbanks, Richard Barthelmes. En el Callao, una española hecha en América, *El presidio*, con Juan de Landa y José Crespo. En el Real Cinema, *Luces de la ciudad*, por Charlot. En el Ideal, un *western* de la época, *El rey de los jinetes*, con Ken Maynard. En el Monumental, *Sous les toits de París*, una de las películas mejor ambientadas de todos los tiempos.

En el Chueca, el cantante mejicano José Mojica alterna con la deliciosa Mona Maris en la cinta titulada *Del mismo barro*. En el Coliseo Pardiñas, *El gran charco*, con Chevalier. En el cine San Miguel, *Horizontes nuevos*, inolvidable película que constituye todo un alarde de exteriores logrados.

En el Avenida, *La novia 66*, por Jeanette McDonald. En el San Carlos, otra producción de la pareja cantante Mojica-Mona Maris: *Ladrón de*

20

amor. Todas las canciones de estas cintas, muchas de ellas acertadísimas, irán en seguida a los discos de las gramolas automáticas de los bares y se escucharán pronto por todo Madrid.

En el cinema Delicias, Buster Keaton, con la parodia bélica *Sin novedad en el frente.* En el Chamberí, *Oriente y Occidente*, por Lupe Vélez y Barry Norton, dos ídolos de la juventud estudiantil del Madrid de 1931. Película musical, española, hecha en Joinville, en el Rialto: *Su noche de bodas*, con Imperio Argentina y Pepe Romeu.

Luce en el Tívoli la belleza rubia de Nancy Carroll y la apostura de Charles Rogers en *Sigue, corazón.* La pareja cumbre la integran Janet Gaynor-Charles Farrel. El Argüelles —verdadero barracón modernizado—, muestra la cinta *Alta Sociedad*, y el Dos de Mayo —no mejor instalado que el anterior—, *Amanecer.*

En el Madrid, los madrileños del 14 de abril de 1931 pueden ver a la blondísima Anny Ondra en la película *¡Viva el amor!*, una ingenua producción alegre y desenfadada sin demasiadas preocupaciones de fondo. En el Palacio de la Prensa, *Caprichos de Hollywood*, espectáculo arrevistado con un auténtico alarde de todos los recursos sorprendentes del cine musical americano.

En cuanto a los teatros, son de destacar *Los amores de la Nati*, en el Español, por la compañía Guerrero-Mendoza; *Las guapas*, en Eslava, con Laura Pinillos y Faustino Bretaño; *De muy buena Familia*, de Benavente, en el Muñoz Seca, con Margarita Xirgu; *La copla andaluza*, en el Fuencarral; *El último romántico*, en Maravillas, con Pepe Romeu; *Topaze*, en Fontalba; *Literatura*, de Benavente, en el Alcázar; *Tierra en los ojos*, en Lara, y *Flores de Lujo* en la Zarzuela.

Esta es, en síntesis, la cartelera madrileña el 14 de abril de 1931. Año en el que se estrenan quinientas películas en toda España, de las cuales sólo una mínima proporción son españolas. Resultado: del país salen 200 millones de pesetas para pagar la importación de cintas extranjeras.

Entre las medidas de urgencia del Gobierno Provisional dictadas entre la misma noche del 14 y el miércoles 15, se hallan también las siguientes: una disposición aplazando en veinticuatro horas el vencimiento de todas las letras bancarias, independientemente de la consideración súbita de festivo que ha sido adjudicada al último de los días mencionados; concesión del disfrute de los sueldos íntegros, en el correspondiente pago de atrasos, a las familias de los capitanes Galán y García Hernández, fusilados en diciembre anterior, los cuales —dice el Decreto— «seguirán ascendiendo en escalafón como si continuaran en activo»; creación del nuevo cargo de fiscal general de la República; orden para la incautación del Palacio Real, encomendándose de ello al general Blanco, recién designado director general de Seguridad.

Se ordena que sean retirados de todas las escuelas españolas los retratos de Alfonso XIII, que reglamentariamente presidían todas y cada una de las aulas. Naturalmente, toda esta serie de medidas radicales trae consigo una buena secuela de anécdotas, unas en el mismo Madrid y otras en diversos lugares de la República.

En Tarrasa, una manifestación encabezada por los presidentes de las entidades republicanas recorre las calles, lanzando gritos alusivos al cambio de régimen; alguien da una consigna y la manifestación se dirige a la cárcel local, poniendo en libertad a los cinco presos que allí había; horas después, los cinco reclusos, muy serios y muy convencidos de que es lo mejor que pueden hacer, se presentan en el Cuartelillo de la Guardia Civil para rogar que se les detenga de nuevo y se les re-expida a la cárcel.

Embarcado Alfonso XIII rumbo a Marsella, el resto de la familia real asiste el 15, a las siete de la mañana, a una misa celebrada en el salón de tapices de Palacio. A continuación desayunan fiambres y café. En este desayuno no se ha alterado el ceremonial de costumbre. La reina y sus hijos hacen exactamente lo mismo que los días anteriores, que los años anteriores, aunque la República esté en la calle desde ayer.

El marqués de Bendaña y el conde de Maceda acuden para comunicar a Victoria Eugenia que ya están preparados los automóviles para ir a El Escorial, donde tomarán el tren, camino de la frontera de Francia. Se ha querido evitar que coincidan en la Estación madrileña con Indalecio Prieto y Marcelino Domingo, que llegan procedentes del exilio en Francia para hacerse cargo de los ministerios de Hacienda e Instrucción Pública.

Las personas que han acudido a despedir a Victoria Eugenia son, entre otras, el príncipe Alvaro de Orleans, las duquesas de Fernán Núñez, de Aliaga, de Parcent, de Miranda y de Mandas, marquesas de Santa Cruz, de Camarasa, de Argüelles y viuda de Comillas, princesa de Hohenlohe, condesas de Aguilar de Inestrillas y de Vallellano, general Pozas y algunos otros jefes y ayudantes de servicio.

Alrededor de las nueve de la mañana sale la caravana de tres automóviles camino de El Escorial. Como sobra tiempo, para no adelantarse al tren ni tener que esperar demasiado tiempo en la estación, hacen una etapa cerca de Galapagar. Victoria Eugenia fuma un cigarrillo sentada encima de una piedra. Sanjurjo, director de la Guardia Civil —ratificado por el Gobierno republicano—, otea el horizonte en previsión de cualquier contratiempo. Sanjurjo ha sido designado por el Gobierno provisional de la República, a solicitud del doctor Marañón, para acompañar a Victoria Eugenia hasta la frontera, en atención a que por su cargo era la persona más indicada para evitar incidentes en el viaje a Hendaya.

No pasa nada. El viaje se desarrolla normalmente. En algunas estaciones, Victoria Eugenia es saludada por grupos de monárquicos. A las nueve de la noche, doce horas después de abandonar Palacio, Victoria

Eugenia y las personas que le acompañan —entre ellas el príncipe de Asturias, siempre en brazos por su invalidez—, entran en territorio francés.

En un pueblecito de la provincia de Madrid, cuyo nombre no hace al caso, el maestro, al obedecer la orden de retirar del aula el retrato de Alfonso XIII, pregunta al alcalde qué retrato debe ocupar el mismo sitio; la primera autoridad municipal resuelve que allí no debe ir a parar otro retrato que el suyo mismo, en vista de lo cual se va a la capital y se hace una fotografía tocado con el gorro frigio; la silueta del gordo munícipe presidiendo las clases de la infancia del pueblo no podía darle excesiva seriedad a las lecciones del maestro. En vista de ello, el señor alcalde promete retirar aquel retrato de allí, para que nadie se ría de él, y ordena poner en su lugar otro de él mismo, hecho el día de su boda.

El 15 por la noche llegan a Madrid el general Queipo de Llano y el comandante Ramón Franco, ambos exilados en París, el primero recién ascendido a general de División y el segundo designado director general de Aeronáutica Militar, y el general Burguete, desterrado en Cádiz, reintegrado a su antiguo cargo de presidente del Consejo Supremo de Guerra y Marina.

14, 15 de abril de 1931, fechas trascendentes en nuestro país. Derechas, izquierdas, centro, republicanos, monárquicos, socialistas... ¿por qué no hablar del *pueblo* en sí, sin encasillarlo en especies que a fin de cuentas no tienen una vigencia permanente...?

El pueblo español tiene una marcadísima tendencia a los *antis:* más que agruparse de buena fe y con pleno convencimiento en un sector o en otro de la política, el pueblo español es *anti* esto o *anti* lo otro. Las cifras dicen claramente que en abril de 1931 la inmensa mayoría de España vota por la República, pero no hay que engañarse: vota *contra* la Monarquía. O, mejor dicho, ni siquiera eso: contra el rey. Y más aún: contra la Dictadura comenzada en 1923 y terminada en 1930, identificada con el rey.

Los socialistas no votan ni a favor ni en contra de la República, puesto que no son republicanos ni monárquicos, sino socialistas. Los sindicalistas —y las votaciones de Barcelona son una buena prueba— tampoco votan a favor de la República, sino contra *el sistema*, que no les va, que no les gusta. Esperan que un nuevo sistema más moderno ha de ser mejor; no que sea mejor para ellos, sino más llevadero. Los republicanos, salvo unos cuantos idealistas que saben lo que quieren y a dónde van, votan por la República porque es la manera de dar una bofetada sonora al régimen en el que viven y que les molesta.

Y bien, ¿qué pueblo es éste, pueblo español, que de cuando en cuando resuelve —por los votos o por las armas— sus cambios de régimen? El mismo, un poco más lavado, un poco más leído que aquel que en tiempos de Carlos III se indignaba porque estaban adoquinando las calles; el mismo que persiguió a los ministros que deseaban iluminar las noches madrileñas; el mismo que se burló de José Bonaparte porque se bañaba a diario; el mismo que durante siglos desdeñó a los médicos y aduló y pagó bien a los curanderos; el mismo que incluso en la plena actualidad en que se escribe este libro, todavía compra lotería en un establecimiento determinado porque *da la suerte*, sin detenerse a pensar que da más premios porque vende más; el mismo que busca un número específico del sorteo de los ciegos porque la noche anterior ha soñado con un toro de lidia o con una calle de Santander; el mismo que escribe leyendas obscenas en los retretes y pinta calaveras en las estaciones del *metro;* el mismo pueblo españolísimo que no sabe dialogar sino discutir a voces; el que continúa echando todos sus desperdicios al suelo, incluso en los establecimientos de lujo; el que entiende que todos los puntapiés que da el equipo local están bien dados y se indigna y vocifera y pide las entrañas del árbitro cuando los del equipo visitante rozan a un jugador propio; el pueblo que se complace en saltarse todas las normas de convivencia, convirtiendo el delito y la falta en una gracia original. ¿Se le puede tomar completamente en serio...?

Alguien dijo que las cosas irían mejor en el mundo si los puestos de mando de los pueblos fueran confiados a los filósofos, a los sicólogos, y es muy posible que en esto haya bastante razón. Cualquier persona que tenga medio siglo cumplido en la España actual puede recordar un buen número de momentos cruciales en que la gente acudió *en masa* gritando y portando gallardetes, entusiasmada o indignada, pero moviéndose en oleadas temibles; cualquier persona con un poquito de capacidad observadora habrá anotado en su memoria las manifestaciones de júbilo con que fue acogido el general Primo de Rivera a su llegada a Madrid, a su paso por Zaragoza; seis años y medio después, las mismas masas estaban entusiásticamente en contra del general y, lo que es más gracioso, juraban no haber sido jamás fieles a la Dictadura.

Cayó la Dictadura y la inmensa mayoría de los periódicos españoles —muchos de los cuales habían jaleado la obra de Primo de Rivera mientras estaba en el poder—, mostraron su alegría por *la vuelta a la normalidad constitucional*. El repaso a las colecciones de la prensa es la lección más rotunda de lo que es este pueblo nuestro, dispuesto siempre a aplaudir, a contagiarse de entusiasmo, a seguir a un líder, a traicionarle, a masacrarle si se presenta la ocasión.

Pueblo pasional por excelencia, con una cantidad incontable de sangre en su sangre, pasa de la noche a la mañana del abatimiento a la exaltación, y lo que menos cuenta para todo eso es la razón propia o la de los demás. Pueblo extraordinariamente difícil. Y la República llega el 14 de abril de 1931 con una enorme carga de esperanzas para unos cuantos hombres de buena fe, unos cuantos hombres —pocos—

que saben —o creen saber— lo que tienen que hacer, rodeados de inmensas legiones de vagos, mal educados y parloteadores que lo único que desean es medrar. O ni siquiera eso: holgar, saltarse a la torera la monotonía de la vida cotidiana, gritar sin que nadie les mande callarse.

¡Bien! La República ya existe; pero, ¿dónde están los hombres para nutrir 50 gobiernos civiles, 50 diputaciones provinciales, 9.000 alcaldías, 350.000 puestos administrativos y ejecutivos de cierta categoría...?

Ya no quedan manifestaciones por Madrid el jueves 16. Todo va volviendo a sus cauces normales. En la Plaza de Toros se celebra la corrida anunciada antes del cambio de régimen. En el cartel, *Chiquito de la Audiencia*, Florentino Sotomayor y Félix Rodríguez. En los palcos se ven algunas colgaduras con los nuevos colores nacionales. Pedro Rico, concejal triunfante por Buenavista, flamante alcalde de Madrid, ocupa su tendido de siempre, desdeñando el palco oficial, y el público le reconoce y le aplaude.

Las plumas con los colores monárquicos que tradiconalmente llevan los alguacilillos sobre sus negros sombreros, han desaparecido Cuando comienza el paseíllo, el público observa que todos los lidiadores, principales y subalternos, lucen lacitos republicanos. En cuanto al festejo en sí, no merece la pena el menor comentario: como tantas veces y a causa del ganado, la corrida pasa sin pena ni gloria, con más silbidos que aplausos.

Las cotizaciones de la Bolsa dan lo siguiente: un franco francés, 0,38; un franco suizo, 1,87; una libra esterlina, 47,40; un dólar, 9,75. En resumen, una ligera baja con respecto a la última cotización de la Monarquía, consecuencia lógica de cualquier cambio de régimen.

Las supremas autoridades del fútbol nacional dicen que el equipo representativo de los colores españoles que actuará en las próximas contiendas internacionales será el siguiente: Zamora, Ciríaco, Quincoces, Martí, Marculeta, Roberto, Lafuente, Regueiro, Bata, Chirri y Gorostiza.

Van conociéndose las dimisiones de bastantes de los embajadores españoles acreditados en el extranjero, la mayoría de ellos pertenecientes a la nobleza y que consideran la continuación en el cargo como una deslealtad a Alfonso XIII.

El nuevo alcalde dice a los periodistas que ha encontrado setenta millones de pesetas disponibles en el Ayuntamiento, y que con ello pueden hacerse grandes cosas de momento. La prensa republicana aprovecha la coyuntura para hablar de lo bien que van a ser administrados esos millones; la prensa monárquica tercia recordando que si en el Ayuntamiento hay esos 70 millones de pesetas, es porque el equipo anterior —el monárquico— no se los ha gastado.

Se designa para el cargo de fiscal de la República a Angel Galarza, que pasa así de ser un hombre preso y sometido a proceso a scr el máximo acusador del régimen nuevo.

La guardia de Palacio queda oficialmente reducida a un capitán, un suboficial y 27 individuos de tropa, todos ellos *en traje caqui*. Es disuelta la parte permanente del Senado, mientras se resuelve qué va a suceder con los senadores, y es ascendido a general de División el general La Cerda. El jueves 16 termina. Se hace de noche. En el ánimo de muchos de los que flamearon pancartas el martes último hay un sabor ambiguo: ¿todo va a seguir igual o casi igual...?

Como el 14 de abril de 1931, de la noche a la mañana, los grupos republicanos y socialistas han pasado de ser la oposición a ser Gobierno Provisional, los sectores monárquicos, que ostentaban el poder han pasado también automáticamente a la oposición. Pero no está aquí solamente el peligro de la República, sino en los grupos comunistas, anarquistas, sindicalistas y separatistas. Puede decirse que el 17 de abril, cuando la República sólo tiene setenta y dos horas de edad, son tantos ya los enemigos que, en frase madrileña, *se le amontona el trabajo*.

Mientras todo fue luchar contra el rey, éste fue el aglutinante, y el concepto *República* representó más o menos a todos aquellos que estaban en contra de los dinásticos. Pero ahora, ya con la República asentada en todos los edificios oficiales de Madrid y en casi todos los de España, resulta que los afiliados a la FAI-CNT de Barcelona no han luchado por la República, sino por la implantación del colectivismo y el anarquismo de Bakunnin; los separatistas de *Estat Catalá* son indiferentes casi a que en Madrid haya rey o presidente y lo que ellos desean es que Cataluña sea país soberano; los sindicalistas se manifiestan apolíticos y sólo ven la comunidad nacional como un gigantesco sindicato de sindicatos para la lucha contra las clases patronales; los comunistas entienden que la República es sólo un importante paso hacia adelante en el camino hacia la dictadura del proletariado.

Y en el centro de todo esto, animadísimos en su tarea, ilusionados con su trabajo, pero debatiéndose ya apuradamente ante tanta enemistad, los hombres de la República, poniendo en marcha todo el tinglado que de antiguo tenían meticulosamente preparado. No se improvisa todo un cambio de régimen, y los ministros del equipo de Alcalá Zamora demuestran que lo tenían todo previsto.

El 17 de abril, Miguel Maura, ministro de la Gobernación, cursa una circular urgente dirigida a todos los nuevos gobernadores civiles, para que recorran personalmente sus demarcaciones en el plazo máximo de quince días, informándose sobre todos los problemas pendientes, «y muy singularmente, de modo especial, los que afecten a las clases trabajadoras y humildes.»

El Gobierno Provisional ha de tener muy en cuenta el cumplimiento de tanta promesa realizada antes de las elecciones municipales, porque hay a la vista, y muy próximas, otras elecciones temibles, las constituyentes, y conoce de sobra el instinto tornadizo de las grandes masas españolas. Aquellos que votaron en republicano en el 12 de abril pueden hacerlo dentro de dos meses en monárquico, y habría que llamar de nuevo a Alfonso XIII.

Hay, por eso, mucha prisa en hacer todo lo que está previsto y en hacerlo bien. Un decreto de este 17 de abril designa a Victoria Kent directora general de Prisiones. La mujer entra, pues, definitivamente, en los altos cuadros de mando de la República. Se disuelven el Cuerpo de Alabarderos y la Escolta Real.

Al caer la tarde, el ministro de la Guerra, Manuel Azaña, recibe una inesperada visita...

Un ayudante pasa a su despacho y le anuncia que en la antesala está el general Dámaso Berenguer, que desea verle. El general Berenguer ha sido el jefe del Gobierno que sucedió en el poder a Primo de Rivera, a la caída de la Dictadura, sucedido después a su vez por el almirante Aznar. El general Berenguer está siendo maltratado por la prensa republicana a causa de haber firmado las sentencias de muerte contra los capitanes Galán y García Hernández, sublevados en Jaca en diciembre de 1930 y fusilados unas horas después.

Azaña no le hace esperar: que pase. El general, monárquico, se cuadra ante el ministro del Gobierno Provisional de la República. Azaña le invita a sentarse.

—He venido —dice Berenguer— para que el país sepa que no me escondo, y para rogar a Vuestra Excelencia ordene mi ingreso en Prisiones Militares, ya que sé que voy a ser juzgado.

El ministro le responde que toma muy buena nota de su presentación, que le agradece la lealtad, pero que no es posible dar tal orden, puesto que, aunque, en efecto, todo hace pensar que va a ser juzgado, en realidad no se ha iniciado el proceso.

—Además —añade el ministro—, yo tengo la seguridad de que cuando le necesitemos, usted se presentará, y yo sabré en todo momento dónde encontrarle.

Asiente el general, agradece la deferencia y da su palabra de honor de no esconderse ni salir de Madrid.

—No tendrá más que telefonearme, señor ministro.

Así termina la entrevista. Todavía dos rivales políticos pueden conversar sentados frente a frente, sin alzar la voz, confiando en la palabra de honor, despidiéndose correctamente. El general Berenguer acude a la casa de su hermano, el otro general, Federico, que vive en la calle de Manuel Silvela. Nadie le molestará en una semana larga, hasta que el 26 se inicia el proceso oficialmente.

En este mismo 17 de abril se publican unos cuantos nombramientos más, que corroboran lo detallado de la preparación de la República: se designa a Gerardo Abad Conde subsecretario del nuevo ministerio de Comunicaciones, del que es titular Diego Martínez Barrio. Es nombrado Antonio Garrigues para la Dirección General de los Registros.

Justino Azcárate pasa a la subsecretaría de Justicia, de cuyo ministerio es titular Fernando de los Ríos —otro de los triunfadores por el madrileño distrito de Buenavista. Gobernador del Banco de España, Julio Carabias. Para la Dirección General de Sanidad, Marcelino Pascua; para la de lo Contencioso, Valeriano Casanueva; para la de Industria, Fernando Cueto; para la de Estadística, Honorato de Castro; para la de la Deuda, Alfredo Zabala; para la del Timbre, Rafael de la Escosura.

Mezclando hábilmente a los políticos con los técnicos, Indalecio Prieto, ministro de Hacienda, ha sabido rodearse de un buen equipo que quiere hacer mucho y podrá hacer poco gracias a la devoción a la la libertad que la República misma se ha impuesto.

La cesión de la Casa de Campo al pueblo de Madrid tiene, digamos, tres frases: la primera, el 19 de abril, cuando la República lleva sólo cinco días de vida, mediante decreto en que es cedida al Ayuntamiento de Madrid. Luego, como veremos oportunamente cuando esta HISTORIA DE MADRID alcance las fechas oportunas, la apertura de la Casa de Campo los domingos al pueblo, y más tarde la definitiva apertura todos los días sin más limitación que las de las horas de la noche.

En el panorama del naciente régimen comienzan a otearse unas amenazadoras nubes negras: son las de la evasión de capitales. No cabe duda de que la mayor parte del dinero español estaba acumulado en manos de personas más adictas a la Monarquía que a la República.

El dinero está saliendo por las fronteras a una velocidad vertiginosa. Los bancos no hacen sino cancelar cuentas de personas que se marchan al extranjero con todo su capital, o dejando, si acaso, una diminuta cantidad simbólica a fin de que la cuenta siga funcionando.

Joyas, cuadros, pieles, todo lo que tiene algún valor está saliendo de España en una fiebre evasiva que empieza a poner en peligro la estabilidad financiera del régimen. La Bolsa registra todo esto y ahora, a cinco días vista, un dólar vale más, una libra vale más y un franco vale más, o, lo que es lo mismo, la peseta vale menos. El Gobierno Provisional empieza a estudiar el problema: no tardará en salir a la luz el resultado de este estudio.

El 21, una semana después de la proclamación, martes, el general Mola se presenta en el ministerio de la Guerra. Como su proceso ha sido iniciado, Azaña ordena su ingreso en Prisiones Militares. Mola solicita permiso para pasar por su domicilio y recoger algo de ropa y le es concedido. Estamos todavía en unos días en los que todos se fían de todos y en los que la palabra de honor sigue siendo algo respetable y respetado.

Un decreto exime a los jornales de los obreros del Impuesto de Utilidades, lo que es una forma indirecta de aumentar ligeramente el valor de tales jornales. El 22, el general Sanjurjo es designado comisario superior de España en Marruecos. Ramón Pérez de Ayala es nombrado embajador en Londres y Augusto Barcia pasa al cargo de delegado del Gobierno en el Consejo Superior Bancario.

Durante la reunión del Consejo de Ministros de este miércoles 22, un ujier se acerca al presidente Alcalá Zamora y le da un recado al oído. Hay gestos de expectación y de asombro en todos los ministros. Minutos después entra en la sala el juez militar instructor de la causa contra el propio Alcalá Zamora y los otros miembros del Comité Revolucionario. El reo es ahora presidente del Gobierno Provisional, los reos son ahora ministros, pero el juez militar acude a comunicarles oficialmente que en virtud de la amnistía, que ellos mismos han decretado, quedan en libertad.

Capítulo 22. EL CHOFER DE SU EMINENCIA (año 1931). March, detenido en la frontera. Se retira Márquez de los toros. Instalaciones en Barajas. Jornada de ocho horas. Escándalo en la Plaza de Toros. Inauguración de la Monumental. Muerte de **Gitanillo de Triana.** Problemas de **El Gallo y Pastora.** Cambios de nombres en calles y plazas. Militares retirados. Pastoral del cardenal Segura. Reunión en el Círculo Monárquico. La quema de conventos. El falso chófer del cardenal. Don Amaranto, técnico en vinos. Un novillo en Recoletos.

Los acontecimientos se precipitan en los últimos días de abril. Jamás los periódicos oficiales han tenido que dar cabida a tanta y tanta disposición. Por decreto del día 25 se concede el pase a la reserva o el retiro con todo el sueldo a todos los militares de cualquier graduación que lo soliciten. Otra disposición de igual rango anula la convocatoria de ingreso en la Academia General Militar de Zaragoza. El 26 se reforma la bandera nacional, sustituyendo la franja roja inferior por otra de igual tamaño y lugar de color violeta.

El 27, el presidente del Gobierno Provisional, Niceto Alcalá-Zamora, viaja a Cataluña. El problema catalán es el más difícil de los muchos que tiene planteados la joven República. En Barcelona, el coronel Maciá ha proclamado la República Catalana, «dentro de la Federación de Pueblos Hispánicos». Es un separatismo adelantado que no sienta bien en el resto de España y que pone en evidencia a los hombres del antiguo Comité Revolucionario. En Barcelona, Alcalá-Zamora es recibido con entusiasmo. En su discurso les dice:

¡Catalanes! El espectáculo que Barcelona acaba de ofrecerle a España y al mundo, el más maravilloso que le fue dable contemplar jamás a ojos mortales, puede compensaros de los veintiséis años de lucha para la conquista de vuestras libertades. A mí, personalmente, me ha llenado de satisfacción y orgullo.

¡Ah, catalanes! Hasta ahora habíais confiado en un hombre que os concediese las libertades por las que suspiráis hace tantos años. Pero ese hombre, que tenía amordazadas a las regiones, no había jamás de concederos nada. Con él y sus gobiernos no era posible entenderse.

Hoy tenéis delante de vosotros al representante de la democracia española. Entre los gritos que me acompañaron esta mañana no he oído, ni por excepción, un muera a nada. Todo eran vivas, y tenéis razón. No hay que gritar que mueran las tiranías porque han muerto ya. Todo aquello que coartaba la libertad del pueblo ha fenecido para dejar paso a un régimen de convivencia. Gritad conmigo: ¡Viva la República española! ¡Vivan las libertades de Cataluña y de España!

Ha medido bien sus palabras, pero también las ha medido el viejo presidente Maciá, «l'avi» (el abuelo), que al final de su discurso subraya:

—¡Viva la unión de las Repúblicas españolas! ¡Viva Cataluña! ¡Viva España!

Es decir, como entiende el saber popular, *una de cal y otra de arena:* al resto de España lo denomina hábilmente «las demás regiones», e inmediatamente después alude a «las Repúblicas españolas», y no dice como Alcalá-Zamora nada de «República española», sino de «Cataluña», primero, y «España», después.

Este problema catalán no ha empezado ni terminado: sólo continúa, y este estadio de la República Española de 1931 no es sino un capítulo más, de los muchos, unas veces adelante, otras atrás, que tiene la larga, dramática e interminable historia.

El 28 ingresa en Prisiones Militares el general Berenguer. El 29 es detenido en la frontera don Juan March.

En estos días se producen en el país dos hechos que distraen en cierto modo la atención de los ambientes políticos: uno de ellos es la inexplicable retirada del matador de toros Antonio Márquez, después de tener firmadas nada menos que cuarenta y cuatro corridas, cifra extraordinariamente optimista en 1931 y con tan buena temporada por delante; el otro hecho tiene lugar en un pueblecito de la provincia de Zamora, Villamor de los Escuderos, donde el alcalde, para curar a unos vecinos que han sido mordidos por un perro rabioso, acude con todos ellos, obligados, ante una pitonisa, que receta ciertas pócimas y absurdas prácticas, lo que obliga al flamante gobernador civil republicano a imponer a la primera autoridad municipal una multa de 250 pesetas y, lo que es peor, pública represión en toda la prensa nacional.

El 30 de abril se inauguran las nuevas instalaciones del aeropuerto de Barajas. Son muchos los madrileños que acuden a ese lugar de las afueras de la ciudad para ver la nueva estación aérea que nos empareja un poco con las similares instalaciones europeas y americanas. Se habla de aeropuertos de los Estados Unidos en los que cada diez minutos toma tierra un aeroplano: ¿llegará Barajas a ser algún día como aquéllos...?

El 2 de mayo, Lerroux, ministro de Estado, reúne en su despacho a los principales jefes de la casa y diplomáticos, y les dice:

—La República y el ministro que aquí la representa no les pide a ustedes, señores, los sentimientos de la mayor parte de los cuales le son bien conocidos, que abandonen esos sentimientos para poder servirla. Lo único que les pide, confiando en que su caballerosidad no ha de darle nunca ocasión de arrepentirse, es lealtad con el nuevo régimen, quedando seguro, el que no pueda aceptarlo, de nuestra más respetuosa actitud, sin miedo a represalias de ninguna clase, ante el problema de su conciencia.

Por acuerdo municipal del 8 de mayo, la jornada de trabajo de todos los empleados del Ayuntamiento se reduce a la máxima de ocho horas, a la vez que son aumentados considerablemente los sueldos. El de entrada, que estaba en 4.000 pesetas —333,333 pesetas de sueldo mensual— se eleva a 5.000 anuales —416,66.

El joven Gobierno republicano empieza a debatirse ya entre los extremos de la derecha y los de la izquierda: justamente un mes después de las elecciones municipales que han traído la República, el ministro de la Gobernación se ve en la precisión de suspender tres periódicos: *ABC*, monárquico; *El Debate*, católico, y *Mundo Obrero*, comunista. Desde los tres ángulos se enconan los ataques a la República, más o menos veladamente.

Victoria Kent, la nueva directora general de Prisiones, ordena que el rancho de los presos de toda España, que se calcula en asignación diaria individual de una peseta, sea aumentado a una peseta y cincuenta céntimos y que se haga obra en todas aquellas instalaciones que lo requieran para suprimir las ominosas cadenas que aún duran en ciertas prisiones españolas.

El 9 de mayo *La Conquista del Estado*, de Ramiro Ledesma Ramos, publica un artículo en el que se dice: «España ha de acostumbrarse desde hoy a ambiciones gigantescas. Cuando un gran pueblo se pone en pie es inicuo conformar su mirada a los muebles caseros que le rodean. Nos cabe a nosotros el honor —y no tenemos por qué ocultarlo— de ser los primeros que de un modo sistemático situamos ante España la ruta del Imperio. Todo está ahí a disposición nuestra. Los pueblos hispánicos de aquí y de allí se debaten entre dificultades de tipo mediocre, y es deber nuestro facilitar e incrementar su desarrollo.» «*Hay pues que someter a un orden la Península toda, sin excepción de un solo centímetro cuadrado de terreno. Hay que dialogar para ello, con los camaradas portugueses, ayudándoles a desasirse de sus compromisos extraibéricos, e instaurar la eficacia de la nueva voz. Portugal y España, España y Portugal, son un único y mismo pueblo, que pasado el período romántico de las independencias nacionales, pueden y deben fundirse en el imperio.*»

El 17 de mayo, la Plaza de Toros de Madrid presenta uno de los mayores escándalos de su historia: torean Fuentes Bejarano, *Armillita Chico* y Solórzano. Los toros, extraordinariamente mansos, son sometidos a la injuria de las banderillas de fuego. En un caldeadísimo ambiente en el que el aire de la Plaza huele a carne asada, en medio de un griterío fenomenal, comienzan a llover almohadillas sobre el ruedo.

Los toreros, desconcertados, no saben qué hacer, pero los toros no pierden el tiempo y unos cuantos lidiadores son cogidos aparatosamente. En un mismo instante hay tres toreros heridos en el suelo y el astado se ha hecho dueño del coso. Arrecia el escándalo. Los guardias de seguridad no dan abasto a atender a los tendidos, donde menudean las bofetadas; al callejón, donde el público aglomerado no deja llegar a la enfermería; a los toreros heridos, y al mismo ruedo, donde el desorden es por minutos mayor.

El 21, Madrid recibe consternado la noticia del fallecimiento de su diva favorita, Ofelia Nieto, a consecuencia de una intervención quirúrgica. Las emisoras locales, Unión Radio —la actual Radio Madrid— y Radio España ofrecen a sus oyentes programas especiales con las grabaciones de la cantante inolvidable...

Va corriendo nada suave la primavera de este importante año 1931.

El 13 de junio aparece en Valladolid un nuevo periódico: *Libertad*. No pertenece, como su nombre pudiera indicar erróneamente, a uno de los partidos o sindicatos del Frente Popular, sino que viene a constituirse en el órgano del joven grupo capitaneado por Onésimo Redondo.

Su lema es claro y define rotundamente tanto la personalidad de su fundador y director como la orientación política del sector al que representa: *disciplina y audacia; por una España grande, por una España verdaderamente libre, a la lucha...*

El 17 de junio se inaugura la nueva Plaza de Toros de Madrid. Viene a sustituir a la situada al final de la corta Avenida de Felipe II. Se dice que en sus localidades hay sitio para 26.000 personas, y que sólo es superada por cierta plaza mejicana de colosales dimensiones. La inauguración da pie a un extraordinario festejo, organizado por el alcalde republicano de Madrid, Pedro Rico, a beneficio de los obreros sin trabajo. La corrida empieza a las tres y media de la tarde y se calcula que terminará cerca de las ocho de la noche.

Ocho toros de diversas ganaderías para los toreros de máximo postín en el momento: *Fortuna* —el que el año 28, como ya dijimos oportunamente, tuvo que matar un toro en plena Gran Vía Madrileña—, Marcial Lalanda, Vicente Barrera, *Armillita*, Manolo Bienvenida, Nicanor Villalta, Fausto Barajas y Fuentes Bejarano.

En la presidencia y junto al alcalde organizador se sientan, como extraordinarios asesores invitados, nada menos que *Guerrita*, Antonio Fuentes, *Bombita*, Vicente Pastor, *Machaquito*, *Guerrerito*, Bienvenida padre y *Torquito*. Si cartel en el ruedo, cartel en el palco presidencial.

Poco antes de comenzar el festejo aparece en lo que estaba destinado a palco regio el ministro de Estado del Gobierno Provisional de la República, Alejandro Lerroux, que recibe muchos aplausos. Efectivamente, la corrida termina a las ocho menos cuarto de la noche, pero los buenos aficionados han tenido ocasión de saborear buenas faenas y muchas emociones.

En cuanto al desarrollo de la temporada taurina de 1931 en Madrid, recordemos la terrible cogida de *Gitanillo de Triana*, de quien el doctor Segovia, acabada la primera operación dice: «Hay esperanzas de salvar al hombre, pero no al torero. El nervio ciático ha sido arrancado por completo por el cuerno del toro». Durante semanas y semanas, *Gitanillo* permanecerá entre la vida y la muerte.

Entre los novilleros que despuntan con grandes posibilidades de pasar al *doctorado*, Jaime Noaín, el vibrante navarro, y el fino Alfredo Corrochano, hijo del crítico taurino del mismo apellido. Los carteles madrileños se nutren con nombres como *Chiquito de la Audiencia*, *Valencia II*, Pepe Amorós, Liceaga, Luis Freg, *Maravilla*, *Niño de la Palma* y el rejoneador portugués Simao da Veiga, entre otros.

Nuevo escándalo en la Plaza, que hasta en esto parece querer continuar la tradición de la anterior de la Avenida de Felipe II. El ganado manso exaspera al público, que por su actitud pierde completamente la consabida calificación de respetable, y lo que había empezado siendo una corrida de toros se convierte en un torpe espectáculo de iras desatadas, gritos soeces y actitudes intolerables. ¿Anda la política metida también en esto...? Unos dicen que sí y otros aseguran que no. Pero es una época en la que la política está en todas partes, y, por cierto, enconando las situaciones.

Mal año taurino. Algunas alternativas hacen crecer el escalafón superior en detrimento del copioso escalafón novilleril, pero los muertos de este 1931 son demasiados. Recuerdan los del fatídico *año trece*, y hay ingeniosos que dicen que 31 y 13 es lo mismo sólo que al revés. Ascienden al *doctorado* Pepe Bienvenida, en Madrid, alternando con su hermano Manolo y con Nicanor Villalta; Jaime Noaín, en su Bilbao natal, y Victoriano de la Serna, en Madrid.

Entre los muertos, el de más empaque es *Gitanillo de Triana*, dos meses y medio entre la vida y la muerte. Le siguen el novillero *Vaquerín*, herido en la plaza de Calasparra y fallecido en el Sanatorio de Toreros; el novillero *Alcalareño II*, corneado en el pecho en la plaza madrileña, en el curso de una dramática novillada en la que se arrojaron al ruedo tres espontáneos; los banderilleros *Sotitos*, Llopis, *Crespito*, *Rafaelillo*, el novillero *Regional* y el torero mejicano Carmelo Pérez. En total, la fiesta de toros deja en el año 1931 una sangrienta estela de nueve muertos, 101 heridos y dos inválidos. Sufren cogidas graves en la Plaza de Madrid los diestros *Carnicerito de Méjico* y *Valencia II.*

Una orden de la Dirección General de Seguridad prohibe la actuación en festejos taurinos a los menores de edad, por lo que el menor de los Bienvenida, Rafaelito, que iba a torear en Cádiz, se queda sin hacerlo.

Quizá la anécdota más sorprendente de todo el 1931 taurino es lo ocurrido en la Plaza de Bilbao, donde se lanza al ruedo un espontáneo. Un espontáneo más, pero en quien concurre una inesperada circunstancia: se trata de un hombre de sesenta años que declara que ha decidido hacerse torero ahora.

Y ya en ambiente de toros, no dejemos de recordar el lamentable pleito entre dos de las figuras más populares y más queridas de toda España: *Pastora Imperio* y Rafael *el Gallo.* Como se sabe, los dos grandes artistas contrajeron matrimonio a bombo y platillo y ello constituyó casi un acontecimiento nacional varios años antes. *El Gallo,* célebre, entre otras cosas, por sus *espantás,* ha dado una más, esta vez fuera del ruedo, y ha desaparecido del hogar conyugal.

El reflejo oficial de esta situación lo tenemos en la *Gaceta Oficial* de 1.º de noviembre, uno de cuyos avisos dice:

> **"Juzgado de Primera Instancia del Distrito de Chamberí de Madrid. Por el presente, que se expide en méritos de lo acordado por el Juzgado de Primera Instancia del Distrito de Chamberí de esta Capital, se hace saber que por doña Pastora Rojas y Monge, conocida por Pastora Imperio, se ha formulado expediente, que por reparto ha correspondido a dicho juzgado, haciendo constar que su esposo, don Rafael Gómez Ortega, apodado el Gallo, se ausentó de esta capital hace varios años, sin que lleguen a veinte, no habiendo vuelto a tener noticias del mismo e ignorándose su actual paradero, y solicitando se declare en su día la ausencia del mismo."**

Todos los cambios de régimen traen consigo el atareado cambio de nombre de algunas calles. El 22 de mayo, un acuerdo del Ayuntamiento madrileño ordena el trasiego de rótulos en esta forma: la plaza de Isabel II se llamará de Fermín Galán; la del Rey se llamará de García Hernández; la de Oriente, de la República. El paseo de María Cristina pasará a llamarse de Ramón y Cajal; el paseo del Rey, del Coronel Montesinos. La avenida de la Reina Victoria se denominará de Pablo Iglesias; la glorieta de Ruiz Jiménez se llamará del Catorce de Abril; por cierto que este cambio lleva consigo una serie de discusiones en el seno del Consejo Municipal, ya que los republicanos reconocen que Ruiz Jiménez ha sido «el menos malo de los alcaldes de la Monarquía», y otros incluso reconocen que el único defecto que ha tenido es el de no ser republicano. La calle de los Reyes pasa a llamarse del Capitán Domingo, y la de las Infantas, de Rosalía de Castro.

El 25 de mayo, un suceso lamentable conmueve a la capital. A las once de la mañana, en el campo de aerostación de Carabanchel, un globo estaba siendo sujetado a tierra por veinte soldados y un cabo, cada uno de los cuales tenía por misión tirar hacia abajo fuertemente de una cuerda para contrarrestar el poder ascensional del gas cautivo.

De pronto, una ráfaga de aire sacude fuertemente al globo, cayendo al suelo todos los soldados, pero no así el cabo, que asido fuertemente a una de las cuerdas es elevado bruscamente, ante el terror de todos.

El globo, empujado por el fuerte viento e impulsado por su propio poder de elevación, comienza a alejarse rápidamente del terreno de Carabanchel. Pendido de una cuerda, el cabo hace desesperados esfuerzos por asirse con otra mano a una de las otras cuerdas que cuelgan del aerostato. Cuando lo consigue se inicia la segunda parte de la catástrofe, pues viene a asirse a la cuerda de desgarre del globo, el cual inmediatamente pierde todo el gas y se viene a tierra, cayendo en la Casa de Campo. El pobre cabo muere con una docena de fracturas dolorosas poco después de ingresar en el Hospital Militar.

Al día siguiente sale hacia las fronteras —muy particularmente la francesa— la Brigada Especial nombrada al objeto de evitar la creciente y temible evasión de capitales, que comienza a crear serios problemas financieros al Gobierno de la República. El 27 de mayo, el ministerio de la Guerra comunica haber recibido ya más de 7.000 instancias de militares de todas las graduciones que piden el retiro, con arreglo a las últimas disposiciones del ministro Azaña. El 29 pasan a la reserva ocho tenientes generales, dieciséis generales de División y cincuenta y un generales de Brigada.

La República, evidentemente, está aligerando a toda prisa los cargados escalafones militares; pero, ¿no está nutriendo, paralelamente, los antes débiles escalafones de sus enemigos...?

En la Historia de España en general, en la HISTORIA DE MADRID en particular, y muy especialmente en la Historia de la Segunda República Española, tiene enorme importancia la Pastoral del cardenal Primado, cardenal Pedro Segura, del 1.º de mayo de 1931. Sólo hace quince días que ha sido proclamada una República que tiene un presidente católico —Alcalá-Zamora— y varios ministros que van a misa, pero que están llevando a rajatabla su programa de separación de la Iglesia y el Estado.

La Carta Pastoral es decisiva porque viene a decir claramente la posición oficial de la iglesia católica española, por orden de su primado, con vistas a las ya próximas elecciones a Cortes Constituyentes: y esta posición es no sólo evidentemente antirrepublicana, sino decididamente monárquica.

El régimen se encuentra con que el jefe absoluto de los católicos españoles da orden de votar a los monárquicos, como se deduce clarísimamente del texto de la citada Pastoral, algunos de cuyos párrafos vamos a reproducir:

"Los católicos —dice al comienzo— no podemos olvidar que por espacio de muchos siglos, la Iglesia e instituciones hoy desaparecidas convivieron juntas, aunque sin confundirse ni absorberse, y que de su acción coordinada nacieron beneficios inmensos que la historia imparcial tiene escritos en sus páginas con letras de oro."

Más adelante agrega:

"La Monarquía en general fue respetuosa con los deseos de la Iglesia."

Y más abajo:

"Séanos lícito expresar aquí un recuerdo de gratitud a S. M. el rey don Alfonso XIII, que durante su reinado supo conservar las antiguas tradiciones de fe y piedad de sus mayores."

La Pastoral continúa más adelante:

"Cuando los enemigos del reinado de Jesucristo avanzan resueltamente, ningún católico puede permanecer inactivo, retirado en su hogar o dedicado solamente a sus negocios particulares."

El tono es claro y no deben quedar dudas:

"Los católicos no deben abandonar en manos de sus enemigos el gobierno y la administración de los pueblos."

Pero, ¿cómo?

"Para impedir que esto suceda, se requiere, por parte de los católicos, una prudente y eficaz actuación política."

El cardenal Segura conoce el idioma castellano para decir exactamente aquello que quiere decir, y no se anda por las ramas:

"¿Será preciso insistir en la oportunidad de esta advertencia en los momentos actuales de la vida española, cuando van a elegirse unas Cortes Constituyentes...?"

La Carta Pastoral la firma «Pedro cardenal Segura, en Toledo, a 1.º de mayo de 1931». Traducido todo esto al lenguaje de la práctica, la orden del cardenal Segura a todos los católicos españoles es votar a favor de la Monarquía y en contra de la República. Si causa sensación en los poderosos medios católicos españoles, no menos sensación, de distinto signo, va a causar en el ambiente de los gobernantes de la jovencísima República española.

En la semana comprendida entre el 3 y el 10 de este mismo mes, el periódico *ABC* publica repetidamente una convocatoria que dice:

"A los monárquicos españoles. Todos los monárquicos, cualquiera que sea su ideología, de izquierda o de derecha, se deben apresurar a inscribirse en el Círculo Monárquico Independiente, Alcalá, 67, de diez a dos y de cuatro a nueve."

"Lo antes posible, el domingo, a las once de la mañana, se verificará en el Círculo Junta General y por votación habrá de elegirse la Junta Directiva, que será el Comité Central que a nuestro juicio debe dirigir la próxima lucha electoral a todos los organismos monárquicos españoles."

En efecto, el domingo 10 de mayo se reúnen en el local de Alcalá, 67, los más destacados monárquicos madrileños. Después de la reunión se promueven serios altercados entre monárquicos y republicanos. Al parecer, los ocupantes de un coche dan vivas a Alfonso XIII y los taxistas por allí parados dan, gritos de viva la República.

Es la una y minutos de la tarde, casi las dos. Van bajando los grupos que vienen de escuchar a la Banda Municipal en el palacete del Retiro. La aglomeración paraliza el tránsito rodado. Arrecian los gritos y empiezan las bofetadas. Los del Círculo, en menor número, llaman por teléfono a la Policía y acuden dos camionetas de guardias de seguridad.

Los coches del duque de Santo Mauro, del duque de Fernán Núñez y del marqués de Luca de Tena, que estaban en la puerta del Círculo, son incendiados por la multitud. Dentro del local se interpreta con los balcones abiertos y a máxima potencia, la Marcha Real. Abajo crece la efervescencia. Son apedreados los cristales de los balcones. El jefe superior de Policía, comandante Borrero, sube al Círculo y desde uno de los balcones procura calmar los ánimos.

—Los culpables de la provocación —dice a la gente de la calle— van a ser conducidos en el coche celular a la Dirección General de Seguridad.

Para aquietar los nervios de la masa invita a que unos delegados suban a comprobar las detenciones. Cuando llegan los bomberos avisados para apagar los coches incendiados, los vehículos son rodeados por la gente que no desea que se interrumpa el fuego. Alrededor de las dos y diez de la tarde llegan tres coches celulares, que son recibidos con aclamaciones. Una vez los detenidos dentro de ellos, la multitud asalta el tercero y saca a algunos de los arrestados, apaleándolos.

Un grupo se dirige a la calle de Olózaga, en donde, en la casa de un amigo, se ha refugiado el ex-ministro Matos, de la Dictadura, que también ha asistido a la reunión de la calle de Alcalá. Con grandes apuros consigue salvarle Rafael Sánchez Guerra, subsecretario de la Presidencia, que no obstante se ve forzado a prometer que Matos será entregado a la Policía. Para demostrarlo, acude al espectacular procedimiento de amarrar con una cuerda una de las manos del ex-ministro a las manos de uno de los obreros más excitados. Otro de los grupos se dirige a los locales de *ABC*, pero la sede del periódico está fuertemente protegida por la Policía. Todo esto tiene una importancia inusitada, porque constituye el prólogo de la quema de conventos.

Lo mismo que el asesinato de Mateoti, en Italia, hizo tambalearse el régimen de Mussolini, la quema de conventos, en España, hace tambalearse a la República recién nacida. Con la diferencia de que en Italia unos resortes de la autoridad mantenidos con férrea mano abortaron pronto todas las intentonas revolucionarias antifascistas, mientras que la República española, que pregonaba constantemente su liberalismo, está a punto de morir cuando acaba de llegar a la vida.

A continuación de la reunión monárquica de la calle de Alcalá y de los incidentes en la puerta del Círculo, comienzan a arder los conventos. El primer fuego tiene lugar en el quiosco de *El Debate*, que dirige Herrera Oria —candidato monárquico a las Constituyentes como veremos más adelante. El quiosco, situado frente a la Iglesia de las Calatravas, arde en pavesa en pocos minutos. Poco después son asaltadas las armerías de la calle de Hortaleza, 11 y Cava Baja, 1. Acude la Guardia Civil a toda prisa, pero los asaltantes ya tienen armas y se inician fuertes tiroteos.

El lunes 11 arden los conventos de los Jesuitas de la calle de la Flor, de los Carmelitas de Ferraz, de los Jesuitas de Alberto Aguilera, de Maravillas de Cuatro Caminos, de las Mercedarias de Bravo Murillo, la iglesia de Bellas Vistas, las Salesianas de Villamil, Sagrado Corazón de Chamartín y algunos más. A las dos de la tarde de este mismo lunes, el Gobierno Provisional ordena proclamar el Estado de Guerra en Madrid.

La quema de conventos produce honda conmoción en todo el país y grave preocupación en los hombres del Gobierno Provisional de la República. Nada podía sucederle peor a este joven Gabinete ministerial que los inoportunos sucesos de Madrid y de algunas provincias, en los que incluso sus propias fuerzas de orden público, en ocasiones, no están a la altura de las circunstancias.

En la reunión del Gobierno celebrada a toda prisa en la misma noche del 11 de mayo se acuerda autorizar a Miguel Maura, ministro de la Gobernación, para tomar cuantas medidas estime oportunas para contrarrestar la negativa secuela de lo sucedido.

No se anda por las ramas el ministro, que en sólo un cuarto de hora dispone el cese fulminante del director general de Seguridad, Carlos Blanco, al que sucede Galarza, y del jefe superior de Policía de Madrid, Borrero. Como se tiene noticia de que ha habido lenidad por parte de algunos jefes y oficiales del Cuerpo de Seguridad en reprimir los incendios, se ordena también el cese automático, espectacular, de cuatro capitanes y tres tenientes, sólo en Madrid.

En cuanto a los incendios de provincias, Maura ordena el pase a la excedencia forzosa de más de treinta comisarios, inspectores y agentes del Cuerpo General de Policía, la destitución y formación de sumario al coronel jefe de la Guardia Civil de Córdoba y la separación del servicio y detención del secretario del Gobieron Civil de esta misma capital.

Los incendiarios detenidos son sometidos a juicios sumarísimos en toda España y las fuerzas de Seguridad y Guardia Civil reciben órdenes de reprimir todos los actos vandálicos de los anarquistas y de detener a todos los comunistas o anarquistas que promuevan disturbios o monten reuniones sin permiso de la autoridad.

El Gobierno consigue en principio restaurar el orden, pero de paso se ha enajenado la lealtad de la extrema izquierda. Todo empieza a ser ya muy difícil.

La crónica menuda del Madrid de 1931 es rica en anécdotas. Un individuo inventa un nuevo sistema para comer y dormir gratis: aprovechando el ambiente creado por la Pastoral del cardenal Segura, se presenta ya de noche en el colegio de los Salesianos de la Ronda de Atocha.

—Soy el chófer del cardenal Segura: tienen que esconderme, pues me están buscando para matarme.

Los salesianos le dan de cenar opíparamente y le adjudican una habitación con una cama. Al día siguiente, nuestro hombre se entretiene en recorrer las dependencias del Colegio y en asistir repetidas veces, muy devotamente, a la capilla, en la que pasa largos ratos en oración.

«¡Qué conductor tan piadoso tiene Su Eminencia!», piensan los salesianos; pero conforme transcurren los días, algo del extraño huésped les hace parecer más extraño aún, y una vez iniciada cierta investigación resulta que el visitante no es el chófer del cardenal Segura, sino un maleante dotado de indudable inteligencia, que mediante este procedimiento ha conseguido vivir sin pagar un céntimo unos cuantos días. Más días aún, pues descubierta la superchería va a parar a la Dirección General de Seguridad, donde también le esperan comida y cama gratis durante algún tiempo.

Empiezan a circular nuevos sellos de correos, con cuatro efigies diferentes: unos con la figura de la República, la matrona del gorro frigio; otros con el retrato a pluma de Salmerón, otros con el de Pi y Margall y por último otros con el retrato de Pablo Iglesias.

Uno de los tipos más populares de la ciudad es Don Amaranto. Don Amaranto es normal en todo menos en lo que se refiere al vino: tiene la obsesión de ser la persona que más entiende de vinos y licores, y en cualquier taberna, a cambio de una invitación a un vaso de tinto, es muy capaz de permanecer media hora hablando sin cesar de la ciencia y la técnica del vino, ante el pasmo absorto de sus oyentes.

Un novillo, escapado de los que eran conducidos para cierto festejo en la Plaza de Toros, se lanza a correr a través de diversas calles del Barrio de Salamanca: ensarta a una castañera, abolla la carrocería de un automóvil en el Paseo de Recoletos, obliga a los peatones a subirse a lo alto de las farolas... Por fin, unos guardias de seguridad, desde una motocicleta, le disparan y lo hieren gravemente. Poco después llegan los mayorales y se lo llevan, renqueando y dejando un lamentable reguero de sangre. Los sustos han durado casi media hora.

En la calle de Martín de Vargas, frente al número 10, a un carrero le roban el carro lleno de géneros y el burro. Cuando le preguntan en la Comisaría del distrito que cuál es el precio de todo lo perdido, dice: «Unas 300 pesetas».

Capítulo 23. APERTURA DE LAS CORTES (año 1931). Nueva iglesia en Madrid. Reforma de las Vistillas. Huelgas. Elecciones a Cortes Constituyentes: los resultados en Madrid. Apertura solemne de las Cortes. Homenaje al Ejército. Composición de la Cámara de los Diputados. Luz para las calles de Madrid. Oleada de crímenes pasionales. Los deportes. Duendes, viejas supersticiosas, resquicios feudales, pitonisas y curanderos. El sacamantecas. Otro toro suelto por Madrid. Los teatros. Ruidoso estreno de **Ad majorem Dei gloriam.**

Se inaugura una iglesia nueva en la capital, lo que constituye un acontecimiento, ya que no hace dos meses de la quema de conventos. Se trata de Nuestra Señora de las Angustias, en el número 18 de la calle de Riego, que se abre al culto aunque no está absolutamente ultimada su construcción.

Los antiguos solares abandonados de las Vistillas, convertidos en frondosos jardines por iniciativa del concejal Saborit, son inaugurados y abiertos al público en medio de un ambiente de franco optimismo. Y continúa el trasiego de los nombres de las calles: ahora se trata de la calle de la Reina, que en adelante se llamará de Gómez de Baquero, calle llamada a figurar mucho en los periódicos en las crónicas de sucesos por estar en ella la Dirección General de Seguridad.

El Ayuntamiento acuerda crear con carácter de urgencia 200 escuelas, que deberán estar prestando servicio antes de final de este mismo 1931. Para ello, y como no se dispone de locales suficientes, se invita con carácter oficial a todos los propietarios que tengan pisos disponibles para que los ofrezcan a la Alcaldía, que pagará sus alquileres y firmará contratos ventajosos y a largo plazo.

Polémica en el Concejo de la Villa en torno a la conveniencia o inconveniencia de derribar la Casa de la Moneda, situada en la Plaza de Colón, entre Goya y Jorge Juan, para edificar en su lugar un nuevo, amplio y nada suntuoso Palacio de los Diputados.

Durante todo el mes de julio, Madrid se resiente de una de sus huelgas más dolorosas: la de la Telefónica, iniciada y mantenida violentamente por la C. N. T. Esta huelga de la Telefónica es toda una larga historia de incomodidades, injusticias, transformadores volados, cargas de los guardias de seguridad, heridos, detenidos, manifiestos, entrevistas, amenazas a los obreros que no siguen el paro, etc., etc. No están muy conformes los socialistas de la U. G. T. en la huelga, pero tampoco pueden sabotear el movimiento de sus compañeros de la Confederación, y el resultado es un auténtico mes de desastre: desastre —no se olvide esto— con el que precisamente los obreros perturban a una República que acaba de nacer y que no hace más que recibir puñaladas de la extrema derecha y de la extrema izquierda.

Como resultado de cierto concurso literario, el Ayuntamiento republicano de Madrid concede, entre otros, un premio de 1.500 pesetas al periodista Pedro Gómez Aparicio, por un reportaje publicado en *El Debate*, órgano absolutamente antirrepublicano y dirigido por Angel Herrera Oria, único diputado monárquico por la capital.

El 12 y el 14 de julio son fechas importantes para la historia de Madrid: el 12 tiene lugar un homenaje del Ejército a la República, junto a la estatua de Castelar, con desfile de tropas y arenga a cargo del capitán general de Madrid, Queipo de Llano. El 14 tiene lugar la apertura de las Cortes Constituyentes. Madrid ha votado así en esta otra ocasión:

Coalición Republicano-Socialista:

Alejandro Lerroux	133.789	votos
Roberto Castrovido	126.603	"
Felipe Sánchez Román	125.375	"
Pedro Rico	124.227	"
Francisco Largo Caballero	118.431	"
Luis de Tapia	115.796	"
César Juarros	114.326	"
José Sanchís Banús	111.879	"
Andrés Ovejero	110.866	"
Melchor Marial	106.879	"
Manuel Cordero	104.567	"
Andrés Saborit	103.883	"
Trifón Gómez	98.299	"
Angel Ossorio y Gallardo	38.970	"
Melquíades Alvarez	35.621	"
José Sánchez Guerra	35.124	"

Monárquico

Angel Herrera Oria	27.865	"

La acción republicana no se detiene. No basta con crear todas las disposiciones que tienden a afianzar la tendencia antimilitarista del Gobierno, sino que hay que cimentar y cumplir lo prometido en otros campos. Se crea la Caja Nacional contra el Paro Forzoso, cuyas actividades se encomiendan al organismo técnico por excelencia, el Instituto

Nacional de Previsión; se ordena la puesta en vigor del Seguro de Maternidad y se reglamentan los accidentes del trabajo en la agricultura.

Los maestros, la sufrida clase que ha dado miles de votos al advenimiento republicano, reciben algún trato de favor. Los de 7.000 pesetas de sueldo pasan a disfrutar 8.000, los de 6.000, 7.000 y los de 5.000, 6.000, dejando un sueldo mínimo para esta profesión de 3.500 pesetas, en lugar de las 2.500 que venían rigiendo. Ascienden en total, en virtud de esta disposición, 14.752 maestros.

El concepto *servicios* de los presupuestos es aligerado mediante la amortización del 50 por 100 de los funcionarios públicos. Se disuelve la Compañía de Jesús y se nacionalizan sus bienes.

De propósito se ha hecho coincidir la fecha de la apertura de las Cortes Constituyentes con la de la Fiesta Nacional Francesa, que rememora también el hecho saliente de la toma de la Bastilla. Por otra parte, como tal día 14, se cumplen en él los tres meses justos de la proclamación de la República el 14 de abril inmediatamente anterior...

Es día de gala en Madrid. A las seis de la tarde ya está cubierta la carrera en la Castellana, Plaza de Colón, Recoletos, Cibeles, Paseo del Prado, Plaza de Neptuno y Carrera de San Jerónimo, hasta la puerta misma del Palacio de los Diputados. Tropas de los regimientos 1, 6 y 31 de Infantería, fuerzas de Carabineros, Guardia Civil, Marinería, Intendencia, Sanidad y Aviación delimitan la ruta por la que han de pasar los altos jefes de la República. En la Cibeles destacan los uniformes del Segundo Ligero de Artillería.

En la Plaza de las Cortes, un gran gentío espera la llegada de los ministros. Todo recuerda bastante las ya célebres aperturas de Cortes de tiempos de la regente y de Alfonso XIII. La pequeña anécdota ha de recoger el grotesco accidente de un árbol cuya rama se rompió por el peso de un individuo que se había subido para verlo todo mejor, yendo a caer sobre el sombrero de una señora y resultando los dos heridos. Los dos únicos heridos de la jornada.

La comitiva la abren los batidores de Caballería, con su banda de cornetas, seguidos de los coches de los ayudantes y secretarios; luego, los coches de los ministros; por último, el coche presidencial, con Alcalá-Zamora y Lerroux, a cuyo lado va el General Queipo de Llano, jefe de la Primera Región Militar. A las siete de la tarde, la comitiva llega frente al Congreso. Es de ver que los únicos ministros que visten chaqué son Miguel Maura, Fernando de los Ríos, Lerroux y, naturalmente, el presidente del Gobierno Provisional, Alcalá-Zamora.

La gente aplaude desde las aceras fuertemente y al entrar el Gabinete en el hemiciclo del Palacio de las Cortes, alguien grita:

—¡Viva el Gobierno!

A lo que le responde otro inmediatamente:

—¡Viva la República y no el Gobierno!

Unas Cortes nuevas tienen que empezar, por muy Constituyentes que sean, por elegir presidente de las mismas. La votación da los resultados siguientes: Julián Besteiro, 363 votos; Ossorio y Gallardo, 6 votos; papeletas en blanco, 6. Es elegido, pues, Besteiro presidente de las Cortes Constituyentes. La Mesa de las Cortes queda constituida por Manuel Marraco, radical, como vicepresidente primero; Francisco Barnés, radical-socialista, vicepresidente segundo; Juan Castrillo, de la derecha republicana, vicepresidente tercero, y Dimas Madariaga, de acción nacional, vicepresidente cuarto.

Dentro de unos minutos va a realizarse el gran desfile de las tropas por la Carrera de San Jerónimo, pero antes va a hablar el presidente del Gobierno Provisional, y es importante lo que va a decir.

El discurso es esperado con cierta ansiedad, pues se barrunta que va a tocar el tema candente: el del Ejército. Efectivamente, entre otras cosas dice el presidente:

"La República tiene soldados leales, fieles, con los que puede contar incondicionalmente; soldados leales, sí; pero no protectores innecesarios, valedores inútiles, facciosos inverosímiles y rebeldes imposibles. Ejército y pueblo no admiten distingos, y en prueba de efusión y como abrazo a la institución armada, os invito a presenciar desde la escalinata el desfile del Ejército."

Efectivamente, Gobierno y diputados salen del salón de sesiones y se sitúan en lo alto de la gran escalinata del Congreso, flanqueada por los grandes leones de bronce. El jefe de la Primera Región Militar, general Queipo de Llano, acude a solicitar el preceptivo permiso para el comienzo del desfile. Poco después comienza éste, coreado constantemente por los aplausos del público.

Pero volvamos a entrar en el salón de sesiones. Mientras Gobierno, Ejército y pueblo fraternizan afuera, vamos a observar cómo ha quedado constituida esta primera Cámara que ha de montar una Constitución y ha de preparar las Cortes definitivas.

El bloque de la Alianza Republicana, que agrupa a Radicales, Acción Republicana y Federales Moderados, cuenta con 145 diputados. Es el más numeroso, seguido del Grupo Socialista, con 114 representantes. A continuación, y siempre en orden de disminución, los Radicales-socialistas, con 56 diputados; la Esquerra Catalana, con 42; la Derecha Republicana, con 28; la Federación Gallega, con 22; los Agrarios, con 19; los Vascos, con 16; los Independientes, con 14; los Federales de la Extrema Izquierda, con 3; Acción Nacional, con 2; Liberales de la Derecha, con 2, y Monárquicos, uno sólo.

Uno de los candidatos que ha quedado sin acta es José Antonio Primo de Rivera, el futuro fundador de Falange Española. Bien es cierto que él mismo contaba ya de antemano con este resultado. Sin programa político, por ahora, clasificado como candidato independiente, su intención ha sido cubrir un escaño para defender en el Parlamento la memoria de su padre.

Su manifiesto político, titulado *Por una sagrada memoria,* ya lo anuncia claramente:

"**Sólo para eso (sin que por ello descuide todos los deberes, que sabré cumplir, para con Madrid y mis electores), quiero ir a las Cortes Constituyentes: para defender la sagrada memoria de mi padre. Sé que no tengo merecimientos por mí mismo a la representación en Cortes por Madrid. Pero no me presento a la elección por vanidad ni por gusto de la política, que cada instante me atrae menos. Y porque no me atraía pasé los seis años de la Dictadura sin asomarme a un ministerio ni actuar en público de ninguna manera. Bien sabe Dios que mi vocación está entre mis libros. Me preocupa la memoria de mi padre: tendrá en las Cortes cuatrocientos acusadores y ningún defensor.**"

Puestas así las cosas, está claro que en cualquier votación en la que se juegue algo importante, la masa republicano-socialista está en condiciones de echar en la balanza nada menos que un 75 a un 85 por 100 largos del total de los votos. Sin embargo, el Gobierno republicano verá bien pronto lo difícil que es realizar una labor segura y práctica cuando varios de los grupos republicanos empiezan a anteponer sus intereses de región o de religión a los intereses generales o a lo que el Gabinete trata de hacer.

Los vascos son republicanos, pero, ¡cuidado!, también son separatistas y católicos, complicada amalgama que no hace más que enredar las cosas. Los 42 diputados de la Esquerra Catalana votarán siempre con el Gobierno, pero, ¡cuidado otra vez!, siempre que el Gobierno esté dispuesto a acceder a las demandas contenidas en el Proyecto de Estatuto. Los radicales-socialistas votarán siempre que, además de otras muchas circunstancias, se consideren suficientemente representados en el Gabinete ministerial.

La tradicional característica individualista e indisciplinada de todo lo español se muestra patente en estas Cortes acabadas de nacer y ya difíciles de sobrellevar.

Desde Valladolid llega, inquieto e inquietante, el grito del joven grupo de Onésimo Redondo. La *Junta Castellana de Actuación Hispánica* no permanece silenciosa. Su plana mayor —Onésimo Redondo, José Antonio Girón de Velasco, Carlos Sanz, Elías Iglesias, Fernando Bulmes, Narciso G. Sánchez, Martín Alonso, Joaquín González, José María Gutiérrez— es fecunda en arengas, proclamas, programas y preámbulos de disposiciones legales.

Un escrito dirigido a las juventudes castellanas habla de la inmensa tarea a realizar para constituir un valladar contra el comunismo y recuperar la España eterna. El título no puede ser más inflamado: « ¡*Castilla, salva a España!* »

Sin embargo, en Madrid, donde se conocen perfectamente las reuniones, las intenciones y los proyectos de estos jóvenes de Valladolid, no se da importancia a nada de esto. Está demasiado reciente la República, demasiado lozana y vigorosa para que puedan preocupar al Gobierno estos movimientos locales que cuentan, a lo sumo, en sus comienzos, con media docena de adeptos.

A nadie se le ocurre pensar que en la historia de la política universal, la inmensa mayoría de los movimientos de masas han tenido sus principios precisamente en eso, en media docena de hombres jóvenes que se reúnen en un café a hablar, a trazar proyectos, disconformes con uno u otro estado de cosas.

Un acuerdo del Ayuntamiento madrileño ordena a todos los propietarios de fincas urbanas de la capital tres cosas: una, que las luces de la escalera tienen que permanecer encendidas toda la noche; otra, que los ascensores deben funcionar también durante toda la noche (ya que se daban muchos casos en que los ascensores eran desconectados al cerrar el sereno el portal y otros al dar las doce), y aún una tercera cosa, muy importante: que las personas del servicio de las casas pueden utilizar siempre el ascensor, pues en muchas de las casas de Madrid las chicas de servicio tenían que subir por la escalera, aunque hicieran diez salidas diarias, aunque volvieran cargadas con la compra, reservando el ascensor para el exclusivo uso de los señores.

El calor de julio y agosto da a Madrid toda una página de sangre. El crimen pasional vuelve al primerísimo plano de la actualidad. La reyerta está en cada esquina, en cada brote de barriada...

El 31 de julio, un aprendiz de panadero va por la calle de Calatrava con una gran cesta de pan en la cabeza. Al pasar junto a una casquería, da sin querer un golpe con la cesta al casquero que se hallaba allí. El casquero entra en el establecimiento, coge un garrote y apalea al panadero. Al ver esto, las verduleras se abalanzan sobre el casquero y le dan una buena tunda. Pero el hijo del casquero toma el garrote de su padre y la emprende a palos con las verduleras... En pocos minutos, más de cien personas andan a garrotazos y bofetadas en la calle Calatrava. Todo se soluciona, a duras penas, con la llegada de una camioneta de guardias de seguridad.

Cuatro días más tarde, Manuela Ferrando, cigarrera, separada de su marido, se halla sentada en una sillita en la acera, junto a unas vecinas, conversando y tomando el fresco. Estamos ahora en el paseo del Canal y es de noche. En esto se aproxima el marido de Manuela.

—No tengas miedo, que no vengo a matarte.

Ella le responde:

—Déjame en paz, sólo quiero vivir tranquila.

El marido hace ademán de irse, pero de pronto gira sobre sus talones, se abalanza sobre ella y con un cuchillo que llevaba oculto en la manga la apuñala con saña en el cuello, dejándola muerta en un minuto y dándose a la fuga.

Al día siguiente, Cándido Martín, guardia del Parque Móvil, que está separado de su mujer, encuentra a ésta con otra amiga y con dos amigos sentados todos en la terraza de la popular Cervecería de Correos...

—¿Qué haces tú aquí a estas horas y con estos dos?

—Lo que a ti no te importa.

—¡Tú harás lo que yo quiera!

—Yo hago lo que me da la gana.

Suenan dos, tres, cuatro, cinco disparos... La esposa cae al suelo con dos balas en la cabeza, la amiga con un balazo leve; el guardia, entonces, vuelve el revólver y se dispara también... Un charco de sangre embadurna la acera. Hace mucho calor en este Madrid del verano de 1931...

Angel, divorciado y cuya esposa reside en Cuba, mantiene relaciones bastante íntimas con Angeles. El tiene treinta y seis años, ella veintidós. Todo va estupendamente hasta que una tarde Angeles le dice, mientras pasean por la calle de Maldonado, y próximos a la esquina de Porlier, que deben romper, porque ella se ha enamorado de otro. Surge una violentísima discusión, en el curso de la cual él, que es zurdo, saca rápidamente una pistola y la mata de un solo disparo detrás de la oreja. Luego se dispara dos tiros en el pecho y cae sobre la misma sangre de su amada.

El caso Estilita lo comenta así un periódico de la época:

"Parece ser que Estilita hacía una vida anormal, con la que no estaba conforme su marido, que se llama Eusebio y es carpintero de profesión. Esta madrugada, Eusebio se encontró a su mujer en la puerta de su casa —Costanilla de los Capuchinos— y ambos sostuvieron una discusión que fue degenerando y adquiriendo caracteres de violencia. Eusebio sacó un formón y con él infirió dieciséis heridas a su mujer."

A las ocho de la noche del 26 de agosto se presenta en la Comisaría de Cuatro Caminos un joven que dice que viene de matar a su novia. Naturalmente, queda detenido. Minutos después, la Casa de Socorro del distrito comunica a la misma Comisaría que ha ingresado una mujer herida grave de varias puñaladas. El, Ramón, tiene veinte años; ella, Angela, la misma edad. Crimen de celos... Ella había subido a hablar con su jefe, mientras Ramón, que la había acompañado, quedaba esperando en la calle. Como tardara, Ramón, que ya sospechaba algo, se fue a la acera de enfrente y desde allí pudo ver, en el trasluz de la habitación iluminada, cómo su novia y el jefe se hallaban —dice la noticia— excesivamente cerca uno del otro. Cuando Angela bajó, discutieron los novios violentamente. Fueron discutiendo hasta la casa de él, donde la novia procuró convencer a una hermana del novio de que era inocente y de que todo era un ataque de infundados celos de Ramón; pero éste cortó la conversación sacando de improviso un cuchillo y apuñalando a su novia.

Felipe es un hombre impulsivo que tiene relaciones con Carola. Riñen en una cervecería de la calle de Alcalá: como últimas palabras, ella le dice que todo ha terminado, y sale bruscamente del establecimiento. En la calle toma un taxi. Felipe sale corriendo detrás del auto, sin alcanzarlo hasta que un guardia corta la circulación para que pasen los vehículos de una calle perpendicular. Esta ocasión la aprovecha Felipe, y cuando el taxi arranca de nuevo, da un grito y se lanza bajo las ruedas del automóvil, quedando malherido ante los aterrorizados ojos de su ex-novia.

Concepción se halla con su padre en el andén del metro de la Puerta del Sol. Cuando llega el convoy, hace un brusco movimiento y se lanza a la vía; el padre se lanza tras ella y dándole un empujón consigue evitar el atropello. Cuando salen los dos, conmocionados, se descubre que ella llevaba oculta una carta dirigida al juez, diciéndole que se suicidaba porque precisamente su padre no le permitía continuar las relaciones con el muchacho que quería.

«¡Mía o de la tumba!» No podemos sentir el menor respeto por aquellos antepasados nuestros que reaccionaban en casos de derrota sentimental con un cerrilismo tan estúpido. El «¡mía o de la tumba!» es lo que llevan en la sangre ochenta de cada cien novios en el Madrid de los años treinta. Por eso, el crimen pasional es la noticia de cada día y casi de cada hora. Todavía aquello de *lavar la honra con sangre*.

En el número 19 de la calle de la Abada se produce uno de estos actos sangrientos que ilustran cotidianamente las páginas de la prensa de Madrid. Jaime siente unos celos enormes de su novia, Antonia, que vive en la citada casa. Una noche, sin mediar conversación alguna, Jaime se esconde en el portal, y cuando ella sale, la asalta y le deja clavado un puñal en el pecho. Luego toma el tranvía y se va a la Cárcel Modelo, donde se presenta a la guardia de puerta:

—¡Vengo de matar a mi novia y debo quedarme aquí!

En el célebre Trianón, del número 11 de la calle de Mesón de Paredes, tenemos otro crimen por celos. Mateo está casado con Feliciana. Mateo trabaja en el Trianón, del que son propietarios el matrimonio Sánchez. Algo debe haber poco corriente entre Luisa, dueña del Trianón, y su empleado Mateo, puesto que el marido de aquélla ha debido intervenir varias veces y no de muy buenas maneras. En esto, Feliciana, la esposa de Mateo, descubre a éste una carta escrita por Luisa, carta en la que el lenguaje es, al parecer, bastante claro y bastante fogoso. Ni corta ni perezosa, Feliciana acude al Trianón, organiza un buen escándalo y sacando un cuchillo de cocina del bolso ataca a Luisa, que cae muerta al suelo con una enorme herida en el cuello.

En el número 20 de la calle de Don Ramón de la Cruz hay una

fontanería de los hermanos Marcelino y Juan. Allí prestan servicio Justo y su esposa Angela. Día tras día, Justo, el esposo, observa que la confianza entre su mujer y uno de los propietarios —Marcelino, el más joven, de diecinueve años— va creciendo. ¿Algo maternal...? No, no lo parece. Una noche en la que Justo ha salido, éste regresa inopinadamente antes de la hora de costumbre, y sorprende en coloquio suficientemente íntimo a su esposa con el joven Marcelino. Estos no sólo no se asustan sino que atacan a Justo y le obligan a irse a la calle. ¡Es demasiado! Al día siguiente, en la esquina de las calles de Don Ramón de la Cruz y Velázquez, Justo apuñala a su esposa clavándole con verdadera saña una navaja grande numerosas veces.

En cambio, nada le sucede —salvo la cárcel— a Santiago Oñate, que es cesante y está casado dos veces. Para ello se ha valido de la documentación de un primo suyo muerto en Barcelona meses antes. Unas noches vive en un hogar y dice que trabaja la noche siguiente, y lo mismo hace en el otro hogar. Un práctico sistema que no tenía más remedio que ser descubierto al fin.

La historia deportiva de 1931 nos da pares y nones. Paulino Uzcudun vence a Max Baer —el bello Max— por puntos en un combate indeciso hasta el final en Reno, Estados Unidos. El único corredor español presente en la Vuelta Ciclista a Francia se retira mediada la prueba y España queda, por tanto, sin ninguna representación en el circuito. La Vuelta la gana Antonin Magne. En cambio, Vicente Carretero, uno de los mejores ciclistas de la época, triunfa en el Campeonato de Castilla, y Mariano Cañardó se clasifica campeón de España de Fondo en Carretera.

El Athletic de Bilbao se proclama campeón de España de Copa al ganar al Betis por 3-1. En Madrid tiene lugar un accidentadísimo partido entre el Athletic de la capital y el Nacional. Varias veces tiene que ser interrumpido el encuentro a causa de ser invadido el campo por aficionados en actitud hostil para con el árbitro y algunos jugadores. El terreno de juego se llena de almohadillas y botellas. Las excesivas interrupciones alargan los minutos del partido, que tiene que ser interrumpido, en medio de un escándalo enorme, ya que se ha hecho de noche y el campo no cuenta con iluminación.

Mientras tanto, el Madrid vence al Castilla por 9-0. Lo más importante del año deportivo es el fracaso de Londres, seguido del triunfo de Dublin. La selección española de fútbol se enfrenta a la inglesa y pierde por el abultadísimo tanteo de 7-1, entre aclamaciones de los aficionados ingleses que en esta ocasión no se muestran nada flemáticos. La alineación española es ésta: Zamora, Zabalo, Quincoces, Cilaurren, Gamborena, Roberto, Vantolrá, Leoncito, Samitier, Hilario y Gorostiza. La derrota pone cierto temblor en los medios futbolísticos españoles. Algún periódico madrileño dice con grandes titulares: «Los maestros ingleses deshicieron al once español».

No es para tanto. En este mismo viaje, el equipo de España ha de enfrentarse días después en Dublín con la selección irlandesa. Como Zamora no ha estado bien en Londres, el seleccionador español prepara una alineación diferente, sustituyendo al portero y algún otro que flojeó ante los ingleses. La que se enfrenta a los irlandeses es, pues, la siguiente: Blasco, Zabalo, Leoncito, Gamborena, Roberto, Vantolrá, Regueiro, Samitier, Arocha y Gorostiza. El resultado no puede ser mejor: España 5, Irlanda 0. Los españoles se han sacado la espina.

Las veladas de boxeo están de moda en el verano madrileño. Con ocasión de la famosa Verbena de la Paloma se organiza en la *kermesse* de la plaza de San Andrés un encuentro boxístico. Es curioso conocer los precios de las localidades: las sillas, 1,50, y las localidades de pie, 0,75. Todo el importe del taquillaje tiene un fin benéfico y va a parar a disposición de la Casa de Socorro del distrito.

Todavía en 1931 estamos en condiciones de presenciar hechos realmente asombrosos en España. En Valencia, en plena madrugada, el guarda de un cementerio escucha ciertos ruidos extraños junto a las tumbas. Acude y sorprende a dos mujeres que están haciendo un pequeño hoyo para enterrar un corazón que llevan envuelto en papeles, lleno de alfileres clavados. Parece un corazón humano aunque luego resulta ser de carnero. Según ellas, es la práctica aconsejada por una bruja para hacerse amar locamente.

Un médico de Barcelona acude a la Jefatura de Policía para denunciar a la propietaria del inmueble número 34 de la calle de Pelayo. El denunciante ha ido a alquilar un piso vacío que había en la citada casa y se ha encontrado con la sorpresa de que la dueña le exige en el contrato confesar y comulgar a lo menos una vez al mes y acostarse siempre antes de las doce de la noche. Si no firma esas cláusulas no le alquila el piso.

No está menos loco el resto del mundo. La actriz Aileen Despard, para ganar una apuesta, se baña en maillot en plena fuente londinense de Trafalgar a la hora de mayor circulación. Las ciudades americanas rivales Arkansas y Reno, para atraer mayor cantidad de turistas, pujan para ofrecer un divorcio más sencillo y rápido: Arkansas, todo resuelto en noventa días; Reno, todo resuelto en seis semanas.

Un honrado ciudadano de París se juega a su mujer en una partida de naipes, la pierde y entonces decide que no puede vivir sin ella, por lo que la mata a golpes de martillo. En Bilbao, un pobre anormal al que maltrataban unos señoritos de la buena sociedad, se desespera y viene a matar precisamente al único que había pretendido defenderle de los asaltantes.

Para la ejecución del célebre Vampiro de Dusseldorf —al que algunos periódicos madrileños llaman *el sacamantecas*—, hay que trasladarle de la cárcel de la ciudad de sus crímenes a la de Colonia. La causa es que en Dusseldorf no existe guillotina y en Colonia sí, y además tiene fama de ser extraordinariamente silenciosa y rápida.

En la casa número 40 de la calle de Vallehermoso se produce una reyerta fenomenal entre unas vecinas. Intervienen los maridos y la cosa sube a mayores. El escándalo es tan enorme que las monjas de un convento cercano, pensando que eran asaltantes que iban a incendiar su casa, llaman a la Policía. Poco después llegan los guardias de asalto, Guardia Civil, policías y un carro blindado. La falsa alarma acaba en una docena de vecinos heridos y seis o siete detenidos.

Un novillo se desmanda al ser conducido al matadero. Cornea a un obrero, al que hiere de gravedad, y revuelca a unos cuantos viandantes. El novillero *Quinito* le sale al encuentro, en la calle Fray Luis de León, y se pone a torearle con una manta, para hacer tiempo a que llegue la Guardia Civil que lo derriba a tiros.

El cambio de régimen no afecta a la actividad teatral del Madrid de 1931. Continúan estrenándose obras a ritmo intenso, si bien en algunas de ellas se nota, naturalmente, el impacto de la nueva situación. El Chueca presenta *La loca juventud*, de Ramos Martín y maestro Guerrero, con Selica Pérez Carpio.

En el Alcázar, *Un momento*, de Sassone, con Rosario Pino y Emilio Thuillier; *Todo Madrid lo sabía*, de Linares Rivas, con Hortensia Gelabert y Juan Espantaleón, y algunas más.

En la Zarzuela, *Don Juan José Tenorio*, de Silva Aramburu y Enrique Paso; *Los caballeros*, de Quintero y Guillén, con Socorro González; *Como los propios ángeles*, de Olmedilla y Muñoz, y *La niña de la bola*, de Leandro Navarro.

En el Lara, *Vivir de ilusiones*, de Arniches, con un formidable reparto: Leocadia Alba, Concha Catalá, Ana María Custodio, Manolo González, Gaspar Campos y Manuel Dicenta, este último galán joven. En el Pavón, Celia se luce en la plenitud de su juventud, su arte y su belleza en *Me acuesto a las ocho*.

En el Fuencarral, *¡Qué amarga es la vida!*, de Romerales y Prada. En el Calderón, *Mi casa es un infierno*, de Fernández del Villar, y *Cuando los hijos de Eva no son los hijos de Adán*. Carmen Díaz estrena *La melodía del jazz-band*, de Benavente.

En el Martín, *La sal por arrobas*, de Paso, Luna y Guerrero. En el Muñoz Seca, *El Embrujado*, de Valle-Inclán, con Irene López Heredia, Mariano Asquerino y Adela Carboné; *Las llamas del convento*, de Ardavín, obra inspirada en los sucesos del 11 de mayo, y *Amantes*, de Suárez de Deza, por Margarita Robles y Carmen López Lagar.

Presenta el Price con gran sensación la Orquesta de Negros de Myrthe Watkins y en la Comedia *Enigmas y realidades*, de Carlos Neyra. En el Español ruge Borrás con *Los pistoleros*, de Federico Oliver. En el

Cervantes, *El huevo de Colón*, de Antonio Paso y maestro Penella, con la presencia en escena de Blanquita Pozas y Castrito.

Gonzalo Delgrás estrena una obra en el Alcázar titulada *El fantasma de la Monarquía*, que, pese a su título, no es antidinástica. Y los dos teatros que llevaban los nombres de las hijas de Alfonso XIII, Infanta Isabel e Infanta Beatriz, se convierten en simplemente teatro Isabel y teatro Beatriz.

En el primero de ellos se estrena *El peligro rosa*, de los Quintero, con Isabel Garcés, Pepe Isbert y María Bru. En el Beatriz tiene lugar un acto violento con ocasión del estreno de la obra *A. M. D. G.*, de Pérez de Ayala. La obra, contra los jesuitas— de aquí el título: *Ad majorem Dei gloriam*—, provoca gran alboroto en el teatro, más si se tiene en cuenta que las localidades han sido adquiridas casi en su totalidad por monárquicos del Barrio de Salamanca. No es posible representarla a causa de los gritos y de las butacas rotas. Acude la Policía en gran número y son detenidos muchos alborotadores. Se imponen setenta multas de 500 pesetas. Entre los detenidos figuran muchos estudiantes, algunos de los cuales sonarán después: Luis Fernando Oriol y Urquijo, Manuel Pombo Angulo, Ramón López Dóriga y Santiago Sangro Torres. También algunos militares y sacerdotes.

Capítulo 24. LA ACERA DE BANCO (año 1931). La acera del Banco de España. Anuncios por palabras. Planes de urbanización. Venta de la casa de Fornos. Los precios. Derribo de Caballerizas. Aparecen los guardias de asalto. Disolución de los alabarderos. Comienza la política militar de la República. ¡Su señoría es un mentecato! Se aprueba la Constitución. Alcalá-Zamora, presidente de la República. Azaña, jefe del Gobierno. Los cafés madrileños. La pareja Ciríaco-Quincoces.

La acera del Banco de España, en la calle de Alcalá, entre la boca de calle de Marqués de Cubas y La Cibeles, es todo un mundo. Aquí tiene su sitio fijo el puesto que vende ligas para las señoras y tirantes de goma para los caballeros: un par de ligas cuarenta céntimos y unos tirantes cinco reales. Allí acude también el popular vendedor de *Pinochos*, a sesenta céntimos, y el que ofrece corbatas de seda artificial a peseta —gran competencia para las de seda natural que se venden en las tiendas mucho más caras. El fotógrafo ambulante tiene una paciencia de pescador de caña, y pasa horas y horas sin un solo parroquiano, pero sin desalentarse.

Los jueves son días buenos porque están en la calle las chicas de servicio y sus eternos acompañantes, soldados de la guarnición. Cerca de un árbol está el carrito que vende libros, sobre todo libros de poesías, desde veinte céntimos, y novelas de *gangsters* desde *perra gorda*. Un poco más allá, junto a la esquina de Marqués de Cubas, la vieja que vende *el pájaro que vuela*, un pedacito de barro con plumas de colores sujeto a un hilo y el hilo sujeto a un palo. Por *perra gorda* no puede pedirse más. También —grito moderno— el vendedor de gafas para el sol, gafas negras horripilantes que pueden comprarse desde tres reales.

En la esquina o chaflán donde está la entrada principal del Banco de España se sitúa habitualmente el vendedor de metros de acero enrollable, que se divierte aturdiendo a los chicos con los ágiles movimientos de su mercancía, que salta como un rayo de luz cuando él oprime el resorte del estuche.

Se venden peines y llaveros, aquéllos desde un real, éstos desde treinta céntimos. Quizá el vendedor más original y más gráfico de esta espectacular acera madrileña del Banco de España es, en 1931, el que vocea *El Cencerro*. Se trata de una publicación satírica, exageradísima en todo, y el vendedor la ofrece agitando en la mano libre un enorme cencerro de vaquería.

Un repaso a la página de anuncios de *El Liberal*. Nada ha cambiado en realidad con el nuevo régimen.

«Señora sola cede habitación dormir caballero, Acuerdo, 37, ascensor.»

«Gabinete exterior señorita derecho novio, Santa María de la Cabeza, 17.»

«Jovencita buena presencia desea protección caballero. Carretas, 3.»

«Falta criada guapa treinta años señor solo. Preciados, 33.»

«Se vende Ford modelo 1929, 2.400 pesetas.»

«Joven culto, veinticinco años, alto, relacionaríase señorita formal, buen tipo, para diversiones. Escribid Velasco, Preciados, 7.»

«Felipe regresó ayer; no vengas hasta aviso. Flor de Té.»

«Vendo hotelito 4.000 pesetas calle Pablo Iglesias.»

«Pensión completa señoritas 3,50 pesetas día, todo incluido. Chinchilla, 8.»

«Solar calle Vallehermoso 7,50 pesetas metro cuadrado.»

«Viuda joven alquila habitación con o sin. Pez, 7.»

Pero, *con o sin*, ¿qué...?

«Acreditada profesora partos, embarazos, consulta reservadísima. Pardiñas, 16.»

«Señorita educada, guapa, desea protección caballero edad, posición. Escribir citando mañanas Carmen, glorieta Bilbao, 3.»

«Chica joven agraciada se ofrece para todo menos guisar. Hermosilla, 42.»

Es lo que diría algún que otro lector: ¿quién habla de guisar ahora, guapa...?

El Ayuntamiento madrileño trabaja a marchas forzadas en 1931. Tres ambiciosos proyectos, de tres buenos arquitectos, se disputan la primacía en el engrandecimiento de la ciudad: el de Muguruza, que consiste principalmente en el nuevo trazado, mucho más ancho, de la calle de Amaniel, descongestionando las calles de San Bernardo, Fuencarral y Hortaleza, y una ampliación notable de la Plaza de España y de la parte próxima a ésta de la gran Vía; el de Monasterio, cuyo nervio reside en la prolongación de la calle del Clavel, hacia arriba, es decir, tendiendo también a la descongestión de Hortaleza y Fuencarral, y el de Carrasco, que consiste en la urbanización acelerada de la gran zona de solares y descampado comprendida entre la calle de Bravo Murillo y la Ciudad Universitaria, edificando allí una barriada capaz de absorber más de 100.000 habitantes.

El tradicional café de Fornos y todo su inmueble son adquiridos por una Compañía de Seguros de Barcelona, que se propone derribar el edificio para construir uno nuevo muy moderno, para su sede y oficinas comerciales. En la Biblioteca Nacional se inaugura una nueva Sala con diez mil volúmenes y cuatrocientas revistas.

Hagamos un pequeño hueco al precio de un producto tan nacional y tan madrileño como las patatas: en noviembre de 1931 pueden comprarse las de la clase llamada *holandesa* a 0,35 el kilo y 0,65 los dos kilos; las *rosa*, a 0,30 el kilo; las *blancas*, a 0,50 los dos kilos.

En el Museo del Prado se inauguran varias salas nuevas en las que se instala el valioso legado de don Pedro Fernández Durán: cuadros de Rubens, Vander Weyden, Brueghel *el Viejo*, Tintoretto, Mengs, Tiépolo, Van Loo y Goya, entre otros.

Una estadística municipal nos asegura que en el curso del año anterior —1930—, se empeñaron en Madrid, en el Monte de Piedad, ropas por valor de 3.792.506 pesetas y alhajas por valor de más de quince millones de pesetas. Hay empeñadas 2.582 máquinas de coser y 320 máquinas de escribir.

Entre los proyectos de ejecución inmediata con que cuenta el Ayuntamiento están:

Ampliación a los pueblos de la cintura de la expansión de Madrid;

comunicaciones nuevas en el interior;

cadena de parques verdes;

nuevas vías de acceso a la ciudad;

ruptura del cinturón de arrabales miserables;

intercomunicación de las vías de acceso a la ciudad para que no sea preciso entrar en el centro de Madrid cuando se pretende continuar el viaje;

subordinación de lo ostentoso a lo útil y de lo característico a lo moderno;

previsión para el crecimiento, a fin de que jamás ya se produzca otro extrarradio;

cosas prácticas;

ausencia de ideas de tipo deslumbrador y perfecta realización de tendencia a diluir la población en vez de concentrarla;

parques a lo largo del Manzanares desde El Pardo al Campo del Moro;

descongestión del Puente de San Fernando, construyendo otros nuevos;

grupos de deportes en la Casa de Campo;

grandes avenidas a las márgenes del río;

ampliación del Parque del Oeste;

ampliación del Puente del Rey;

derribo de Caballerizas para hacer jardines públicos;

cubrir el Arroyo Abroñigal durante quince kilómetros con una ancha avenida;

convertir la Pradera de San Isidro en verbena permanente;

autopista al aeropuerto de Barajas;

prolongación de la Castellana en tres kilómetros y con 250 metros de anchura, y gran estación subterránea para enlaces ferroviarios...

Los guardias de asalto aparecen en Madrid en el verano de 1931. Breve el plazo, si se tiene en cuenta que la República ha nacido en la primavera. Sus uniformes modernos, exentos de colores llamativos, ligeramente parecidos a los de la policía que acostumbramos a ver en las películas norteamericanas, sus gorras de plato, en sustitución de los anticuados cascos, la apostura de los jóvenes guardias —a quienes se exige una estatura casi como la de los jugadores de baloncesto—, hacen que sean bien vistos por el público.

Han sido creados para resolver problemas de orden público, pero evitando, en la medida de lo posible, el empleo de armas contundentes: llegan provistos de unas porras elásticas fuertes, que dañan pero no hieren, que aporrean pero no matan. Para ellos se han previsto unos vehículos especiales, las camionetas *Hispano-Suiza*, descubiertas, sin puertas, de las que los guardias, ágiles. se apean apenas llegan al *lugar de los sucesos.*

Hay en favor de estos guardias algo de simple impacto: todos son jóvenes, altos fuertes, y la mayoría de ellos bien parecidos. Ello predispone en su favor a la opinión pública. No sólo la prensa del régimen, sino la del lado de enfrente jalea la aparición de los guardias de asalto. Copiamos a la letra del periódico *ABC*, que se mantuvo monárquico en todo instante en plena República, un artículo publicado el 5 de agosto de 1931, uno de cuyos párrafos dice así:

> **"¡Se acabó el genízaro feroche, el energúmeno del casco! Se acabó... porque en el cielo del orden público brilla un astro nuevo: el guardia de asalto, cuya misión es primeramente estar seguro de su fuerza y de su destreza, y después emplearlas sonriendo. Tal es el espíritu que les ha infundido su creador, el actual director general de Seguridad, don Angel Galarza. Lo primero que han capturado los guardias de asalto ha sido la simpatía del pueblo madrileño. Jamás se había dado el caso de unos guardias ovacionados durante el cumplimiento de su acción represiva."**

Los guardias de asalto tienen, efectivamente, órdenes de no sacar las armas de fuego sino es con una orden expresa de sus superiores y en casos extremos. Todas las cuestiones deben resolverse mediante el avance de estos jóvenes corpulentos. sacudiendo golpes de porra, que duelen pero no matan. Todo esto tiene pronto una segunda parte: los profesionales del alboroto, aquéllos que no estaban encuadrados en ningún partido político disciplinado, sino que se dedican a organizar algaradas o a unirse a ellos con el único propósito de medrar, al menos momentáneamente, con el ligero botín del escaparate o de la cartera descuidada, hacen frente pronto a los guardias de asalto, primero con navajas y cuchillos, luego con pistolas. Los guardias tendrán también que emplear sus armas de fuego. La primitiva intención queda pronto cortada de raíz. Las cosas no son más que de una manera.

Disueltos los Alabarderos y la Escolta Real, se crea la Escolta Presidencial el 30 de agosto, que constará de un comandante de caballería, dos capitanes, cuatro tenientes, un alférez, un capitán médico, un suboficial, cinco sargentos, un cabo de trompetas, cuatro trompetas, veinte cabos, cuatro soldados de primera, ciento cuatro soldados de segunda montados, veinte soldados de segunda desmontados, diez caballos para oficiales, ciento treinta y cinco caballos para tropa y cinco caballos de tiro.

Se prohibe la concesión de nuevos títulos nobiliarios, significándose que aquellos que ya lo ostentan no tendrán por ello ningún derecho ni privilegio ni figurarán en los registros sino por sus apellidos. El general Mola, antiguo director general de Seguridad, que está detenido, solicita permiso para marchar a su domicilio particular, puesto que su esposa está a punto de dar a luz. Consultado el ministro, Azaña, autoriza el permiso, siempre que el general dé su palabra de honor de no escapar. Un oficial acude a Prisiones Militares a recoger la palabra de honor del general Mola. Este la da y marcha a su casa, pasando en ella varios días junto a su familia.

Se ordena que se considere gratuita la entrada en todos los museos del país para todos los catedráticos, profesores y maestros nacionales y doctores colegiados. Las casas baratas no podrán tener, en lo sucesivo, un valor superior —incluido el solar— de 60.000 pesetas, ni un alquiler mayor a las 2.400 pesetas al año, es decir, doscientas pesetas al mes.

La Policía descubre en la Iglesia de la Concepción, de la calle de Goya, una reunión monárquica y un depósito de armas. El párroco asegura a la Policía que no se trata de tal reunión, sino de un grupo de feligreses que acude allí, relevándose, para defender el templo si es atacado por los incendiarios. Los detenidos son puestos en libertad después de pagar una multa de mil pesetas cada uno.

Madrid sufre una huelga de taxis —la primera de esta clase desde que fue proclamada la República—, pues los profesionales solicitan aumento de tarifas y de jornales, que consiguen poco después. El importe de la cédula personal que entonces hacía las veces de documento nacional de identidad y que tenía una complicada tarifa según categoría social, ingresos, profesionalidad, rentas, etc., registra una rebaja considerable, que es bien acogida por el público.

Todos los medios económicos del país están materialmente volcados para solucionar el problema número uno, que es el del paro forzoso. El sorteo de la Lotería de Navidad viene a resolver siquiera parcialmente este problema: el número 24.717 en que ha caído el «gordo» no ha sido vendido, por lo que su premio revierte al Estado, que decide automáticamente dedicar su importe a jornales. En vez de un solo rico improvisado, miles de obreros sin trabajo ganarán su sustento una temporada.

Parte importante de la política republicana consiste en la aminoración del presupuesto de las fuerzas armadas, y la disminución de la importante presencia en la vida nacional de los altos mandos militares. Por decreto de 17 de junio se suprime la dignidad de capitán general, así como la categoría de teniente general.

Todo ello empieza a crear un claro descontento incluso entre los numerosos generales republicanos. El general Burguete, castigado por la Monarquía por haberse mostrado partidario del liberalismo y de ciertos procedimientos no muy acordes con Palacio, se presenta al ministro de la Guerra republicano para ofrecerle su dimisión. Poco después se suprimen las capitanías generales y los gobiernos militares de provincias y capitales.

Los oficiales de aviación Ramón Franco y Rexach, significados por sus actitudes extremistas de izquierda, son separados del servicio, y el general Sanjurjo es enviado con carácter de urgencia a Andalucía para normalizar la situación en aquella zona, minada por los anarquistas. Todo esto sucede cuando la República sólo cumple dos meses y medio de tierna edad.

La plantilla de generales, aireada por la prensa más exaltada, es la siguiente:

Generales de División	21
Generales de Brigada	56
Intendentes Generales	4
Inspectores Médicos	3
Auditor General Jurídico	1
Interventores Generales	2
	87

La acometida contra las fuerzas armadas hace pensar a numerosos círculos republicanos que se está cayendo en el peligro de que los gegenerales constituyan una amenaza latente para la República. Sanjurjo se apresura a declarar:

—Yo y toda la Guardia Civil estaremos siempre dispuestos a defender a la República. (31 de noviembre de 1931.)

En su discurso a la Cámara del 2 de diciembre, Azaña dice:

—Había 21.000 oficiales: han quedado 8.000. Había dieciséis divisiones: han quedado ocho. Había de ocho a diez capitanías generales: no ha quedado ninguna. Había diecisiete tenientes generales: no ha quedado ninguno. Es decir, han quedado los que ya había —cuatro o cinco— que permanecen hasta que la categoría se extinga. Había ciento y pico de generales de Brigada: han quedado cuarenta y tantos; había cincuenta y tantos generales de División: han quedado veintiuno.

(Esto es: se trata de las cifras dadas arriba esquemáticamente después de la retirada de los otros.)

La Cámara aplaude frenéticamente. La Cámara tiene en este diciembre de 1931 una inmensa mayoría republicana y socialista. Pero fuera del recinto de la Carrera de San Jerónimo, en los miles de hogares de los retirados, el gesto no es de aplauso, el ademán no es de entusiasmo.

Terminando el año, la República, que sólo tiene siete meses y medio de vida, está ya mortificada por las andanadas que constantemente le llegan, tanto de la derecha extrema como de la extrema izquierda. Nadie, o casi nadie, habla de monarquía ni de monarquismo, pero inspirados unos en los movimientos de Hitler y Mussolini y otros en la Unión Soviética —cuando no en el anarquismo de Bakunin—, la realidad es que a los hombres del Gobierno republicano de Madrid no les da casi tiempo a respirar entre conspiración y conspiración.

Florecen los partidos, sectas, sindicatos, grupos, y estos pequeños sectores van desgajando sensiblemente los grandes núcleos de los partidos republicanos tradicionales en que la República se apoyó para surgir y ha de apoyarse para permanecer.

Mundo Obrero, órgano del Partido Comunista, dice en su número del 7 de noviembre:

> "En las ciudades y en los campos, la sangrienta guardia pretoriana de la República ha vertido impunemente a torrentes la sangre del pueblo para defender los privilegios de los poderosos. Las masas, hambrientas y explotadas, se alzan y ya no pueden contenerlas los fusiles ensangrentados y asesinos de la Guardia Civil."

Por cierto que el Gobierno republicano está trabajando activamente para reorganizar la Guardia Civil, como se verá oportunamente en el estudio de los años 1933 y 1934, pero como de aquí a entonces la República será a retazos de derechas, a retazos de centro y a retazos de izquierdas, muchas veces la reorganización es —valga el juego de palabras— la *reorganización de la reorganización.*

> "Para vencer a esos elementos de combate que posee la contrarrevolución —termina Mundo Obrero—, los obreros y campesinos deben aunar sus fuerzas y estructurarlas en una organización adecuada y apta para luchar y vencer."

No debe pasársenos por alto algo importante: no sólo *Mundo Obrero* piensa así, sino lo dice, y si lo dice es porque se lo dejan decir. Por el momento, la República lo deja decir todo. También deja decir a los jonsistas vallisoletanos esto:

> **"Perseguimos la rotunda unidad de España, la suplantación del régimen parlamentario por uno de autoridad, respeto a la tradición religiosa, expansión imperial de España, ordenación de la administración pública, exterminio del marxismo, sometimiento de las riquezas a las conveniencias nacionales y que los sindicatos se declaren bajo la protección del Estado."**

Es decir, que si los comunistas hablan de armarse y estructurarse para combatir a la contrarrevolución, los jonsistas presentan un programa político que es la antítesis de la Constitución republicana recién aprobada por las Cortes Constituyentes: nada de parlamentarismos, nada de libertad de cultos, nada de marxismo —el Partido Comunista es uno más en el contexto de la libertad política—, y sindicalismo oficial (antecedente de los sindicatos verticales de José Antonio Primo de Rivera).

Y la República sigue dejando hacer y dejando decir. Cuando la coeducación es una de las banderas de combate del nuevo sistema educativo, Onésimo Redondo escribe en *Libertad* —y se publica— lo siguiente:

> **"La coeducación o emparejamiento escolar es un crimen ministerial contra las mujeres decentes. Es un capítulo de la acción judía contra las naciones libres. Un delito contra la salud del pueblo, que deben penar con su cabeza los traidores responsables."**

Algo, por cierto, incomprensible, ya que Onésimo Redondo viene de Alemania, y han sido los alemanes de Hitler los que —según él mismo repite— le han impresionado. Y en Alemania es donde con mayor libertad, sobre todo a raíz de la creciente influencia hitleriana, se está promoviendo la coeducación. No es fácilmente comprensible tachar de semita una medida que están preconizando precisamente los más furibundos antisemitas.

El constante forcejeo de las Cortes tiene, no obstante, algunos lados anecdóticos, cómicos. Después de haber discutido fieramente algunos bandos de diputados, con profusión de interjecciones y frases ofensivas, un socialista bastante obeso pide la palabra en tono violento:

—¡Pido la palabra!

Otro de los representantes que acaba de discutir con él le increpa:

—¿Cuál...?

El presidente impone el orden a veces con grandes esfuerzos. Otro diputado enrojecido por la ira dice a un rival:

—¡Su señoría es un mentecato!

El presidente interviene:

—Su señoría debe retirar esas palabras.

—¡Retirado! No es un mentecato! ¡Es un imbécil!

Cuando se discuten las medidas de orden religioso, Luis de Tapia pronuncia unas breves palabras:

—... La iglesia nos recuerda a aquel moribundo que habiendo vivido mal en esta vida le anunciaron que se aproximaba la otra y contestó: «No me interesa. Supongo que el que ha hecho aquel mundo es el mismo que ha hecho éste, ¿verdad? ¡Pues ya sé cómo trabaja!»

Un diputado socialista pide que se retiren de una vez los crucifijos de todas las escuelas de España. Y para aseverar sus razones afirma:

—... precisamente en Betanzos, de la provincia de Burgos, hay una escuela en la que...

—¡Betanzos no es de Burgos, sino de La Coruña!

—¡Bueno! Yo ya sé que ahora todo está cambiando mucho, pero...

Naturalmente, cerca de quinientas carcajadas no dejan oir el resto.

En el curso de la discusión entre un republicano moderado y un socialista extremista se escucha esto:

—Su señoría se ha levantado hoy con los pantalones de cuadros.

—¡Yo nunca me levanto con los pantalones de cuadros!

—¿Que no...?

—¡No! Si acaso me los pongo después.

Otro diputado pide que la Secretaría de la Cámara expida certificaciones acreditando los días y las horas en que los padres del pueblo han permanecido en Madrid y en sesión, pues algunas esposas de provincias se muestran recelosas y estiman que «eso de ir a Madrid» ya está pasándose de rosca. Otro diputado interviene agresivo:

—¡Esas certificaciones son cosa de colegio y no de la Cámara!

—¡Pues yo en el colegio no necesité nunca ninguna certificación, pues cuando iba a la escuela no estaba casado!

—¡Ah, pero...!, ¿su señoría ha ido alguna vez al colegio...?

El 9 de diciembre se aprueba la nueva Constitución de la República. Consta de 125 artículos y está ordenada en un Título Preliminar, que trata de las disposiciones generales; un Título Primero, que se ocupa de la organización nacional; un Título II, que se refiere a la nacionalidad; un Título III, que regula los derechos y deberes de los españoles; un Título IV, que habla de las Cortes; un Título V, que acoge todo lo referente a la Presidencia de la República; un Título VI, sobre el Gobierno; un Título VII, sobre la Justicia; un Título VIII, que organiza la hacienda pública, y un Título IX, sobre garantías y reforma de la Constitución.

El artículo primero del Título Preliminar dice:

> "España es una República democrática de trabajadores de toda clase que se organiza en régimen de libertad y de justicia. Los poderes de todos sus órganos emanan del pueblo. La República constituye un Estado integral, compatible con la autonomía de los Municipios y las regiones. La bandera de la República es roja, amarilla y morada."

El artículo segundo de este mismo Título dice:

> "Todos los españoles son iguales ante la Ley."

El tercero:

> "El Estado español no tiene religión oficial."

El cuarto:

> "El castellano es el idioma oficial de la República."

El quinto:

> "La capitalidad de la República se fija en Madrid."

El sexto:

> "España renuncia a la guerra como instrumento de política nacional."

Al día siguiente, 10 de diciembre, las Cortes eligen presidente de la República. La unanimidad es arrolladora en favor de Niceto Alcalá-Zamora, hasta ahora presidente del Gobierno Provisional, que obtiene 362 votos, contra diez del federal Pi y Arsuaga —hijo de Pi y Margall—, dos Julián Besteiro, dos Cossío, uno Ortega y Gasset y uno Unamuno.

Es de rigor la crisis total. El Gabinete Provisional, cumplida su misión, presenta la dimisión para que el nuevo presidente de la República, de hecho y de derecho ya primer jefe del nuevo Estado, ordene la constitución de un nuevo Gobierno. Este queda constituido así:

Presidencia y Guerra, Manuel Azaña.
Justicia, Alvaro de Albornoz.
Obras Públicas, Indalecio Prieto.
Marina, Giral.
Estado, Zulueta.
Gobernación, Casares Quiroga.
Instrucción Pública, de los Ríos.
Agricultura, Industria y Comercio, Marcelino Domingo.
Trabajo, Largo Caballero.
Hacienda, Jaime Carner.

Este es el tercer Gobierno republicano, ya que no hay que olvidar la crisis producida, a causa de la política religiosa, el 14 de octubre anterior, en la que salió Miguel Maura —católico— del ministerio de la Gobernación, siendo sustituido por Casares Quiroga, ratificado ahora. En aquella crisis de octubre no existía el ministerio de Agricultura, Industria y Comercio creado ahora, ni el de Obras Públicas —cuyas veces hacía el de Fomento. La presencia catalana en el Gabinete de Madrid, que en los anteriores fue a cargo de Nicolau D'Olwer, queda ahora a cargo de Carner, esquerrista del grupo de Maciá.

Madrid es, en esta época, una de las ciudades más cafeteriles del mundo. Cafeteriles y no cafeteras; es decir, ciudad aficionada al café como producto y a los cafés como establecimientos, urbe que consume, en conjunto, de una manera o de otra, enormes cantidades de café cada día. No existen en este 1931 las modernas cafeteras que en la actualidad conocemos, sino esas otras grandes, panzudas, de diez a veinte litros de capacidad. Mucho del café que se sirve en las mesas de los cafés madrileños es «de puchero», que en realidad no es tal, sino que no es exprés.

Un establecimiento de regular actividad despacha al día sesenta litros de café. El servicio a todo Madrid puede calcularse en 110.000 litros de café cada día, lo que convertido en tazas y vasos para el que es con leche supone un total muy aproximado de 1.320.000 servicios, a repartir entre 400.000 madrileños escasos, ya que de la población total, real, hay que descontar a los niños, a los enfermos y a aquellos —pocos— a quienes el líquido negro no les gusta.

Es fama que hay en el Madrid de siempre muchas personas que se ufanan de tomar cinco, seis y hasta diez tazas de café al día, sin olvidar a los hipotensos, que encontraron en su enfermedad precisamente el secreto y la excusa para tomar cuanto café desean por prescripción facultativa. Todo este conglomerado de más de un millón de tazas de café por día está servido por quinientos establecimientos de primera categoría, que todavía no son cafeterías ni snacks-bar, sino pura y llanamente *cafés*. Hay también algo más de quinientos bares que tienen cafetera y sirven casi tantos «expreses» como los cafés mismos.

Muchos obreros, que comen escasamente, se mantienen delgados, sanos y fuertes gracias al café que consumen, al precio de quince, veinte, veinticinco o treinta céntimos, según que el líquido sea exprés o del de cafetera de asa, que es el más corriente. El exprés es un lujo, a fin de cuentas, y el otro está bueno o nuestro paladar se ha acostumbrado a él.

Un kilo de café molido cuesta doce pesetas si es del mejor, y como puede calcularse que cada café se lleva diez gramos, la cuenta es clara: cada taza sale, por producto, a doce céntimos. En aquellas que se venden a treinta céntimos, se ganan casi quince, incluido gasto de luz, cafetera, agua, azúcar, etc.; en las tazas que se venden a quince céntimos .. bueno, en éstas se echan seis gramos en lugar de diez, y en paz.

La propina de un café de veinte céntimos puede ser la famosa perra chica, es decir, los cinco céntimos; la propina de la taza de quince céntimos muchas veces no se da, o se suelta una de las casi extinguidas monedas de dos céntimos, tan útiles sólo unos pocos años antes.

Un café, con una copa de anís, servido todo ello junto con una gran jarra de agua y un vaso para beberla, en una terraza de café, en uno de los lugares céntricos de Madrid, cuesta una peseta. Entonces la propina se eleva nada menos que a diez céntimos.

Entre ingenuos y obscenos, los anuncios son, en cierto modo, la sal y pimienta también en este 1931 decisivo:

> *Toda señora asegura*
> *que en el 11 de Colón*
> *es la Marcel que más dura.*

Son frecuentes los anuncios en verso:

> *Ni Pelayo en Covadonga,*
> *ni el rey moro don Witiza,*
> *han probado de esta longa-*
> *niza.*

Y en prosa está permitido decirlo absolutamente todo: «Preservativos irrompibles verdad. Ortopedia Inglesa, Victoria, 3. Reservadamente envío catálogos a provincias.» «Para hacerse amar locamente, dominar a los hombres, conquistar a las mujeres, mandad sello de 0,25 y recibiréis «La llave del amor», Librería Pons, Buenavista, 11, Barcelona.»

En un Madrid anterior a las modernas medidas sanitarias, las plagas juveniles se atacaban como se podía: «Ladillas. La higiene moderna aconseja Parasitol.» «La blenorragia provoca esterilidad. ¡Novios! Blenocol.» «Higiene del matrimonio. Guía íntima de los esposos. Un grueso volumen con grabados, cinco pesetas. Pedidos Librería Castell, Ronda Universidad, 13, Barcelona.»

Y, como siempre, las citas: «Señoritas únicamente decentes frecuentan gratis plaza Carmen, 1, Academia de Baile.» «Joven veintisiete años, educado y de buena familia, situación apurada, solicita ayuda de señora algo mayor. F. H. Carretas, 3, Continental.» «Caballero decente y adinerado desea conocer señorita honorable, tardes libres para todo. R. B. 43, Continental.»

El *Real* Madrid, que en 1930 fichó al divo Zamora por 15.000 pesetas —pero que apenas pudo contar con él en la puerta por lesionársele casi de inmediato—, termina la temporada 1930-1931 en el sexto puesto de la clasificación. Por delante de él quedan el Atlétic de Bilbao, el Rácing, la *Real* Sociedad, el Barcelona y el Arenas. Dijérase que es una Liga norteña la que se juega en toda España, pues de diez equipos que figuran en la Primera División, seis representan a las provincias del Norte: el Irún, el Alavés y cuatro de los que acabamos de citar.

La delantera más goleadora de esta temporada es la del Atlétic de Bilbao, con 73 tantos a su favor (Lafuente, Iraragorri, Unamuno, Aguirre-zabala y Gorostiza). La puerta más goleada, la del Español de Barcelona (Cabo, Saprisa, Moliné).

El Madrid realiza algunos cambios al iniciarse la temporada 1931-1932, de cuyos resultados ya daremos cuenta oportunamente, en el estudio de este último año. En la línea de defensa desaparecen Torregrosa y Quesada y aparecen los dos colosos Ciríaco-Quincoces. Zamora, ya restablecido, vuelve a jugar. En la delantera queda ya de plantilla Regueiro. El resultado habrá de verse pronto.

El Atlético de Madrid no figura en Primera División en esta temporada porque, al terminar la del 1929-1930, como colista, pasó a la Segunda. En cambio, de Segunda a Primera ha pasado al comienzo de la temporada 1929-1930 —y por lo tanto ha jugado en Primera la 1930-1931— el Alavés.

Precisamente de este joven club procede la excepcional pareja defensiva Ciríaco-Quincoces, que pasa al Madrid. Ya veremos cómo consecuencia bastante directa de ello es el rápido ascenso del Madrid en las temporadas siguientes y el nuevo descenso a segunda del Alavés.

JUICIO DE FALTAS, por Tovar

El juez.—Lo que no se comprende es cómo una mujer tan bajita puede pegar en la cabeza a un hombre tan alto como usted.

El marido.—Es que primero me hace que la tome en brazos, señor juez.

(Estampa)

La Guardia Civil disparando en los sucesos de la Facultad de San Carlos (1932)

DIVORCIO, por Garrido

—Espero que antes de pedir la separación habrán agotado todos los argumentos.

—Sí, señor. Hemos dado fin de cinco vajillas y dos mobiliarios completos.

NO ES IGUAL, por Alfaraz

—Aquí me tiene usted, trabajando y dando todavía el pecho a la vida.

—Claro, pero, ¿y si hay hijos?

—¡Ah, entonces la que da el pecho es mi señora.

El nuevo ministro de la Guerra. Gil Robles, en una reunión de generales (1933)

Capítulo 25. LA LEY DEL DIVORCIO (año 1932). Un pleito tonto en la Audiencia de Madrid. Negocios sucios en el paseo de las Acacias. Bandolerismo en Vallecas. Los **valientes**. Sindicato del crimen. Repercusión en Madrid de los trece millones de votos de Hitler. La Ley del Divorcio de la República. El divorcio en chistes. Estreno de **Katiuska**. Estreno de **Luisa Fernanda**. El metro Goya-Diego de León. Los sueldos de los altos cargos republicanos. Los precios de 1932. Presupuestos generales del Estado.

Así como al comenzar la historia del 1931 madrileño advertimos ya que se trataba de un año trascendental, ahora, al iniciar la de 1932, hemos de señalar claramente que no se trata de un año importante, sino de doce meses de locura. Particularmente en Madrid parecen las gentes atacadas a intervalos por auténticos rasgos de estupidez.

En enero, la Audiencia ve pasar por su Sala 4.ª uno de los pleitos más tontos que pueda imaginarse: un fabricante de fijador para el cabello ha acusado a otro de copiarle; más aún, de robarle la patente. Para demostrarlo, la representación del demandante hace desfilar ante los magistrados a una buena serie de atractivas jovencitas, peinadas llamativamente, en cuyo cabello se ha usado precisamente fijador de la marca que se considera dañada. El tribunal lo resuelve todo imponiendo al otro fabricante una multa de quinientas pesetas, que son muchas pesetas en 1932.

Cuatro mujeres y un hombre tienen montado un bonito negocio en el paseo de las Acacias, donde la iluminación es nula. Tres de ellas son viejas, pero la otra es joven y de curvas provocativas. En plena noche, la más joven se hace ver y se deja abordar por el primer desconocido que asoma, siempre que vaya solo. Y cuando éste se halla en amorosa plática con ella, aparecen las otras tres y el hombre, le dan una paliza al sujeto y le quitan la ropa, dejándole en una postura bastante desairada como es fácil imaginar.

Un nuevo acuerdo del Ayuntamiento republicano decide que los taxistas no podrán recibir propina —ni exigirla, dice el acuerdo—; los perros transportados en taxis pagarán una peseta en cualquier trayecto, los baúles otra peseta, las maletas cincuenta céntimos. Los conductores no podrán llevar ayudante. La tarifa se entiende por cuatro pasajeros a lo sumo, y cada pasajero de más pagará un veinticinco por ciento del total que marque el taxímetro.

Para la elección de *Miss España* se organiza una fastuosa fiesta, patrocinada por la Asociación de la Prensa, en el cine Metropolitano. Actúan Rámper, la Orquesta Ibérica, Marcos Redondo y Lolita Astolfi, así como unos cuantos *cantaores y bailaores* flamencos. Resulta elegida *Miss Cataluña*, Teresa Daniel, prácticamente por unanimidad, que, como dicen los castizos, es *unanimidad de todos*.

En reñidas elecciones, dentro de la Universidad, es elegido rector para la de Madrid el catedrático de Historia don Claudio Sánchez-Albornoz, de gran prestigio en aquel centro docente. El Ayuntamiento estudia con interés la posibilidad de construir un gran viaducto, amplio y moderno, desde la calle de Bailén a la carretera de Extremadura, con intención de acercar la Casa de Campo al Centro de la ciudad. O, como comenta algún periódico, «poner el Lago cerca de la Puerta del Sol».

El bandolerismo se enseñorea en ocasiones a las puertas mismas de la ciudad. En Vallecas, un grupo de casi cuarenta hombres armados de pistolas asalta un tren de mercancías en plena noche. Una vez detenido el tren, van arrojando a la vía los paquetes y sacos que estiman más provechosos. Luego ordenan al conductor que continúe su marcha. Todo ha sido rápido, organizado, muy cinematográfico.

La ciudad sigue llena de *valientes* que, cuando fracasan en amores, entienden que la cuestión sólo puede ser resuelta a base de sangre. Hay demasiada marchosería en el Madrid de los años treinta, como la ha habido en el de los años veinte. Las páginas de sucesos de los periódicos recogen a diario las salvajadas de maridos burlados, novios despechados o mujeres celosas. Particularmente, ellos; ellas se resignan más fácilmente, si bien de cuando en cuando surja la sangrienta excepción.

En la tarde del 6 de febrero de 1932 suenan dos disparos en una casa del número 17 de la calle de Eloy Gonzalo. Poco después, cuando la gente acude a ver qué ha pasado, un anciano es detenido en el portal.

Es un hombre sesentón, enjuto, nerviosísimo, que lleva en la expresión, sobre todo en los ojos, el crimen que acaba de cometer. Pero, ¿también crimen pasional a los sesenta años...? Pues, sí, también.

El caso es el siguiente: un juez municipal de una de las localidades de los alrededores de Madrid venía teniendo relaciones íntimas con Julita. Julita era mujer de veintitrés años. Es decir, había entre los amantes una diferencia de casi cuarenta años. Naturalmente, el viejo juez se había acostumbrado a las cariñosas amabilidades de Julita y ésta se había acostumbrado a las frecuentes entregas de dinero del anciano.

Pero algo sucede de pronto: Julita sale con otro hombre. ¿Sale o entra...? El juez lo sabe: entonces, las entregas de dinero se hacen menos frecuentes, y las otras entregas, también.

En esta tarde del 6 de febrero, ella espera la visita del juez porque han presentado el recibo de la casa y no ha podido pagarlo; él vendrá y traerá dinero. Es así, con este lenguaje sentimental, narrado por una amiga de la muerta, que lo presenció todo, como empezó la entrevista:

—¿Qué, traes el dinero hoy?

—Sí.

—Enséñamelo.

—No quiero.

—Enséñaselo a Mercedes.

—¡Que no quiero!

—¿Lo ves...? Eres, como siempre, un comediante.

En esto el juez hace ademán de buscar el dinero en el bolsillo interior de la chaqueta, mientras dice:

—Pues para que veas que no soy un comediante...

Pero lo que saca no es el dinero, sino una pistola, con la que dispara dos tiros a bocajarro sobre Julita. Asunto resuelto.

Dos días después, Felipe Agrelo, clasificado como jugador profesional de ventaja, acude a la puerta del castizo Bar Madrileño, de la calle de la Esgrima. El sabe que dentro está su novia, Luisa. O, mejor dicho, su ex-novia, pues han reñido hace unos días por decisión de ella. Se asoma a la puerta, se ladea la gorra, y dice a Luisa:

—¡Sal, prenda, que te voy a dar un *recao!*

Sale Luisa y el Felipe la emprende a puñetazos y puntapiés con ella, que rueda por el suelo malherida y sin conocimiento. En la Casa de Socorro dictaminan: gravísima. Entre otras lesiones, fractura de la base del cráneo. Puede morir esta misma noche. Pero, ¿qué más da? El Felipe ha *lavao* la honra, y en el barrio nadie se reirá de él, ¡nadie! Y aquí no ha pasado nada y el mundo sigue andando.

Enrique *el Patas* pasea con su novia por la Cuesta de la Vega en las altas hora de la noche. Ni las horas ni el lugar parecen, al menos desde nuestra tribuna de este otro tiempo actual, lo más recomendable para un paseo sentimental. Se cruza una pareja de guardias. Poco después, Enrique echa en cara a su novia que, al cruzarse, ella ha mirado demasiado a uno de los guardias.

La muchacha jura que no, que todo ha sido pura imaginación de él. Enrique insiste; la discusión se agría. Minutos más tarde, los guardias, que ya se habían alejado, acuden presurosos a los gritos de la joven. La escena que presencian es sorprendente: el novio está arrodillado en el suelo, la novia caída totalmente; él la golpea con furia en la cabeza con un zapato que le ha arrebatado al efecto. El agudo tacón del zapato ha hendido la carne del cuello y de la cara de la muchacha. Con qué saña no habrá atacado *el Patas*, que dos horas más tarde la víctima fallece en el Equipo Quirúrgico.

Alfonso vive con Juliana en una casa de la calle de la Encomienda, número 3. Una tarde en la que ella ha salido, él, celoso, encuentra entre las ropas de su amada un retrato de otro hombre. Cuando Juliana regresa, surge la discusión, surgen los golpes, a silletazos, a escobazos, y acaban ambos en la comisaría. No llega la sangre al río; el comisario es hombre maduro y aconseja, suaviza, amenaza. Quedan los dos en libertad.

Dos días después, Alfonso va a buscar a Juliana a un puesto de periódicos que ella tiene: «Devuélveme todas mis ropas. Me separo de ti». Ella le responde que todas las ropas no se las puede dar, por el reducido detalle de que como tiene otro novio, parte de esas ropas se las ha cedido al otro. ¡Es demasiado! Alfonso le da una cuchillada en el cuello. Ella cae al suelo. La sangre brota a borbotones. El se guarda el cuchillo y continúa por la calle tranquilamente. Pero la sangre le ha manchado el traje; un guardia le ve.

—¿Qué le pasa a usted?, ¿qué son esas manchas?

—Nada, que acabo de matar a una mujer y voy a la comisaría a entregarme. Si quiere usted llevarme.

En el 27 de la calle de Lope de Rueda, Severino mata a Flora a tiros en la mañana del 16 de junio. Se habían conocido algún tiempo antes en un café de la Puerta del Sol. El se había enamorado de ella, ella se dejaba querer, pero sin ceder ni un ápice de todo lo que hubiera podido ceder, por la sencilla razón —le explicaba— de que ya tenía otro amante y deseaba serle completamente fiel.

Severino ha estado bastante tiempo dando muestra de paciencia, hasta que un día se presenta en su casa y amenaza: « ¡Mía o te mato! »

Como la respuesta de Flora no es todo lo suave que él espera con la tremenda amenaza, Severino saca una pistola y comienza a disparar. Ella, herida, corre alocadamente por el pasillo; él continúa disparando, hasta que Flora se derrumba. Otro crimen pasional. Otro imbécil crimen pasional en la madrileña historia del año 1932.

En enero de 1932, Alemania —moviéndose ya a bandazos en virtud del poderío creciente de Adolfo Hitler—, comunica a las potencias aliadas, por medio del canciller Brüning, que no puede continuar pagando las reparaciones a que le obligaba el Tratado de Versalles.

La guerra chino-japonesa llega a uno de sus numerosos cenits con la llamada *batalla de Shangay:* poco después, esta guerra tremenda, que, sin embargo, no había sido declarada, toma estado oficial mediante una nota del Gobierno chino al nipón.

Con gran sorpresa de muchos de los antiguos seguidores del fascismo, Mussolini visita solemnemente el Vaticano, después de ochenta y un años de aislamiento entre la Santa Sede y el Gobierno de Italia, tantos como los que la nación llevaba viviendo como tal.

En febrero, en Berlín, el pueblo presencia —entre atónito y entusiasmado— el primer desfile de tropas alemanas con banderas y música desde la derrota del año 1919.

Los japoneses designan emperador del nuevo Estado de Manchukuo al que había sido emperador de la China, Pu-Yi, relativamente dócil a los invasores nipones.

Volviendo a la evolución sensacional de la política alemana, registremos las elecciones de marzo y de abril de este turbulento 1932: en las primeras, para la presidencia de la República, obtiene el mariscal Hindemburg —que ya ocupa dicho cargo— dieciocho millones de votos, seguido de Adolfo Hitler con once y de Thaelman (líder comunista) con cinco: un mes más tarde, repetida la votación por no haber logrado Hindemburg la mayoría suficiente, las cosas han cambiado ligeramente, pero significativamente: Hindemburg, diecinueve millones; Hitler, trece, y Thaelman cuatro.

Ya asentado por este triunfo, el viejo mariscal ordena pocos días después la disolución de las organizaciones hitlerianas militares, pero esta orden está destinada no sólo a no ser cumplida, sino a ser espectacularmente burlada por las tropas pardas de los nacional-socialistas, que van en auge y lo saben.

Dentro de este mismo abril —el día 24—, en las elecciones generales de Alemania (las anteriores fueron presidenciales), los hombres de Hitler obtienen un destacado triunfo. No se trata, como se ha dicho antes, de un enérgico grupo dirigente que arma mucho ruido, sino de que en este momento el pueblo alemán, en su gran mayoría, siente, piensa y clama más o menos como el austríaco Hitler. El líder ha encontrado un pueblo a la medida; el pueblo ha encontrado también un líder a la medida, y ambos —pueblo y líder— han hallado el momento oportuno.

Desde Madrid, a través de los periódicos, en la joven República que sólo tiene un año de edad, se ve todo esto con la neblina de la lejanía, pero el instinto de unos y de otros hace prever lo que los triunfos del temible caudillo de los alemanes puede traer no sólo a Alemania, sino a Europa y al mundo, y España —la República española— es parte del mundo también. El instinto español —tanto el instinto de la derecha como el de la izquierda— no se equivocan esta vez. Lo de Alemania va a tener repercusiones aquí.

El Congreso Socialista de febrero de 1932 aprueba la creación de sus «milicias», encargadas de defender la República:

> "España necesita consolidar de manera definitiva la República instaurada. La defensa de la República no puede estar a merced de gente pagada, que un día defiende un criterio y al día siguiente el más opuesto al anterior. La República necesita defensores tan leales como desinteresados. De los jóvenes socialistas han de salir estos factores. Para ello, actuaremos a tono con la conducta de nuestros enemigos, que lo son todos los defensores del régimen capitalista. Las milicias socialistas necesitan tener una disciplina rígida, terminante. No puede haber democracia completa a la hora actual. Las milicias socialistas, más que el organismo para hacer la revolución, sin que

esto lo desdeñemos, han de consistir en el pueblo armado para sostener el régimen socialista. Si por un acontecimiento el poder viniera a manos del Partido Socialista, no podemos correr el riesgo de encargar su custodia a la Guardia Civil o a otra fuerza mercenaria. Serán los jóvenes socialistas los encargados de esta misión, para la cual deben tener sus milicias preparadas".

Temida por unos, esperada con ansiedad por otros, la ley del Divorcio, nacida de un proyecto del ministro de Justicia de la República, Fernando de los Ríos, de 4 de diciembre de 1931 y promulgada en marzo de 1932, es por fin un hecho. No ha sido fácil llevar a puerto este intento, convertido, naturalmente, en una de las más duras polémicas en el seno de las Cortes Constituyentes. Pero ya pueden divorciarse los españoles. Y como si sólo hubieran estado esperando esta señal, pronto son centenares, miles, docenas de miles los expedientes de divorcio que llevan los abogados en sus carteras de trabajo.

La nueva Ley reconoce como causas de divorcio las siguientes:

1.ª El adulterio no consentido o no facilitado por el cónyuge que lo alegue.

2.ª La bigamia, sin perjuicio de la acción de nulidad que pueda ejercitar cualquiera de los cónyuges.

3.ª La tentativa del marido para prostituir a su mujer y el conato del marido o de la mujer para corromper a sus hijos o prostituir a sus hijas y la connivencia en su corrupción o prostitución.

4.ª El desamparo de la familia sin justificación.

5.ª El abandono culpable del cónyuge durante un año.

6.ª La ausencia del cónyuge cuando hayan transcurrido dos años desde la fecha de su declaración judicial computada conforme al artículo 186 del Código Civil.

7.ª El atentado de un cónyuge contra la vida del otro, de los hijos comunes, o los de uno de ellos, los malos tratamientos de obra y las injurias graves.

8.ª La violación de alguno de los deberes que impone el matrimonio y la conducta inmoral y deshonrosa de uno de los cónyuges, que produzca tal perturbación en las relaciones matrimoniales que haga insoportable para el otro cónyuge la continuación de la vida en común.

9.ª La enfermedad contagiosa y grave de carácter venéreo contraída en relaciones sexuales fuera del matrimonio y después de su celebración, y la contraída antes que hubiera sido ocultada culposamente al otro cónyuge al tiempo de celebrarlo.

10.ª La enfermedad grave de la que, por presunción razonable, haya de esperarse que en su desarrollo produzca incapacidad definitiva para el cumplimiento de alguno de los deberes matrimoniales y la contagiosa, contraídas ambas antes del matrimonio y culposamente ocultadas al tiempo de celebrarlo.

11.ª La condena del cónyuge a pena de privación de libertad por tiempo superior a diez años.

12.ª La separación de hecho y en distinto domicilio, libremente consentida durante tres años.

13.ª La enajenación mental de uno de los cónyuges, cuando impida su convivencia espiritual en términos gravemente perjudiciales para la familia y que excluya toda presunción racional de que aquella pueda restablecerse definitivamente.

No podrá decretarse el divorcio en virtud de esta causa si no queda asegurada la asistencia del enfermo. Y éstas son las trece causas de divorcio de la Ley promulgada por la República en marzo de 1932. Con un total de sesenta y ocho artículos y algunas disposiciones transitorias, pronto constituiría este nuevo cuerpo legal toda una revolución en la vida española. Los chistes madrileños no se hacen esperar.

En una revista musical estrenada en mayo exclama el actor cómico: «¡A mí no me se *pué* hacer *ná*, porque la ley habla de la bigamia, pero lo mío es *trigamia!*» Por algunas tabernas de Tetuán de las Victorias se emplea el verbo *divorciar* en un sentido espectacularmente agresivo: «¡Mira que agarro un ladrillo y te divorcio esa oreja de la otra!» No faltan, naturalmente, las alusiones directísimas en muchas obras teatrales cómicas estrenadas en todo el 1932 madrileño.

La ley del Divorcio ha venido a traer todo un nuevo estado de cosas. Como los divorciados pueden contraer nuevo matrimonio, algún guasón saca sus cuentas de esta manera: «Tengo veintisiete años: me divorcio ahora... Como eso que dicen *cónyuge culpable* soy yo, no me puedo casar hasta dentro de un año: me caso a los veintiocho años; me hago culpable otra vez y me divorcio a los treinta, me vuelvo a casar a los treinta y uno, y así, sucesivamente, cuando tenga yo sesenta años me he *llevao* una docena de mujeres por delante, y *to* dentro de la ley.»

Claro que todo esto como chascarrillo puede ser ocurrente, pero la ley, que tiene bien atados todos los cabos, no permite estas cosas. Un chiste, publicado por un periódico madrileño de octubre de 1932, representa a un castizo delante del clásico juez de las caricaturas: «Señor juez, yo vengo a divorciarme, pero tengo un problema: la ley dice que puedo hacerlo si mi mujer está loca, y no está loca, sino que es tonta, ¿no le da a usted lo mismo?»

Fuera del terreno de los chistes, comienza a nacer una nueva clase civil, la de los divorciados y las divorciadas. El pacato Madrid, el provincianísimo Madrid se divierte señalando con el dedo índice a aquellos y aquellas que han logrado el divorcio o están en trance de conseguirlo.

En la forma de saludar a los divorciados se es *de derechas* o se es *de izquierdas*, pues lo tradicional es volver la espalda a todos los que se han valido de una disposición de la República para ir contra el sacramento, y lo moderno —el modo republicano— es precisamente invitar a las reuniones de sociedad a los divorciados y a las divorciadas, quienes, por otra parte, siempre andan en disposición de poder contar detalles sustanciosos.

La picaresca madrileña empieza a ver en las divorciadas un terreno

EL AMIGO MELQUIADES

«Cógete, cógete de mi bracero; cógete, que lo veo muy nublao».

El dibujo representa a los señores Lerroux y Alvarez..

(*Menda* en El Liberal)

Dibujo de «Kin» que representa al Jefe del Gobierno, señor Azaña.

(Gracia y Justicia)

EL CANTAR DE MODA

Ayer me dijeron que hoy; hoy me dicen que mañana, y mañana me dirán que de la crisis no hay nada.

(*Kaíto* en Ahora)

Ovación y vuelta al ruedo... y vuelta a ocupar la Presidencia. (*La caricatura de Tovar representa al señor Besteiro.*)

(La Voz)

CARICATURAS POLITICAS DE LA PRENSA MADRILEÑA EN EL AÑO 1932.

equivocadamente fácil, a la manera de viudas voluntarias, y, por tanto, quizá asequibles. Las gerencias de las poderosas empresas comienzan a poner trabas a los empleados que pretenden divorciarse.

El divorcio es, pues, en el Madrid de 1932, no sólo una nueva posibilidad de vida íntima, sino una manera de distanciarse aún más un sector político del otro. Son *derechas* si están en contra del divorcio; son *izquierdas* si están a favor. Lo que no impide, claro está, que no pocos hombres *de derechas* aprovechen la coyuntura y obtengan el divorcio que han venido a traerles sus rivales políticos.

En la noche del 11 de mayo se estrena en el teatro Rialto de Madrid una de las zarzuelas —si bien clasificada como opereta en el libreto— que más han de dar que hablar para lo sucesivo: *Katiuska*. La música es de Pablo Sorozábal y el texto de Emilio González del Castillo y Manuel Martí Alonso. *Katiuska* viene precedida de una gran fama, pues ha sido estrenada con éxito en diversas provincias, contando, sobre todo, la triunfal presentación en Barcelona en enero del año anterior.

Algunos periódicos aluden al oportunismo de los autores que sitúan la acción en Rusia, particularmente en Ucrania, cuando los nuevos vientos recién llegados con la República parecen propiciar todo lo que viene desde el Este. Olvidan estos críticos que la zarzuela u opereta llevaba ya representándose por diversos lugares más de año y medio, habiéndose realizado su primer estreno en provincias cuando todavía Alfonso XIII ocupaba el Palacio de Oriente.

Katiuska es representada en Madrid, en la noche de su estreno, por una formidable compañía, encabezada por Conchita Panadés, Marcos Redondo, Enriqueta Serrano, Ramón Peña y Manuel Cortés, siguiéndoles nombres de tanto empaque teatral como los de María Paso, Matilde Xatart, Leonor Izquiano, Angustias Fernández, Joaquín Montero, Luis Bori, Carlos Rufart, Rafael Cervera y Enrique Lorente.

A los pocos días del acontecimiento, miles de personas repiten por Madrid los principales cantables de la obra: *Calor de nido, paz del hogar; El cosaco en su brioso corcel; Katiuska, Katiuska, ¿qué va a ser de ti?; La mujer rusa; Rusita, rusa divina; Cantáis a Rusia, nobles señores...*

Por cierto que al final de este último cantable hay un mensaje que no pasa inadvertido: la letra dice: *«Cantáis a Rusia, nobles señores; pero es que Rusia ya no es sólo vuestra, es de campesinos y de trabajadores; es de los que sufren, ¡es nuestra, es nuestra!»* Tiempo después, las circunstancias políticas sugirieron al parecer una suavización de este texto, que se transformó así: «Cantáis a Rusia, nobles señores; y no supísteis salvarla en su día; Rusia es de los nuestros, de los trabajadores, ¡y tú por ser rusa también eres mía!»

Con *Luisa Fernanda*, *Katiuska* apoya el resurgir del teatro lírico español en 1932, cuando ya todo Madrid entendía muerto y enterrado el género zarzuelero para siempre. *Luisa Fernanda* se estrena en el teatro Calderón de Madrid el 26 de marzo de este mismo año. Libro de Romero y Fernández Shaw y música de Federico Moreno Torroba. El ambiente romántico de esta maravilla melódica, los vistosos uniformes, la gracia de las escenas, las rivalidades de los dos galanes, altivo y gallardo el tenor, sencillo y labrador el barítono, convierten a *Luisa Fernanda* en algo de los que los madrileños y las madrileñas andarán mucho tiempo enamorados.

No sólo se va a escuchar la música —con ser la música un deleite para el oído—; se acude al teatro a presenciar las endechas y los decires de tanto y tanto amor encontrado y en dificultades, a contagiarse de la emoción de los personajes, a acompañarles en sus cuitas. En resumen, tanto *Katiuska* como *Luisa Fernanda* son parte muy importante del Madrid de 1932.

En la interesante historia del ferrocarril suburbano de Madrid, el popularísimo *metro,* se produce un paréntesis desde 1929 hasta 1932. En 17 de septiembre de este último año se inaugura el estratégico ramal desde la estación de Goya al cruce de la calle de Diego de León con el Paseo de Ronda, con parada intermedia en el cruce de las de Lista y Torrijos.

Tiene este nuevo ramal, entusiásticamente acogido por los madrileños, una longitud de 1.120 metros. La solución es magnífica, pues la estación de Diego de León se convierte en una avanzada hacia el barrio populoso de Guindalera-Prosperidad, bastante mal comunicado mediante transportes de superficie.

En 1932, para un Madrid infinitamente menos poblado que el actual, el *metro* resuelve muchos problemas y —cosa importante— los resuelve bien, sin la aglomeración, la suciedad ni el griterío que después fueron haciéndose cotidianos. En conjunto, en septiembre de 1932, el servicio madrileño del *metro* cuenta ya con 19.140 metros, casi veinte kilómetros de raíles, todo ello realizado en un tiempo *record* de sólo quince años a partir del comienzo de las obras, cuando la famosa valla de la Puerta del Sol, de la que oportunamente se hizo mención en el Tomo I de esta Historia de Madrid, en el romántico año de 1917.

Cuenta la Compañía con más de cien coches, que siguen moviéndose a velocidades vertiginosas bajo el suelo de Madrid, y presume de transportar al año alrededor de cien millones de viajeros. Naturalmente, todas estas cifras son infantiles, tímidas, en comparación con las actuales, pero la proporción era entonces mucho más armoniosa entre servicio y necesidad, y aquellos cien millones de viajeros de 1932 viajaron bastante más cómodamente, bastante más holgadamente, bastante más limpiamente que los que luego lo han venido haciendo en épocas posteriores.

La aparición de las dos nuevas estaciones —Lista y Diego de León—

ocasionan en cierto modo lo mismo que ya en tiempos habían ocasionado las de Cuatro Caminos, Tetuán, Pacífico y Vallecas: extensas zonas del extrarradio madrileño, en las que a lo sumo había edificadas vaquerías malolientes y alguna que otra casa sin excesiva continuidad, van transformándose en barriadas de suelo caro, de casas modernas, de establecimientos comerciales con ciertas aspiraciones. Particularmente los altos del Paseo de Ronda van viendo nacer calles y calles, y los desvencijados tranvías ruidosos que cubren aquellos sectores se sienten de pronto descongestionados.

A partir de 1919 influye el *metro* en la urbanización madrileña, por una parte, y en la valorización de su suelo, por otra. Parcelas que yacían olvidadas años y años se ven en pocos meses convertidas en objeto de sabia especulación; solares que se vendían contando los palmos en reales pasan a venderse ya en pesetas, y muy poco después en duros en las calles más próximas a las estaciones. El *metro* es, pues, uno de los mayores y más directos impulsos de Madrid. Nosotros, deliberadamente, concedemos al *metro* madrileño, en esta Historia, toda la importancia que merece.

Las cifras ayudan siempre a situar los diversos estadios de la Historia. En el estudio moderno de los enfoques históricos, la colaboración de la estadística es valiosísima. Veamos algunos sueldos del Madrid de 1932. Luego conoceremos inmediatamente algunos precios.

El presidente del Consejo de Ministros, Manuel Azaña, gana un sueldo de 30.000 pesetas al año y tiene una subvención de 25.000 pesetas más para gastos de representación. Los ministros tienen el mismo sueldo que el jefe del Gobierno, es decir, 30.000 pesetas anuales más 15.000 ó 12.000, según los casos, por gastos de representación.

Un embajador de la República tiene de sueldo 25.000 pesetas-oro al año, más 75.000 de gastos de representación y dos consignaciones, una de 18.000 pesetas-año por moblaje y otra de 15.000 por automóvil diplomático. El presidente de las Cortes —Julián Besteiro— gana 60.000 pesetas de sueldo al año. Uno de los varios secretarios de las Cortes, 12.000, lo mismo que los diputados, sólo que *además* de su sueldo como tal diputado.

Los subsecretarios de ministerio tienen sueldo de 18.0000 pesetas y gastos de representación por 6.000. El presidente del Consejo de Estado, 30.000. El alcalde de Madrid —que a estas fechas lo es Pedro Rico—, 30.000 pesetas como gastos de representación.

Los directores generales de los ministerios, 18.000 pesetas de sueldo. No pasemos por alto ahora el emolumento asignado al alcalde del pueblo de Vallecas, todavía no incorporado al Municipio madrileño: 6.000 pesetas al año, es decir, 500 pesetas al mes, como gastos de representación, sin más sueldo, por regir una comunidad vecinal de más de 125.000 habitantes.

Ahora, conozcamos el grave problema que a los madrileños —y a los españoles todos— se les ha ocasionado con la subida en los precios del tabaco desde 1.º de abril de 1932. Alguien comenta si va a ser preciso dejar de fumar definitivamente.

El paquete de picadura superior, de 125 gramos, 5,25 pesetas; el paquete de picado fino superior, del mismo peso, 3,25; el de picado entrefino de 50 gramos, 0,85; el de picado de hebra de 25 gramos, 0,30. Los cigarros puros también han experimentado una ligera subida, hasta el extremo de que los farias superiores se pagan ya a 22,50 la caja de cincuenta cigarros, esto es, a 0,45 cada puro; las famosas *brevas* especiales de Canarias, tan solicitadas por los madrileños, a 0,65, y las corrientes a 0,40.

En cuanto a los cigarrillos —que no tenían tanta salida como en la actualidad, ya que era mucho más vendible la picadura para *liar*—, sus nuevos precios quedan así: los superiores al cuadrado, 0,70 la cajetilla de veinte unidades, es decir, cada cigarrillo a tres céntimos y medio; los de hebra, a 0,60 la cajetilla de veinte unidades (tres céntimos cada «pitillo»); los comunes de hebra a 0,10 céntimos la cajetilla de catorce unidades, es decir, a menos de un céntimo cada cigarrillo, y los de lujo, llamados «orientales», con boquilla de papel dorado, con los que algunas madrileñas empiezan a jugar a que fuman, 1,35 la cajetilla de dieciocho unidades, esto es, a unos siete céntimos cigarrillo.

La siguiente tabla de precios de «LA UNICA», de acuerdo con la Delegación Municipal de Abastos, contribuye a esta información:

Aceite refinado, litro	Ptas.	2,30
” extra, litro	”	2,20
” fino, litro	”	2,10
” corriente, 1.ª, litro	”	2,00
” ” 2.ª, ”	”	1,90
” ” 3.ª ”	”	1,80
AZUCAR BLANQUILLA, kilo	”	1,50
Bacalao, 20/25 colas fardo 50 kilos, kilo	”	2,70
” 28/32 ” ” ” ” ”	”	2,50
” 40/45 ” ” ” ” ”	”	2,10
Garbanzos, 36/38 granos onza, kilo	”	2,30
” 39/41 ” ” ”	”	2,10
” 42/44 ” ” ”	”	1,80
” 45/47 ” ” ”	”	1,60
” 49/51 ” ” ”	”	1,50
” 55/57 ” ” ”	”	1,40
” 60/66 ” ” ”	”	1,20
Lentejas Castellanas EXTRA	”	1,40
” ” SUPERIOR	”	1,30
” ” CORRIENTE	”	1,10
Patatas Holandesas, DOS KILOS	”	0,45
” ROSA, DOS KILOS	”	0,35

ARTICULOS NO TASADOS

AZUCAR CUADRADILLO, kilo	Ptas.	2,20
Leche condensada, LA LECHERA, lata	"	1,85
" " EL NIÑO, lata	"	1,65
" ". MARIPOSA, lata	"	1,40
Mantequilla centrífuga, kilo	"	9,50
Harina Lacteada NESTLE, kilo	"	2,25
Té HORNIMAN'S, lata de un octavo	"	4,25
" " paquete de un octavo	"	3,75
" LIPTON, lata de un octavo	"	4,15
Mermeladas Trevijano, lata	"	1,10
TOMATE, lata de medio kilo, desde	"	0,45

ACEITES ENVASADOS

Bidones de 10 kilos	"	23,50
" " 5 "	"	12,00
Jabón Chimbo y Lagarto, trozo de medio kilo	"	0,75
Pastas para sopa, kilo	"	1,20
Arroces envasados, saquito de UN kilo	"	1,25
Café torrefacto, kilo, desde	"	10,00

Los Presupuestos Generales del Estado, presentados por el ministro de Hacienda y aprobados por las Cortes, van así:

Presidencia	33.000.000
Estado	20.000.000
Justicia	41.000.000
Guerra	387.000.000
Marina	226.000.000
Gobernación	212.000.000
Obras Públicas	612.000.000
Instrucción Pública	267.000.000
Trabajo y Previsión	75.000.000
Agricultura, Industria y Comercio	58.000.000
Hacienda	54.000.000

Los madrileños empiezan a aprender bastante aprisa, acuciados por la propaganda política de un bando y de otro, lo que es un latifundio y lo que es un minifundio. En Don Benito, Extremadura, hay un total de 54.394 hectáreas, de las cuales más del 50 por 100 pertenecen a ochenta y ocho señores y el resto a 4.492. En Jerez de los Caballeros, el 92 por 100 de la riqueza rústica pertenece a noventa y un señores y el 8 por 100 restante se lo reparten entre 688 propietarios.

Ya se ve que es importante este lenguaje de las cifras en 1932. De ellas deducimos con bastante claridad mucho de lo que ha pasado, casi todo lo que está pasando y algo de lo que en los años venideros va a pasar.

Capítulo 26. PLAYA DE MADRID (año 1932). Proyecto de ampliación de la Casa de la Villa. Sube el vino. Los mendigos. Las llaves de los portales. Curioso desfile municipal. Valle-Inclán, presidente del Ateneo. Los precios de la carne. Nueva sede de la Sociedad de Autores. Se abre la Playa de Madrid. La temporada taurina. El año deportivo. Cartelera cinematográfica. Novedades teatrales.

El Ayuntamiento de Madrid estudia el problema de la falta de espacio en las Casas Consistoriales. Son evidentes las razones que aconsejan mantener al Municipio en el local de la Plaza de la Villa: motivos históricos sobre todo. Pero lo cierto es que las oficinas municipales no caben en el viejo caserón. Entonces se propone adquirir el edificio contiguo, que sirve de Gobierno Civil de la provincia, realizando obras de ensamblamiento de una casa con la otra y contando así con locales suficientes. Para ello, habría de obtenerse una cesión por parte del Estado al Ayuntamiento madrileño del citado edificio del Gobierno Civil, lo que a fin de cuentas no se produce ni en 1932 ni después. Lo que hace el Ayuntamiento entonces es diseminarse y trasladar algunos de sus servicios a calles adyacentes y a otras que no tienen nada de adyacentes.

Los amigos del vino están de enhoramala: han subido los precios. El típico *chato*, que desde tiempo inmemorial venía despachándose en mostrador a 0,10, ahora hay que pagarlo a 0,15. En cambio, baja un poco la carne de cordero en la primavera de 1932: el kilo de chuletas, 4,50; el de pierna, 4; el de paletilla, 3,60 y el de falda y pescuezo, 3,20.

La campaña contra la mendicidad logra resultados espectaculares y sorprendentes: al detener a algunos mendigos profesionales, se descubre que uno de ellos ha sido ya detenido anteriormente nada menos que 450 veces, y vuelto a soltar al día siguiente o a lo sumo a los cinco días; otro de ellos cuenta con 131 detenciones anteriores, y muchos de ellos con 98, 82, etc., etc.

Uno de los detenidos alega que él ni pide limosna ni la ha pedido jamás, y tiene razón; lo malo es que pronto se le descubre el negocio: cuenta con una patrulla de siete niños, perfectamente aleccionados, situados en las esquinas de la Puerta del Sol, que piden limosna para él.

Viene ganando ocho a diez duros diarios por este procedimiento y a los *chavales* les cede comida, cama y dos reales a cada uno. En el momento de ser detenido se le encuentran 125 pesetas en los bolsillos, cantidad nada despreciable en 1932.

Los periódicos acusan las malas condiciones de la mayoría de las casas de vecinos de Madrid; son muy pocas las que cuentan con baño o ducha, menos aún las que tienen agua caliente, pocas también las que se sirven de ascensores modernos —no olvidando los escasos ascensores de agua que funcionan todavía en la ciudad, uno de ellos, famoso, en la Carrera de San Jerónimo—, y, de paso, la prensa ataca el asunto de las llaves de los portales, enormes llaves que pesan entre los doscientos gramos y el cuarto de kilo las más de las veces. ¿No habría forma de cambiar las cerraduras por otras más modernas y eficaces y de llaves más ligeras...?

La anécdota de esta época es el curioso robo en el juzgado municipal del distrito de Chamberí, de donde unos extraños ladrones se llevan el Código civil, el Código penal y la campanilla de Su Señoría.

El 2 de abril tiene lugar en Madrid un inusitado acto político: Ramiro Ledesma Ramos da una conferencia para la que ha elegido como escenario la sala del Ateneo. El título de la conferencia es *Fascismo contra marxismo*. Al día siguiente, la prensa madrileña comenta la conferencia de muy diversa manera, pero prácticamente nadie toma demasiado en serio las palabras de Ledesma Ramos. *A B C* dice:

> **"El orador se manifestó como portavoz del nuevo partido JONS, afirmando que la mayor parte de las ideas que pensaba exponer no iban a ser bien recibidas por el auditorio. Explicó las características particulares del Estado fascista, calificándolo de totalitario, es decir, que obliga a la colaboración activa de las tareas del Estado, no sólo a una respetuosa pasividad. Sólo contra un Estado artificioso, antinacional, detentador, incapaz es lícito indisciplinarse.**
>
> **"Ante el ambiente de contradicción en que se desenvuelve la conferencia, el orador desiste de acabar su discurso, invitando a los de ideas contrarias a controvertir en cualquier lugar".**

El Socialista hace de la conferencia de Ledesma Ramos una crítica durísima:

> **"Una camisa negra y en ella el violento grito de una corbata roja. Esta combinación luciférica no es más que un espantajo contra Marx, aunque el espantajo, en absurda victoria contra toda libertad y razón afirme, donde puede, su poder. El odio es quien anuda esa corbata roja sobre esa camisa negra. Nosotros, socialistas, nos explicamos perfectamente esa "toilette": el que la lleva la merece. Nuestras banderas, sencillamente rojas, no tienen nada que ver con los pendones abasidas ni con los velos inquisitoriales".**

PRIMEROS SINTOMAS, por Galindo

—¡Le debo de haber gustado a ese caballero, mamá! ¡Desde que estamos aquí ya ha pasado cinco veces por delante de nosotras...!

ENSAÑAMIENTO, por Orbegozo

El señor del traje a cuadros:

—¡Vaya, vaya, don Agapito! ¿Y qué se cuenta usted de bueno...?

Cacheos en Madrid, 1933

El 12 de abril, para festejar el primer aniversario de las elecciones que trajeron la República, el Ayuntamiento madrileño organiza un vistoso desfile que no tiene nada de aspecto bélico ni mucho menos. Se trata de pasear ante los atónitos ojos de los habitantes de la capital todos y cada uno de los servicios municipales.

Se arma un palco sencillo en la Castellana, cerca del comienzo de la calle de Ayala, y allí se sitúan el alcalde, los tenientes de alcalde y los concejales, con los demás invitados de honor. Cerca ha sido instalada la Banda Municipal, encargada de amenizar musicalmente el festejo.

El desfile comienza con el paso rítmico de los guardias municipales a pie, luego una sección de guardias con motocicletas de *sidecar*, cuyos silenciadores hacen más ruido que otra cosa, detrás otra sección de guardias motorizados pero sin *sidecar* y a continuación la graciosa banda infantil del Colegio de la Paloma, que al coincidir a su paso frente al palco presidencial interpreta el Himno de Riego, recién declarado oficial de la República. Detrás de los niños de la Paloma, más guardias municipales, luciendo los modernos kepis que acaban de serles adjudicados y que provocan aplausos en unos espectadores y risas en otros, como siempre.

Después, los coches de la Beneficencia destinados en las Casas de Socorro, ambulancias municipales, camiones del Laboratorio Municipal, dos furgones fúnebres del Ayuntamiento y una sección tan vistosa como sorprendente: los matarifes del Matadero Municipal, en uniforme, con sus botas altas, sus machetes y sus gorrillas.

El público aplaude todas estas sorpresas. Detrás de los matarifes van ocho flamantes camiones recién pintados de los de servicio en el Matadero y el camión que acaba de ser adquirido para la Banda Municipal, la cual continúa tocando aires alegres —no marciales— dirigida por el popular maestro Villa.

Tras el camión de la Banda, los barrenderos municipales, mangueros, carritos de recogida de basuras, automóviles grandes, metálicos, de recogida de basuras —los cinco que entonces había en Madrid—, coches de riego, de limpieza, cubas de agua, autobuses de viajeros de los últimos modelos, camionetas de Vías y Obras y, por último, cerrando el cortejo, los bomberos, muy aplaudidos también.

Los bomberos se detienen ante el palco presidencial, elevan las escaleras de algunos de sus coches y realizan vistosos ejercicios allá arriba. Una mañana alegre y nueva, pues es la primera vez que Madrid tiene ocasión de contemplar un desfile sin soldados.

Poco después, huelga de transportes mecánicos. El gobernador, una vez declarada ilegal esta huelga, decide dar la batalla sobre todo a los taxistas. El propio director general de Seguridad, acompañado de un piquete de guardias y de un grupo de mecánicos especializados, visita algunos garajes en los que permanecen los taxis que no han salido a dar servicio, y dirige la acción de quitar a los coches los aparatos taxímetros, al tiempo que se toma nota de las matrículas para retirar a sus propietarios las licencias.

Uno de los sucesos de menos importancia, pero dc más anécdota de todos los ocurridos en la primavera del Madrid de 1932, es la sorprendente acción de un joven de dieciocho años en la Exposición Nacional.

A él le han dicho que cierto escultor ha realizado una obra tomando como modelo a una chica, que tiene también dieciocho años, y que en tiempos había sido novia suya. Con los nervios en tensión entra en el recinto, se escurre entre el público y alcanza el lugar donde, efectivamente, se halla el busto de su antigua novia. No puede contenerse; de un empellón lanza la escultura al suelo y la rompe furiosamente, en medio del estupor de los visitantes. El autor, Emilio Aladreu, es uno de los más sorprendidos. Por la noche, Madrid entero hablará de esto.

Por poco tiempo; los acontecimientos se precipitan quitándose unos a otros la primacía de la atención pública. La prensa de izquierdas comenta el hecho sorprendente de que el Ayuntamiento madrileño —republicano-socialista en su gran mayoría— haya regalado libros a los colegios de Madrid; no está en esto la sorpresa, sino en el hecho de que muchos de esos libros son de propaganda católica.

El último día de mayo, Valle Inclán es elegido presidente del Ateneo por gran mayoría. Con esta ocasión pronuncia unas palabras de saludo y agradecimiento, con su ceceo clásico, que no son demasiado bien acogidas por los asistentes, pues a fin de cuentas nadie sabe si ha atacado o ha defendido a la República.

La constante edificación en todos los barrios madrileños provoca la subida del precio de los solares. Se comenta, y no con agrado, que el pie cuadrado de solar edificable en algunos distritos se ha puesto por las nubes: concretamente, en las calles de Enrique Aguilar y Luis Misón está ya a 2,50, y en las de Berruguete y Romero Alonso nada menos que a 3 pesetas. En cambio, conforme los meses de calor se van aproximando, vuelven a bajar los precios de la carne de cordero, vendiéndose ya las chuletas a 3,60 pesetas el kilo, la pierna a 3,30, la paletilla a 2,90 y la falda y pescuezo a 2,30.

A primeros de agosto se inaugura en la plaza de Cánovas la nueva sede de la Sociedad General de Autores de España. Estas nuevas oficinas cuentan con locales espaciosos, holgado salón de juntas y suntuosos despachos para el presidente y el vicepresidente. El acto de la inauguración es revestido de cierta solemnidad, asistiendo para presidirlo el ministro de Instrucción, Marcelino Domingo, junto con el presidente de la Sociedad, Eduardo Marquina.

Días después, el 13 de agosto exactamente, y precedida de una buena campaña de publicidad, se abre al público la nueva playa de Madrid, situada en la orilla del Manzanares, junto a la carretera de El Pardo. Para dar realce a esta inauguración acuden desde París las seis nadadoras especializadas del Monitor, que realizan en el agua vistosas exhibiciones. No es mala efeméride; desde el verano de 1932, Madrid tiene hasta playa. Pero, ¿esto qué va a ser...?

La temporada taurina del 1932 en Madrid está marcada por la influencia de la política en los ruedos. El público madrileño, del que se dicen tantas cosas siempre en elogio, no queda ni con mucho a la altura de las circunstancias. Los afectos y los odios de la lucha política callejera trascienden a la arena de la Monumental madrileña, donde hay toreros que no consiguen sino silbidos por más que hagan, y otros en cambio que, sin hacer nada, son calurosamente aplaudidos.

Esto, que ha de pasar también en años sucesivos —y que volveremos a estudiar en detalle en el curso de esta Historia—, desespera a algunos diestros, que incluso se niegan a venir a torear a Madrid.

Alfredo Corrochano, hijo del crítico taurino de *ABC* Gregorio Corrochano, es silbado por los espectadores de izquierdas y aplaudido por los de derechas. El novillero Miguel Palomino, de quien se dice que pertenece al Partido Socialista, es aplaudido por los espectadores de izquierdas y silbado por los de derechas.

En este ambiente de suprema estupidez toma la alternativa en Madrid precisamente Alfredo Corrochano, de manos de Manolo Bienvenida y con Domingo Ortega como testigo. El torero toledano también habrá de pasar por este trance años más tarde, como hemos de ver.

En la Plaza de Vista Alegre se presenta un novillero que desconcierta a los espectadores por su extremada valentía: *Niño del Barrio*. Se dice que no vivirá mucho tiempo, pues hace demasiadas cosas valientes con los toros.

Este 1932 es el año triunfal del valenciano Vicente Barrera, que recorre los ruedos de toda España cortando más trofeos que ningún otro. En la madrileña corrida de la prensa, alterna con Manolo Bienvenida y Ortega. El resultado no puede ser mejor: Ortega, dos orejas; Bienvenida, dos vueltas al ruedo; Barrera, cuatro orejas y un rabo.

Un espontáneo es salvado casi milagrosamente por un peón de ser destrozado por un toro. Hay que aclarar que en este caso particular no fue que el muchacho se lanzase valientemente hacia la fiera y el banderillero lograse a duras penas alejarle de ella, sino todo lo contrario; el espontáneo, apenas pisar la arena, sufrió tal ataque de pánico que se quedó rígido, sin moverse, sin levantar la muleta, como una estatua, y el toro se fue hacia él, siendo desviado por el capote certero del subalterno.

En el capítulo de sangre, no anduvo corto el 1932 madrileño. Apenas comenzada la temporada, el novillero granadino Elías Alvarez Pelayo sufre una cornada gravísima y fallece diez días después. Otro espontáneo resulta gravísimo también. Fermín Liceaga, el valiente mejicano, grave; *Rayito*, grave, entrando en la enfermería en medio de una gran ovación, y en la placita de Tetuán de las Victorias registramos, el 11 de julio, una novillada sangrienta: ingresan en la enfermería los novilleros Luis Morales, grave; Francisco Rabadán, gravísimo; el picador Baños, de pronóstico reservado, y el banderillero Alfredo Cuairán, leve. Y por si todo esto es poco, el popular *Celita*, ya retirado desde años antes, enfermo del corazón, muere en Madrid de un ataque cardíaco.

El 1932 no es malo del todo desde el punto de vista deportivo para Madrid. Se proclama campeón de Liga el Madrid, al empatar con el Barcelona a dos tantos en el campo de este último. La alineación de este equipo blanco es como sigue: Zamora, Ciríaco, Quincoces, Prats, Esparza, Leoncito, Lazcano, Regueiro, Olivares, Hilario y Olaso.

La Copa, en cambio, escapa a los dos equipos madrileños y es disputada en última instancia por el Athelic de Bilbao y el Barcelona en una reñidísima final en Madrid; ganan los bilbaínos y se proclaman campeones de España al vencer a los catalanes por 1-0.

En el Estadio Metropolitano, en el curso de unas pruebas de dirt-track, se destroza la cabeza y fallece casi en el acto el brillante corredor Casas, ante el horror del público. En ciclismo, el popular Vicente Carretero gana el Campeonato de Madrid.

Fuera de la capital, y volviendo a los campos de fútbol, hemos de registrar la victoria de la selección española sobre la de Yugoslavia, en Oviedo, por 2-1. La alineación española es ésta: Zamora, Ciríaco, Quincoces —es decir, la retaguardia del Madrid completa—, Cilaurren, Gamborena, Marculeta, Lafuente, Regueiro, Lángara, Chirri y Gorostiza.

Dramático año para Paulino Uzcudun, que continúa peleando en los Estados Unidos, y no contra los púgiles solamente, sino contra todo el injusto ambiente hostil de Norteamérica para el boxeador español. Tres derrotas, más o menos amañadas con los árbitros por los gangsters promotores del boxeo yanqui: Uzcudun pierde en enero con el polaco-americano Lewinsky, a los puntos, en Chicago; vuelve a perder en mayo en Nueva York, también por puntos, ante Mickey Walker y aún es derrotado una tercera vez, también en Nueva York, por Ernie Schaaf, por la mínima diferencia. Paulino regresa a España y jura al pisar tierra española no volver jamás a los Estados Unidos, donde tantas injusticias —y tan descaradas— ha tenido que sufrir.

En categorías de menos peso, tanto Gironés como Ignacio Ara confirman su clase venciendo a unos cuantos de los rivales extranjeros que les ponen en el cuadrilátero; particularmente, son de notar la victoria de Gironés sobre el alemán Noack, por k. o. técnico, en Barcelona, con lo que confirma su título de campeón de Europa de los *pluma*, y la fulminante victoria de Ara en Bilbao sobre el francés Pegazzano, también por k. o. técnico.

En la ciudad de Los Angeles —un automóvil por cada tres habitantes— se celebran los Juegos Olímpicos de 1932, con gran alarde de organización y de propaganda, todo muy a la americana. No actúa, por prohibición oficial, el atleta Paavo Nurmi, lo que causa la natural decepción. Son rebasadas muchas marcas y la raza negra se sitúa en atletismo bastante por encima de la raza blanca, lo que disgusta mucho a Hitler en Europa y a numerosos blancos en América.

Carmen Soriano obtiene el récord de España de natación de los 300 metros, en cuatro minutos y cuarenta segundos y en el *Tour* de Francia se proclama vencedor absoluto el corredor galo André Leducq.

Los cines madrileños continúan asaltados por las producciones norteamericanas en su gran mayoría. También entran en lid algunas películas francesas y pocas, muy pocas, alemanas. Entre los títulos más célebres de las cintas presentadas durante los doce meses de este 1932 en Madrid, entresacamos: *Doble asesinato de la calle Morgue, Un yanqui en la Corte del Rey Arturo, El puente de Waterloo, Frankestein* y *Tradern-Horn.*

Continúa en primer plano la simpática pareja de Janet Gaynor y Charles Farrell, con varias películas simultáneamente en cartelera —*Marianita, Deliciosa,* etc.—, y se acentúa el auge de Marlene Dietrich con la producción *Fatalidad,* en la que la alemana se presenta más vampiresa que antes.

Como un ciclón ha vuelto a las pantallas madrileñas el cómico Harold Lloyd, cuya película *¡Ay, que me caigo!* hace reir tanto como sus antiguas cintas tradicionales de años atrás. La pizpireta Anny Ondra acude dos veces a las pantallas madrileñas de 1932: una con la película *Anny y los carteros* y otra con *Una amiguita como tú,* dos casos de argumentos escritos expresamente para ella.

Entre el copioso cine español que se hace fuera de España podemos presenciar *Un caballero de frac,* con Gloria Guzmán, Rosita Díaz y Roberto Rey; todo un reparto.

Hablado en español, con acento mejicano, cine de José Mojica con canciones como corresponde: *La ley del harén.* La aportación de Imperio Argentina este año se titula *¿Cuándo te suicidas?*

Las carteleras de los cines madrileños presentan también otras interesantes novedades fílmicas: *El diablo blanco,* por Lil Dagover e Ivan Mosjoukine; *Para alcanzar la Luna,* por Douglas Fairbanks y Bebe Daniels; *Honrarás a tu madre,* por Mae Marsh y James Dunn; *El Rey del Betún,* por George Hamilton; *Niebla,* por Rafael Rivelles y María Fernanda Ladrón de Guevara, todavía juntos; *Paz en la tierra,* por Lilian Harvey, una rubia a la que podríamos considerar precursora, por la esbeltez de su línea, un poco a lo Dalida, que podría muy bien seguir siendo primerísima figura en nuestros días; *¡Viva la libertad!,* una de las más inteligentes realizaciones de René Clair; *El Danubio Azul,* por Brigitte Helm —la heroína de *La Atlántida*— en el Rialto, cuyos fines de espectáculo animaba la voz del gordo Juan García, cantando *Moru-*

cha y *Estrellita; Camarotes de lujo*, con la estupenda pareja Edmund Lowe-Mirna Loy; *Milicia de paz, El muñeco, Tabú, En la boca no...*

El cine madrileño de 1932 va ganando en aires modernos lo que va perdiendo en ingenuidad. Nuevas decoraciones animan los salones de proyección; no puede negarse que hay un estilo de estos años treinta, y un matiz de los años de la República, que tiene bastante de cubismo.

La sonorización ya es un hecho. Apenas si se ve algún anuncio que indique *sonora*, porque se sobreentiende que todas las películas lo son. Cosa increíble sólo dos años antes.

Las novedades teatrales del Madrid de 1932 registran el pleito de los empresarios con el Gobierno. Los teatros se quejan de que los impuestos les obligan a elevar el precio de las localidades, y estas subidas van alejando poco a poco al público de las taquillas. Por fin, el 3 de mayo las autoridades acuerdan rebajar en un 50 por 100 los impuestos en los espectáculos teatrales de toda España.

Como es tradicional, el Sábado de Gloria se presenta cuajado de novedades escénicas. Se estrenan *La Duquesa de Benamejí*, de Antonio y Manuel Machado, en el Español, por la compañía de Margarita Xirgu y Alfonso Muñoz; *La maté porque era mía*, humorada de Ramos de Castro, en el Victoria, por la compañía de Aurora Redondo y Valeriano León, que cuenta en cartel, además, con Pepe Alfayate; *Juanita la loca*, de Suárez de Deza, en el Muñoz Seca, por Luis Peña, Fanny Brena y Carmen Morando; *El hogar*, de Fernández del Villar, en el María Isabel, con María Banquer, Isabel Garcés y María Bru.

Varietés en el Romea, tituladas *Romea 1932*, de Vela, Campiña y música de Alonso, con Margarita Carvajal, Liana Gracián, Faustino Bretaño, Conchita Constanzo y Palitos, y *Luisa Fernanda*, de Romero, Fernández Shaw y Moreno Torroba, por la compañía de Sagi Barba, Selica Pérez Carpio, Laura Nieto y el tenor Faustino Arregui.

Tres líneas de El Liberal, de Serrano Anguita, en el Fontalba, por Carmen Díaz, Simó Raso, Rafaela Satorres, Ricardo Canales y Rafael Bardem; *La corona*, precedida de gran polémica política, puesto que su autor, Manuel Azaña, es casualmente el jefe del Gobierno, en el Español y por Margarita Xirgu y Alfonso Muñoz, y en el Eslava, aún otra obra aureolada de gran ambiente político, *Berta*, de Fermín Galán, uno de los fusilados en diciembre de 1930 a raiz de los sucesos de Jaca.

Se presenta por primera vez al público madrileño una atractiva joven cuyo nombre, Niní Montián, pronto se hace popular en las carteleras. Fallece el bajo-cantante de talla internacional, célebre por sus campañas del Liceo barcelonés, José Mardones. Se estrena *Santa Rusia*, de Benavente, en el Lope de Vega.

Vuelve a hablarse de las obras del teatro de la Opera —antiguo Real—, que comenzaron, al parecer, en plena Dictadura a causa de haberse resquebrajado algunos de sus muros, y de las que poco o nada sabe el pueblo de Madrid.

Y aún más estrenos, más éxitos: en el Fígaro —esta temporada dedicado a teatro—, *Jaramago,* de los hermanos Cuevas; *La hija del tabernero,* de Angel Lázaro, y *Aquí está mi mujer,* un vodevil de procedencia extranjera; en Fontalba, *Solera,* de los Quintero, y *Concha Moreno,* de Luis de Vargas; en el Cómico, *Allá películas,* de González del Castillo y Román, y *La mercería de la Dalia Roja,* de Pilar Millán Astray; en Romea, *¿Qué pasa en Cádiz?,* de Vela, Campúa y Alonso, y *La pipa de oro,* de Paradas y Jiménez, música de Rosillo y Mollá; en Lara, *La marchosa,* de Carreño y Sepúlveda, y *El hombre de presa,* de Serrano Anguita.

La actividad legislativa es casi obsesionante. No parece sino que los despachos ministeriales hayan recibido la orden de producir leyes, decretos, órdenes sin tasa. Nada queda en el aire: todo es previsto, retocado, rectificado, apuntalado. Sólo en los primeros seis meses de este 1932, la *Gaceta* recoge, entre otras muchas disposiciones, las siguientes:

Ley de 6 de febrero sobre reglas relativas a los cementerios municipales: *el enterramiento* —dice el artículo 4.°— *no tendrá carácter religioso alguno para los que fallezcan habiendo cumplido la edad de veinte años, a no ser que hubiesen dispuesto lo contrario de manera expresa.*

La orden del ministerio de Justicia que publica la *Gaceta* del 17 de febrero sobre matrimonio civil empieza diciendo que *no se exigirá a los que soliciten la celebración del matrimonio civil declaración alguna respecto de sus creencias religiosas ni de la religión que profesen.* Los impresos para el matrimonio civil son gratuitos; todo el trámite, incluido el matrimonio mismo, también.

Los extranjeros no podrán adquirir casas ni terrenos en el territorio nacional sin previa autorización del Gobierno, ni por compra, ni por permuta, ni por donación ni de ninguna manera.

Un decreto de la Presidencia que publica la *Gaceta* del 4 de marzo establece que el cargo de diputado es incompatible con todo otro cargo de elección popular, con todo otro cargo gratuito o retribuido de la administración del Estado, sea o no de libre nombramiento del Gobierno y cualquiera que sea la forma de retribución.

Queda prohibido —dice el decreto de 21 de marzo— *emplear durante la noche a los niños menores de dieciocho años en los establecimientos industriales, públicos y privados, o en sus dependencias, con excepción de aquellos en que únicamente estén empleados los miembros de una misma familia, salvo en los casos previstos a continuación.*

Otro decreto de igual fecha determina que tampoco podrán trabajar las mujeres, sin distinción de edad, durante la noche, en ningún establecimiento industrial, público ni privado, ni en ninguna dependencia de dichos establecimientos, con excepción de aquellos en que únicamente estén empleados los miembros de una misma familia.

La jornada del personal de oficinas no podrá exceder de cuarenta y ocho horas por semana y ocho horas por día. La prolongación diaria del trabajo no podrá exceder de una hora más.

Las situaciones que dentro de la actividad podrán tener los generales, jefes, oficiales y sus asimilados, así como los suboficiales del Ejército son las siguientes:

a) Colocado
b) Disponible
c) Disponible gubernativo
d) Reemplazo voluntario
e) Reemplazo por enfermo
f) Reemplazo por herido
g) Al servicio de otros ministerios o del Protectorado.
h) Supernumerario sin sueldo.

Una de las disposiciones de este tiempo más curiosas es el decreto de 9 de abril por el que se suprimen los impuestos que se venían cobrando a las casas de prostitución. Es lógico, claro está, que si la prostitución ha quedado fuera de la Ley por disposición oficial, no exista otra disposición que admita la existencia de un impuesto por tal concepto.

Una Orden también extraordinariamente curiosa es la del ministerio de la Gobernación, publicada el 20 de mayo por *la Gaceta*, dictando reglas para la inscripción de nombres en los Registros Civiles. Los encargados de los Registros quedan obligados a admitir no sólo los nombres procedentes del Santoral, sino *los de personas que vivieron en épocas remotas y disfrutaron de celebridad honrosa, los nombres que originariamente expresen los conceptos políticos que informan las modernas democracias, como el de Libertad, el mismo de Democracia, etc. Los nombres que originariamente designen cosas, como, para mujeres, los de flores: Violeta, por ejemplo, y los de astros, como Sol...*

Los Juzgados de Madrid —Orden de 28 de mayo— se conocerán por números, en la forma que se expresa a continuación:

Palacio	núm. 1
Chamberí	núm. 2
Buenavista	núm. 3
Centro	núm. 4
Congreso	núm. 5
Hospicio	núm. 6
Hospital	núm. 7
Inclusa	núm. 8
Latina	núm. 9
Universidad	núm. 10

También de mayo es la célebre *Ley del Timbre*, producida por el ministerio de Hacienda y que consta nada menos que de 234 artículos, cinco artículos adicionales y cinco disposiciones transitorias. Para la elaboración de esta Ley han trabajado los mejores técnicos de Hacienda durante varios meses. Todo aquello que se refiere a bases impositivas directas e indirectas, por todos los conceptos imaginables, está recogido en esta disposición.

Se añade al Reglamento de Toros un párrafo en el artículo 2.º, que dice: *Tanto en corridas de toros como en las de novillos y becerros, a la declaración del ganadero anteriormente expresada se añadirá otra en la que éste, bajo su firma o la de su representante, haga constar que las reses que se lidien no han sido toreadas.*

El 23 de junio, una orden de Gobernación dirigida a los gobernadores civiles les dice, entre otras cosas: *Si a pesar de todas las garantías V. E. tuviese motivos o antecedentes bastantes para suponer que, a pretexto de una corrida de toros o novillos, se iba a verificar una capea, prohibirá el espectáculo.*

Por trascendente, quizá la disposición que recogida aquí en último lugar debiera aparecer en el primero, es el decreto de 24 de enero por el que se declara disuelta la Compañía de Jesús, pasando sus bienes a propiedad del Estado para fines benéficos o docentes.

Capítulo 27. LOS SUCESOS DEL 10 DE AGOSTO (año 1932). Graves encuentros en Castillblanco y en Arnedo. Sanjurjo cesa como director de al Guardia Civil. Incidente entre José Antonio Primo de Rivera y el general Queipo de Llano. Incidente Mangada en Carabanchel. Asalto a Ventura Gassol. Rebelión del Cuartel de la Remonta en Madrid. Rebelión de Sanjurjo en Sevilla. Breve lucha en La Cibeles. Exodo del general Barrera. Detención de Sanjurjo. El Estatuto Catalán.

El año político madrileño cuenta con un acontecimiento sobre otros, que es el que define al 1932: la revuelta político-militar del 10 de agosto, precedida de una serie de hechos que parece como si hubieran tenido la misión de ir cargando las recámaras de todas las armas que se pusieron a disparar aquella madrugada.

El año político de 1932 comienza lamentablemente con las primeras páginas de la prensa reproduciendo los sucesos de Castillblanco, en que los revolucionarios han matado a varios guardias civiles, y sigue con los sucesos de Arnedo, en los que los guardias civiles han matado a varios revolucionarios.

Aunque no lo parezca, de aquí parten los hechos del 10 de agosto. El Gobierno republicano, que se mueve demasiado blandamente queriendo contentar a la extrema derecha y a la extrema izquierda, procurando a la vez que las riendas del poder no se le escapen de las manos, decide que sea el propio ministro de la Gobernación quien presida los entierros de los guardias muertos en Castillblanco.

Con el ministro está en esta presidencia el director general de la Guardia Civil, Sanjurjo. El ministro pronuncia después un discurso enalteciendo a la Guardia Civil. Pero, al propio tiempo, se crea una oficina de investigación sobre la conducta de la Benemérita, al frente de la cual se pone Margarita Nelken. Sanjurjo declara entonces:

—La Guardia Civil no ha de perder prestigio por este hecho —se refiere a las matanzas de Castillblanco— ni por ninguno, pese a sus enemigos. Lo lamentable es que se abra una oficina de información contra la Guardia Civil y que al frente de ella se ponga a doña Margarita Nelken, que ni siquiera es española.

Estas manifestaciones son luego desmentidas, pero en el aire que dan. Toda la derecha española acusa a la extrema izquierda como causante de las terribles muertes de los guardias en Castillblanco; toda la izquierda acusa a la extrema derecha de las muertes de obreros, a manos de la Guardia Civil, en Arnedo. En España entera vivaquean los revoltosos de un lado y de otro; todos —derechas e izquierdas— se muestran implacables enemigos de la República. Y la República empieza a tambalearse con una enfermedad que sólo ya degenerará en la agonía, y ésta en la muerte.

El 23 de enero es disuelta la Compañía de Jesús y confiscados sus bienes. El 4 de febrero, Sanjurjo cesa como director de la Guardia Civil —para cuyo cargo se nombra a Miguel Cabanellas— y es designado director de Carabineros. Esto, en medio de una larga y complicada combinación de mandos militares.

La destitución de Sanjurjo, en un momento en que España entera habla de la Guardia Civil, unos para darle la razón y otros para quitársela, viene a ser como la confirmación de la postura gubernamental en contra de este Instituto. El oficio ordenando el cese del general Sanjurjo venía a ser como una letra aceptada cuyo pago estaba puntualmente señalado para el 10 de agosto de este mismo 1932.

A final de febrero, 40.000 personas se concentran en la nueva Plaza de Toros para escuchar un discurso de Alejandro Lerroux. Días después presenta la dimisión de su cargo el director general de Seguridad, Ricardo Herráiz, y se nombra para sustituirle al hasta entonces jefe superior de Policía de Barcelona, Arturo Menéndez.

El 10 de marzo, el jefe del Gobierno y ministro de la Guerra, Manuel Azaña, en el curso de un discurso en el Parlamento sobre la política militar del Estado republicano, dice, entre otras cosas:

> **—... las economías registradas en los gastos militares son trascendentales: en Cuerpos armados, tropas especiales y Aeronáutica, diez millones de pesetas menos en 1932 que en 1931; en personal de la Remonta, 3.333.000 pesetas menos en 1932 que en 1931; en servicios de Aeronáutica, 2.186.000 menos; en total, para no cansar, setenta y nueve millones de pesetas ahorrados. Se aumenta el haber de los soldados en cuarenta céntimos al día por plaza, lo que supone un costo de diecisiete millones de pesetas al año.**

El 3 de mayo son detenidos en Madrid varios monárquicos, así como numerosos pistoleros que declaran haber percibido de aquéllos diversas cantidades por llevar a efecto varios actos de terrorismo contra personas o entidades republicanas. Algunos de estos profesionales del alboroto declaran también que les han sido prometidas buenas cantidades de dinero si asesinan a todos y cada uno de los ministros de la República. Todo ello da ocasión a numerosas detenciones y a una permanente estado de alarma en los centros gubernamentales.

En el café Lyon D'Or se registra un violento incidente entre José Antonio Primo de Rivera, su hermano Miguel, Sancho Dávila y el general Queipo de Llano, jefe de la Casa Militar del presidente de la República.

Al parecer, el general escribió en tiempos algunas cartas molestas —ofensivas quizá— para un familiar de Miguel y José Antonio, su tío José. Estos deciden pedir explicaciones a Queipo de Llano.

Acuden a su casa, pero allí les dicen que no está, que seguramente, por la hora que es, se hallará en el café Lyon D'Or. Allí se trasladan los tres y es precisamente José Antonio el que le pregunta, mostrándole una de las cartas, si el general es quien la ha escrito.

Al responder que sí, se organiza un incidente, en el que no faltan las bofetadas, y los tres jóvenes son poco después sometidos a Consejo de Guerra, por su condición de oficiales de complemento. Las penas son pérdida de empleo para José Antonio y absolución para Miguel y Sancho Dávila.

Y ya estamos en junio. Seguimos caminando hacia el 10 de agosto. Los anarcosindicalistas se mueven inquietos en todas partes. *El Liberal* dice a grandes titulares: «Agudísima actuación en toda España del anarcosindicalismo, que tan calladito estuvo durante la Dictadura».

El alcalde de Mairena del Alcor ordena la detención de su propio hijo por el intento de incendio de una iglesia. Constantes conspiraciones contra el Gobierno son descubiertas por la Policía. El ministro de la Gobernación —Casares Quiroga— ha de pasar en ocasiones cuarenta y ocho horas sin moverse de su despacho, durmiendo en un sofá horas sueltas.

El 26 de junio, en Carabanchel, al final de unas maniobras militares, algunos generales pronuncian cortos discursos enalteciendo el entrenamiento y la moral de las tropas. Es un momento en el que todos aquellos militares que desean hacerse notar como enemigos o poco amigos de la República pueden hacerlo sin incurrir en sanción alguna; les basta para terminar sus palabras gritando: «¡Viva España!», sin acordarse para nada de la República.

Son pocos, en realidad, los generales que al final de una arenga vitorean a la República. Dan vivas a España, con lo cual, perfectamente dentro de la ley, y sin que nadie pueda llamarles la atención por ello, van definiéndose como situados enfrente del Régimen.

Así sucede en Carabanchel en el discurso del general Caballero, en las palabras del general Villegas. Pero hay allí, muy cerca, un teniente coronel republicano que echa de menos ciertos *vivas*. Después de algunas escenas de extrema tensión, el teniente coronel Mangada se quita la guerrera de uniforme y la gorra, las tira al suelo y las pisotea, en medio de gran indignación.

Naturalmente, por muy republicano que sea el furor del teniente coronel Mangada, al Gobierno no le queda otro camino que ordenar el ingreso en prisiones militares del militar que le es fiel, mientras que nada puede hacer ni decir en contra de los generales que no lo son.

En plena República se da el paradójico caso de que un jefe republicanísimo pasa a una celda de la prisión por haberse enfrentado con unos generales monárquicos: el jefe republicano ha perdido los nervios y los generales han sabido conservarlos. Pero todo esto, trasladado a las entendederas del pueblo llano, va haciendo su efecto poco a poco.

El primero de julio, nuevo incidente: el consejero de cultura de la Generalidad de Cataluña, Ventura Gassol, hombre de largo cabello como buen poeta que es, es atacado en sus habitaciones de un hotel de la Gran Vía por un grupo de jóvenes monárquicos, que se han juramentado para cortarle los cabellos y mostrarlos luego como trofeo.

El consejero catalán se resiste, huye de sus atacantes, acude a su mesilla de noche y saca una pistola, haciendo varios disparos contra los asaltantes. El asunto va al Parlamento y a las columnas de la prensa y, entre bromas y veras, crea al Gobierno un nuevo motivo de preocupación, precisamente en unos momentos en que el Estatuto catalán se está discutiendo apasionadamente en el Congreso de los Diputados y es, seguramente, el tema candente en toda la Nación.

Un periódico de izquierdas denuncia la situación catastrófica del campo en la provincia de Jaén, donde 410 propietarios poseen en conjunto 521.000 hectáreas de terreno. Nueve de ellos tienen cada uno más de 4.000 hectáreas, mientras los braceros han de emplearse por siete reales diarios y derecho a gazpacho o han de emigrar a las provincias del norte, o al extranjero, si quieren evitar morirse de hambre. En ese Jaén de los enormes latifundios hay necesidad imperiosa de más de 700 escuelas primarias.

El 10 de agosto de 1932 es una fecha interesante en la Historia de Madrid. Es en este día cuando la República, nacida apenas dieciocho meses antes, que lleva sorteando temporales procedentes de todas las esquinas de la rosa de los vientos, sufre su primer zarpazo serio.

Esta vez no son unos huelguistas exaltados que asaltan una camioneta de la Guardia Civil; esta vez no son unos jóvenes apasionados que van ofreciendo por las aceras de la calle de Alcalá su periódico de la extrema derecha; esta vez el golpe tiene un aire positivamente antirrepublicano, si bien algunos de los adheridos al movimiento crean que lo que van a hacer es ladear un poco a la República misma hacia el orden y contra los comunistas y anarcosindicalistas.

En el ministerio de la Gobernación y en el de la Guerra, así como en la Dirección General de Seguridad, se sabe que hay un proyecto de alzamiento para esta misma madrugada. Se ha tenido conocimiento de ello por la confidencia de la novia de uno de los oficiales complicados, que temerosa de que el golpe fracase y su prometido sea castigado severamente, ha dado el aviso a cambio de la promesa de que precisamente su novio sea respetado por las fuerzas del Gobierno.

Mientras estos leves incidentes —significativos incidentes— se producen en las cercanías de la Dirección General de Seguridad, en Cuatro Caminos, en el Cuartel de la Remonta, la tropa es levantada apresuradamente y se ordena a cada soldado tomar su fusil y un número determinado de cargadores.

En realidad, los hombres de la Remonta no son muchos, pues precisamente esta unidad es una de las más aligeradas por la República, por considerar que este servicio más corresponde a la Dirección General de Ganadería que a un departamento del ministerio de la Guerra. Es posible que no hubiera en el Cuartel en esta madrugada arriba de doscientos soldados.

En el cuarto de banderas están no sólo los oficiales de servicio, sino algunos de los francos de éste, además de unos cuantos de los licenciados por la llamada «Ley Azaña», con el uniforme puesto, oculto por una gabardina civil. Todos ellos son embarcados en camionetas y llevados hasta el final de la Castellana, entonces campo deshabitado, sin una sola casa y sin una sola luz.

Aquí van siendo requisados todos los automóviles que entran en Madrid procedentes de Chamartín o de las carreteras de Colmenar y de Burgos, hasta el número de cincuenta. En algunos cafés de Recoletos hay grupos de oficiales en uniforme y con gabardina encima, lo que no podía pasar inadvertido a una policía ya avisada, puesto que no era lo más frecuente vestir gabardinas en las noches del agosto madrileño.

Algo más tarde, varios automóviles se detienen en la calle del Conde de Xiquena y en la calle de Prim, al lado de la verja del ministerio de la Guerra. Los conjurados que los ocupan comprueban con satisfacción que la cadena está en la puerta, como ha sido convenido, pero no así el candado.

Todo parece ir bien, pero cuando intentan entrar, los soldados de la guardia les cierran el paso. A la débil luz de los faroles de la calle pueden ver el interior del recinto, los jardines, los edificios, la avenida que conduce al palacio. Algunos coches encienden sus focos para iluminar la escena. Los soldados se comportan normalmente, es decir, muy anormalmente para los designios de los conjurados.

—¡Los centinelas no saben nada! —dice alguien, en un primer descorazonamiento.

Un oficial se aproxima a la puerta de hierro y ordena a los soldados:

—¡Abrid en seguida!

El soldado que está más próximo da unos pasos atrás:

—¡Yo no abro! ¡Cabo de guardia!

Los otros soldados reculan y toman sus fusiles. Por entre los grupos de conspiradores empieza a cundir el desaliente. ¿Qué es esto?

¿Quién ha hecho traición? ¡Todo estaba previsto para que estos soldados dejasen el paso franco!

Alguien —no se sabe si dentro o fuera del recinto— da la voz de *¡fuego!*, y la granizada de disparos despierta a todo el distrito. Se em piezan a abrir algunos balcones por los que recelosos se asoman vecinos asustados y curiosos. Los coches empiezan a retirarse. Alrededor de cuarenta hombres toman los coches apresuradamente y se lanzan velozmente hacia el Hipódromo, que es el lugar de concentración general del levantamiento.

Pero en el Hipódromo no están todos los que debían estar, ni mucho menos. La Guardia Civil no ha hecho acto de presencia. Tampoco los del Cuartel de la Montaña, ni los de Alcalá.

Una débil columna se pone en marcha a bordo de camiones y de coches particulares rumbo a Recoletos. Al llegar a la Cibeles les aguarda una sorpresa: junto a la puerta principal de Correos hay una camioneta de guardias de asalto. Algunos camiones vacilan, otros se adelantan y en, unos minutos los soldados y los guardias de asalto están frente a frente. Un hombre de paisano, de estatura reducida, bastante calvo se adelanta al oficial del Ejército:

—Teniente, ¿qué hace aquí esta tropa?

—Estoy cumpliendo órdenes de mis jefes. ¿Y usted quién es?

—¿No me conoce? Soy el director general de Seguridad.

Se trata, efectivamente, de Arturo Menéndez, director general de Seguridad.

—Señor teniente, de orden nuestra le conmino a que lleve la fuerza al cuartel y venga a presentárseme.

—Yo no...

—¡Por última vez le requiero obediencia!

Los guardias de asalto han ido rodeando la escena. El teniente —Muñiz— ordena a los soldados volver a los camiones.

Se inicia una retirada lenta, demasiado lenta para no despertar las sospechas de Menéndez y de sus hombres. Los guardias se despliegan en guerrilla. Los camiones se unen al grueso de la columna en Recoletos. El capitán Fernández Silvestre pregunta al teniente Muñiz por qué regresa sin haber ocupado el edificio de Correos. Casi no da tiempo a la respuesta. Se generaliza el tiroteo. Y pronto, muy pronto ya, los conjurados se baten en retirada. El levantamiento ha fracasado.

De las tropas con que los conspiradores contaban en un principio no se han presentado algunas de ellas.

El plan previsto era así: el jefe absoluto del movimiento, general Barrera, debía permanecer en Madrid, Sanjurjo sublevaría Sevilla, González Carrasco se levantaría en Granada, Ponte en Valladolid, el coronel Varela en Cádiz, Sanz de Lerín en Navarra —donde los antigubernamentales contaban con 6.000 hombres—, Fernández Pérez lanzaría en Madrid a la calle la caballería de la Remonta de Tetuán de las Victorias y los regimientos 2 y 3 de Alcalá de Henares. El coronel Martín Alonso estaba seguro de contar con la colaboración íntegra de las tropas del cuartel de la Montaña.

Lo primero a hacer, ocupar el ministerio de la Guerra, apresar a Azaña, apoderarse de la Telefónica y del Palacio de Comunicaciones, asaltar el ministerio de la Gobernación.

Todo ha salido mal. El general Fernández Pérez, jefe directo de la columna, se refugia en el domicilio de unas señoras amigas. El general Barrera, al conocer la suerte de la sublevación acude a las siete de la mañana a un aerodromo particular situado en los alrededores de Madrid. Por si la fortuna hace que las tropas obtengan al fin la victoria, el avión no despega, sino que espera hasta las nueve, a cuya hora el general da al piloto la orden de salir.

Este viaje del general Barrera tiene todos los alicientes y todas las emociones de una aventura. Después de un vuelo de sobresaltos llegan a Pamplona. «Allí —dice el propio general— convoqué, dialogué, insistí, porfié. Todo inútil. Los concursos requeridos se negaron a prestarnos colaboración por no considerarse obligados sino en el caso de que la orden partiera del ministerio de la Guerra». Entonces, Barrera ordena cargar gasolina y volar de nuevo a Madrid. ¿Qué noticias hay en la capital...? No sólo el alzamiento ha fracasado sino que el Gobierno ha iniciado una rápida represión, deteniendo a todos los monárquicos calificados y a todos los militares sospechosos de antirrepublicanismo.

Nuevo vuelo, ahora rumbo a Sevilla, donde ha ido Sanjurjo. Pero apenas tomar tierra en Sevilla le comunican que Sanjurjo ha salido de allí y que incluso se dice que se ha entregado o ha sido apresado en Huelva. Por si esto es poco, no les facilitan gasolina para despegar de nuevo.

Andando a campo través obtienen unos pocos litros en una venta cercana, los suficientes para que el aeroplano pueda salir al aire y volar unos escasos kilómetros. Nuevo aterrizaje y nuevo socorro de gasolina, para alcanzar Madrid. Cuando van a tomar tierra ven desde el aire que la Guardia Civil se apresta a cercar el aparato y detener a la tripulación. Entonces, ¡otra vez al aire, ya casi sin esencia! Aterrizan en un campo cercano. A pie, de paisano, el general Barrera llega a la Ciudad Universitaria. Toma un taxi y da la dirección de una iglesia. Allí entra por una puerta y sale por la otra. Va a casa de unos amigos y se oculta hasta la madrugada. Poco antes de amanecer cambia de refugio. A duras penas consigue alcanzar la frontera y pasar a Francia. Este es el colofón del movimiento del 10 de agosto de 1932 en Madrid. Pero, ¿y en Sevilla?

El general Sanjurjo ha acudido desde Madrid a Sevilla en la madrugada del 9 al 10 de agosto. Va a sublevar la plaza contra el Gobierno republicano de Madrid. Le acompañan su ayudante, el teniente coronel Esteban Infantes, y su hijo, oficial del Ejército.

Su proclama dice, entre otras cosas, lo siguiente:

"¡Españoles! Surge de las entrañas sociales un profundo clamor popular.

"No venimos, sin embargo, a imponer un régimen político contra la República, sino a libertar a España de la alarma que sólo en un año ha ocasionado daños tan gravísimos en lo material y en lo moral." "La forma en que los Poderes del Estado han de organizarse se determinará por la representación legítima de todos los ciudadanos, designada en elecciones que se celebrarán en un régimen de libertad, sin amenazas ni coacciones que impidan manifestar libremente la libertad individual de los electores." "Para ello es preciso, ante todo, que la paz y la disciplina sociales se restablezcan en beneficio de todas las clases y no en la de una de ellas, de modo que los actos políticos de todas las tendencias puedan celebrarse en un ambiente de tolerancia y de respeto mutuo sin que las gentes pacíficas se vean amenazadas, como en el último simulacro de las elecciones, por bandas de forajidos." "Los poderes que esta Junta asume durarán el tiempo indispensable para restablecer la disciplina, postulado esencial previo para la legitimidad de cualquier Parlamento que la nación elija." Y termina: "¡Viva España!" "¡Viva la soberanía nacional!"

Algunas de las unidades responden al compromiso de alzamiento, pero otras vacilan. De todas maneras, el golpe triunfa por el momento y las autoridades republicanas son depuestas.

El relato personal del teniente coronel Esteban Infantes da suficiente luz, descontado la natural parcialidad de estos momentos:

"Durante las primeras horas de aquella noche (la del 10 al 11 de agosto), llegaron hasta Sanjurjo emisarios de importantes poblaciones andaluzas, confirmando el fracaso total de la sublevación en el resto de España; pero al mismo tiempo, por lo que respecta a Andalucía, eran portavoces de nuevos ofrecimientos y cooperaciones muy importantes y valiosas, tanto que consolidaban cada vez más la situación de Sanjurjo en el Sur de España, y mientras tuviera un núcleo de fuerzas armadas, aunque fuera pequeño, que le permitiera mantener el orden público y servir al propio tiempo de atracción para que se le incorporaran las que caminaban hacia Sevilla, el éxito era muy probable.

"Estaba desnudándose Sanjurjo, cuando el ordenanza anunció la visita del coronel Rodríguez Polanco y del teniente coronel Muñoz Tassara, ambos del regimiento de Infantería número nueve. Inmediatamente les llevé a presencia del jefe.

"El coronel, nervioso, vacilante, sin atreverse a exponer el objeto de su inesperada visita, miraba al minúsculo Muñoz Tassara como si de él esperara recibir ayuda para salir adelante del apurado trance en que se encontraba. Nos consultamos con la mirada García de la Herrán y yo, un poco alarmados de los preámbulos de esta conferencia, solicitada con carácter urgente, y no tardamos en formular la pregunta obligada:

"—Bueno, pero ¿qué pasa?

"Por fin, tímidamente, con voz apagada y ademán abatido, dijo el coronel:

"—Enterados de que fuerzas de Madrid, Cádiz y Valencia vienen contra Sevilla, hemos acordado, mi general, no combatir contra nuestros hermanos; y en nombre de toda la guarnición vengo a hacerle presente que la columna preparada para salir de Sevilla no acata esa orden.

"La impresión que nos produjeron estas palabras fue realmente penosa. Sanjurjo no dio muestras de la menor alteración; sólo su cara revelaba un asombro extraordinario. García de la Herrán pronunció "gruesas" palabras de indignación. Yo, dirigiéndome a Muñoz Tassara, le dije:

"—Esto es, sencillamente, entregar al general en manos de sus enemigos. Esto es una traición.

"Me contestó, muy redicho, unas palabras de evasiva pueril.

"Nos mandó callar Sanjurjo, y, asqueado por lo que acababa de oir, se limitó a decir:

"—¡Muy bonito y muy caballeroso! Hagan ustedes lo que quieran; pero advertido ya de la manera cómo suele usted proceder, coronel, no me basta con su palabra, es preciso que me dé por escrito la retractación del compromiso que voluntariamente adquirió usted esta mañana.

"Se avino a ello fácilmente el coronel, haciendo allí mismo una declaración escrita, que por lo confusa no era admisible, y, por fin, el tercer documento redactado fue admitido y recogido por Sanjurjo.

"En este documento se expresa con toda claridad que de buen grado se sumó a la sublevación, haciéndolo creído que el prestigio del jefe sería lo bastante para alcanzar la victoria sin necesidad de combatir; pero visto que era posible el encuentro entre hermanos, se oponía a ello en nombre de toda la guarnición.

"Sanjurjo se guardó esta vergonzosa retractación y, con expresión de profundo desprecio, dijo a sus visitantes:

"—Ya no tenemos que hablar nada más, márchense ustedes.

"Les despachó como se merecían.

"Rápidamente, se puso en conocimiento de la Guardia Civil todo lo ocurrido, añadiendo el general que desistía de sus propósitos ante la defección del Ejército. "Con la moral perdida no se puede llegar a buen fin".

"Oída esta manifestación, la fiel Benemérita, que hacía guardia en Capitanía, acordó retirarse a su cuartel, acompañando siempre al general Sanjurjo, cuya vida juraron defender hasta el último momento.

"Y en silencio, a la una y media, próximamente, de la madrugada, salimos hacia el cuartel del palacio Nacional de la plaza de España, cruzando por toda Sevilla, tranquila y en reposo, bien ignorante la gente que a aquellas horas ya estaba entregada al descanso, que al apuntar el día, sin la autoridad de Sanjurjo que velara por la ciudad, se reproducirían alborotos, atentados o incendios, tan frecuentes en los últimos tiempos.

"Para evitar a la Benemérita el duro trance de entregar a su querido general o luchar enconadamente contra tropas del Gobierno o contra masas empujadas a una agresión, se acordó salir de Sevilla, utilizando el medio de transporte indispensable para llegar hasta Huelva, población alejada lo bastante para que nuestra presencia fuera acogida con la debida serenidad. Allí nos podíamos entregar al teniente coronel de la Comandancia de la Guardia Civil.

"En tanto que Sanjurjo comentaba sabrosamente las incidencias de la jornada, dos de nosotros fuimos a Casa-Blanca a recoger nuestros ligeros equipajes. Allí nos encontramos con quien la noche anterior nos acogiera con solicitud fraternal, sin que de sus labios brotara la más pequeña lamentación; sólo pude percibir en aquella cara serena una triste sonrisa.

"De regreso al cuartel mandamos detener un "taxi", que casualmente llegaba a la puerta: un coche malo, desvencijado, conducido por no sabemos quién; en él acomodamos lo indispensable para nuestro corto viaje.

"A las cuatro pasamos por Sanlúcar la Mayor, a cuya salida se bifurca la carretera que, por Aracena y Rosal de la Frontera, conduce directamente a Portugal. La bifurcación fue señalada oportunamente a Sanjurjo por si, habiendo cambiado de parecer, disponía seguir a la frontera; pero esta indicación fue recibida tan fríamente que no me atreví a insistir sobre el asunto.

"En dos pueblecitos, cuyo nombre no recuerdo, nos pidió la documentación la Guardia Civil, entendiéndose con ella, directamente, el teniente Carmona.

"A las cinco menos cuarto hicimos alto a la misma entrada de Huelva para informarnos de la calle más directa que conduce a la Comandancia de la Guardia Civil. Aprovechamos esta detención para apearnos y fumar un cigarro.

"En esto vimos pasar por nuestro lado, sin reparar siquiera en los coches, dos caminantes presurosos en dirección contraria a la nuestra. Algo detrás, como a unos veinte metros, percibimos inciertamente, con las primeras luces de la mañana, las borrosas siluetas de dos guardias de Seguridad. Uno de los guardias, el más próximo a nosotros, nos rebasó sin dar siquiera los buenos días, y el otro, que al parecer vio a Sanjurjo en el momento de poner el pie en el estribo para subir al coche, todo nervioso y descompuesto se echó el fusil a la cara, y exclamó: "¡Aquí está Sanjurjo! ¡Le conozco bien de Marruecos!" Acudió el compañero de pareja y los dos peatones primeros, que resultaron ser dos agentes de Vigilancia, saliendo nosotros al encuentro del grupo para calmar su manifiesta excitación. El que nos apuntaba incesantemente, al darse cuenta de la presencia de la Guardia Civil, se puso exaltadísimo, hasta el punto de que el propio general tuvo que acercársele y decirle con marcada ironía: "¡Descansa ya ese fusil! Y recibe mi felicitación, porque has demostrado ser un hombre muy sereno y muy bravo." Durante esta lamentable escena, el teniente Carmona y su gente esperaban con avidez, a unos metros de distancia, órdenes para intervenir.

"En total nos juntábamos nueve hombres bien armados, en situación de jugarnos la última carta (de haber entrado en nuestros cálculos), contra cuatro aprehensores indecisos y hasta pesarosos, tres de ellos, del encuentro. Esta consideración, sin ningún otro comentario, basta para formar juicio de si fue o no voluntaria nuestra detención en Huelva."

Todo es urgente, todo es nervioso y acelerado a raiz del movimiento de este 10 de agosto. No va a perder tiempo el Gobierno republicano en aplicar todo el peso de la ley sobre los sublevados. El Consejo de Guerra contra el general Sanjurjo se celebra el 25 del mismo mes. El jefe de la rebelión en Sevilla es condenado a muerte, en clara aplica· ción del Código de Justicia Militar.

Pero en toda España se mueve una fuerte campaña de prensa en favor del indulto. Algunos colegios de abogados escriben al jefe del Gobierno para que sea perdonado. Algunos de ellos recuerdan que fue precisamente Sanjurjo quien, el martes 14 de abril, y en ocasión de las dudas sobre la salida de Madrid de Alfonso XIII y sobre la conveniencia o no de proclamar aquella misma tarde la República, decidió la balanza poniendo a la Guardia Civil, de la que era director general, del lado de «la voluntad nacional». Incluso la madre del capitán Galán, fusilado en diciembre de 1930 en Jaca por haberse sublevado a favor de la República, visita al presidente Alcalá-Zamora para interceder en pro de este indulto.

Al fin, Alcalá-Zamora decide indultarle, y la medida es acogida con gran entusiasmo incluso por las izquierdas. Sanjurjo ingresa en el Penal del Dueso, viste el traje de los penados y va a ocupar la celda número 52.

El periódico *El Imparcial*, que se ha situado decididamente contra la concesión del Estatuto a Cataluña, llena sus páginas con enormes letras en tinta roja que dicen: «Españoles, ¡guerra al Estatuto!»

El general Cabanellas cesa como director de la Guardia Civil. En octubre, *La Gaceta* publica la expropiación forzosa de diversas tierras pertenecientes a la grandeza de España: son expropiados 129 duques, 127 marqueses, 92 condes, un vizconde, un barón, dos señores y siete grandes sin denominación.

El ministerio de la Guerra dispone que todos los jergones de los soldados, que reglamentariamente están llenos de paja, sean sustituidos en un plazo breve por otros llenos de borra.

Promulgado el Estatuto catalán, se celebran las primeras elecciones al Parlamento de Cataluña. Las izquierdas obtienen 105.173 votos; las derechas, 45.589. Triunfo particular de la Esquerra de Francisco Macía sobre la Lliga de Cambó.

Capítulo 28. GATOS DE PLANTILLA EN EL AYUNTAMIENTO (año 1932). Las travesuras de **Gutiérrez**. Estadísticas de la vida madrileña. Cierto concejal algo fresco. El **yo-yó**. Enlaces ferroviarios. La obra de Zuazo Ugalde. Los gatos de plantilla en el Ayuntamiento. 80 millones de pesetas para Madrid. Curiosa escena municipal en Carabanchel. El rapto del hijo de Lindberg. Composición de la Cámara de Diputados. Comienza la **obstrucción**.

La revista de humor más leída en Madrid es *Gutiérrez*, antecedentes de otras muchas publicaciones humorísticas que han ido conociendo los años posteriores. *Gutiérrez* publicaba una sección de *anuncios por palabras necias*, parodia de las secciones serias que publicaban periódicos como *El Liberal*, y que a fin de cuentas tenían también bastante humor.

«Vendo todos los utensilios de la cocina por no poderlos utilizar. Tribulete, 999.»

«Busco mecanógrafa guapa, sin novio, que no se enfade ni dé tortas como la otra porque el jefe se propase un poco. Casa seria.»

«El fiambre», pompas fúnebres. Alcalá, 900.»

«Madre anciana, sorda, medio ciega y viuda con hija muy mona y hacendosa de dieciocho años, admitiría huésped señor maduro gran posición, serio, soltero o viudo. Cobraría poquito, porque ella lo que quiere es sólo ayudarse un poco a pagar el piso. Inocencia López, Encerradero, 24.»

«Joven artista incomprendido, gran poeta, todo lirismo y arte, administraría capital a señora muy rica cuarenta, cincuenta, noventa, cien años, los que sean, porque yo ya estoy en las últimas. Señor González. Continental Celestina.»

«Viuda honrada, decente, buena familia, cinco duros, Clara, Continental Celestina.»

«Academia de cuplés. Se enseña rápidamente el repertorio moderno y las mejores recetas para quitar los sabañones de las manos. Enseñanza de canto por correspondencia. Gran repertorio de cuplés de una que la abandonó uno y la deja tirada en el arroyo, y de chulas de Madrid que comen los garbanzos con tirador. Especialidad en tangos de esos de acordarse de las ingratas que se van al rancho con un atorrante y dejan al novio tocando el bandoneón para olvidar. Maestro Fusa. Callejón del Obispo, 108, cuarto.»

Gutiérrez es la revista más divertida de 1932, y entra en muchas ca-

El jefe del Gobierno, señor Azaña, según caricatura publicada por Kaíto en la revista *Gutiérrez*, el 23 de julio de 1932.

sas madrileñas como un soplo fresco. Políticamente se centra en contra del Estatuto catalán, y como precisamente es en 1932 cuando el Estatuto se presenta, se rectifica, se discute y se aprueba, *Gutiérrez* tiene asunto durante más de veinte números y no ceja en su campaña anticatalanista.

Cada semana suele dedicar una hoja a parodia de periódico serio: «La ataiaya del conspirador», periódico defensor de toda clase de complots políticos siempre que vayan contra Azaña». Manuel Azaña, a la sazón jefe del Gobierno y ministro de la Guerra. *Los chavales*, semanario infantil para instruir a la niñez al par que deleitándola.

En esta página-parodia hay una sección titulada *Historia Natural*, que por su carátcer de antecedente directo de otras secciones de humor publicadas después de la guerra, vamos a reproducir parcialmente. Se titula «El guamanote del Perú», y dice:

> **"Este animal es uno de los menos conocidos que existen; tan poco conocido que puede decirse que es absolutamente desconocido. Se cría en el Perú en los terrenos pantanosos y su forma oscila entre el langostino y el buitre. Se alimenta principalmente de acerolas, pero como en el Perú no existe esta fruta, el infeliz pasa mucha hambre y se ve precisado a comer bocadillos de anchoas."**

Una estadística de noviembre de 1932 nos dice que el total de vehículos de motor que circulan por Madrid es de 24.039, distribuidos así: automóviles particulares, 11.735; taxis, 3.208; coches oficiales, 564; autobuses y ómnibus, 1.164; camionetas, 3.434; motocicletas, 1.627; tranvías motores, 525; remolques de tranvías, 82. Una circulación amable.

A final de este mismo mes se producen en Madrid dos lamentables accidentes: uno, el incendio espectacular en el Palacio de la Música, del que en los primeros momentos se temió una repetición de la catástrofe del Novedades y que, sin embargo, no ocasiona más víctima que un guardia herido; otro, el rompimiento de los cables del ascensor de la estación del *metro* de la Red de San Luis, desfondándose abajo el pesado cajón metálico y provocando una masa informe de heridos, de los cuales seis muy graves, otros tantos graves y el resto leves. Desde este día, el público de Madrid toma al célebre ascensor cierto respeto, y una vez reparado se tardará mucho tiempo en volver a tomarle confianza.

Al empezar diciembre, Madrid se conmueve con la muerte de uno de sus compositores más queridos, Amadeo Vives. Como tantos otros, Vives era uno de los artistas no nacidos en Madrid —catalán, de Collbató—, pero madrileño de adopción.

En el Ayuntamiento se registra una violenta crisis interna a causa de la conducta de cierto concejal. La Inspección de los Servicios Municipales ha descubierto que en la edificación de la Casa de Baños de la Guindalera, el mortero, en cuya composición debían haber entrado 300 kilos de cemento por cada metro cúbico, sólo contenía 157 kilos.

Lo peor de esto es que se ha sabido que todo ello ha sido autorizado por el concejal encargado precisamente de vigilarlo y de denunciarlo. Puesto el asunto sobre la mesa, se descubre también que este mismo concejal, en ocasión de visitar las obras del Mercado de Frutas, dijo al contratista que le convenía mucho comprar los ladrillos a cierta persona que era, casualmente, el padre del propio concejal.

Los otros concejales invitan a su compañero a abandonar el escaño municipal. Este se niega. Los concejales abandonan el salón, y quedan solos el alcalde —Pedro Rico— y el culpable. El alcalde se levanta y dice:

—Como un Ayuntamiento es una asamblea y no un diálogo, y aquí hemos quedado solos usted y yo, se levanta la sesión y daré cuenta de lo ocurrido a la superioridad.

La superioridad es el gobernador civil. Días después, el concejal acusado es invitado por sus compañeros de nuevo, después de haberlo así acordado por unanimidad, a abandonar el salón. El culpable se resigna y se retira, no sin antes promover un serio incidente con el alcalde. Y todo esto lo airea la prensa y lo sabe al minuto el pueblo de Madrid.

El pueblo de Madrid que en estos últimos meses del año 1932 está apasionadamente divertido con el *yo-yó*, el juego más tonto remitido desde los Estados Unidos. Mientras el presidente Herriot visita la capital de España, mientras fallece el popular maestro Saco del Valle, Madrid entero se divierte mucho jugando al *yo-yó*, el juego de moda.

Se reúne en Madrid la Comisión de Enlaces Ferroviarios, presidida por el ministro de Obras Públicas, Indalecio Prieto. El proyecto de enlazar bajo el suelo de Madrid las diversas estaciones de ferrocarril, y éstas a su vez con las líneas del *metro* es ambicioso y parece que va a ser puesto en marcha inmediatamente. Las vías que afluyen a las estaciones de Atocha y de Delicias entrarán en un túnel subterráneo, con tracción eléctrica, en las proximidades de la primera de las estaciones citadas, bajo la cual se establecerá un gran apeadero subterráneo también.

Un amplísimo túnel continuará por debajo de todo el Paseo del Prado, cruzará La Cibeles y continuará bajo Recoletos, la Castellana y la proyectada prolongación de ésta.

En La Cibeles, la línea ferroviaria empalmará con la del *metro* Sol-Ventas. Bajo la estatua de Colón, otro empalme con la también proyectada línea del *metro* Bulevares-Goya. Al final de la Castellana, otra estación. La línea se prolongará hasta el pueblo de Fuencarral, donde se montará una enorme estación de mercancías, desviándose hacia el Oeste para entroncar con la línea del Norte en las cercanías de Las Matas.

A lo largo de todo este trazado a roza abierta se establecerán varios poblados satélites de descongestión de Madrid. Proyecto valiente que culmina unos días más tarde, exactamente el 13 de diciembre de 1932, en que es creado por disposición oficial el Gabinete Técnico de Accesos a Madrid, con figuras de tanto realce como el ingeniero Alberto Laffón, el gerente de los Servicios Técnicos del Ayuntamiento José Lorite, y el prestigioso arquitecto Secundino de Zuazo, ganador de un difícil concurso de urbanización de la capital y verdadero motor de todo cuanto se piensa o se perfila en pro de la modernización madrileña.

De estas fechas es la curiosa convocatoria de vacante de un gato de servicio en los Archivos Municipales. De los cinco gatos de plantilla en el presupuesto Municipal, valerosos felinos que actúan a diario ahuyentando ratones y salvando así los legajos del Archivo, uno ha muerto sañudamente atacado por las ratas. Muerte heroica que produce una vacante, que es convocada con toda la solemnidad que el caso requiere.

Se acuerda el precio de los autobuses: trayectos normales, quince céntimos; recorridos totales, veinticinco y treinta y cinco céntimos, según los casos; viajes al cementerio, cincuenta céntimos. Pronto —en la primavera de 1933— Madrid estrenará formidables autobuses ingleses de dos pisos.

Madrid, que ha obtenido una subvención por capitalidad de la Nación de ochenta millones de pesetas. El Ayuntamiento ya tiene completamente estudiado el plan de distribución de estos ochenta millones, si bien ello ha sido después de costosas sesiones y violentas discusiones. Los ochenta millones se repartirán así:

Para construcción de un nuevo Palacio Municipal en la plaza de España —donde, naturalmente, todavía no había la aglomeración de edificios altos que hay en la actualidad—, incluidas expropiaciones y otros gastos, doce millones de pesetas. No es preciso aclarar demasiado el enorme valor que tienen doce millones de pesetas en el otoño de 1932, con el dólar cotizándose a once pesetas y el jamón a catorce pesetas kilo.

Para la construcción de un Palacio de Exposiciones y Congresos al final de la Castellana, ocho millones.

Para un nuevo Viaducto en la calle de Bailén y urbanización de las zonas adyacentes, siete millones.

Para la prolongación de la Castellana y obras del nuevo Hipódromo, ocho millones.

Para la construcción de grupos escolares, siete millones.

Para la construcción de mercados, ocho millones.

Para la construcción de un Parque Central de Bomberos, garaje municipal y talleres para autobuses, siete millones.

Para obras de embellecimiento y mejoras urbanas, nueve millones.

Para urbanización y embellecimiento de la parte de las antiguas caballerizas reales, dos millones.

Para contribución a la construcción de casas baratas, seis millones doscientas cincuenta mil pesetas.

Para gastos imprevistos y abono de intereses por pagos aplazados, cinco millones setecientas cincuenta mil pesetas.

La consignación para casas baratas se entiende reintegrable. El Gobierno ve con buenos ojos esta distribución y aprueba el proyecto.

Como nota curiosa, esta HISTORIA DE MADRID va a reproducir una carta remitida por un concejal del Ayuntamiento de Carabanchel, Francisco Claudio, al periódico *El Liberal,* y que éste publicó en toda su extensión en su número del 19 de diciembre.

"En la noche del jueves, después de terminar la sesión, y cuando iba a recoger el abrigo para marcharme, a una ofensa de palabra del concejal señor Villa me vi obligado a contestar de obra; de rechazo, el señor Villa me lanzó una escupidera, con tan mala fortuna que fue a dar en la cabeza del señor alcalde, que no había intervenido en el asunto."

Nuestro particular decoro ha estado dudando; esta escena, entre solanesca y cordonicesca, mitad sañudo gesto, mitad burlesca murga, ¿debía ser incluida en las páginas de nuestra Historia...? La duda se ha disipado: ¿sucedió esto en Madrid...? Sí. ¿Es noticia...? Sí. Entonces, ¡a incluirla! E incluida va.

Se estima, con todos los respetos para los que estimen lo contrario, que la maravillosa secuencia de dos concejales discutiendo, uno de ellos que agarra una escupidera y se la lanza al otro; el otro que se agacha y el artefacto que da en la cabeza de la primera autoridad municipal, tienen derecho a conocerla los que no la vieron, ni la leyeron, los que nacieron después. Y a ellos va dedicada. Más aún si se tiene en cuenta que poco después Carabanchel dejó de ser un municipio más o menos independiente para convertirse en una barriada de Madrid.

Las noticias del mundo que se leen con avidez en el Madrid de 1932 están dominadas por una sobre todas: la relativa al rapto del hijo de Carlos Lindberg. En parte por la inmensa popularidad del padre cuyo vuelo no ha sido ni mucho menos olvidado; en parte por la gran organización publicitaria de la prensa norteamericana, el asunto Lindberg llena las conversaciones en Madrid.

Puede asegurarse que no ha habido en el mundo, ni antes ni después, un rapto de niño tan periodístico como éste, que llega incluso a modificar la ley en los Estados Unidos, considerando el rapto como delito federal, perseguible sin distinción en todos los Estados de la Unión y punible con la pena de muerte.

La aparición de varios niños raptados en los larguísimos días que dura la incertidumbre, las llamadas telefónicas falsas, los actos de vandalismo en torno al hecho principal, la anécdota del ofrecimiento de Al-Capone, que estaba en la cárcel y que se compromete a encontrar al niño si se le pone en libertad, el descubrimiento, por último, del niño bárbaramente asesinado, la detención del asesino, todo es una alucinante novela que mantiene en tensión el ánimo de los madrileños.

Por las noches compran el periódico con interés por todas las huelgas y todos los disparos y todos los crímenes pasionales, que no faltan ni mucho menos en el Madrid de 1932, pero ávidamente se van los ojos a las tenebrosas noticias que llegan del otro lado del mar, la angustia de los padres famosos, la espeluznante historia del criminal.

Un ruso blanco asesina en París al presidente Doumer de la República francesa. Sólo breves días más tarde, el jefe del Gobierno japonés. Inukai, es asesinado en su despacho por un oficial nipón de uniforme. Esto hace que en todas las cancillerías del mundo sean reforzadas las guardias personales de los jefes de Estado y de los primeros ministros, menos en España, donde, sin que se sepa por qué, nadie lo propone y nadie lo pide.

El primero de junio —Alemania sigue sus pasos meticulosamente—, Hindemburg encarga a Von Papen de formar Gobierno. Exactamente dos meses y medio más tarde, el 15 de agosto, se constituye el nuevo Reichstag, tras unas elecciones a diputados que marcan el indiscutible triunfo de las huestes hitlerianas: 230 diputados nacional-socialistas, 133 social-demócratas, 89 comunistas y 75 centristas. Los diputados de Hitler se presentan en los escaños de uniforme y saludan rígidos y brazo en alto la presencia de su jefe.

Conviene conocer en detalle, al ultimar el estudio del año 1932 madrileño, cuál es la composición de la Cámara de los Diputados, ya que en años sucesivos, y hasta la fecha cumbre del 18 de julio de 1936, esta composición ha de ir cambiando, unas veces hacia la derecha y otras hacia la izquierda, y así, dando tumbos, hemos de llegar al estallido del dramático verano.

La mayoría absoluta, por grupos de representación, corresponde en los últimos meses de 1932 a los socialistas, con 114 diputados. Les siguen en importancia los radicales de Alejandro Lerroux, con 89, y a continuación los radical-socialistas, con 55. La Izquierda Catalana —*Esquerra*— suma 42 diputados y es, por lo tanto, el cuarto grupo en importancia.

Acción Republicana, 30. Los Agrarios —derecha moderada—, 24. La Federación Republicana Gallega, 19. Los vasconavarros, 15. Los republicanos conservadores, 14. La Agrupación al servicio de la República, 13. Federales, 9. Progresistas, 8. Izquierda Andaluza, 7. Diputados que no han prometido, 2. E Independientes sin clasificar, 25.

Con estas cifras se producen a veces divertidas escenas en un Parlamento en el que hay, sin duda, muchas personas de buena voluntad, pero también unos cuantos aventureros de escasísima talla moral. En estos últimos meses de 1932 empieza a dibujarse en el seno de la Cámara una figura que es la obstrucción: la obstrucción no es lo mismo que la oposición. Hermoso juego éste en el que republicanos que no están representados en el Gobierno se dedican a obstruir sistemáticamente todos los proyectos presentados por los otros republicanos que sí figuran en el Gabinete.

Ya se han olvidado de que apenas hace año y medio fue derribada una Monarquía contra la que todos habían ido juntos. Ahora se trata de obtener el poder, y para ello nada mejor que obstruir. La palabra *obstrucción* cobra inusitada importancia en los medios políticos de toda España. Los diputados son o no son de *los de la obstrucción*, en cuyo centro y como grupo de más enjundia figuran los radicales y a su frente Lerroux.

Así, paradójicamente, el republicano español de más historia, el hombre de los fogosos discursos de los años veinte, el jefe de uno de los partidos más disciplinados de España, el *emperador del Paralelo*, Lerroux, se convierte, por arte y magia de la *obstrucción*, en el más difícil enemigo del Gobierno de la República.

Va a ponerse sobre el tapete la Ley de Congregaciones, una disposición eminentemente laica, pero que queda dentro de la política del Gobierno. Lerroux y su grupo hacen causa común con los diputados derechistas de la Cámara y cada aprobación de un artículo es una auténtica batalla de nervios para el Gobierno que, eso sí, se ve siempre apoyado por el bloque socialista, los radicales-socialistas, la Esquerra catalana y algunos sectores de menor cuantía, con los que a duras penas obtiene la mayoría para llevar adelante el articulado de la Ley.

De julio a diciembre, el cúmulo de disposiciones legislativas no queda atrás con respecto al número de leyes, decretos y órdenes nacidos de enero a junio. Apenas empezado este segundo semestre hace su aparición en la *Gaceta* otra ley referida a la celebración del matrimonio civil, que perfecciona la disposición anterior y perfila algunos detalles interesantes: por ejemplo, al establecer que el matrimonio ha de celebrarse con arreglo a lo que prescribe el artículo 100, se hace la excepción de que, sin embargo, no será leído el artículo 57, como manda el citado artículo 100. Es decir: no es preciso recordar a los contrayentes que *el marido debe proteger a la mujer y ésta obedecer al marido.*

Un decreto de Gobernación de la misma fecha reorganiza el Servicio de Correos mediante 39 Bases y ocho transitorias. Los sueldos que establece la Base última denotan la tónica de la época: el técnico ganará de ingreso 5.000 pesetas anuales, los auxiliares femeninos se equiparan a los masculinos con 3.000 pesetas, que es a su vez el mismo de los carteros, y los subalternos quedan con 2.500 pesetas. Los primeros con quinquenios de 1.000 pesetas, el segundo grupo con quinquenios de 750 pesetas y los subalternos con 500.

Algo que suena a tiempo pasado, no por lo que representa, sino por el lenguaje empleado, es la Base 4.ª de la Orden de Trabajo y Previsión del 23 de julio, sobre contratos entre empresarios y toreros. En ella se dice que la empresa abonará al matador, como honorarios por su trabajo, la cantidad estipulada en el contrato, en billetes o *en plata gruesa.*

Hacienda lanza el Reglamento para la aplicación de los Derechos Reales. Constituye un mamotreto de 220 páginas y 282 artículos, pero pocas cosas escapan al afán previsor que esta vez ha mostrado el Ministerio.

Se crea la *Cátedra de Folklore* en el Conservatorio de Madrid, con dotación de 12.000 pesetas anuales, y se designa para el cargo a Oscar Esplá, de acuerdo con la propuesta formulada conjuntamente por la Academia de Bellas Artes de San Fernando, el Conservatorio madrileño y el Consejo de Instrucción Pública.

Es creada la *Orden de la República*, para premiar los méritos que contraigan los ciudadanos de uno u otro sexo *en el ejercicio de actividades beneficiosas para el interés público.* Es disuelto el Cuerpo Eclesiástico del Ejército. Se suprime la Dirección General de la Guardia Civil en el ministerio de la Guerra y se convierte en Inspección General dentro del ministerio de la Gobernación (esto, siete días después del levantamiento del 10 de agosto, mencionado en un capítulo anterior de este libro).

El individuo que durante la lidia de los toros —dice una Orden del 16 de agosto— *se lance al ruedo, será retirado por las asistencias de la plaza, que lo conducirán al callejón, para ser entregado a los agentes de la autoridad, imponiéndosele una multa de 250 pesetas, o, en su defecto, el arresto correspondiente. De hacer resistencia se le impondrá además otra multa de igual cuantía. Los espontáneos no podrán tomar parte en ningún festival taurino en un plazo de dos años.*

Para el lector joven puede hacer sonreír la cifra de 250 pesetas de multa, pero acabamos de hablar de los sueldos de Correos, y eso da fácilmente la pauta de lo que la sanción representaba: si un auxiliar ganaba 3.000 pesetas al año, el sueldo mensual era precisamente 250 pesetas, así que la multa suponía una mensualidad de un empleo público.

En este terreno de las cifras resulta también muy curioso el decreto de 24 de agosto aumentando en 2.500 el número de guardias de asalto. El teniente coronel gana 11.000 pesetas de sueldo y 5.500 de gratificación. Los capitanes, 7.500 de sueldo y 3.000 de gratificación. La compra de cien camiones para llevar a los guardias supone un desembolso de dos millones y medio de pesetas, ya que cada camión cuesta nada menos que 25.000 pesetas. Cincuenta coches turismo *faetón*, a 13.000 pesetas, 650.000 pesetas.

El 14 de septiembre, una ley de la Presidencia del Consejo prohibe la convocatoria de concursos y oposiciones que signifiquen aumento de plantilla, tanto en los Ministerios como en sus dependencias, sin autorización expresa de la misma Presidencia.

Al día siguiente aparece una ley importante: se trata de las Bases para la reforma del Código Penal, nacido en 1870 y prácticamente refrendado por la Dictadura. Algunas de las reformas son, naturalmente, la proyección de la República y de sus idearios: no se castigará especialmente el aborto culposo, pero *cuando a consecuencia del aborto resulte la muerte de la mujer, se impondrá la pena en su grado máximo.* Se suprimen como delito el *adulterio* y el *amancebamiento.* El hurto y la estafa serán delitos cuando la defraudación exceda de 50 pesetas, y falta cuando no pasen de esta cuantía.

El Estatuto del Vino, decreto publicado por la *Gaceta* el 13 de septiembre, prohibe en su artículo 9 —¡naturalmente!— *la adición de agua al mosto o vino, en la forma que fuere y aun cuando el fraude fuese conocido del comprador o consumidor.*

Mediado octubre nace la ley de Confesiones y Congregaciones Religiosas. *El Estado no tiene religión oficial. Todas las Confesiones podrán ejercer libremente el culto dentro de sus templos. Para ejercerlo fuera de los mismos se requerirá previa autorización gubernativa. En ningún caso podrán tener las reuniones y manifestaciones religiosas carácter político, cualquiera que sea el lugar donde se celebren.*

Desaparece, por disposición de 28 de octubre, la Junta Central de Puertos y en su lugar se crea, dentro del ministerio de Obras Públicas, la Dirección General de Puertos.

No menos de 600 artículos tiene el nuevo Código Penal —en lo sucesivo se llamará *de 1932* o también *de la República*—, aprobado por ley de 5 de noviembre. No figura en él la pena de muerte. Tampoco la cadena perpetua. La máxima pena, en su grado máximo, es la reclusión mayor, de veintiséis años, ocho meses y un día a treinta años. Las diferencias entre el Código de la Dictadura —que como se ha dicho no es otro que el del año 1870— y éste republicano es considerable, pero su estudio no corresponde a este libro.

Es creado el Instituto de Investigaciones Agronómicas. Se concede un crédito a Méjico para que compre buques a España. Se reorganiza el Tribunal Tutelar de Menores de Madrid. Se aprueban las Garantías Constitucionales —96 artículos— y el funcionamiento del Tribunal al efecto. Son aprobadas las bases de trabajo de los músicos (26,50 cobrará al día el violín concertino). Es creado el Museo Histórico Militar en Madrid, con sede en el Museo de Artillería.

Casi dos mil páginas de disposiciones en 1932. Hacer, deshacer, tejer y destejer. La República está en la adolescencia. En 1933 algo va a suceder, algo ha de suceder. Para verlo no hay más que pasar la página.

Capítulo 29. AUTOBUSES DE DOS PISOS (año 1933). Prolongación de la Castellana. Muere Tomás Luceño. Inauguración del Mercado de Vallehermoso. Nueva Inclusa. Autobuses de dos pisos. Grupos Escolares. Asesinato de Hildegart. Inauguración del Mercado de Tirso de Molina. Suceso tétrico. Nueva Cárcel de Mujeres. Nace el edificio del Capitol. Elecciones para diputados. El año taurino. Uzcudun-Carnera. Carteleras madrileñas. El año deportivo. El dramático vuelo del Cuatro Vientos. Nuevas monedas de peseta.

Y ya estamos en el Madrid de 1933, año que por cierto no comienza mal para la ciudad, ya que en los primeros días de enero se inician las obras de prolongación del Paseo de la Castellana, para lo cual son derribadas las cuadras y las tribunas del antiguo Hipódromo.

Es designado nuevo gobernador civil de la capital Mariano Joven, que sucede a Emilio Palomo, y Marañón alcanza por fin el sillón de la Academia. En los cuarteles, los soldados aparecen de pronto haciendo guardia con los nuevos cascos de reglamento, que llaman la atención de los madrileños.

Muere Tomás Luceño y su entierro constituye una de las tradicionales manifestaciones de duelo en la que se da cita el todo Madrid. Los periódicos siguen vendiéndose a diez céntimos, pero empieza a hablarse de la necesidad de subir el precio, ya que el papel-prensa está alcanzando tasas más elevadas.

Uno de los comentarios más sabrosos del Madrid de febrero de 1933 es el divorcio del duque de Hornachuelos, que para resolver su situación no ha dudado en acogerse a la nueva ley de la República.

Se inaugura el Mercado de Vallehermoso esquina a Fernando el Católico. Se trata de una construcción moderna, con 1.890 metros de superficie, de ellos 1.377 edificados. Cuenta con dieciséis puestos para venta de carne, nueve para huevos y caza, ocho para pescados y mariscos, doce para huevos, frutas y verduras, dos para bares, dos para leche, dos para pan, tres para abacería, cuatro para despojos, dos para quincalla y cuatro para varios. En el centro, cuarenta pequeños puestos sustitutivos de los de la venta callejera, extinguida.

En la ceremonia de la inauguración de este Mercado de Vallehermoso actúa la Banda del Colegio de la Paloma y asiste el Alcalde con varios concejales.

También en febrero se inauguran varios grupos escolares: los llamados de Rosario Acuña, de Blasco Ibáñez, de Pablo Iglesias, de Lope de Rueda y de Tomás Bretón, con cuarenta y siete clases en total y capacidad para 2.600 niños. A estas inauguraciones asiste el presidente de la República, Alcalá-Zamora.

Finalizando el mes se celebran animadísimos carnavales, que tienen su centro de mayor esplendor en Recoletos y en la Castellana, como es costumbre. En el paseo de Extremadura se monta una nueva pavimentación dejando a las vías del tranvía el espacio justo y necesario y ganando varios metros de anchura para el tránsito de vehículos a motor.

Una nueva Inclusa sustituye al antiguo edificio del torno y la monja: ahora todo es más moderno y el niño cedido es perfectamente fichado, sin que por ello queden los padres más o menos en entredicho.

En la glorieta de Bilbao esquina a Carranza y a Fuencarral nace un nuevo café, con modernísima instalación: es el Marly, que pronto se hace popular por su buen café y por su buen servicio.

El 14 de abril entran en circulación los autobuses adquiridos en Inglaterra, de dos pisos, de las marcas Leyland y Aclo, que vienen a cubrir diez líneas, siendo su presencia muy bien acogida por los madrileños.

En abril nacen otros cuantos grupos escolares, los denominados de Claudio Moyano, de Amador de los Ríos, de Tirso de Molina, de Marcelo Usera, de Joaquín Sorolla, de Joaquín Dicenta y de Giner de los Ríos, con capacidad para casi 5.000 niños.

En este mismo mes, la fiesta aérea de Barajas, organizada en conmemoración del segundo aniversario de la proclamación de la República, tiene un desenlace trágico: ocho muertos y siete heridos. Uno de los aviones cae sobre una casa de la calle de Claudio Coello no produciendo aún más víctimas por verdadera casualidad.

Se inician las obras de los ferrocarriles de enlace por debajo de Recoletos y el Prado. Como nota pintoresca de la época, copiamos a la letra la gacetilla de sociedad del periódico *ABC* del 23 de abril:

"A la marquesa de Aledo le ha sido practicada con éxito satisfactorio una operación quirúrgica. Los condes de Romanones han regresado de Castilleja de la Cuesta. Han llegado a Madrid los marqueses de Portago. Han marchado a Badalona los marqueses de Alhucemas. La marquesa viuda de Ivanrey ha marchado a su casa de Biárritz. El duque de Montealegre ha marchado a Churriana."

A final de este mismo mes se inaugura otro nuevo mercado madrileño, el de Tirso de Molina, quedando prohibida al propio tiempo la venta ambulante en todas las calles de la zona. A la llegada a Madrid del tren que conducía a las bellezas europeas, la Estación del Norte es escenario de un acto de gamberrismo intolerable. La multitud, concentrada en los andenes, empieza a gritar piropos bastante soeces, y acaba asaltando el vagón, metiéndose los mozalbetes por las ventanillas y produciendo incluso el desmayo de alguna de las visitantes. La elección de *Miss Europa* recae en Tatiana Marlow, *Miss Rusia*, una belleza realmente extraordinaria.

En junio, la prensa de toda España recoge el hecho sangriento y sorprendente sucedido en Madrid: una muchacha intelectual de izquierdas, Hildegart, es asesinada por su madre mientras dormía. Los periódicos madrileños llenan columnas y columnas, pues hay versiones para todos los gustos. Las declaraciones de la madre dicen:

—El día anterior me dijo que había descubierto que yo no era su madre y que me iba a abandonar. Tuvimos una fuerte discusión. Por la noche, cuando Hildegart estaba dormida, tomé un pequeño revólver que guardaba en un armario y le disparé un tiro en la cabeza, en el lado izquierdo. Hizo un extraño como de agradecimiento. Luego, le disparé otro tiro en la cabeza, por el mismo lado, y otro en el corazón. El cuerpo quedó así quieto definitivamente, pero le di el tiro de gracia, esta vez en el carrillo izquierdo.

Se dice que la madre es una enferma mental. Cuando la asesina lo sabe, convoca a la prensa a la cárcel para demostrar que ella es absolutamente normal. Se dice que la muerte no ha tenido la causa indicada, sino que la madre había querido tener una hija más perfecta y había sufrido, con Hildegart, una tremenda decepción. Se dice que la hija era el estorbo para los amores de la madre. Se dice...

El Ayuntamiento madrileño acuerda una medida que disgusta a todos: el traslado del mercadillo de Torrijos a la calle del General Porlier. Pero pronto se olvida este malestar, de orden menor, ante la preocupación creada por la aparición de algunas colgaduras monárquicas en la plaza de Canalejas, de donde son retiradas en medio de violentos incidentes.

Al día siguiente, en la cúpula de la Iglesia de las Calatravas aparece una silueta en escayola de Alfonso XIII. Acuden los bomberos a quitarla. Arriesgada exhibición y estupendo espectáculo público que además de interrumpir la circulación en uno de los lugares más céntricos de la ciudad provoca incidentes también.

Un señor da un «¡Viva el rey!» Le persiguen, se sube a un tranvía; la multitud detiene el tranvía y hace bajar al monárquico, que se salva gracias a la intervención de un capitán de la Guardia Civil, que garantiza su detención.

En la *playa de Madrid* se representa *Marina*, con gran afluencia de público y buen éxito de taquilla, aunque en plena representación se

—¡Eh, maño, suba usted a éste, que tiene la «jota»...!

(*Garrido* en Gutiérrez. 1933)

escuchan demasiados ruidos que nada tienen que ver con la partitura de Arrieta.

Se inaugura la nueva Cárcel de Mujeres, dotada de todos los modernos elementos técnicos necesarios, a semejanza de otras instituciones de parecida índole en el extranjero. El nuevo Gobierno Lerroux —del que se habla aparte— designa gobernador civil de Madrid a Mariano Arrazola, abogado de gran prestigio.

Suceso luctuoso: en el Circo de Price, la trapecista china Yuki-

Naito, de veintitrés años, en el curso de un ensayo pierde la cuerda y cae a la pista, matándose instantáneamente a la vista de su padre, que ve la caída, horrorizado, desde su puesto allá arriba, junto a la claraboya.

Pero quizá la nota tétrica del año la dé un hecho que *ABC* recoge con toda clase de detalles:

"En la mañana del domingo se encontraba en su domicilio, sito en la ribera del Manzanares, 63, Paz García Tamayo, acompañada de dos de sus hijos, uno de los cuales es demente y el otro imbécil.

"Paz, que se hallaba con su marido en la mayor miseria, era víctima de una enfermedad, que se había agravado últimamente con motivo de una afección gripal.

"Los vecinos de la casa, alarmados anteayer porque no habían visto salir a la mujer de su vivienda, entraron en ésta y vieron el cadáver de Paz tendido sobre un camastro. A su lado, el hijo demente se dedicaba a ponerle un zapato, en tanto que el otro, retrasado mental, se comía en un rincón de la estancia el contenido de una caja de betún. Se cree que Paz ha muerto de inanición."

Madrid va evolucionando día tras día a la medida y en la forma en que lo provoca, sin pretenderlo, el cine americano. Las maneras de vivir de los americanos del Norte —las maneras de vivir de los que allí viven bien— son servidas por el cine de Hollywood machaconamente a la Europa confiada de los años treinta.

Insensiblemente van siendo el módulo de lo que los madrileños, y sobre todo las madrileñas, quisieran ser, tener y hacer. Madrid, que copió las pelucas de los guardias de corps de Felipe V, y los modales de las guardias valonas de Napoleón, y todo lo que de manera espectacular nos fue llegando del exterior, se pone con ahínco en los años treinta a copiar los bailes, las músicas, las modas, los deportes, la manera de hablar y de mover las manos y hasta el ademán de saludar.

Todo lo que viene de los Estados Unidos tiene franca la entrada. Como muy pocos años después se pondría a copiar con frenesí los síntomas externos de regímenes políticos que eran también en Europa espectaculares y muy cinematográficos.

Surge el edifico del Capitol y la Gran Vía recibe con ello un refuerzo considerable. Se inagura la modernísima Facultad de Filosofía y Letras en la Ciudad Universitaria. Y en octubre, nuevo cambio en el sillón del Gobierno civil con la designación de Eduardo Benzo.

Con la intención de convertirlo en sede del Tribunal de Garantías, el Gobierno inicia, sin mucho éxito, ciertas gestiones encaminadas a adquirir el palacio de Medinaceli de la Plaza de Colón.

La estupenda actuación de Iturbi en Madrid pasa poco menos que inadvertida ante los graves incidentes que se desarrollan en la Facultad de Medicina, donde los estudiantes se hacen fuertes y atacan a la fuerza pública. Los guardias de asalto han de parapetarse en los tranvías parados para repeler las agresiones, y se cruzan centenares de disparos, aunque sin víctimas.

Huelga del ramo de la construcción. Aquí andan en desacuerdo los socialistas, mayoría, y los sindicalistas, minoría. La UGT opina de manera opuesta a como piensa la CNT. En consecuencia, a la salida de unas obras se tirotean los obreros entre sí, con el dramático resultado de cuatro muertos y más de veinte heridos. Al día siguiente, el Gobierno acuerda el cese fulminante del comisario general de Policía de Madrid.

La noticia más sorprendente de estos días es la fuga de Juan March de la cárcel de Alcalá de Henares. *Con oro nada hay que falle.* Es detenido un oficial de prisiones y desaparece con March precisamente el otro oficial encargado de su vigilancia personal.

En noviembre se inauguran varios grupos escolares. Nos hallamos ya en plena locura electoral y las paredes de Madrid aparecen materialmente cubiertas de carteles de propaganda: «Votad a fulano». Los grupos escolares han sido acelerados en su ultimación a fin de que sean también como grandes carteles electorales. Nuevas plazas para 5.000 niños madrileños distribuidas así:

Grupo Emilio Castelar	900	niños
Grupo Alfredo Calderón	600	”
Grupo Nicolás Salmerón	1.050	”
Grupo Mariano de Cavia	750	”
Grupo Leopoldo Alas	600	”
Grupo Miguel de Unamuno	900	”
Grupo 14 de Abril	950	”

La campaña electoral arrecia conforme se acerca el día de las elecciones. Menudean los asaltos, manifestaciones, tiroteos y asesinatos. Todo indica que en las urnas esta vez la lucha no va a desarrollarse con tranquilidad.

Por fin, el 19 de noviembre se resuelve la incógnita: triunfo socialista pero con notable presencia de la derecha, por ahora republicana. Tras una segunda vuelta en los primeros días de diciembre, los diputados que se proclaman en Madrid son:

Socialistas

Besteiro
Araquistáin
Llopis
Alvarez del Vayo
Negrín
Jiménez de Asúa
De Gracia
Martínez

Marial
Zancajo
Lamoneda
Trifón Gómez
Largo Caballero

Derechas

Matesanz
Rodríguez Jurado
Riesgo
Pujol

Un novillo desmandado se escapa en la Plaza de Toros madrileña y se mete en el patio de caballos, armando un alboroto. Fausto Barajas, con traje de calle, lo trastea hábilmente y le da media estocada. Otro de los novilleros que actuaban precisamente esa tarde le da media estocada más. El torete cae y es apuntillado.

Alternando con Villalta, Ortega y *Maravilla* —este último en ocasión de tomar la alternativa—, Manolo Bienvenida es cogido y herido gravísimamente. La tarde se pone de sangre: son también cogidos Ortega y *Maravilla*, si bien con menores consecuencias. Villalta se ve precisado a matar en esta memorable corrida de Beneficencia siete toros, lo que hace muy bien y con gran complacencia del público.

Otras cogidas graves son las de *Magritas*, en la Plaza de Tetuán de las Victorias; Félix Colomo, en la Monumental; Florentino Ballesteros, también en este coso; Miguel Palomino y Manuel González *Manolete*. Muy grave la del novillero Francisco Bernard.

Este es el año de la modificación del tamaño de las puyas de picador, que pasan a ser de 75 a 85 milímetros de longitud, con arandela de 60 milímetros de anchura, pero en las corridas de novillos la longitud queda rebajada a sólo 30 milímetros.

Toman la alternativa en Madrid, además de *Maravilla*, *Pinturas*, Fernando Domínguez, Luis Morales y algún otro. Son novilleros de cartel en esta temporada Lorenzo Garza, Félix Almagro, *Madrileñito*, Antoñete Iglesias, *Varelito II*, *Niño de la Alhambra*, *Niño de la Estrella*, Félix Colomo, *Gitanillo de Camas*, *El Soldado*, *Litri*, Pepe Chalmeta, *Niño del Matadero*, *Revertito*, *Rebujina*, Rodríguez Cruz, *Niño del Barrio*, *Rondeño*, *Gitanillo de Triana II*, *Gitanillo de Triana III*, Florentino Ballesteros, Jaime Pericás, *Jardinerito*, Amador Ruiz Toledo, *Niño de La Granja* y otros.

En deportes, ficha Samitier por el Madrid, procedente del Barcelona y con cierto natural disgusto por parte del club de la capital catalana y el Madrid se proclama campeón de Liga con este equipo: Zamora, Ciríaco, Quincoces, Regueiro, Valle, Gurruchaga, Eugenio, el otro Regueiro, Olivares, Hilario y Lazcano.

Aparte de Madrid, el fútbol nacional consigue vencer a Portugal en Vigo por 3-0, empata con Yugoslavia a uno, pierde ante Francia por 0-1 en París, y vence a Bulgaria por 13-0 en Chamartín. En boxeo, Uzcudun recupera el título de campeón de Europa al vencer en el quince asalto por puntos a Pierre Charles en la Plaza de Toros madrileña y Primo Carnera se proclama campeón del Mundo de todas las categorías al vencer a Jack Sharkey en Nueva York por k. o. en el sexto asalto.

En la travesía de la Laguna de Peñalara triunfan César García Agosti y Aurora Villa. Ya en octubre, Uzcudun se enfrenta con el coloso Carnera en Roma. El combate despierta la atención del mundo entero. Las características de los púgiles son:

Uzcudun: treinta y cuatro años; 95 kilos; 1,78 de estatura. Carnera: veintisiete años; 132 kilos; 2,05 de estatura.

Sobre el papel, triunfo para el italiano, que, efectivamente, se lo apunta, tras un combate violentísimo, pero sólo por puntos.

El mundillo teatral madrileño presencia la rabieta de Tirso Escudero, que desesperado por la indisciplina del personal, cierra el teatro de la Comedia, disuelve la compañía y se aparta de los negocios. Fallece Rosario Pino y es llorada por miles de aficionados al arte escénico que la sentían como cosa suya.

Con asistencia del presidente de la República y con carácter de gala extraordinaria, se representa, en un escenario improvisado en la plaza de la Armería, *Medea*, de Séneca, en la versión de Unamuno.

Los nombres que llenan las carteleras teatrales del Madrid de 1933 son, entre otros, los de Milagros Leal, Elvira Noriega, Mariano Azaña, Ana Adamuz, Salvador Soler Mary, María Mayor, Perlita Greco, Fernando Delgado, Amparito Taberner, Dorini de Diso, Maruja Tamayo —que gana el concurso de belleza entre las vicetiples de Madrid—, Luis Sagi Vela, Laura Pinillos, Pepita Díaz de Artigas, Carmen Pomés, Emilia de la Torre, Margarita Xirgu, Enrique Borrás, Catalina Bárcena, Loreto Prado, Enrique Chicote, Manuel Dicenta, Alberto Romea, Joaquín Roa, Eloísa Muro, Pepe Isbert, María Bru, Julia Lajos, Isabel Garcés, Rosario Pino —parte del año a causa de su muerte ya referida—, Alfonso Muñoz, Lola Membrives, Aurora Redondo, Valeriano León, Camila Quiroga...

Entre los estrenos del año destacan en el Victoria *El Príncipe que todo lo aprendió en la vida*, de Honorio Maura, y *La luz*, de Quintero y Guillén; en la Zarzuela, *Los hijos de la noche*, de Navarro y Torrado; *Romance de fieras*, de Linares Rivas, y la revista *Fu-Man-Chu*, (misterios de Oriente); en el Cómico, *Lo que fue de la Dolores*, de Acevedo, y *Los ateos*, de Estremera.

En el Lara, *La chascarrillera*, de Fernández de Sevilla, y *Las doce en punto*, de Arniches; en el Español, *Leonor de Aquitania*, de Dicenta; en el María Isabel, *El niño de las coles*, de Capella, y *Hay que ser modernos*, de Honorio Maura; en la Comedia, *¿Sería usted capaz de quererme?*, de Luis de Vargas, y *Trastos viejos*, de Muñoz Seca y Pérez Fernández.

En el Fontalba, *Las dichosas faldas*, de Arniches, y *La novia de Reverte*, de Serrano Anguita y Góngora; en el Muñoz Seca, *Ruth*, de Pilar Millán Astray, y *El niño se las trae*, de Ramos de Castro; en el Beatriz, *Bodas de sangre*, de García Lorca; en el Ideal, *La barbiana*, de Fernández Shaw y música de Magenti, y *El alma*, de Ardavín y Guerrero.

Género ligero en Romea y Maravillas: en aquel, *¡Gol!*, de Ramos, de Castro y Ribas, música de Guerrero, y en éste, *Los jardines del pecado*, opereta de Paso con partitura de Alonso; en el Calderón, *Azabache*, de Quintero, Guillén y maestro Moreno Torroba, y en Pavón *Los verbeneros*, sainete de Ramos de Castro y Ribas, con música de Obradors.

Los cines de Madrid presentan a Stan Laurel y Oliver Hardy en *Héroes de tachuela*, a José Mojica en *El caballero de la noche*, a Marta Egerth en *La novia de Escocia*, a Buster Keaton en *Las calles de Nueva York*, a Boris Karloff en *La momia*, a Paul Muni en *Soy un fugitivo*, a Carlos Gardel en *Esperame*, a Conrad Veidt en *Rasputín*, a Annabella y Jean Murat en *París Mediterráneo*, a Harold Lloyd en *Cinemanía*, a Frederick March en *El hombre y el monstruo*.

Maurice Chevalier y Jeanette McDonald presentan *Amame esta noche*; Irene Dunne y John Boles, *La usurpadora*; Henry Garat y Meg Lemmonier, *Il est charmant*; un reparto de excepción —Richard Dix, Mary Astor, Dorothy Jordan y Eric Von Stroheim— aparece en *La escuadrilla deshecha*; Raoul Roullien protagoniza el papel principal de *El último varón sobre la tierra*; Lupe Vélez y Luis Alonso son los intérpretes de *Hombres de mi vida*; Raquel Meller nos da unas *Violetas Imperiales* cargadas de dulce.

Triunfo ante la mujer, de John Barrymore en *El ídolo*, y de Marlene Dietrich, ante el hombre, en *La Venus rubia*; consagración del cine de masas con *Ben-Hur*, por Ramón Novarro, y cine español con *El hombre que se reía del amor*, por María Fernanda Ladrón de Guevara y Rafael Rivelles. Y *Tarzán de los monos*. Y *Diablos Celestiales*. Y *King-Kong*. Y *Torero a la fuerza*.

Cada año la temporada cinematográfica es mejor que la anterior. Nuevas técnicas se van sumando al mundo prodigioso del celuloide para asombrar a los públicos de todos los continentes. La industria del cine empieza a contar positivamente entre las primeras de todas, y ello se deja sentir incluso en la anticuada España, en la lejana España...

El cinema Barceló inaugura, próximo el verano de este 1933, su salón terraza: cine al aire libre allá en lo alto, con dos pisos a disposición de un público que pronto acoge con entusiasmo la novedad.

De no ser dramática, la aventura del avión «Cuatro Vientos» hubiera resultado grotesca. No por falta de mérito de sus principales actores, el capitán Barberán y el teniente Collar, sino por la falta de mesura, por los excesos de imaginación, por la escasa talla mental de muchos de los que de cerca o de lejos intervinieron en la catástrofe.

El 10 de junio, un avión especialmente preparado para la hazaña, el «Cuatro Vientos», tripulado por Barberán y Collar, sale del aeropuerto de Sevilla para atravesar el Atlántico. El 12 toma tierra en Camagüey, Cuba, ante 10.000 personas que aclaman a los aviadores españoles entusiásticamente.

Barberán es hombre de aspecto serio, con gafas, calvo. Parece un profesor y, efectivamente, lo ha sido en la Escuela de Cuatro Vientos de Madrid. Tiene treinta y siete años. Collar es alto, de grata presencia, sonriente y sólo tiene veintiocho años. Pronto, las dos efigies se hacen populares de tan repetidas por la prensa española e hispanoamericana. Como es tradicional, los periódicos de la América del Norte dan las noticias del asombroso vuelo lo más escuetamente posible.

Después de una semana de agasajos en La Habana, el «Cuatro Vientos» inicia su etapa a Méjico. Pero el 21 de junio se sabe sólo que no se sabe nada, por lo que empieza a darse por perdido el avión. Las primeras noticias aseguran que se ha estrellado en un barranco de 3.000 metros (¡ya es barranco!), y que Collar ha muerto y Barberán está gravísimo. El avión —sigue diciendo esta primera noticia— ha sido hallado por unos indios de Apizaco.

Puede imaginarse la tensión de toda España ante estas noticias. Pero al día siguiente resulta que no hay confirmación oficial, y que las autoridades consulares españolas no han conseguido averiguar de dónde ha partido la versión del hallazgo. Aquí comienza toda una fea odisea periodística, en la que tienen tantos la culpa que es muy difícil hacerle caer definitivamente sobre nadie.

El día 23, el Gobierno mejicano anuncia que ha movilizado varios miles de soldados para que busquen afanosamente los restos del avión desaparecido. El 24 se publica una segunda nota oficial: han sido encontrados en el poblado indio de Casamalaleón; Collar tiene un brazo fracturado y Barberán está ileso.

El 25 se desmiente la noticia anterior, a la vez que se sugiere la posibilidad de que el aparato haya caído en uno de los numerosos lagos de la región sobrevolada. Pero el 27 tenemos otra vez *informes oficiales*: han sido hallados los restos del avión con los cadáveres de los dos aviadores en un bosque de palmeras en las inmediaciones de Tabasco. En Madrid se forma una manifestación algo violenta, para exigir que las banderas sean todas colocadas a media asta en señal de duelo.

El 28 se desmiente la información anterior, también *oficialmente*, también por parte de las autoridades mejicanas y guatemaltecas. En Madrid tenemos nueva manifestación para exigir que sean retiradas las banderas a media asta e izadas como corresponde, sin duelo alguno, puesto que a lo mejor Barberán y Collar siguen vivos.

El 29, los periódicos, a todo epígrafe, publican la última noticia: Barberán y Collar han sido recogidos vivos en el Golfo de Méjico por una barca de pesca. La prensa de la noche desmiente a su vez la noticia. Y así, con pares y nones, terribles pares y nones que a los familiares de los héroes debieron parecerles el más duro sarcasmo, el más cruel de los suplicios, un mes largo.

El 17 de julio hay en Madrid otra manifestación. Todo se arregla con manifestaciones. Ahora se trata de testimoniar públicamente el agradecimiento del pueblo de Madrid a los Gobiernos de Méjico y Guatemala por sus esfuerzos en encontrar a los aviadores. Esfuerzos que, en realidad, lo fueron, pero desorbitados, falseados por una prensa sensacionalista, a un lado y otro del mar —más allí que aquí—, que con tal de vender más periódicos no vaciló en inventar hasta con detalles.

La crónica pequeña de la vida nacional no anda escasa de temas curiosos. Los leprosos del Sanatorio de Fontilles se amotinan para exigir que les lleven curanderos en lugar de médicos. En Puertomingalvo, de la provincia de Teruel, la suspensión de la capea tradicional origina un motín y acaban soltándole el toro a la Guardia Civil..

En Carabanchel, un panadero y su hijo son cofundidos con unos atracadores y se libran a duras penas de acabar linchados por el vecindario. En Onda, Castellón, la orden de libertar a un matrimonio acusado de asesinato provoca una manifestación que intenta ahorcar a marido y mujer.

Salen a circulación las nuevas monedas de peseta, con la efigie y el escudo de la República, así como nuevos cuproníqueles perforados de veinticinco céntimos. Días después se ve claramente que hay acaparamiento de unas monedas y de las otras. Las cantidades puestas en circulación son mucho mayores que las que cualquier observador ve de mano en mano. Se dice que tanto la plata como el cuproníquel van a valer mucho más dentro de unos meses.

La *Gaceta* continúa en todo el curso de 1933 saliendo abundante de papel y abundante de disposiciones. Un somero resumen recoge nada menos que todo esto, referido sólo al primer semestre:

Reglamento de la ley de Accidentes del Trabajo en la Industria (236 artículos y cuatro disposiciones transitorias.)

Bases del Trabajo en la Banca Privada (24 bases, 10 adicionales y dos transitorias).

Orden creando la Dirección de Obras de los Enlaces Ferroviarios de Madrid.

Decreto creando el Instituto de Crédito para las cajas de Ahorro (50 artículos, una disposición final y tres transitorias) .

Se reforma el Reglamento de espectáculos taurinos: *las puyas tendrán en su base un tope de madera de cuerda encolada de siete milímetros de ancho.*

Bases de trabajo de pianista de *cabarets* con variedades y atracciones. El sueldo mínimo por pianista será de 31,50 pesetas diarias.

El 2 de marzo se publica una Orden del ministerio de Agricultura, Industria y Comercio sobre clasificación del pan candeal. *El pan de familia sujeto a tasa se fabricará en piezas de forma redonda y superficie lisa.*

El 14 se crea el Consejo de Cinematografía. El 16 nace una Estación de mejora del cultivo de la patata. El 28 se restablece la ceremonia de promesa de fidelidad a la bandera nacional:

> *¿Prometéis ser fieles a la Nación, leales al Gobierno de la República y obedecer y respetar y no abandonar a los que os manden?*
> *Sí, prometo.*
> *La Ley os amparará y la Nación os premiará, si lo hacéis, y si no, seréis castigados.*

Un decreto del 5 de abril crea la Dirección General de Aeronáutica. El 8 se promulga —disposición importante— la ley que regula el procedimiento para exigir responsabilidad criminal al presidente de la República. *Una vez adoptado el acuerdo de acusar al presidente de la República, el Congreso designará una Comisión de su seno para que mantenga la acusación ante el Tribunal de Garantías Constitucionales.*

Del mismo día es el decreto del ministerio de Justicia sobre seculación de cementerios. *Los Municipios podrán incautarse de los cementerios parroquiales...*

16 pesetas diarias cobrarán los inspectores de circulación y los inspectores de línea según las Bases del *metro* madrileño. Conductores, 10,50 al día. Jefes de tren, 9,50. Así lo establece la orden de Trabajo publicada en la *Gaceta* del 5 de abril.

Una copiosa relación por orden alfabético, que se inicia con la duquesa de Abrantes y termina con el duque de Zaragoza, acoge a los 254 miembros de la extinguida grandeza de España, que han hecho uso de sus prerrogativas honoríficas en relación con la Reforma Agraria. El duque de Alba ocupa, por sus numerosos títulos, quince líneas de la disposición para él solo, seguido del duque de Medinaceli. El de Alba es todo esto:

> *Don Jacobo Stuart y Falcó Portocarrero y Osorio, duque de Arjona, de Berwick, de Huéscar, de Liria y Jérica, de Montoro; conde-duque de Olivares; marqués del Carpio; conde de Baños, de Lemos, de Lerín, de Miranda del Castañar, de Monterrey, de Osorio, de Siruela; condestable de Navarra; marqués de la Algaba, de Ardales, de Coria, de Elche, de la Mota, de Noya, de Osera, de San Leonardo, de Sarriá, de Tarragona, de Villanue-*

va del Fresno y Barcarrota, de Villanueva del Río; conde de Andrade, de Ayala, de Casarrubio del Monte, de Fuentes de Valdepero, de Fuentidueña, de Galve, de los Gelves, de San Esteban de Gormaz, de Santa Cruz de la Sierra, de Villalba; vizconde de Calzada, senador...

El 6 de mayo, un decreto del ministerio de Justicia autoriza a las mujeres para convertirse en Procuradores. Dos días después se regula el ingreso de auxiliares femeninos en Correos. El auge de la mujer recibe, en este 1933, un impulso considerable.

El 8 de mayo se aprueba el contrato colectivo entre la Telefónica y su personal. 80 artículos y cinco disposiciones transitorias. El 24, decreto aprobando los nuevos Estatutos del Banco de España. El 2 de junio se hace pública la ley de Confesiones y Congregaciones Religiosas. El 14 ve la luz la ley relativa al Tribunal de Garantías Constitucionales. Estas dos últimas disposiciones son de las más decisivas del presente período republicano.

Capítulo 30. LA REPUBLICA CAMBIA DE VIA (año 1933). Fuga de deportados. Los sucesos de Casas Viejas. Elecciones municipales. Nuevo Gabinete Azaña. Causa por el 10 de agosto. Luchas estudiantiles y obreros en las calles. Primer Gabinete Lerroux. Gabinete Martínez Barrio. Triunfo de las derechas. Segundo Gabinete Lerroux. Incidente entre Prieto y José Antonio Primo de Rivera en las Cortes. Hitler, canciller de Alemania. El acto del teatro de la Comedia. Nace Falange Española. Incendio del Reichstag. Pánico financiero en Norteamérica.

Desde el punto de vista político, 1933 no puede empezar peor para las autoridades republicanas. El 2 de enero se fugan, a bordo de un balandro francés, 29 de los deportados de Villa Cisneros, entre ellos Pablo Martín Alonso, Francisco Ansaldo, Alfonso de Borbón y Manuel Fernández Silvestre. El Gobierno destituye al gobernador de Río de Oro y al comandante del cañonero «Cánovas».

Apenas repuesto de esta dura sorpresa, el Gabinete ha de hacer frente a un grave complot anarco-sindicalista, con numerosos intentos de asalto a los cuarteles de Madrid y de Barcelona. En muchos pueblos es colocada la bandera roja o la roja y negra en los balcones de los Ayuntamientos.

El 12 se produce lo más grave: los célebres sucesos de Casas Viejas. Una rebelión sangrienta de este pueblecito gaditano hace afluir allí copiosas fuerzas de la Guardia Civil y de Asalto. Una joven conocida por *La Libertaria* insulta a gritos a los guardias y les dice que si son hombres que salgan a pelear con ella sin armas. Dentro de la choza incendiada perecen sus defensores. *La Libertaria* es detenida y puesta en libertad cuatro días después. Durante todo el año se hablará ya de *lo de Casas Viejas*.

La nota oficial, que deliberadamente no entra en detalles, dice así:

> **En el pueblo de Casas Viejas ha sido tomada la casa donde se habían hecho fuertes los revoltosos. El asalto se hizo con bombas de mano y todos los que se hallaban en el edificio han perecido, con excepción de un guardia de asalto que se encontraba herido y que lo retenían los revoltosos como rehén.**
>
> **El total de los revoltosos muertos es de 18 a 19. La casa está**

ardiendo a consecuencia del bombardeo, así como otras dos colindantes, a las que se propagó el fuego.

Las bajas de las fuerzas han sido: un sargento de la Guardia Civil, grave; un guardia de asalto, muerto; otro guardia de asalto, que es el que tenían los revoltosos, herido; un cabo de asalto, herido de perdigonada en el brazo y en la mano.

Las fuerzas efectuaron un registro en todas las casas del pueblo, y en todas encontraron armas de diversas clases, desde el clásico trabuco hasta la espingarda. Fueron detenidos numerosos vecinos, incluso unos que conducían un cajón de hoces nuevas, afiladísimas, que pensaban utilizar para agredir a las fuerzas.

Unas señoras vestidas de negro y con velos de salir de misa venden periódicos monárquicos en la calle de Alcalá. Unos estudiantes se los quitan y los queman delante de ellas. El Gobierno, que se ve desbordado por los extremismos de la izquierda y de la derecha, destituye al director general de Seguridad y designa para sustituirle a un periodista prestigioso, Andrés Casaus, hasta entonces gobernador civil de Zaragoza. En estos mismos días Ramón Casanellas, el asesino de Dato, es detenido en Barcelona.

Los oficiales de Asalto que han intervenido en lo de Casas Viejas hacen pública una nota importantísima, en la que se dice nada menos que lo siguiente:

"En Madrid, a 26 de febrero de 1933.

"Los capitanes de Seguridad que mandaban el día 11 del pasado mes de enero las Compañías de Asalto residentes en aquella fecha en esta capital, certifican lo siguiente:

"Que por el prestigio y dignidad del Cuerpo de Asalto, al que se honran pertenecer, manifiestan que en la citada fecha les fueron transmitidas desde la Dirección General de Seguridad, por conducto de sus jefes, las instrucciones verbales de que en los encuentros que hubiese con los revoltosos con motivo de los sucesos que se avecinaban en aquellos días, el Gobierno no quería ni "heridos" ni "prisioneros", dándolas el sentido manifiesto de que únicamente les entregáramos muertos a aquellos que se les encontrase haciendo frente a la fuerza pública o con muestras evidentes de haber hecho fuego sobre ella.

"Y para que conste, firman por duplicado el presente escrito. ¡Viva la República!

"Félix F. Nieto, Gumersindo de la Gándara, Faustino Ruiz, Jesús Lema, José Hernández Lacayo."

Por su parte, el capitán Rojas, máximo responsable de los hechos de Casas Viejas, presenta otra declaración, que es leída en el Parlamento por el diputado Eduardo Ortega y Gasset:

"En Madrid a 1.º de marzo de 1933, hago este documento, por si las estratagemas y promesas sobre el Gobierno y la República que el director general de Seguridad, don Arturo Menéndez, me dice para sostenerlos no fueran verdad y si todo es una mentira o falsedad para salvarse él, lo comunico en estos papeles para su conocimiento y efectos.

"El día 10 de enero me llamó a su despacho para darme órdenes respecto a un movimiento monárquico o análogo al de 10 de agosto, que estallaría en Jerez de la Frontera, o que, por lo menos, sería con dinero monárquico; y que como tenía confianza en mí, me mandaba con la Compañía para que lo solucionase; que las órdenes que me daba era que tan pronto se manifestasen en cualquier sentido, no tuviera miedo a nada ni a responsabilidades de ninguna clase, pues no había más remedio que obrar así; que no quería que hubiese ni heridos ni prisioneros, pues éstos podían declarar lo sucedido, y para evitarlo empleara hasta la Ley de Fugas y todo lo que fuese necesario y análogo. Que a todos los que tuvieran armas o estuviesen complicados, les tirara a la cabeza, "que no dejara títere con cabeza". Que aunque me sacaran pañuelo blanco, no les hiciera caso y les contestara con descargas, pues ya se habían dado muchos casos parecidos y, al acercarse, nos habían hecho bajas; en fin, que no tuviera compasión de ninguna clase, pues por bien de la República no tenía más remedio que hacerlo y dar un ejemplo para que no se repitieran más estos casos. Yo le dije que me parecían un poco fuertes estas órdenes, contestándome que no había más remedio que hacer y que tuviera la conciencia tranquila. Además, él se hacía responsable de todo.

"Con estas órdenes me fui con la Compañía a la estación de Atocha, para salir en el expreso de Sevilla. Una vez en la estación, y con la fuerza montada para salir, nos reunió a todos los oficiales para repetirnos que no quería ni heridos ni prisioneros y que me recordaba las órdenes: "Tú, ya sabes lo que te he dicho" —me dijo—, y salimos para Jerez.

"A mi regreso a Madrid le conté lo sucedido, y me dijo que no convenía para el Gobierno que dijera la forma en que habíamos matado los prisioneros y que no se enterara absolutamente nadie, pues correría la voz por ahí; me exigió la palabra de honor de que no se lo diría absolutamente a nadie, cosa que hice, dándole la palabra de honor.

"Cuando el ministro de la Gobernación me llamó a su despacho para que le contase lo sucedido, estaba el señor Menéndez con él, que fue quien me presentó, y al entrar en el despacho me acerqué a Menéndez y le dije que si le contaba al señor ministro todo, refiriéndome a los fusilamientos, contestándome que le dijera todo menos eso, como así lo hice, teniendo la felicitación del señor ministro.

"Fui a ver a Menéndez a su despacho y le dije que temía que el teniente Artal, dado su carácter, me figuraba que se lo contaría a todo el mundo, y entonces me dijo Menéndez que fuese en seguida a Sevilla con el carnet militar; que dijera que era para ver lo que hacían en Jerez de los cuarteles de Asalto, y viera al teniente Artal para animarle en su decaimiento, y que no dijera a nadie la verdad. Así

— 417 —

27

lo hice, regresando aquella misma noche para Madrid. Para el viaje, como yo no tenía dinero, le dije al señor Gaínza, su secretario, que me diera veinte duros, y así lo hizo, dinero con el cual viajé. A mi llegada a Madrid estaba en la estación, esperándome, el señor Gaínza con dos agentes; nos montamos el señor Gaínza y yo en su coche y me dijo que desayunásemos juntos, cosa que hicimos en un café de la calle de Alcalá, junto a la Puerta del Sol. Mientras desayunábamos me habló de muchas cosas, diciéndome al final que había ido a esperarme porque el Gobierno estaba en peligro, pues por los sucesos de Casas Viejas tenía que caer; que para que no cayera el señor presidente, tenía que caer el ministro de la Gobernación, y para que no cayera éste tenía que caer el director de Seguridad; que venía para decirme que si yo, como amigo de él, compañero y director mío que era, y en vista de lo que hacían los demás, si yo me prestaba a sacrificarme por él. En seguida le contesté que sí, que estaba dispuesto a todo, y que haría lo que él me dijese o quisiera. Del café me fui a Pontejos a dejar el maletín, y en seguida a la Dirección, donde me dijeron todos que ya sabían que yo era un hombre, etc., etc. Me dijo Menéndez que hiciera una información de todo según Gaínza me fuera escribiendo y dictando, con relación a lo que yo también le decía, y que no pusiese nada de las órdenes que me había dado, cuya copia de información entregó con este escrito. Al enterarse los capitanes de esta faena, me dijeron todos la mar de cosas del director, que no daba crédito a ellas, pero que me abrieron los ojos, y como en el transcurso del informe sucedió que una noche me presentaron a la señora de Menéndez, la cual, entre unas cosas y otras me dijo que para eso estábamos; que unas veces nos tocaba sacrificarnos a unos y otras a otros, y que cuando viniera otro Gobierno a mí me harían santo; y como otro día, estando escribiendo el señor Gaínza a mi izquierda, me dijo que ahora a mí me darían un mes de permiso para que me fuera donde quisiera y un montón de billetes para que los gastase alegremente; y como la otra noche en el baile de "Mis Voz" el jefe superior de Vigilancia, acompañado del señor Lorda y del abogado de Estado, señor Franqueira, me dijeron que no me preocupara de nada, que si ahora me pasaba algo que en seguida ellos me lo quitarían y me darían un buen destino, es por lo que por todo esto he comprendido la mala faena que están haciendo tanto al Gobierno como a mí y es por lo que me he negado a firmar la información si no pongo todas las órdenes que se me dieron...

"Por este motivo es por lo que hago esta declaración de mi puño y letra, para que una persona la guarde, y si es verdad todo lo que dice el señor Menéndez para bien de España, de la República y del Gobierno, se rompa, pero si es para lo contrario, sirva esto para esclarecer los hechos y, como principio del trabajo que estoy haciendo, para descubrir a los traidores que así luchan en contra de la República.

"Ojalá tengan estos pliegos que romperse porque fuera verdad mi sacrificio por España y por el bien de la República; pero si todo lo que está sucediendo lo trama un hombre solamente por conservar su bien sin mirar el mal que hace, que salgan estas cuartillas a la luz del día para que se juzgue con justicia.

"Hoy, 1.º de marzo de 1933.—El capitán de Asalto, Miguel Rojas Feigespán."

El capitán Rojas, al fin, es procesado y encarcelado. En el Parlamento se inician violentísimos debates como consecuencia de la actuación de la fuerza pública en el pueblecito rebelde. El propio ex director de Seguridad, Arturo Menéndez, es procesado y encarcelado por la misma causa.

Si enero, por los sucesos luctuosos de Casas Viejas, ha sido un mes políticamente trascendente, marzo no tiene nada que envidiarle, si no en cuanto a dramatismo, sí en cuanto a trascendencia. Es el mes en que José Antonio Primo de Rivera se decide a convertir su primitiva idea en algo tangible y decisivo.

El día 16 sale a la calle un periódico cuyo primer número será, a la vez, su número único. Se titula *El Fascio*. El equipo de redacción lo componen con José Antonio Primo de Rivera, los siguientes periodistas y políticos: Ernesto Giménez Caballero, Juan Aparicio, Manuel Delgado Barreto, Rafael Sánchez Mazas y Ramiro Ledesma Ramos.

La edición es secuestrada por el Gobierno y prohibida su continuación. Solamente quedan repartidos aquellos escasos ejemplares enviados a las provincias y a la circunscripción de Madrid.

Luca de Tena, desde *ABC*, registra la fugaz aparición del órgano mencionado y escribe una carta a José Antonio Primo de Rivera. «*Yo sospecho* —le dice— *que tu fascismo ha brotado de tu gran corazón, antes que de tu brillante inteligencia.*» Por su parte, el futuro creador de Falange Española responde con otra carta: «*El fascismo no es una táctica —la violencia—. Es una idea —la unidad—. El fascismo nació para encender una fe, no de derecha (que en el fondo aspira a conservarlo todo, hasta lo injusto), ni de izquierda (que en el fondo aspira a destruirlo todo, hasta lo bueno), sino una fe colectiva, integradora, nacional.*»

El día 24, Primo de Rivera encarga casi oficialmente a Sancho Dávila que trate de organizar a los que simpatizan con sus ideas en las zonas de Cádiz y de Sevilla. José Antonio Primo de Rivera asegura en una carta a su primo Julián Pemartín que no desea ser el jefe absoluto de la nueva fuerza: «*Si en Jerez como en Madrid hay amigos que padecen con la perspectiva de que yo quiera erigirme en caudillo del Fascio, les puedes tranquilizar por mi parte.*»

La alianza cordial, casi fraterna, de José Antonio Primo de Rivera con Julio Ruiz de Alda, uno de los héroes del vuelo del «Plus-Ultra», aporta al nuevo grupo un buen coeficiente de popularidad y de simpatía. Sólo han pasado siete años de la epopeya aérea y los nombres de los cuatro tripulantes están en aquel rincón de la memoria en que las figuras humanas permanecen aureoladas de admiración y de cariño.

Como consecuencia, o al menos en muy directa relación con la aparición y desaparición de *El Fascio* —la Policía ha recogido 21.000 ejemplares en los talleres de *La Nación*—, José Antonio Primo de Rivera es conducido a la Comisaría, acusado a la vez de haber dado vivas al fascismo. Le acompaña el general Losada. Poco después, las calles de Madrid andan revueltas, pues al saberse lo de los ejemplares de *El Fascio* se forman varias manifestaciones antifascistas.

La Policía descubre unos almacenes de Madrid en los que se están confeccionando 101 camisas azules con el emblema de Santiago bordado en el lado izquierdo. Un interrogatorio no consigue los nombres de las personas que hicieron el encargo. El dueño del establecimiento se niega también a entregar las camisas y los escudos.

Las camisas, pese a la vigilancia de la Policía, son entregadas a sus destinatarios. Se detiene al propietario del almacén y confiesa que quien hizo el encargo es el secretario del doctor Albiñana, que vive en la calle de Hermosilla. La Policía acude a esta casa y el secretario asegura haber repartido las camisas a sus muchachos. Todo se resuelve imponiendo una multa de 500 pesetas al almacenista.

Los guardias de asalto detienen en el local de la CNT a 118 afiliados, a la vez que en Sevilla son detenidos los líderes anarquistas Durruti y Ascaso. En un registro en el centro tradicionalista se encuentran pistolas, bombas, cachiporras y pistolas-ametralladoras. Sin embargo, no es detenido ninguno de los afiliados que se encontraba en el citado círculo, lo que provoca grandes protestas de los socialistas.

En las elecciones municipales del 23 de abril, en las que la mujer española vota por primera vez, el aldabonazo derechista es sensacional: de 16.000 concejales elegidos, el Gobierno sólo obtiene 5.048. En Madrid-circunscripción, los resultados son éstos:

Acción Republicana	3
Radicales-socialistas	12
Socialistas	65
Radicales	124
Republicanos conservadores	24
Agrarios	21
Comunistas	2
Indefinidos	38
Radicales-socialistas izquierda	2
Acción Popular	14
Independientes	22

Pero esto no es nada. Navarra elige 718 concejales de derechas y sólo 70 de izquierda. En la Cámara, no obstante, sigue habiendo mayoría republicano-socialista. Pero si unas elecciones municipales fueron capaces de acabar con la Monarquía, a nadie se oculta, ni a los republicanos más optimistas, que esta votación es todo un aviso y una amenaza.

La libertad de prensa se pasa de rosca: *ABC* publica un chiste de Sileno en cuyo dibujo dos señores se hallan ante un busto de piedra de Azaña, jefe del Gobierno:

—Yo, la verdad —dice uno— le encuentro la cara un poco dura.

—¿Un poco...? ¡De granito! —aludiendo al voluminoso grano que Azaña luce en el rostro.

En la madrugada del 8 al 9 de mayo comienza una huelga general ordenada por la CNT en toda España. La UGT ordena a su gente que no secunde el paro. Todo Madrid es presa de los incidentes entre cenetistas y ugetistas, entre estudiantes fascistas y estudiantes de la FUE, izquierdistas. El resumen de dos jornadas da ocho muertos y más de cuarenta heridos.

El 8 de junio dimite Azaña con todo su equipo ministerial. El presidente Alcalá-Zamora encarga sucesivamente a Besteiro, Prieto y Azaña de formar nuevo Gobierno.

Nuevo Gobierno Azaña, con algunas alteraciones con respecto al anterior: Companys, ministro de Marina; Franchy Roca (federal), de Industria y Comercio; Viñuales, de Hacienda, y Barnés, de Instrucción Pública.

El primogénito de Alfonso XIII, príncipe de Asturias, contrae matrimonio el 11 de junio, en el exilio. Matrimonio por amor, con una mujer que no es princesa. En consecuencia, el infante escribe a su padre una carta en la que le dice:

> **"Decidido a seguir los impulsos de mi corazón, más fuertes incluso que el deseo que siempre he tenido de conformarme con el parecer de Vuestra Majestad, considero mi deber renunciar previamente a los derechos de sucesión de la Corona."**

El 22 de junio va a tener lugar la vista de la causa por los sucesos del 10 de agosto de 1932. Los presos militares solicitan ser conducidos por oficiales de la Capitanía General, lo que les es denegado. Entonces anuncian que se negarán a moverse de Prisiones y que no acudirán al Palacio de Justicia.

Se les advierte que se les esposará y se les llevará a la fuerza. Entonces se quitan las guerreras de uniforme y son conducidos en mangas de camisa. Unos ordenanzas van detrás, llevando las guerreras al Palacio de Justicia, donde vuelven a vestirse de militares.

Con estos motivos, hay encuentros de fascistas e izquierdistas en la calle de Serrano y en el Paseo de Recoletos, repartiéndose algunos golpes y quedando numerosos contusionados. Pocos días después, cuando

MISSES EN SCENE

—¡Qué feliz soy con mi insignificancia!

(Kaíto, en *Gutiérrez*, 1933)

el general Sanjurjo es conducido ante el tribunal, se niega a quitarse el traje de presidiario. Al fin se viste de paisano y así es juzgado.

En el curso del juicio contra Sanjurjo se promueven tales violencias que han de ser detenidas numerosas personas dentro de la misma Sala del Tribunal.

A finales de julio son detenidos unos cuantos jóvenes fascistas que repartían unas hojas en las que se decía: «El fascismo luchará hasta la muerte». Por estas fechas, el Gobierno ordena gran número de detenciones de extremistas de la derecha y de la izquierda.

Las sentencias por la rebelión del 10 de agosto causan sorpresa; ni una pena de muerte, muchos absueltos y la pena máxima es de veintidós años. Todo lo cual es, naturalmente, muy bien visto por los elementos de las derechas y considerado como intolerable por los de las izquierdas.

Nueva dimisión de Azaña el 8 de septiembre y ahora es Lerroux el encargado de formar Gobierno. El nuevo Gabinete queda así:

Presidencia	Lerroux
Estado	Sánchez Albornoz
Guerra	Rocha
Justicia	Botella Asensi
Hacienda	Lara
Gobernación	Martínez Barrio
Marina	Iranzo
Instrucción Pública	Barnés
Trabajo	Samper
Comunicaciones	Santaló
Obras Públicas	Guerra del Río
Agricultura	Feced
Industria y Comercio	Gómez Paratcha

Una de las primeras medidas de este Gobierno Lerroux es la de designar al teniente coronel Agustín Muñoz Grandes como jefe de todas las Fuerzas de Asalto, la nueva tropa de Policía de la República.

Ahora se han cambiado las tornas: si antes era Azaña quien mandaba y Lerroux quien obstruía, desde estos momentos Azaña pasa —con Prieto— a la oposición dispuesto a obstruir todo lo que mande Lerroux.

En las Cortes se promueve una fuerte discusión y Lerroux dice a Prieto:

—Somos un león viejo y un león joven. Los leones acaban por entenderse. Los que no pueden entenderse son los leones y las serpientes —con lo que alude a Azaña.

Y pronto, en seguida, el 3 de octubre, apenas a los veinte días de nacido, nueva dimisión del Gabinete Lerroux. El presidente de la República, después de intentar nuevos gobiernos con Sánchez Román, Marañón, Pedregal y Posada, disuelve las Cortes y encarga a Martínez Barrio. Se forma un nuevo equipo amorfo en la forma siguiente:

Presidencia	Martínez Barrio (radical)
Estado	Sánchez Albornoz (Acción Republicana)
Justicia	Botella Asensi (radical-socialista)
Guerra	Iranzo (independiente)
Marina	Pita (ORGA)
Hacienda	Lara (radical)
Gobernación	Rico Avello (independiente)
Instrucción Pública	Guerra del Río (radical)
Obras Públicas	Barnés (radical-socialista)
Agricultura	Cirilo del Río (progresista)
Industria y Comercio	Gordon Ordas (radical-socialista)
Comunicaciones	Palomo (radical-socialista)
Trabajo	Pi y Suñer (Esquerra Catalana)

El día 9 de este mismo octubre, José Antonio Primo de Rivera sostiene en Roma con Mussolini una entrevista de treinta minutos de duración. Ambos están de acuerdo en que la obra del *Duce* titulada *El fascismo* se publique en España. José Antonio Primo de Rivera empieza en seguida a escribir el prólogo para la edición. Mussolini regala a Primo de Rivera una gran fotografía suya, dedicada, que el jefe de Falange Española conservará ya siempre en su despacho.

En la mañana del 29 de octubre tiene lugar en el teatro de la Comedia el acto fundacional de Falange Española. Del libro *Historia de la Segunda República Española*, de Arrarás, se extractan a este propósito algunos párrafos:

"Apenas tuvo propaganda gráfica o escrita; pero en cambio se difundió de boca en boca la versión de que sería un mitin fascista, y ello despertó viva curiosidad."

"A las once de la mañana comenzó el acto. El teatro estaba rebosante de público. En el escenario una mesa desnuda y simple. A propuesta del coronel Rodríguez Tarduchy, uno de los principales organizadores del mitin, ocupó la presidencia don Narciso Martínez Cabezas, en mérito a la edad. Al adelantarse a hablar García Valdecasas es acogido con el saludo fascista."

"Tenemos que adoptar —dice José Antonio— ante la vida entera, en cada uno de nuestros actos, una actitud humana, profunda y completa. Esta actitud es el espíritu de servicio y de sacrificio, el sentido ascético y militar de la vida."

"Nuestro sitio —termina el discurso— está al aire libre, bajo la noche clara, arma al brazo y en lo alto las estrellas. Que sigan los demás con sus festines. Nosotros, fuera, en vigilancia tensa, fervorosa y segura, ya presentimos el amanecer en la alegría de nuestras entrañas."

"No pocos monárquicos se ilusionaron con el acto de la Comedia, considerándolo como el comienzo posible de un movimiento de carácter fascista que desembocaría en una restauración. Sin duda, por esto,

del sector monárquico recibió José Antonio los primeros donativos para la propaganda de su ideario."

"Comenzaron a afluir en gran número las adhesiones. Era urgente bautizar con un nombre a la nueva organización. Entre los varios propuestos, Ruiz de Alda eligió el de "Falange Española". Y éste prevaleció." ....

Los chistes políticos acuden como casi siempre a amenizar la densa y enmarañada situación. En *La Libertad*, al final de un reportaje en el que se habla repetidas veces de que el actual Gabinete es un Gobierno-puente, viene el chiste: una caricatura de Martínez Barrio proclama: «Se hace saber que la denominación de Gobierno-puente no quiere decir que todo el mundo pueda pasar por encima de él.»

Otro periódico dice que ha sido un acierto nombrar ministro de Comunicaciones al señor Palomo, pues ya se sabe que los palomos llevan los mensajes volando.

Las elecciones del mes de noviembre ratifican el aviso de las municipales de abril: triunfo decisivo, casi descarado, de las derechas en toda España, menos en Madrid, donde los socialistas continúan figurando en cabeza. La clasificación de los 316 diputados proclamados queda así:

Derechas

CEDA (Gil Robles)	73
Agrarios	31
Nacionalistas vascos	12
Tradicionalistas	14
Renovación Española	8
Independientes derecha	11
Total	**149**

Centro

Radicales	60
Lliga Catalana	25
Repub. conservadores	10
Independientes	5
Liberales demócratas	8
Progresistas	1
Total	**109**

Izquierdas

Esquerra catalana	22
Socialistas	27
Radicales-socialistas	3
Acción Republicana	4
Federales	1
Comunistas	1
Total	**58**

A comienzos de diciembre se va a segunda vuelta electoral y la Cámara queda definitivamente constituida así:

Derechas (uno de ellos es José Antonio Primo de Rivera). 207 diputados
Centro .... 167 "
Izquierdas .... 99 "

Esto impone un *cambio de vía*. Juan Ignacio Luca de Tena acude a visitar a Lerroux, invitado por éste:

—Amigo Luca de Tena, ¿hubiera usted podido concebir que a los dos años de República, en las segundas elecciones, iba usted a tener en Madrid 52.000 votos más que yo?

—No, don Alejandro —responde Luca de Tena—, nunca hubiera podido imaginarlo.

—Pues así es la política.

Y un instante después, Luca de Tena añade:

—Gil Robles querría entrevistarse con usted.

—Dígale usted —responde Lerroux— que estoy a sus órdenes; que venga a mi casa o yo iré a la suya.

Días después tiene lugar la entrevista Lerroux-Gil Robles. Las cifras de las elecciones recientes mandan. Se acuerda que Lerroux será el jefe de un Gobierno que será apoyado por la CEDA. El 16 de diciembre hay crisis y se forma un nuevo Gabinete. Es éste: :

Presidencia	Lerroux
Estado	Pita
Justicia	Alvarez Valdés
Gobernación	Rico Avello
Hacienda	Lara
Guerra	Martínez Barrio
Marina	Rocha
Agricultura	Cirilo del Río
Industria y Comercio	Samper
Instrucción Pública	Pareja Yébenes
Obras Públicas	Guerra del Río
Trabajo	Estadella
Comunicaciones	Cid.

En la ceremonia de la jura de los diputados, Albiñana saluda elevando el brazo al modo italiano. Un socialista le increpa:

—¿Eso es en serio o es una inocentada...?

El 20 de diciembre, en una sesión de Cortes se promueve un alboroto fenomenal al decir Indalecio Prieto:

—El contrato con la Compañía Telefónica, firmado en tiempos de la Dictadura, comprometió la independencia nacional y en toda su gestión fue un acto de latrocinio.

José Antonio Primo de Rivera, exaltadísimo, se pone en pie en actitud amenazadora hacia Prieto, y responde:

—¡Mentira! ¡Canalla!

Como consecuencia de esto, varios diputados llegan a las manos y José Antonio es contenido a duras penas para que no ataque de obra al diputado socialista.

Fuera de España continúa la Historia su inexorable marcha hacia delante. El 30 de enero se proclama canciller a Adolfo Hitler, quedando Von Papen como vice-canciller. En el primer Gabinete hitleriano están los hombres de la primera hora: Neurath, Frick, Von Blomber, Von Krosigk, Hugemberg, Seldte, Ruebenoech y Goering. A poco, el incendio del Reichstadt de Berlín exaspera a Hitler, al menos aparentemente, y en un discurso exclama:

—¡Exterminaré a la canalla comunista a hierro y fuego!

A la salida ordena la detención fulminante de todos los diputados comunistas. La bandera hitleriana queda ya permanentemente en todos los edificios públicos, sustituyendo incluso a la nacional de Alemania. La bandera republicana es prohibida por decreto del presidente Hindemburg.

Se firma el más extraño pacto del mundo: el llamado Pacto de los Cuatro, entre Alemania, Francia, Inglaterra e Italia. En octubre, Alemania se retira de la Sociedad de Naciones y en noviembre nuevas elecciones dan a Adolfo Hitler el 95 por 100 de todos los votos. ¿Quién ya osará discutirle...?

Machado ordena en Cuba el fusilamiento de 200 estudiantes. Poco después, resigna sus poderes y huye con algunos de sus ministros en avión. Céspedes pasa al Gobierno provisional y la represión antimachadista es terrible.

Sin embargo, no está destinado Céspedes a permanecer demasiado tiempo en el Capitolio habanero: un movimiento originado por sargentos y cabos del Ejército le derriba y pone en su lugar a Grau Sanmartín. El movimiento ha sido dirigido por Oscar de la Torre.

Los bancos norteamericanos cierran sin previo aviso. ¡Pánico en el inmenso país americano, pánico financiero en general! Después de dos días de forzadas vacaciones bancarias, los establecimientos de crédito van abriendo sus puertas morosamente. Todo ha pasado. Todo ha sido una falsa alarma. Pero, mientras, ha habido varios suicidios y casi treinta asesinatos por la misma causa.

El dirigible gigante «Akron» se hunde en el Atlántico con ochenta tripulantes a bordo. Se salvan sólo cuatro personas. La dotación era de un almirante comandante, diecinueve oficiales técnicos, cincuenta y siete subalternos y tres auxiliares. Había sido bautizado en agosto de 1931, tenía 785 pies de largo, estaba dotado con ocho motores que le daban una fuerza total de casi 4.500 caballos y podía hacer 84 millas por hora. Era técnicamente indestructible. Pero quedó en el fondo del mar.

La síntesis de disposiciones ayuda a comprender cómo se desarrollan todos estos históricos años de la vida madrileña y de la vida española. Y es muy interesante observar la evolución que se produce con cada cambio de Gobierno, cómo cada crisis y relevo ministeriales se reflejan claramente, directamente, en el tono, el estilo y la intención de las leyes, decretos y órdenes que recoge la *Gaceta*.

Hay que subrayarlo: no hay una sola República, sino varias, y muy particularmente dos. Hay una República de izquierdas y una República de derechas, y en el turno de la gobernación del país, la una y la otra se dedican a destejer casi todo lo que la otra o la una tejieron poco antes.

Si se leen con detenimiento las disposiciones de un período y del otro, se ve sin esfuerzo esto. Los *equipos* tienen sus programas, sus idearios, y así como cuando se hallan en la oposición se afanan en obstruir la puesta en práctica de los programas e idearios del grupo gobernante, una vez en el poder ponen el mismo o mayor empeño en destruir sistemáticamente todo lo que hicieron los rivales, sea bueno o malo.

Los republicanos de derechas, con los que se hallan mezclados los monárquicos e incluso algunos extremistas totalitarios —pocos—, realizan en la *Gaceta* una República a su modo, una República en la que, salvo el cambio de las primeras figuras —rey o presidente—, todo ha de seguir más o menos lo mismo que con los gobiernos de Alfonso XIII.

Como a finales de 1933 se produce el *cambio de vía* a que alude el epígrafe del capítulo, es curioso ver cómo a raíz de la caída de un Gabinete y del advenimiento del siguiente de signo contrario, las disposiciones empiezan a ser absolutamente diferentes de lo que habían venido siendo hasta esas fechas.

Veamos cómo se desarrollan en el terreno legal los seis últimos meses de 1933.

Un decreto del 5 de julio ordena que las reclusas de la Prisión Central de Mujeres de Alcalá de Henares sean trasladadas a otros establecimientos penitenciarios, y que el edificio e instalaciones sean destinados a Hospital Psiquiátrico Judicial. Allí irán a parar los epilépticos, alcohólicos, enajenados, etc., acusados de delitos.

El 28 de este mismo mes se promulga una importante disposición: la ley de Orden Público. Comprende 72 artículos, otro adicional y tres disposiciones transitorias y constituye uno de los textos legales más decisivos de todos los que en el período de República han de producirse.

El 7, una orden de Instrucción Pública crea la Cátedra de Psiquiatría en la Facultad de Medicina de Madrid. El 27, nueva disposición sobre la expropiación de fincas de los que fueron grandes de España...

Una de las disposiciones más características y más célebres de la República es la famosísima *ley de Vagos*. La ley de Vagos y Maleantes es promulgada el 4 de agosto de este 1933. El punto tercero del artículo segundo es interesante: *Podrán ser declarados en estado peligroso y sometidos a las medidas de seguridad de la presente ley los que no justifiquen, cuando legítimamente fueren requeridos para ello por las autoridades y sus agentes, la posesión o procedencia del dinero o efectos que se hallaren en su poder o que hubieren entregado a otros para su inversión o custodia.*

Las tarifas de precios de sastrería militar aprobadas el 17 de julio dicen que las guerreras de uniforme, caqui, deben pagarse a 26 pesetas la docena, en cuanto a su confección. Cada tabardo, 6 pesetas. La docena de calzoncillos, 5 pesetas. Baja ley, curiosa ley, grotesca ley, ley al fin. No hay por qué apartarla.

La *Gaceta* del 28 de julio garantiza a los maestros directores de la orquesta del teatro de la Opera 105 pesetas diarias como mínimo. En los conciertos sinfónicos en Madrid, el director de la orquesta cobrará 200 pesetas diarias, también como mínimo.

Por decreto del 25 de septiembre es creada la Dirección General de Previsión y Acción Social. El 9 de octubre, un decreto de la Presidencia disuelve las Cortes. *Por efecto del tiempo transcurrido y de los sucesos que en la vida pública fueron acaeciendo, han aparecido estados de opinión no coincidentes con la predominante en las Cortes...*

El 18 de octubre se regula por una circular del ministerio de Justicia el régimen y la vida de los penados: *toda celda que no reciba luz natural directa o esté insuficientemente ventilada, será clausurada o destinada a servicios auxiliares, tales como carbonera, despensa o almacén de efectos usados e inútiles.*

El 24 de noviembre— ya se ha producido el *cambio de vía*—, una orden de Gobernación dicta nuevas normas, en copioso texto, para la admisión de nuevo personal en la Guardia Civil. El 30, un decreto del mismo Departamento da a la luz el reglamento del Cuerpo de Suboficiales de la Guardia Civil.

El *butano* es novedad. La orden de Hacienda del 29 de noviembre dice *que se ha resuelto autorizar la inclusión del butano, como cuerpo derivado del petróleo, entre los productos monopolizados, a los efectos de su importación, manipulación, almacenamiento y distribución.*

El 7 de diciembre, un decreto de Obras Públicas disuelve la Comisión de Enlaces Ferroviarios de Madrid. Había sido creada un año antes —el 10 de noviembre de 1932— por el Gobierno entonces en el poder, de signo absolutamente contrario al actual. Tejer y destejer. En la reorganización del Instituto de Reforma Agraria se derogan también las disposiciones del equipo caído (decretos de 23 de septiembre y 4 de noviembre, 14 de diciembre de 1932 y 2 de septiembre de 1933).

Con el cierre del aeródromo de Getafe como campo civil termina la serie de las disposiciones de cierto interés correspondiente a los meses de julio a diciembre de 1933. Las *dos Repúblicas* continúan destrozándose entre sí.

Capítulo 31. LA PRIMERA CAFETERIA (año 1934). El sinsombrerismo. Inauguración de la Cámara de la Industria. Vuela sobre Madrid el autogiro La Cierva. Los precios de la carne. Otro toro suelto en la Gran Vía. Monumento a Concepción Arenal. Proceso Hildegart. Concurso del vestido de cuatro pesetas. Se casa Gil Robles. La circulación. Nuevo puente en Puerta de Hierro. Kermesses. Precios del pan. Inauguración de la Ciudad Jardín. La primera cafetería. Muere Ramón y Cajal. Ocupación de Ifni. El año teatral, cinematográfico, deportivo y taurino. El Pasos Largos. Crímenes pasionales.

Por falta de calefacción, en enero de 1934 aparecen varios grupos escolares cerrados en Madrid. Los chicos vienen ya varios días regresando a su casa constipados y el presupuesto no da para aspirinas.

Como siempre, Madrid es un museo permanente de cómo no debe administrarse una ciudad. Un periódico dice:

> **"Obras en el pavimento que no se advierten con la debida antelación, produciendo con ello cambios de itinerarios, molestias y gastos; plazas y calles ocupadas en su casi totalidad por los coches de línea, que debieran salir de lugares menos céntricos; desbarajuste en avenidas como la de Pí y Margall, donde los coches dan la vuelta dónde y cuándo les agrada al chófer y al guardia de servicio..."**

El sinsombrerismo es ya una oleada imparable. Sus consecuencias se miden por la cantidad de especialistas sin trabajo. Según García Sanchiz son nada menos que 30.000 las familias poco menos que en la miseria a causa de la nueva moda de los caballeros y las señoras de llevar la cabeza al aire. Con este motivo, se anuncia una conferencia que deberá dar el charlista sobre sinsombrerismo y justicia social, pero el gobernador la prohibe por recelarse que se va a hablar de bastantes más cosas que de los sombreros.

Tragedia en Tetuán de las Victorias. Cierta familia vive miserablemente en el número 1 de la calle de los Vascones. La madre, un día de frío intenso, sale temprano de la vivienda para ir a empeñar un pantalón de su hijo de trece años. Ese pantalón es lo único que queda que pueda ser convertido en comestibles mediante el empeño. Para ello, el niño, sin ropa, ha de quedarse en la cama. Durante la ausencia de la madre, el chico saca una pistola de la mesilla de noche del padre y se dispara un tiro en la cabeza.

Se inaugura el nuevo edificio de la Cámara Oficial de la Industria en el número 11 de la calle de las Huertas, esquina a la del Príncipe. El autogiro La Cierva evoluciona sobre Madrid por primera vez. Radio España es sancionada con 5.000 pesetas de multa por haber transmitido noticias que habían sido prohibidas. Los bomberos y los albañiles trabajan afanosamente en la fachada de Gobernación en la que —¡todavía!— está la corona monárquica.

Todo está más caro que antes. Al menos eso es lo que aseguran las amas de casa, que se quejan de estos nuevos precios de la carne:

Vaca:

De primera	4,60	kilo
De segunda	3,70	"
De tercera	1,80	"

Cordero:

Chuletas	5,00	"
Pierna	4,60	"
Paletilla	4,20	"
Falda	3,60	"

Más de 600 vagos y maleantes son detenidos y expulsados de Madrid, conduciéndoseles a la prisión de Guadalajara. Se pretende a toda costa acabar con la mendicidad en la capital del Estado. Se prohibe, al mismo tiempo, la venta ambulante en la Puerta del Sol, con el deseo de limpiar aquella zona del infamante aspecto de antiguo zoco.

Un toro de siete años escapa y se pasea por la Gran Vía. Acuden a acorralarle guardias civiles y una camioneta de Asalto. El toro toma una escalera por delante y se sube al piso primero de una casa. Un guardia de asalto lo llama desde el portal y el toro acude a la llamada. El guardia lo esquiva hábilmente y lo mata de un certero puntillazo. El público congregado saca los pañuelos en plena calle y pide a gritos que le den la oreja al guardia.

Se inaugura con gran solemnidad el monumento a Concepción Arenal en el Parque del Oeste. Se anuncian los abonos para la playa de Madrid, cuyos precios son de cuarenta pesetas para los varones y veinticinco para las hembras. Por estas cantidades, el abonado puede bañarse en la playa de Madrid todos los días del verano.

En el curso del proceso que se sigue a la madre de Hildegart por el asesinato de su hija, el fiscal pregunta a la acusada:

—¿Quién fue el padre de Hildegart?

—Hildegart —responde la madre— **no** tuvo padre. Aquel hombre fue mi colaborador fisiológico, porque no pude fecundar artificialmente.

Entre rumores de la sala, el presidente llama la atención a la acusada. Esta se encrespa:

—No necesito advertencia alguna del señor presidente. El concepto que yo tengo de la eugenesia es muy sencillo. Los animales inferiores buscan el cruce con los tipos de raza más puros. Esta misma norma deben seguir los hombres, sobre todo si blasonan de animales superiores. Este es mi concepto de la eugenesia. ¿Se asusta de él alguien...?

Poco después, impelida a explicar cómo mató a su hija:

—Mi hija me dijo un día: «Mátame. Estoy cansada y aburrida». «Mátate tú», le dije yo. «No tengo valor», me respondió. «Te doy mi palabra de matarte», le dije. Una mañana, al despertar, me llamó para preguntarme: «¿Todavía estoy viva?» No tuve más remedio que actuar sin pérdida de tiempo. La noche siguiente.

El proceso, que está siendo la sensación periodística de Madrid, se resuelve condenando a la madre a veintiséis años, ocho meses y un día de reclusión. El proceso Hildegart ha terminado.

Dos medidas toma el Ayuntamiento relativas a abastecimientos de la capital. Una, la de ordenar que tanto las carnicerías como las pescaderías habrán de permanecer abiertas los domingos por la mañana; otra, aprobar en principio el llamado «proyecto Muiño», para convertir la Casa de Campo en un soberbio parque de atracciones, con piscinas de competición, campos de fútbol y de baloncesto, pistas de atletismo, tenis, bibliotecas, teatros, albergues y, en torno a todo ello, fuentes, muchas fuentes.

Almacenes San Mateo anuncia una venta especial de vestidos de verano al precio único de 16,90. La revista *Estampa* va más allá, convocando un concurso del *vestido de cuatro pesetas*. Se lleva el premio una modista de Vallecas que presenta un modelo que le ha costado sólo dos pesetas y cuarenta céntimos.

En Correos se descubre una importante sustracción de valores declarados. Faltan nada menos que 200.000 pesetas. Como en otros lugares de este libro se citan precios y salarios, no es demasiado difícil hacerse una idea de lo que representan 200.000 pesetas de 1934. Son detenidos un jefe de negociado, dos oficiales y dos auxiliares femeninos.

¡Se casa Gil Robles! Boda sonada, boda comentada. No en balde el jefe de la CEDA es uno de los personajes más conocidos y más discutidos en el paisaje político nacional. Su boda con la señorita Carmen Gil Delgado es oficiada en la capilla del Obispado por el titular doctor Eijo y Garay.

Madrid no ofrece, al decir de algunos cronistas, un aspecto demasiado aseado que digamos. Alvaro Alcalá Galiano escribe en *ABC:*

"¡Qué espectáculo el de nuestras calles y avenidas! Gentes descamisadas o medio desnudas, que convierten nuestra capital en una aldea. Legiones de mendigos exhibiendo sus miserias y niños que persiguen a los transeúntes con el sonsonete de un disco aprendido. Gitanas sucias que rodean bares y cafés, impidiendo que ningún ciudadano pueda tomar tranquilamente su refresco...

"En medio de las aceras, nutridos grupos de mirones atascan la circulación, alrededor de esos vendedores ambulantes parecidos a los de una feria de pueblo. A la entrada de los grandes hoteles, pintorescos ejemplares de la golfería asaltan a los viajeros, sin duda para fomentar la atracción del turismo...

"Actualmente, Madrid es la ciudad más ruidosa de Europa, quizá del mundo. El transeúnte madrileño tiene un curioso concepto del amor propio: cree que retirarse o dejar paso a un coche es una humillación."

El Ayuntamiento vuelve a ocuparse intensamente de los problemas de la circulación rodada. Se acuerda poner en vigor la prohibición de que circulen carros a determinadas horas por la ciudad, se dictan normas sobre la parada de los automóviles al detenerse los tranvías, se indican los lugares exactos de las paradas, se prohiben los bocinazos después de las doce de la noche, se autorizan treinta minutos de aparcamiento máximo en la Gran Vía, se prohiben las señales acústicas en este tramo, se prohiben también dichas señales cerca de los hospitales y se reforma por completo la circulación en la Puerta del Sol.

Con gran alegría de automovilistas y excursionistas es inaugurado el nuevo puente de Puerta de Hierro, sobre el Manzanares. El puente es valiente y vistoso. Se trata de una construcción moderna, de cara al futuro. Su anchura es poco menos que inusitada para la época: doce metros.

En el inmenso solar que existe en la esquina de la calle de San Bernardo con la Gran Vía aparecen de pronto vallas, puertas, rótulos y faroles de colores. Es una *kermesse* a beneficio de los ciegos. Muchos vecinos madrileños se divertirán alegremente en la *kermesse* y muchos también de aquel contorno van a dejar de dormir en paz gracias a las orquestinas que animan sus bailes.

Después de muchas reuniones de los panaderos con el gobernador civil, se acuerdan los nuevos precios del pan, que después de otra subida quedan así:

Candeal, kilo	0,65
Candeal, libreta	0,33
Candeal, dos libretas	0,65
Flor, una pieza	0,30
Viena, pieza corriente	0,13
Viena, dos piezas corrientes	0,25
Viena, barrita corriente	0,06
Francés, una pieza	0,13

Francés, dos piezas	0,25
Cubano, una pieza	0,25
Cubano, pieza grande	0,40

Al ministro de la Guerra, Diego Hidalgo, se le ocurre derribar el palacio de Buenavista, sede de su departamento, para realizar diversas reformas urbanas en aquel lugar céntrico de Madrid. Los periódicos acogen el proyecto con la peor disposición y alguno de ellos le recuerda que él no es un urbanista, sino un inquilino del edificio, y que, tal como van las crisis, sólo un inquilino muy *de paso*. Naturalmente, el proyecto queda sólo en eso, en proyecto.

Se inaugura la Ciudad Jardín. Este nuevo sector madrileño es un ornato para la ciudad, que así empieza a parecerse, siquiera sea sólo en eso, a algunas de las modernas capitales europeas y americanas. Las casas han sido adquiridas a precios realmente asequibles y en condiciones de pago que unos años más tarde hubieran parecido un sueño. La zona, ajardinada, soleada, amplia, con pocos ruidos, se convierte en el modelo de otros distritos residenciales que poco a poco le van a ir naciendo a Madrid en su derredor.

Un buen día, Madrid es escenario de una muestra más de lo que muchos madrileños son capaces de hacer con tal de resistirse al civismo. Los conductores de automóviles, y muy particularmente los taxistas, protestan de la prohibición de tocar la bocina después de las doce de la noche. El argumento de que en toda Europa se conduce sin tocar el claxon no les convence... ¡Madrid es Madrid! Y para demostrar que no están dispuestos a obedecer el Bando del Silencio, miles de automóviles se dedican a hacer sonar sus bocinas desaforadamente después de las doce de la noche. Por si esto es poco, al día siguiente hay huelga de taxis para protestar más aún contra la prohibición de señales acústicas. Y, ¡viva Madrid que es mi pueblo!

Aparece la primera cafetería organizada y refrigerada a la manera americana. *De cine*. Está en la Gran Vía, como todo lo importante, y causa sensación. Sobre todo la climatización. *La Libertad* dice:

«Al visitar ayer un conocido establecimiento comercial de la Gran Vía, hemos podido comprobar de una manera evidente cómo Madrid se viene incorporando rápidamente a la vorágine de las grandes capitales del mundo. Junto a un mostrador de blanco mármol se apretujaban hombres, mujeres y niños, que tomaban su merienda de pie y de prisa, exactamente como lo hace el público en Nueva York o en Londres.

»El espectáculo ofrecía un rudo contraste con el de los cafés madrileños, en los que es frecuente ver toda una familia sentada a una mesa durante horas y horas, dejándose invadir por esa pereza realmente provinciana, que era una característica de la ciudad. Pero es que todo en esta casa convida a seguir el ritmo dinámico que se observa a nuestro

alrededor. En primer lugar, la actividad febril de los empleados que no dan abasto para atender su clientela, y luego el aire fresco y puro que se respira en el amplio salón.

»Una extraña sensación se percibe apenas se traspone el umbral. Cuesta creer que en un local cerrado y atestado de gente que acaba de dejar la calle caldeada de sol canicular, no se sienta calor: ni calor ni esos malos olores que van unidos a toda aglomeración de público.»

Novedad en el Congreso. Se instalan en el salón de sesiones micrófonos aplicables a las solapas. Se hallan en los escaños a disposición de todos los diputados. Nadie ya necesitará gritar ni gesticular para defender sus ideas.

Una orden del Ayuntamiento pone vallas de madera en todos los solares no edificados de la Gran Vía, con lo que la principal avenida madrileña queda algo menos fea de lo que estaba, pues son en 1934 numerosos los solares en estas condiciones que hay en este lugar. En un agradable rincón del parque del Retiro se inaugura el prometido monumento a los hermanos Alvarez Quintero.

Muere un día de otoño Santiago Ramón y Cajal. Una vida de ochenta y seis años se ha extinguido después de cuarenta en la capital de España. Madrid siente la muerte de Cajal como la de un querido viejecito. Independientemente de su enorme mérito científico, Cajal era el anciano amado de las castañeras, de los vendedores de periódicos, de los camareros. Otro de tantos madrileños de adopción cuya desaparición Madrid llora, como tantas otras veces, y como tantas también olvida pronto.

La estadística municipal nos asegura que en 1934 hay en Madrid 6.674 matrimonios, 22.352 nacimientos y 15.473 defunciones. En resumen, 293 matrimonios más que en 1933, 347 nacimientos menos y 334 defunciones menos también. Las causas de mortalidad son, en primer lugar, la tuberculosis, en segundo lugar el corazón y en tercero las neumonías. La mortalidad es, en 1934, en números redondos, la menor de los últimos diez años.

El 9 de abril, el coronel Capaz desembarca en Ifni, de acuerdo con los indígenas, sin disparar un tiro; manda izar la bandera de la República y envía un cablegrama a Madrid:

"Coronel Capaz a presidente Consejo Ministros. Al levantar la bandera española en territorio de Ifni, permítame, señor presidente, le envíe el respetuoso saludo mío y oficiales que me acompañan, que ruego eleve a Su Excelencia el presidente de la República, con nuestro deseo de ser útiles a la Patria en cualquier lugar que nos encontremos."

El desembarco en Ifni, bien aireado por la prensa nacional, constituye un éxito de las armas y de la política de España. Sobre todo, éxito de la inteligencia y del tacto diplomático desarrollado en esta ocasión por la política y las armas españolas. Capaz es designado automáticamente gobernador del territorio y poco después ascendido a general de brigada.

Otro año de sangre en la Plaza de Toros de Madrid este 1934. Resultan con cogidas graves Luis Morales, Alfredo Corrochano, Félix Almagro, *Venturita*, Fuentes Bejarano, Cañero y gravísimo Villalta. Año de sangre también en provincias con las cogidas graves de Enrique Torres, *Niño del Matadero*, Andrés Mérida, Antoñete Iglesias, Maravilla, Félix Colomo y Florentino Ballesteros.

Año de sangre que tiene su rúbrica con la histórica cogida y muerte de Sánchez Mejías en Manzanares, cantada por García Lorca, y las muertes oscuras de un espontáneo en la Plaza de Madrid, del novillero Juanito Jiménez en Valencia, del novillero *Atarfeño* en Granada y del novillero Pedro Mejías en Ocaña.

Y aún tres muertes más, si bien relacionadas con el mundo de los toros, no debidas a los astados: muere Fausto Barajas en accidente de automóvil, muere Luis Freg en Venezuela a causa de un naufragio y, en la Plaza de La Coruña, al descabellar a su toro Juan Belmonte, salta el estoque y mata a un espectador.

Otras noticias del 1934 taurino son las alternativas de Félix Colomo, de Diego de los Reyes, de Florentino Ballesteros y de Lorenzo Garza, la corrida de once toros, en Madrid, con Barrera, Ortega, *Armillita* y Domínguez en el cartel, en la que un toro a medio lidiar es devuelto a los corrales en medio de un escándalo enorme, con el ruedo lleno de almohadillas; la reaparición de *El Gallo* en Sevilla, con pares y nones, como es tradicional y el grave percance del picador *Parrita* en Madrid.

Se inaugura la nueva Monumental madrileña con Belmonte, Lalanda y *Cagancho* en el cartel. Apasionan los *mano a mano* de los mejicanos Garza y *El Soldado*. En uno de estos enfrentamientos, *El Soldado* cita a matar con un pañuelo de bolsillo y es *respondido* por Garza, que a continuación cita a matar a su toro con la mano izquierda sola, sin nada en ella.

El *Pasos Largos* es un legendario bandolero de la serranía de Ronda. Todo esto suena mucho a fin de siglo. Aparte de su aureola de leyenda, el problema del *Pasos Largos* es una preocupación de orden público. El capitán de la Guardia Civil, Rodrigo Hernández, ordena, en virtud de unas confidencias, que hombres a sus órdenes practiquen un reconocimiento en cierto lugar de la serranía.

El sargento y dos números salen de Ronda a media noche. Pernoctan en el cortijo La Breña y con medias luces comienzan la descubierta. Al llegar a una cueva empiezan a penetrar en ella, pero preventivamente conminan al *Pasos Largos* a que se entregue. Como respuesta, aparece éste, parapetándose rápidamente tras unas peñas, y hace fuego de carabina sobre los guardias. Después de un regular tiroteo, el *Pasos Largos* cae a los pies de los guardias en la puerta de la cueva.

La historia breve de este postrer *bandido de la sierra* tiene su cierto aire romántico, como casi todas ellas. En 1918, Juan Mingoya Gallardo mató a dos cortijeros y fue a la cárcel. Como observó una conducta ejemplar le fueron aplicados varios indultos y salió a la calle en 1931. Se acomodó a vivir en Ronda, pacíficamente, y consiguió que le emplearan como guarda jurado.

En enero de 1934 roba una carabina, desafía a un guardia civil y se echa al monte. A partir de aquí comienza su cortísima pero violenta historia. Sólo unos meses de bandolerismo a la antigua le han llevado a las primeras planas de los periódicos. ¿Era acaso lo que él quería? Y su muerte a la puerta de la cueva, materialmente cosido a balazos, ¿la quería así también...?

Entre las películas estrenadas en Madrid en 1934 destacan las siguientes: *La calle 42*, con Barner Baxter, Bebe Daniels, Ruby Keeler y Una Merkel a la cabeza de catorce estrellas, sesenta artistas y doscientas coristas; *La vida privada de Enrique VIII*, por Charles Laughton; *El diluvio* (que presenta la espectacular destrucción de Nueva York); *I-F-1 no contesta*, con Daniele Parola, Jean Murat y Charles Boyer; *Vivamos hoy*, con Joan Crawford y Gary Cooper; *La Plaza de Berkeley*, con Leslie Howard y Valerie Taylor; *El negro que tenía el alma blanca*, con Antoñita Colomé, Marino Barreto y Angelillo; *El caserón de las sombras*, con Boris Karloff; *Luces de Buenos Aires*, por Gardel; *La cruz y la espada*, por Mojica; *¿Por qué trabajar?*, por Laurel y Hardy; *Tarzán y su compañera*, *Los Crímenes del Museo*, *Lo mejor es reir*, *Madame Butterfly*.

El movimiento teatral madrileño en esta misma temporada no es ni mejor ni peor que años anteriores. Entre los estrenos más interesantes tenemos en Fontalba *El pan comido en la mano*, de Benavente, y *Oro y marfil*, de Quintero y Guillén; en el Cómico, *Cinco lobitos*, de los Quintero; *Madrileña bonita*, de Luis de Vargas, y *La risa*, de los Quintero; en el Calderón, *Antón Perulero*, de Luis Manzano; *La Chulapona*, de Romero, Fernández Shaw y música de Moreno Torroba.

Presentación de la ópera *Sadko*, de Rimsky Korsakow, y estreno de *Mandolinata*, de Cuyás de la Vega y Guridi; en el Español, *Ni al amor ni al mar*, de Benavente; *La sirena varada*, de Casona, y *Yerma*, de García

Lorca; en el Victoria, la opereta *El baile del Savoy, Cuando las Cortes de Cádiz y Cisneros*, las dos de Pemán.

En el Beatriz, *Por tierra de hidalgos*, de Linares Rivas; *El río dormido*, de Serrano Anguita, y *La luna en las manos*, de González Ruano; en el Lara, *Madre Alegría*, de Fernández de Sevilla y Sepúlveda; *Memorias de un madrileño*, de Benavente, y *Estudiantina*, de Fernández de Sevilla y Sepúlveda; en la Zarzuela, *Don Gil de Alcalá*, de Penella, y *La casa de las tres muchachas*, de Tellaeche y Góngora, **música de Schubert y Sorozábal.**

En el Benavente, *Margarita y los hombres*, de Neville; en el Maravillas, *Las Peponas*, de Ligero, Povedano y música de Luna, y *Las insaciables*, de Vela, Sierra y música de Guerrero; Jardiel Poncela estrena dos de sus obras más graciosas, *Angelina o el honor de un brigadier*, en el María Isabel, y *Usted tiene ojos de mujer fatal*, en el Español; en el Idcal, *Paquita la del Portillo*, dc Arnichcs, Estrcmera y música de Rosillo, y *El alma del carrero*, de Conrado Blanco y música de Balaguer.

Temporada corta de Raquel Meller en el Coliseum, y *Los maestros canteros*, de Arniches, Estremera y música de Guerrero; *El rebelde*, de Joaquín Calvo Sotelo, en el Muñoz Seca; *Soy un sinvergüenza*, de Muñoz Seca y Pérez Fernández, en el María Isabel; *Las vampiresas*, de González del Castillo, Muñoz Román y música de Rosillo, en el Romea; *Amores y amoríos*, de los Quintero, en el Chueca, y *Las de los ojos en blanco*, de González del Castillo, Muñoz Román y Alonso, en Martín.

La crónica deportiva de 1934 se inicia con un fulminante España-Portugal de fútbol, en Madrid, con el resultado de 9-0, formando en el equipo español Zamora, Zabalo, Quincoces, Cilaurren, Marculeta, Fede, Ventolrá, Regueiro, Lángara, Chacho y Gorostiza, seguido una semana más tarde de un Portugal-España en Lisboa, en el que nuestra selección vuelve a ganar, pero sólo por 2-1.

Martínez de Alfara se proclama campeón de Europa de los semipesados al vencer al belga Stegaert. El Madrid queda campeón de España al vencer al Valencia en Montjuich por 2-1. Equipo del Madrid en esta ocasión: Zamora, Ciríaco, Quincoces, Regueiro, Bonet, Leoncito, Lazcano, Regueiro, Samitier, Hilario y Eugenio.

Max Baer derrota a Primo Carnera en Nueva York y se proclama campeón del mundo de todas las categorías. Vicente Carretero se clasifica vencedor de la célebre y tradicional Vuelta Ciclista a los Puertos, en torno a Madrid. En la Vuelta a Francia, que gana Antonin Magne, Cañardó se clasifica noveno y Trueba el décimo.

En Price, de Madrid, Ignacio Ara vence a Dewanquer por k. o. España vence a Hungría por 6-1 en el homenaje a Zamora. Se retira del fútbol —aunque por poco tiempo— Samitier, y Uzcudun hace macht nulo con Schmelling en Barcelona, en un espectáculo boxístico que comienza a las once de la mañana y termina al oscurecer, con más de treinta combates diferentes. En Italia se celebran los Campeonatos Mundiales de Fútbol.

En estos campeonatos mundiales que tienen por escenario los campos de fútbol de Italia, España vence a Brasil en Génova por 3-1, empata con Italia y en el encuentro de desempate —que ganan los italianos por 1-0—, el equipo español queda con numerosos lesionados, hasta el extremo de que, no obstante su eliminación, el presidente de la República española felicita a Zamora, capitán, por la formidable conducta de los españoles allí. Al final, como era de esperar, se proclama Italia Campeona del Mundo de Fútbol, al vencer a Checoslovaquia por 2-1.

Extraña página de sucesos de diversos lugares de España en el curso de 1934. Es pronto famoso *el duende de Zaragoza*, una dulce voz de mujer, a ratos amenazante, que habla por la chimenea de cierta casa. Naturalmente, todos andan asustados allí, y la más aterrorizada de todos es la criada. El duende sabe de todo, conoce a todo el mundo, está al corriente de todo cuanto sucede en Zaragoza, y en detalle lo que pasa en la vecindad.

No hay manera de saber, sin embargo, si se trata de un duende de derechas o de izquierdas, lo que dada la situación política de la época hubiera sido muy conveniente. Los inquilinos acaban marchándose a vivir a otra casa. ¡Ah, tiempos en los que para cambiar de casa no había más que decirlo...! La Policía establece un servicio especial en torno al *duende de Zaragoza*, pero nadie ya vuelve a escuchar la célebre voz. ¿Algún ventrílocuo guasón...?

En Hospitalet de Llobregat, una sombra blanca se pasea por las noches a lo largo y ancho del Torrente Gormal. Cuando alguien se le acerca, se esfuma. Cerca vive una hechicera muy conocida. Un curandero asegura que la sombra corresponde a un muerto encantado por la hechicera, con lo que, no demasiado convencidos, los vecinos de Hospitalet se deciden a quedarse algo más tranquilos. ¿Que un muerto de la localidad decide pasearse por las noches en la frescura del Horrente...? Bien, que lo haga; ninguna disposición municipal se lo impide.

En Ferrol, un individuo mata a su padre a hachazos. Luego, ayudado por su madre, meten el cadáver en un balandro, izan las velas y dejan la embarcación abandonada a merced de los vientos, con su macabra carga a bordo. Poco después es descubierto el balandro y no tardan muchos días en ser detenidos los culpables. «Deseaba ser enterrado en el mar», dice el hijo.

Crimen pasional de turno. A eso de las cinco de la tarde de un día primaveral, un niño se acerca a la pareja de guardias de seguridad de servicio en la Puerta del Sol:

—En el 7 de la calle de Espoz y Mina han matado a una señora.

Los guardias acuden a la calle cercana y hallan a un joven muy nervioso, detenido por los vecinos de la casa número 7. Otros vecinos bajan a duras penas, sentada en un sillón y con la cabeza caída sobre el pecho, a una mujer joven, con el rostro ensangrentado y pálida en exceso. Pronto, la historia trasciende a los periódicos. Se trata de una pareja de El Tiemblo, cuyos amores habían comenzado años atrás en el citado pueblo.

El, que había venido a Madrid a hacer el servicio militar en el Regimiento número 6, regresó a El Tiemblo, al propio tiempo que Benita, su novia, se vino a Madrid a servir como doméstica. Entonces, Hilario, que no podía vivir lejos de ella, volvió a Madrid y se colocó como pinche en un restaurante.

En Madrid, las relaciones de ambos se reanudaron felizmente, si bien salpicadas de ciertas inquietudes, ya que alguien aseguró a Hilario que su novia había salido con otro hombre en la tarde del domingo. Y también de otro festivo en que había tenido permiso de sus señores para salir. Sin encomendarse a averiguaciones, Hilario, hombre excesivamente impulsivo, ha acudido a sorprender a Benita y la ha acuchillado ferozmente.

Y aún otro. Carmen Martínez, artista de *varietés*, es muerta a tiros por su amante, un comerciante de Vigo, en el Paseo de la Florida, aprovechando las sombras de la noche. Una vez cometido el crimen, el autor llora copiosamente, vuelve el revólver para sí y se mata disparándose un tiro en la cabeza.

Y para terminar el repaso a la historia de 1934, veamos qué sucede por el ancho mundo.

El autor *oficial* del incendio del Parlamento alemán, Van der Lubbe, es decapitado en la guillotina. El coronel Batista se incauta del poder en La Habana. En París se producen gravísimos disturbios en los Boulevares, con gran cantidad de muertos y heridos y una movida secuela de cambios y más cambios de Gobierno. En Viena hay también enorme inquietud política, traducida a graves encuentros entre los socialistas y las tropas del Gobierno. Se calculan 1.500 muertos.

A consecuencia de un accidente de alpinismo muere el rey Alberto de Bélgica y sube al trono su hijo Leopoldo. John Dillinger, el célebre bandido norteamericano, capitanea el asalto a un banco de Dakota del Sur con autos y ametralladoras, llevándose 50.000 dólares después de herir a un policía y apresar a cinco empleados como rehenes.

La sedición de las S. A. contra Hitler es ahogada duramente por éste. Roehm *se suicida*. Otros siete jefes de las tropas de asalto acaban fusilados. El general Schleicher y su esposa son muertos a tiros por los elementos hitlerianos de su propia escolta.

Cuatro meses más tarde del asalto al Banco, Dillinger muere acribillado a la salida de un cine. La acción ha tenido por escenario el número 2.424 de la Avenida Lincoln. Parte del público acude a mojar sus zapatos, como un trofeo, en la sangre del hasta entonces titulado enemigo público número uno.

Un grupo nazi mata a tiros al canciller de Austria Dollfuss. Fallecen los mariscales Liautey, de Francia, y Hindemburg, de Alemania. Rusia ingresa en la Sociedad de Naciones y el raptor y asesino del hijo de Lindberg, Hauptman, es detenido a los dos años largos de su delito. El rey Alejandro de Yugoslavia y el ministro de Negocios Extranjeros de Francia. Barthou, son muertos a tiros en Marsella. El criminal es ejecutado allí mismo a sablazos por los oficiales de escolta.

Ante la tumba de Rodolfo Valentino siguen dándose espectáculos desconcertantes. Una señora de treinta años se toma allí mismo un veneno rápido y cae muerta en unos minutos.

Comienza la cruel guerra del Chaco entre Paraguay y Bolivia.

Alemania anuncia oficialmente que puede poner en pie de guerra, en pocos días, hasta cinco millones de hombres.

Y se acaba el año con el asesinato del poeta Santos Chocano, apuñalado en un tranvía en Santiago de Chile.

Capítulo 32. VERTIGINOSAMENTE. Enorme tensión de las juventudes en las calles de Madrid. La fusión de Falange-JONS. La venta de **FE** y **RENOVACION.** Asesinatos. Dimite Lerroux y le sustituye Lerroux. Estado de alarma y pena de muerte. Huelgas. La peligrosa Ley de Amnistía. Sanjurjo, en libertad. Dimite Lerroux, le sucede Samper. El proceso de Casas Viejas. El capitán Rojas, veintiún años de prisión. Cifras inquietantes del paro obrero. Franco, general de División. Huelga de patronos. Arrecian los atentados. Cálido y sangriento verano. Resumen de disposiciones del primer semestre de 1934. Veinte partidos en el Parlamento. Septiembre presiente a octubre.

El 1934 político es un año fuera de serie. Para su estudio minucioso es aconsejable dividirlo en dos grandes partes: una, la que comienza el 1.º de enero y termina el 30 de septiembre y otra la que comienza el 1.º de octubre y termina con el año.

El movimiento monárquico madrileño es cada día más fuerte. Se manifiesta unas veces de manera velada y otras de forma clara e indisimulada. No hay muchos monárquicos al empezar 1934, pero los que hay bullen, se mueven y actúan. En el número 8 de la calle del Marqués de Villamagna se inaugura con toda solemnidad un centro monárquico. Días después, el 23 de enero, onomástica de Alfonso XIII, varias señoras de familias distinguidas regalan víveres y ropas a los pobres en los locales de Renovación Española.

Los incidentes registrados a causa del encuentro entre los grupos que venden periódicos de la extrema derecha y los que venden los de la extrema izquierda son constantes. Los tiroteos menudean. La estela de heridos y de muertos es, en 1934, impresionante, incluso mucho antes de los gravísimos sucesos de octubre, que ocuparán capítulo aparte, el capítulo siguiente a éste.

Huelgas de la construcción, de artes gráficas, de metalúrgicos. No puede decirse que 1934 haya entrado con buen pie ni mucho menos. Todo continúa teniendo aires de presagio, pero ahora más que nunca.

En la tertulia de Valle Inclán, alguien le pregunta:

—¿Es cierto que son frecuentes los tiroteos en su barrio?

Valle Inclán responde:

—Con decirle que anoche me saludó el sereno diciéndome: Señorito, ¡sin novedad en el frente!

Ya es un hecho la unificación entre jonsistas y falangistas. Ha sido precedida de diversas reuniones del equipo de Falange, otras tantas del grupo de Ledesma Ramos y algunas conjuntas de unos con otros.

No todos los falangistas se hallan de absoluto acuerdo con la fusión. Lo mismo sucede con los de las J. O. N. S. Pero el mayor interés de la unificación puede con todo, si bien produzca la separación de algunos, escasos, disidentes.

En un piso de la Gran Vía se reúnen en los primeros días de febrero Ramiro Ledesma Ramos, Onésimo Redondo y varios jonsistas más con una representación falangista personalizada principalmente en las figuras de José Antonio Primo de Rivera y Julio Ruiz de Alda.

Se acuerda que el nombre de la nueva organización fusionada será el de *Falange Española de las J. O. N. S.* Firman el documento Ramiro Ledesma Ramos, de un lado, y José Antonio Primo de Rivera, del otro.

Se acuerda conceder el carnet número 1 a Ramiro Ledesma y el 2 a Primo de Rivera. Las bases para ultimar y detallar la fusión se publican en la revista *J. O. N. S.*, número 9, y son las siguientes:

1. Todas las secciones locales del nuevo movimiento se denominarán Juntas de Ofensiva Nacional Sindicalista de... (JONS de...) y la integración nacional, la denominación total del partido serán Falange Española de las J. O. N. S. Las J. O. N. S. actualmente constituidas permanecen, y las secciones locales de Falange Española pasarán a ser J. O. N. S., rigiéndose unas y otras por los nuevos Estatutos que se están elaborando.

2. Falange Española de las J. O. N. S. tendrá al frente una Junta de Mando, formada por siete miembros, funcionando en su seno un Triunvirato ejecutivo integrado por los camaradas José Antonio Primo de Rivera, Julio Ruiz de Alda y Ramiro Ledesma Ramos.

3. El emblema y la bandera del nuevo movimiento son los mismos de las J. O. N. S. Nuestros camaradas no tienen, pues, que modificar lo más mínimo las insignias que hoy poseen, y esperamos que constituya en el futuro una ejecutoria y un orgullo disponer de los primeros modelos jonsistas.

4. Exactamente a como ya ocurría en nuestras J. O. N. S., el nuevo movimiento tenderá a ser la expresión vigorosa de toda la juventud, y regirá en su organización el principio de recusar para los mandos a los mayores de cuarenta y cinco años.

5. Falange Española de las J. O. N. S. elaborará un programa concreto que afecte a las inquietudes económicas de las grandes masas, interpretando la actual angustia de los trabajadores y de los industriales modestos.

Uno de los consejeros de las primitivas J. O. N. S., Santiago Montero Díaz, que empezó por excusar su asistencia a la reunión conjunta de la Gran Vía, escribe al conocer el pacto, una carta a Ramiro Ledesma Ramos dándose de baja en la organización. *La esencia misma de la Falange* —le dice— *es derechista, y esa esencia se conservará a pesar de la unión. Y se impondrá por desgracia, camarada Ledesma.*

En el curso de los constantes incidentes en que Madrid se desgarra día por día, los falangistas sufren una baja sensible: Matías Montero, activista universitario, es muerto a tiros en plena calle. En su entierro, Primo de Rivera pronuncia unas palabras significativas:

—¡Camarada Matías Montero! Gracias por tu ejemplo. Que Dios te dé su eterno descanso y a nosotros nos niegue el descanso hasta que sepamos ganar para España la cosecha que siembra tu muerte. Por última vez; Matías Montero Rodríguez: ¡Presente!

Como protesta por haber autorizado el Gobierno una concentración agraria —*concentración agrario-fascista*, dice *El Socialista*—, se declara en Madrid una huelga general violenta: seis muertos, dieciocho heridos y más de trescientos detenidos.

Un joven falangista es asesinado en San Sebastián. La respuesta no se hace esperar: pocas horas más tarde cae acribillado a balazos el que hasta hace poco ha sido director general de Seguridad, Andrés Casaus.

Un registro ordenado por el Gobierno en la Casa del Pueblo madrileña encuentra numerosos fusiles y pistolas, más de 600 cajas de cartuchos y varios útiles para fabricar bombas.

Un conductor de tranvías que había prestado servicio llevando su coche por las calles de Madrid en plena huelga, cae muerto a balazos en las proximidades de su domicilio.

Quedan prohibidas las obras en la Puerta de Alcalá, donde estaba previsto enterrar los cuerpos de Galán y García Hernández. Esto produce el consiguiente revuelo: ¿Qué República es ésta que, de acuerdo con los monárquicos, frena en seco el movimiento popular en favor de la instalación de esas tumbas...?

Madrid hierve de manifestaciones. El Gobierno ordena la detención de varios jefes socialistas. Aumentan los registros en todos los centros obreros de la capital. Incluso en el Ateneo entra la Policía y realiza un registro sin resultado.

En Chamartín es muerto a tiros un patrono panadero. En la misma barriada cae muerto también a balazos un gestor del Ayuntamiento de aquel distrito. Era empresario y con ocasión de la reciente huelga ha despedido a cuatro obreros.

Un grupo de jóvenes tradicionalistas, con boínas de uniforme, entra en la Facultad de Medicina. Los muchachos, entre cánticos y vítores, colocan su bandera en el balcón central. Se produce una fuerte reyerta y resultan numerosos heridos.

LA SALIDA DE NUESTRO SEGUNDO NUMERO

ACERAS ROJAS

El jueves 11 de enero, por la tarde, salió el segundo número de "F. E."

De antemano, la *acera roja* de la Puerta del Sol estaba bien guarnecida. Y los alrededores de la Puerta del Sol. Y los Cuatro Caminos.

"F. E." se vendió, sin embargo.

Nuestras gentes tuvieron que hacer cara a la provocación de los contrarios, y lo hicieron con ánimo tan sereno como fuerte puño.

Hubo varias refriegas en diferentes lugares; especialmente en la Puerta del Sol, en los Cuatro Caminos y en la esquina de las calles de Sevilla y de Alcalá. En este último sitio fué muerto a traición, cuando ya se retiraba, solo, hacia su casa, uno que podemos considerar como nuestro.

EMBUSTES

Como de costumbre, la versión de los sucesos ha sido falseada por varios periódicos. No nos importa ni nos sorprende. Por ejemplo: ¿qué pavoroso desconcierto no habría de producirse entre los lectores de "El Socialista" si este periódico, por error, saliera un día diciendo la verdad acerca de algo? "El Socialista" naturalmente, mintió al relatar los acontecimientos. Y del mismo modo mintieron varios de sus congéneres.

GRATITUD

En cambio otra gran parte de la Prensa protestó severamente contra el cobarde crimen y contra el matonismo de quienes se propusieron impedir la venta de "F. E."

Vaya nuestra gratitud más cordial a los periódicos que así se han expresado: señaladamente, de los de Madrid, a "A B C", "El Debate", "La Nación" "Informaciones" y "El Siglo Futuro" Todos ellos, aparte discrepancias de ideología, han condenado la repugnante conducta de las juventudes rojas.

NOSOTROS NO PROTESTAMOS

Pero nosotros no protestamos. Ni aquí, ni en el Parlamento—donde no nos hubiera faltado voz—, ni ante las autoridades.

Nosotros aceptamos sin la menor repugnancia el estado de guerra. No pedimos auxilio: estamos dispuestos a ejercer, por las buenas o por las malas, nuestro derecho a vender "F. E."

Si los rojos se obstinan en impedirlo, allá ellos. Nunca han partido de nosotros las provocaciones, pero tampoco pensamos rehuirlas.

BASTA DE MARTIRES

Y ahora, simplemente, una advertencia:

Los lectores del primer número de "F. E." nos achacaron demasiada suavidad de tono. Nosotros respondimos que no éramos afectos a la baladronada.

No es, pues, baladronada lo que vamos a decir: es, ni más ni menos, expresión imperturbable de un propósito firme, adoptado con toda tranquilidad:

No estamos dispuestos a que se derrame en las calles, gratis, más sangre de los nuestros. Ya tenemos bastantes mártires. No estamos libres de que caiga alguno más. Pero no caerá impunemente.

EL PERIODICO *FE* DE FALANGE ESPAÑOLA DE LAS J. O. N. S.

En un registro en el local de Eduardo Dato, 7, domicilio de un grupo falangista, se encuentran porras y documentos y se practican algunas detenciones. Pocos días después, Francisco de Paula Sampol, vendedor del periódico falangista *FE*, es muerto en la calle de Alcalá de un disparo en el curso de una reyerta con unos obreros socialistas.

Unas semanas después estalla una bomba en la imprenta de la calle de Ibiza, en la que se edita *FE*. Un socialista que reparte el periódico *Renovación* en la Gran Vía es apaleado por un grupo falangista y se producen algunos disparos con unos cuantos heridos.

Al conocerse la absolución de tres jóvenes falangistas y la condena, en cambio, de dos estudiantes de la FUE, se promueven disturbios en la Universidad y grupos compactos de estudiantes izquierdistas recorren las calles atacando a cuantos derechistas encuentran a su paso.

En los mismos días aparece un cartel en lo más alto de la Casa del Pueblo (socialista). El cartel dice: «F. E. ¡Viva el Fascio!» Al día siguiente, siete falangistas armados entran en el local de la FUE y maniatan a los presentes, registrando todos los armarios y los cajones de las mesas.

En la plaza de la Cebada riñen a bofetadas los vendedores de *FE* con los de *Renovación*. Madrid se llena de pronto de guardias por todas las esquinas, lo que no impide que el presidente de la Juventud Socialista Madrileña, Enrique Puentes, sea tiroteado en la travesía de San Mateo, resultando ileso.

Frente a «Madrid-París», en plena Gran Vía, vuelven a enfrentarse los vendedores de los dos periódicos extremistas citados. El choque, que empieza por bofetadas y garrotazos, degenera en tiroteo. Es detenido un falangista, estudiante, al que se ha sorprendido disparando. Horas después se repiten las mismas escenas en la glorieta de Bilbao y en la esquina de Alcalá y Lagasca.

En el Instituto Calderón de la Barca resulta herido Antonio Ruiz Cuerda, de la FUE, por un estudiante perteneciente a las J. O. N. S. En la calle de Apodaca, nuevo enfrentamiento de las juventudes rivales: nueve heridos, uno de ellos gravísimo.

El 8 de marzo, la Dirección General de Seguridad prohibe, en uso de una reciente disposición —que aparece registrada en otro lugar de este capítulo— la venta de periódicos en grupos. La prensa sólo puede ser vendida por los vendedores profesionales de periódicos.

Días más tarde, la Policía detiene en la calle de Fuencarral a tres jóvenes que llevaban varios paquetes con 2.500 ejemplares del periódico comunista *Bandera Roja*, prohibido.

En la calle de Altamirano lanzan un petardo contra José Antonio Primo de Rivera, del que resulta ileso. En la calle de Alfonso XI, junto al edificio de Acción Popular, se promueven graves disturbios por la presencia de una manifestación que exhibe a su frente una descomunal bandera roja.

Un grupo falangista asalta el Fomento de las Artes, de significación izquierdista, y destroza el mobiliario. En el Instituto Lope de Vega, de Manuel Silvela, 4, se produce un violentísimo choque entre estudiantes de F. E. y de la FUE. Resulta muerto un muchacho de catorce años de la FUE y herido un falangista de dieciocho años.

En el Congreso, Rey Mora, diputado radical, interpela a Gil Robles, jefe de la CEDA:

—¿Cuándo da usted el grito de viva la República?

—¡Pero, hombre!, ¿todavía estamos con eso?

—Conteste usted concretamente: ¿cuándo da usted el grito?

—A ver si antes de que yo dé el grito echan abajo la República.

El zorro de la derecha joven no ha caído en la trampa. Pero a nadie se oculta ya que esta derecha, oficialmente republicana, tiene bastante poco que ver con el espíritu del 14 de abril. También los agrarios se declaran *oficialmente* republicanos (menos Fanjul, que por esta causa renuncia al acta de diputado). Y, sin embargo, ni la CEDA ni los agrarios tienen de republicanos más que la escarapela.

Sucede que como hace tan poco tiempo que ha caído la Monarquía, no parece de buen tono definirse concisamente como monárquicos. No es de buen tono y además resulta mucho más fecunda esta *tierra de nadie.*

La CEDA hace público su propósito de sustituir a los obreros en huelga por afiliados suyos, que no sólo trabajarán donde haga falta, sino que lo harán gratis. Declaración por demás desafortunada y que pone un sabio argumento en manos de la clase obrera: si los afiliados a la CEDA pueden trabajar sustituyendo a los obreros, y además lo hacen gratis, está claro que es porque no trabajan en ninguna otra cosa y porque no necesitan el jornal para vivir. Con lo que queda bien definido un bando y bien definido el otro.

Rico Avello, ministro de la Gobernación, cesa por no andar muy de acuerdo con el resto del Gabinete, sustituyéndole Martínez Barrio.

—La eliminación de los socialistas del poder —clama Prieto— fatalmente tenía que producir una situación crítica para la República.

En respuesta, el Gobierno declara que todos los oradores que hagan apelación a la violencia serán automáticamente detenidos.

—La República —protesta Azaña— se corrompe, se prostituye, se estropea; hay que recuperarla y enmendarla.

—La República —le responde Lerroux— comenzó a corromperse cuando su señoría era precisamente jefe del Gobierno.

El presidente de la República interviene. El Gobierno Lerroux presenta *voluntariamente* la dimisión. En pleno. Mientras se forma nuevo Gabinete, se promulga el decreto de expropiación de fincas de diversos

Cacheos en Madrid, 1931

Sucesos de octubre de 1934 en Madrid. Los guardias de asalto practican cacheos
en Cuatro Caminos

Gobierno «de urgencia» del 4 de octubre 1934

Presidencia. Lerroux; Estado, Samper; Marina, Rocha; Comunicaciones, Jalón; Sin Cartera, Pita; Industria y Comercio, Orozco; Instrucción Pública, Villalobos; Trabajo, Anguera de Sojo, Agricultura, Jiménez Fernández; Gobernación, Vaquero; Guerra, Hidalgo; Sin cartera, Martínez de Velasco; Hacienda, Marraco; Obras Públicas, José María Cid aristócratas, en cuyos terrenos son asentadas mil familias de labradores.

La lista del nuevo Gobierno queda así:

Presidencia	Lerroux
Estado	Pita
Gobernación	Salazar Alonso
Guerra	Diego Hidalgo
Marina	Rocha
Agricultura	Cirilo del Río
Comunicaciones	Cid
Trabajo	Estadella
Instrucción Pública	Madariaga
Obras Públicas	Guerra del Río
Hacienda	Marraco
Justicia	Alvarez Valdés

Las dos primeras medidas espectaculares del nuevo Gobierno son la declaración del estado de alarma en todo el país y el restablecimiento de la pena de muerte.

El ministro de la Gobernación clausura los locales de la FUE y de las J. O. N. S. Aparece una bandera falangista en el Viaducto con la leyenda: «¡*Viva España! F. E.*» Días después, el doctor Luque es tiroteado al ser confundido su automóvil con el de José Antonio Primo de Rivera.

Terciado abril, tras una breve pausa de tranquilidad, Madrid se revuelve otra vez. Estallan varias bombas en establecimientos cuyos patronos se habían negado a secundar las huelgas ordenadas por los sindicatos. El 21, inopinadamente, a las doce de la noche, se paraliza totalmente el tráfico urbano, se cierran los cafés y dejan de trabajar las panaderías. ¿Se trata de una huelga más...? No; de varias.

Las Cortes aprueban una ley de Amnistía que viene a liberar a todos los que de una manera o de otra, pero casi siempre procediendo de las derechas, han venido sublevándose contra la República. Esto origina en el salón de sesiones del Congreso un enorme escándalo, en el que se escuchan las peores palabras del lenguaje castellano y se cruzan algunos puñetazos.

El asunto es tan peligroso, que el propio presidente de la República pone reparos a su firma a dicha ley y la mantiene cinco días sobre su mesa, aunque al fin acaba firmándola con un «¡Sea lo que Dios quiera!»

En la última semana de abril, los acontecimientos políticos parecen agitados por la mano de un perturbado: dimite el Gabinete Lerroux —que lleva menos de dos meses en el poder—; queda en libertad el general Sanjurjo, sublevado contra la República el 10 de agosto de 1932, y se forma un Gobierno Samper. ¿Quién es Samper...? ¡Ah, sí, sí...!

Presidencia	Samper (radical autonomista)
Estado	Pita (independiente)
Justicia	Cantos (radical)

Gobernación	Salazar Alonso (radical)
Guerra	Hidalgo (radical)
Marina	Rocha (radical)
Hacienda	Marraco (radical)
Instrucción Pública	Villalobos (liberal demócrata)
Obras Públicas	Guerra del Río (radical)
Industria y Comercio	Iranzo (independiente)
Agricultura	Cirilo del río (progresista)
Trabajo	Estadella (radical)
Comunicaciones	Cid (agrario)

Por si quedan pocas dudas de cómo la República va evolucionando, dos días después de quedar en libertad el general Sanjurjo es condenado el capitán Rojas, jefe de la columna de represión que operó el año anterior en Casas Viejas. La sentencia del Tribunal dice así:

"1.º **RESULTANDO. Que el Tribunal de Jurado en el momento procesal oportuno dictó el siguiente veredicto:**

1.ª **El día 12 de enero de 1933, en Casas Viejas, entre siete y ocho de la mañana, el acusado, Manuel Rojas Feigespán, capitán de la Guardia de Asalto y jefe de las fuerzas operantes en dicho pueblo para reducir la rebelión que había estallado en el mismo, ¿ordenó la detención de cuantos hombres sospechosos fuesen hallados en sus casas, después de incendiada y arruinada por acción de él la choza de Seisdedos, donde se habían hecho fuertes varios rebeldes, y, una vez traídos a su presencia los detenidos, hizo que entrasen en el corral de aquélla, donde dio la voz de "¡fuego!" a los guardias de asalto, quienes, al mando de ella, descargaron sus armas contra el grupo de los detenidos, matando a todos ellos, que eran: Cristóbal Fernández Expósito, Balbino Fumaquero Montiano, Juan García Benítez, Juan Villanueva Garcés, Fernando Lago Gutiérrez, Juan García Franco, Andrés Montiano Cruz, Juan Silva González, José Utrera Toro, Manuel Benítez Sánchez, Manuel Pinto González, Manuel García Benítez, Rafael Mateo Vela y Juan Galindo González? SI.**

"2.ª **Al ordenar el capitán Rojas las detenciones referidas en la pregunta anterior, ¿tuvo el propósito de dar muerte después a los detenidos? SI.**

"3.ª **¿Los catorce detenidos mentados fueron internados en la corraleta, esposados unos con otros diez de ellos y sin esposar los cuatro restantes? SI.**

"4.ª **La descarga que produjo la muerte del grupo de los detenidos, ¿fue para éstos inopinada e imprevista, de modo que no pudieron apercibirse de ella? SI.**

"5.ª **Al contrario de lo consignado en la pregunta primera, ¿la descarga que causó la muerte de los detenidos, la hizo la tropa sin orden expresa de su jefe Rojas, pero secundando otra voz de "¡fuego!" que sonó en el grupo, sin que se sepa quién la dio? NO.**

"6.ª **Para el caso de que fuese contestada afirmativamente la primera pregunta: ¿El procesado Rojas, al entrar en la corraleta los** catorce detenidos, les mostró el cadáver carbonizado del guardia de asalto, muerto por los ocupantes de la choza y que estaba allí junto con los de dos de éstos, y les dijo: "Mirad lo que habéis hecho", a lo cual repuso uno de los detenidos alcanzando la mano contra Rojas, cuyo ánimo sufrió una grave excitación momentánea? SI.

"7.ª ¿Efecto primero de esta grave excitación anterior e inmediata a la voz de "¡fuego!", fue el hecho de que Rojas disparase su pistola sobre el detenido en cuestión, sin que conste que le hubiese alcanzado? SI.

"8.ª Al hacer el disparo expresado anteriormente, ¿tenía Rojas el propósito de matar al detenido de que se trata? SI.

"9.ª También para el caso de que se afirme la primera pregunta: ¿La orden de fuego dada por Rojas respondió además a la natural perturbación originada por los episodios anteriores a la lucha con los rebeldes y por el largo tiempo de tensión de ánimo que lo mismo él que su tropa venían soportando, sin descanso físico suficiente, desde la noche del día diez anterior en que salieron de Madrid para intervenir en la represión del movimiento revolucionario que se manifestó con singular gravedad en distintos sitios de la provincia, y que en Casas Viejas había ocasionado ya víctimas en la Guardia Civil y en la de Asalto, teniendo, a mayores de esto, las fuerzas gubernamentales el temor de que en los montes próximos había cuatrocientos o quinientos hombres armados dispuestos a atacarles? SI.

"10.ª Antes de salir de Madrid, ¿recibió Rojas, por conducto reglamentario, órdenes verbales de que, en la represión del movimiento revolucionario, el Gobierno no quería ni heridos ni prisioneros y que entregara muertos a aquellos que se encontrasen haciendo frente a la fuerza pública o con muestras evidentes de haberlo realizado? SI.

"11.ª Por su parte, Rojas, ¿recibió personalmente de su jefe órdenes especiales de obrar con la máxima dureza para que no hubiese heridos ni prisioneros, ni respetasen mujeres ni niños, aplicando la Ley de Fugas y no admitiendo a parlamento a quien portara bandera blanca? NO.

"12.ª Estas órdenes, ¿fueron reiteradas a Rojas por su jefe, el director general de Seguridad, con estas palabras: "y tú, ya sabes lo que te he dicho", al despedirle a él y a sus tropas en la estación del ferrocarril en la citada noche del diez? NO.

"13.ª Hallándose Rojas en Jerez el día once, ¿recibió orden telefónica del director general de Seguridad para que saliese con cuarenta hombres para Casas Viejas y acabase con aquello en quince minutos, fuese como fuese? SI.

"14.ª Ya en Casas Viejas, a medianoche del mismo día, ¿le fue entregado por el delegado del gobernador de la provincia un telegrama de éste que decía: "Es orden terminante ministro arrasen casas donde se hacen fuertes los revoltosos"? SI.

"15.ª ¿Quedó cumplida esta orden con el incendio y derrumbamiento de la choza de Seisdedos, único baluarte de los rebeldes, y otra contigua, siendo la operación de batir dicha choza la primera que efectuó Rojas a su llegada a Casas Viejas? SI.

"16.ª La muerte de Salvador Barberán Castellet, ¿ocurrió en el interior de su domicilio por disparos que hizo desde fuera la fuerza pública en vista de que no se entregó cuando dicha fuerza iba a detenerle, lo mismo que a otros, en cumplimiento de órdenes que el procesado Rojas dio entre siete y ocho de la mañana? SI.

"17.ª ¿Fue intimidado de detención Barberán por los guardias antes de que aquéllos disparasen? SI.

"18.ª Antes de la muerte de los detenidos, ¿se cercioró el procesado Rojas de que éstos, en el curso de la rebelión habían hecho frente con armas a la fuerza pública? NO.

"19.ª ¿A todos los detenidos se les ocuparon armas? NO.

"20.ª Con la destrucción de la choza de Seisdedos, ¿había terminado en Casas Viejas el estado de agresión a la fuerza pública? SI."

Sin que dejen de tener importancia, el resto de los resultandos y considerandos no son sino los escalones para llegar hasta el fallo, que es el siguiente:

"FALLAMOS: que debemos condenar y condenamos al acusado Manuel Rojas Feigespán como autor de catorce delitos de asesinato, con una circunstancia muy cualificada, a otras tantas penas de siete años de prisión, pero imponiéndosele solamente tres de estas penas, que hacen un total de veintiún años, en el cómputo del cual, y para su cumplimiento, se le abona el tiempo que lleva en prisión preventiva por esta causa, y se le imponen las costas y la obligación de indemnización en quince mil pesetas a los herederos de cada una de las víctimas..."

Como Samper, el nuevo jefe del Gobierno, padece un estrabismo notable, un periódico publica una cruel caricatura, exagerando este defecto, y cuyo pie dice: «Esta cara, ¿mira hacia la derecha o hacia la izquierda?»

El paro obrero es el monstruo máximo que va devorando los cimientos de la República a grandes dentelladas. El paro obrero que, por las causas que sean, lejos de disminuir con la República, ha aumentado. No toda la culpa, ni mucho menos, es de los dirigentes republicanos. No dar trabajo, parar las obras, llevarse el dinero al extranjero o, simplemente, paralizarlo en las cuentas bancarias, es también una manera de los poderosos para combatir a la República.

Por otra parte, el sistemático ataque de la extrema izquierda a todo lo que supone capital es tan directo y, sobre todo, tan impaciente, que el propio instinto de conservación de los capitalistas les hace sentirse prudentes en el gasto, prudentes en la iniciativa, prudentes en la empresa, demasiado prudentes en todo. La República podrá hacer o deshacer, pero el trabajo, en la República moderada, lo siguen dando los que tienen en sus manos el dinero.

Por todo ello, el paro obrero empieza a señalar cifras aterradoras.

Y aún habrá de llegar, como veremos, a mucho más. Las estadísticas de la primavera de 1934 nos dan los siguientes datos:

Obreros españoles en paro completo 416.360
Obreros españoles en paro parcial 250.268

TOTAL OBREROS PARADOS 666.628

Por ramas, figuran en cabeza del paro nacional las industrias agrícolas y forestales, con 236.530 personas en paro completo y 178.540 en

paro parcial (total 415.070). Sigue el ramo de la construcción con 75.740 en paro completo y 16.914 en paro parcial (total de 92.654).

Se habla del fulminante cese del general Queipo de Llano en su cargo de director general de Carabineros. Queipo de Llano desempeñó durante bastante tiempo la jefatura de la Casa Militar del presidente de la República y está considerado como uno de los generales republicanos a toda prueba. ¿Qué está pasando, pues...?

En el partido radical, acaudillado por Alejandro Lerroux con mano de hierro, se inicia una fuerte escisión encabezada por Martínez Barrio, que se lleva una veintena de diputados, con los que constituye un flamante Partido Republicano Radical Demócrata, que quiere decir que siguen siendo radicales y republicanos, pero algo más ladeados hacia la izquierda que los otros radicales republicanos y, sobre todo, menos dispuestos a la alianza con las derechas.

Una nota de la Junta de Mando

La Junta de mando de la Falange Española de las J. O. N. S. necesita hacer constar:

Primero. Que en su centro de la calle del Marqués de Riscal no se estaba celebrando ayer reunión alguna, ni pública ni clandestina. Lo prueba el hecho de que el señor juez de guardia sólo ha comprobado la existencia en el Centro de unas cuarenta personas, repartidas entre la oficina parlamentaria, la Bolsa de Trabajo, las administraciones de las revistas "F. E." y "J. O. N. S.", el garage, la conserjería, el jardín, etcétera. Cuarenta personas en un local donde funcionan, con sus equipos de empleados, todos esos servicios, no es cosa como para poner en movimiento a toda la Dirección de Seguridad.

Segundo. Que el registro policíaco, en cuya virtud se dice haber encontrado el imponente arsenal que los periódicos describen, fué practicado por los agentes sin requerir la presencia de ningún testigo—como exige la ley—, y, en su mayor parte, cuando ya habían sido trasladados a la Dirección de Seguridad cuantos se encontraban en los locales y podían fiscalizar el registro.

Tal es la verdad. Ahora bien; si este simulacro de descubrimiento terrorífico tiene por objeto distraer a la opinión de cosas más graves o consolar al señor Salazar Alonso de la falta de otros éxitos, la Falange Española de las J. O. N. S, no tiene nada que decir.

Madrid, 11 de julio de 1934.

EL DIA SIETE DE ESTE MES DE JULIO TUVIMOS DOS HERIDOS CON OCASION DE LA VENTA DE "F. E.": SANTOS ARANDA FERNANDEZ, CAMARADA ANIMOSO Y MAGNIFICO, Y CECILIO CUMPLIDO MANZANEDO. ESTE NO ES MILITANTE TODAVIA, POR SUS POCOS AÑOS; PERO IBA LEYENDO "F. E." Y ESO LE DEPARO EL BAUTISMO DE SANGRE ANTES DE LA INSCRIPCION DEFINITIVA.

SANTOS ARANDA RECIBIO UN TIRO EN EL HOMBRO, Y LO SOPORTO CON ANIMO ALEGRE. A CECILIO CUMPLIDO LO HIRIERON VARIAS VECES CON UN CORTAPLUMAS. LOS DOS ESTAN YA BIEN, Y MEJOR DISPUESTOS QUE ANTES DE SUS HERIDAS.

¡Duce, a noi!

Mi Duce eres tú, que tomando un caballo blanco y cabalgando en él—penacho al viento—te pusiste a la cabeza del pueblo, avanzando sin detenerse; y hoy andas todavía.

Calientes aún los cañones de los fusiles, repletas las cartucheras, los morrales con la libreta de pan y la lata de conservas, un canto en el corazón, te seguimos; llévanos donde quieras, con el puñal al vientre; nos basta a nosotros poder ir contigo.

Mece tu penacho y modula nuestras canciones con el tintineo; cuando tu plumero se recorta contra el monte, lo vemos ya en la cima; si se yergue en el cielo, lo seguimos ya por toda la bóveda azul; cuando se destaca sobre el mar, sabemos que se balancea con cada ola.

Llévanos contigo; ya corre tu caballo por rocas, aire, mar; tu caballo no hay ya quien le detenga, y si alguien lo intentare tendría que habérselas con nuestros fusiles.

Con tu caballo a la cabeza ordénanos en fila india espoléale y ve donde quieras; seguirá tus pasos el fuego, si quieres fuego, el amor, si amor quieres; y nadie se cansará de obedecer.

Banderas al viento de tu plumero, bayonetas relucientes con tu luz, frentes sudorosas, fusiles impacientes, cantos de guerra; victoria en la guerra, si tú quieres.

A flor de cañón de cada uno de nuestros fusiles llevamos una rosa; no es para ninguna de nuestras novias; es una rosa que hemos cogido para ti, para tu victoria; aun en los Alpes habrá jardines para brindarnos las rosas de nuestras victorias.

Duce, cuando el pelotón grita al unísono tu nombre, tiembla la tierra; hasta en Africa ven tu penacho; adelante; en pos de tu caballo blanco, canciones, fusiles, corazones, músculos y rosas son de acero puro.

Avanza: te espera allá abajo un arco romano, alzado adrede para ti.

PIER MARIA BARDI

(Traducción de J. R. M)

DOS ARTICULOS DEL PERIODICO *FE*

Recién ascendido a general de División, el general Franco, comandante de Baleares, acude a Madrid llamado por el ministro de la Guerra para acompañarle como asesor en las maniobras que tienen lugar en las montañas de León. Franco señala a Diego Hidalgo, titular de la cartera de Guerra, los defectos que considera necesario subsanar en la eficacia del Ejército, muy particularmente los medios de transporte. Hidalgo se fija muy detalladamente en este joven general. Tanto, que en los ya próximos sucesos de octubre le retendrá junto a sí dirigiendo las operaciones contra la rebelión asturiana.

Madrid conoce, precisamente el 18 de julio, a dos años justos de distancia del comienzo de la guerra civil, una curiosa huelga de patronos. Los patronos se quejan porque el Ayuntamiento ha subido los sueldos a su personal. Como esta subida ha de estar amparada por los arbitrios, la clase patronal se considera directamente perjudicada.

No es que hayan sido aumentados los impuestos, que vienen siendo los mismos que antes de 1930, sino que ahora se hacen pagar. Los rótulos comerciales de las tiendas, que debían pagar impuesto, no lo pagaban. El Ayuntamiento no hace sino poner en orden sus cuentas. Los patronos responden invitando a todos a tapar los rótulos con papel blanco. Madrid conoce de pronto unas extrañas tiendas, unos extraños cafés en los que el nombre comercial queda oculto por anchas tiras de papel blanco.

En un teatro de la ciudad, cuando el público ha abarrotado las butacas, cuando se encienden las luces que anuncian el comienzo de la representación, los músicos, sin previo aviso, enfundan los instrumentos y se retiran. El público queda estupefacto. Se trata de un boicot ordenado por el sindicato contra el maestro Guerrero. La empresa envía *un propio* al escenario para advertir que está dispuesta a devolver el importe de las localidades, y sólo así se calman los ánimos, pues ya había quien estaba dispuesto a incendiar el teatro.

Un grupo de jóvenes socialistas que regresaba de una excursión dominguera es tiroteado desde un automóvil. Resultan tres heridos graves, los hermanos Rico. Juanita Rico muere días después a consecuencias de las heridas. Se produce enorme efervescencia en todo Madrid. La Policía detiene como presunto autor de los disparos a Merry del Val, en quien al parecer coinciden algunos elementos acusatorios. Poco después es declarado inocente. En el entierro de Juanita Rico, que se convierte en una manifestación de protesta de los socialistas, un coche tirotea el local de F. E. hiriendo a varios afiliados.

Arturo Castillo, falangista de Cáceres, es muerto a tiros en los locales falangistas de la calle del Marqués del Riscal. El ministro de la Gobernación prohibe las excursiones de los días festivos en grupos grandes, así como el uso de uniformes y emblemas.

La Policía detiene a un individuo llamado Marcial Villaverde, al que ocupan un paquete conteniendo cinco pistolas y dos revólveres. En sus

Prólogo escrito por José Antonio Primo de Rivera para la traducción española del libro de Mussolini "El fascismo": Madrid, 1934.

El hombre es el sistema; y ésta es una de las profundas verdades humanas que ha vuelto a poner en valor el fascismo. Todo el siglo XIX se gastó en idear máquinas de buen gobierno. Tanto vale como proponerse dar con la máquina de pensar o de amar. Ninguna cosa auténtica, eterna y difícil, como es el gobernar, se ha podido hacer a máquina; siempre ha tenido que recurrirse a última hora a aquello que, desde el origen del mundo, es el único aparato capaz de dirigir hombres: el hombre. Es decir: el jefe. El héroe.

Los enemigos del fascismo perciben esa verdad por el revés y hacen de ella argumento de ataque. "Sí —reconocen—; Italia ha ganado con el fascismo; pero ¿y cuando muera Mussolini?". Creen dar con ellos un golpe decisivo al sistema, como si hubiera sistema alguno que tuviese garantida la eternidad. Y, sin embargo, es lo más probable que —cuando muera Mussolini— sobrevenga para Italia un momento de inquietud; pero un momento sólo; el sistema producirá —con alumbramiento más o menos laborioso— otro jefe. Y este jefe volverá a encarnar el sistema para muchos años. Tras él (duce, conductor) seguirá la fe de su pueblo, en comunicación de hombre a hombres, en esa forma de comunicación elemental, humana y eterna que ha dejado su rastro por todos los caminos de la Historia.

Yo he visto de cerca a Mussolini, una tarde de octubre de 1933, en el Palacio de Venecia, en Roma. Aquella entrevista me hizo entender mejor el fascismo de Italia que la lectura de muchos libros.

Eran las seis y media de la tarde. No había en el Palacio de Venecia el menor asomo de ajetreo. A la puerta dos milicianos y un portero pacífico. Se dijera que al penetrar en el Palacio donde trabaja Mussolini es más fácil que tener acceso a cualquier Gobierno civil. Apenas enseñé al portero el oficio donde se me citaba, se me hizo llegar —por anchas escaleras silenciosas— a la antesala de Mussolini. Tres o cuatro minutos después se abrió la puerta. Mussolini trabaja en un salón inmenso, de mármol, sin muebles apenas. Allá, en una esquina, al otro extremo de la puerta de entrada, estaba tras de su mesa de trabajo. Se le veía de lejos, solo en la inmensidad de salón. Con un saludo romano y una sonrisa abierta me invitó a que me acercara. Avancé no sé durante cuánto rato. Y sentados los dos, el "Duce" empezó su coloquio conmigo.

Yo le había visto en audiencia ritualia, años antes, cuando fuí recibido con varios alumnos de la Universidad de Madrid. Aparte, como todos los habitantes del mundo, le conocía por los retratos: casi siempre en actitud militar, de saludo o de arenga. Pero el "Duce" de Palacio de Venecia era otro distinto: con plata en el pelo, con un aire sutil de cansancio, con cierto pulcro descuido en su ropa civil. No era el jefe de las arengas, sino el de la maravillosa serenidad. Hablaba lentamente, articulando todas las sílabas. Tuvo que dar una orden por teléfono y la dió en el tono más tranquilo, sin poner en la voz el menor asomo autoritario. A veces, cuando alguna de mis palabras le sorprendía, echaba la cabeza atrás, abría los ojos desmesuradamente, y por un instante mostraba, rodeadas de blanco, sus pupilas oscuras. Otras veces sonreía con calma. Era notable su aptitud para escuchar.

Hablamos cosa de media hora. Luego me acompañó hacia la puerta, al través del inmenso salón. No es de gran estatura; ya no tiene, si alguna vez la tuvo, la erguida apostura de un jefe de milicias; antes bien, su espalda empieza a encorvarse ligeramente. Al llegar los dos a la puerta me dijo con una calma paternal, sin sombra de énfasis:

—Le deseo las mejores cosas, para usted y para España.

Luego se volvió hacia su mesa, despacio, a reanudar la tarea en silencio. Eran las siete de la tarde. Roma, acabadas las faenas del día, se derramaba por las calles bajo la tibia noche. El Corso era todo movimiento y charla, como la calle de Alcalá hacia esas horas. La gente entraba en los cafés y en los cinematógrafos. Se dijera que sólo el "Duce" permanecía, laborioso, junto a su lámpara, en el rincón de una inmensa sala vacía, velando por su pueblo, por Italia, a la que escuchaba palpitar desde allí como a una hija pequeña.

¿Qué aparato de gobernar, qué sistema de pesos y balanzas, consejos y asambleas, puede reemplazar a esa imagen del Héroe hecho Padre, que vigila junto a una lucecita perenne el afán y el descanso de su pueblo?

JOSÉ ANTONIO PRIMO DE RIVERA

FOTOCOPIADO DEL NUMERO DEL 17-7-34 DEL PERIODICO *FE*

declaraciones, el detenido asegura que no sabía lo que llevaba, que él es sólo un mandadero a las órdenes de su jefe, falangista, que le ha dado el paquete para que lo lleve a la calle de Alcalá Galiano, 8.

El doctor Broizar, falangista, es tiroteado en su automóvil cuando en compañía de su esposa iba por una calle céntrica. El médico resulta herido grave. Poco después, cuatro falangistas tirotean el centro socialista de la calle de Malasaña. Nuevo encuentro de vendedores de *FE* y vendedores de *Renovación*, esta vez a golpes de cachiporra, con el resultado de varios heridos graves.

Quince visitantes falangistas, que han entrado pacíficamente en la Exposición Antifascista del Ateneo, una vez dentro y al grito de: «¡ahora!», ponen al público de cara a la pared y se dedican a destruir todas las obras expuestas.

En los sucesos de la calle de Larra es muerto a tiros un joven comunista. En la tarde del mismo día muere el socialista herido grave por los falangistas en el asalto al Fomento de las Artes. En la barriada de Cuatro Caminos, unos jóvenes reparten hojas de propaganda falangista; se aproximan unos muchachos comunistas y se inicia una escaramuza; el resultado de todo ello es la aparición en el suelo de un obrero muerto, un joven afiliado al Partido Comunista, llamado Joaquín de Grado Escalona.

Los sindicatos de Falange Española proporcionan a los obreros sin trabajo unos volantes para que acudan a ciertas obras, en las que les emplean acto seguido. Los propietarios de las obras ya están de acuerdo con los jefes falangistas para dar trabajo a estos hombres. Pero cuando se presentan en el *tajo*, los que ya se hallan trabajando, afiliados por lo general a la UGT o a la CNT, promueven protestas y se inician así las algaradas y los golpes.

En el local de Falange Española de la calle del Marqués de Riscal hay casi siempre una pequeña cola de obreros sin trabajo que esperan los citados volantes para empezar a trabajar. Naturalmente, tanto la UGT como la CNT protestan de que habiendo en España centenares de miles de parados, ciertos propietarios de obras den precisamente ocupación a aquellos que llegan con el volante falangista.

El resumen, un tanto a vuelapluma, de lo legislado en los seis meses que van transcurridos de 1934 continúa reflejando la fiebre republicana por aquilatar y atar cabos. Los volúmenes de la *Gaceta* continúan encuadernándose extraordinariamente nutridos.

Cesan los gobernadores civiles de las cuatro provincias catalanas como consecuencia de la puesta en práctica del Estatuto de Cataluña. Se suspende la importación de carne congelada *hasta que desaparezca el exceso de existencias y se normalice su consumo.* Una compacta orden de Gobernación (131 artículos) de 13 de febrero regula con todo detalle la adquisición y tenencia de armas de fuego.

Se distingue bien claramente lo que se entenderá por manteca, mantequilla y margarina, de manera que cuando se diga solamente *manteca* o *mantequilla* se sobreentenderá que se trata de la procedente de leche de vacas, mientras que en los otros casos será manteca *de* cerdo, manteca *de* cabra o *de* oveja, etc.

Un decreto de la Presidencia del 27 de febrero organiza el Observatorio Astronómico de Madrid. *Por exigencias del servicio nocturno, el personal seguirá disfrutando de casa-vivienda.*

El 23 de marzo, un decreto de la Presidencia crea la dignidad de *Ciudadano de Honor*. El título lo recibirá siempre un 14 de abril, fiesta de la conmemoración de la República. Será elegido por un comité de honor formado por el presidente de la República, el presidente de las Cortes, el presidente del Consejo de Ministros y el presidente del Tribunal de Garantías Constitucionales, más los otros ciudadanos de honor elegidos con anterioridad.

Un decreto de Justicia aplaza *sine die* el cumplimiento de lo ordenado por la administración anterior en relación con la Prisión Central de Mujeres de Alcalá de Henares. Otra vez tejer y destejer.

La Circular del 12 de marzo de este mismo ministerio no deja de ser curiosa: se refiere a la ley de Vagos y Maleantes y dice entre otras cosas que *la mendicidad no puede considerarse como absolutamente ilícita, mientras las instituciones públicas o privadas de beneficiencia no alcancen un grado tal de perfección que ofrezcan en conjunto la absoluta certeza de que no hay nadie que deje de tener satisfechas todas sus necesidades primordiales.*

Es aprobado el reglamento del Montepío Marítimo Nacional. Se regula el racionamiento de los reclusos: desayunarán 100 gramos de leche natural o 25 de leche condensada, 20 de azúcar, 5 de café y 70 de pan. Comerán 100 gramos de garbanzos, 150 de patatas, 40 de carne, 20 de tocino, 20 de chorizo y fideos o arroz. Cenarán patatas con bacalao o judías con chorizo, alternando. Los domingos, algo de extraordinario. La ración *no podrá exceder de una peseta y cincuenta céntimos por día.*

El 18 de mayo, un decreto del ministerio de Justicia crea el Colegio Oficial de Registradores de la Propiedad. Se implanta la semana de cuarenta y cuatro horas para los obreros de calefacción y ascensores. Se establecen los salarios del personal subalterno de las fiestas de toros. Lo más interesante de esta disposición, desde el punto de vista histórico, quizá sea la relación de matadores de toros y novillos clasificados en sus respectivos grupos:

Grupo Especial:
    Juan Belmonte - Vicente Barrera - Domingo Ortega - Victoriano de la Serna.

Grupo Primero:
    Marcial Lalanda - Antonio Márquez - Armillita Chico - Rafael El Gallo - Manolo Bienvenida.

Grupo Segundo:

Chicuelo - Villalta - Cagancho - El Estudiante - Maravilla - Gallardo - Fernando Domínguez - Pepe Bienvenida - Gitanillo III - Félix Colomo.

Grupo Tercero:

Félix Rodríguez - Florentino Ballesteros - Jesús Solórzano - Diego de los Reyes - Carnicerito de Méjico - Pepe Amorós - Alfredo Corrochano - Valencia II.

Grupo Cuarto:

Fuentes Bejarano - Niño de la Palma - Enrique Torres - Fortuna - Balderas - Pedrucho - Ortiz.

Los novilleros punteros en este verano de 1934 son, según esta misma disposición, los siguientes:

Madrileñito - Niño de la Estrella - Curro Caro - Jaime Pericás - Diego Laínez - El Soldado - Niño del Barrio - Ramón Laserna Lorenzo Garza.

Un decreto de Instrucción Pública del 16 de mayo crea el Museo del Encaje. Una ley de Marina del 28 siguiente organiza el Cuerpo de Buzos. A comienzos de junio es creado el Batallón de Tiradores de Ifni y se regula con todo detalle lo referente a la permanencia en aquel territorio. El 19 de junio se firma en Lucerna el Convenio Internacional de Radiodifusión.

En pleno estío, Madrid continúa siendo el escenario de la más acuciante efervescencia política. Dijérase que todos tienen una prisa instintiva, o un miedo instintivo: hay en el aire algo que se intuye y que pone más nervios en los nervios y menos calma en la calma. Verano de presagio. Y los meses siguientes no van a desmentirlo.

Al tiempo que en la extrema izquierda se afinan las alianzas y se ultiman los pactos, la extrema derecha vela sus armas y perfila los abrazos. Unos y otros presienten la lucha, aunque no saben cuándo, cómo ni dónde va a comenzar.

El 20 de agosto, Goicoechea, por los monárquicos, y José Antonio Primo de Rivera, por los falangistas, firman un acuerdo que consta de siete bases o puntos. Mediante este documento, Renovación Española, principal grupo monárquico español en 1934, se compromete a respetar a la Falange al tiempo que Falange se compromete a no atacar a Renovación Española.

Es también de este mismo verano el acuerdo entre Primo de Rivera y Sainz Rodríguez fijando en diez puntos programáticos lo que *cuando sea* será *el nuevo Estado Español.*

Interesante escena en el Parlamento. Se promueve un suplicatorio para procesar al diputado José Antonio Primo de Rivera. Uno de los diputados que con más calor se oponen a este suplicatorio es precisamente el ex-ministro socialista Indalecio Prieto. Primo de Rivera queda sorprendido. Luego, el joven jefe de los falangistas acude al escaño de Prieto y le da la mano cordialmente, agradeciéndole su postura. Aplauden los socialistas y los de la derecha y hay, en medio del durísimo ambiente de la Cámara, un minuto de extraña y emotiva cordialidad.

El maremagnum de partidos y subpartidos sigue en aumento, camino de una portentosa balcanización. Felipe Sánchez Román funda un Partido Nacional Republicano; los radicales demócratas y los radicales socialistas se fusionan, lo que provoca, a su vez, algunas defecciones de los diputados enrolados en uno u otro bloque; en los agrarios hay fisuras; en los radicales que le quedan a Lerroux, también.

A todo esto, los rumores de una próxima revolución anarco-sindicalista crecen y llenan los pasillos del ministerio de la Gobernación y las salas del de la Guerra. Hidalgo, ministro de la Guerra, continúa manteniendo a su lado como asesor especial al comandante general de Baleares, general Franco.

Como algunos de los diputados vascos amenazan con independizar a Euzkadi por acto de fuerza, como parte de los diputados de la *Esquerra* catalana se orientan decididamente hacia el sector de *Estat Català* (el Estado catalán separado), el fraccionamiento alcanza caracteres de locura. Finalizando el verano de este tremendo 1934, los partidos representados en las Cortes son nada menos que todos los siguientes:

Radicales	Progresistas
Conservadores	Esquerra catalana
Federales A	Federales B
Federales C	Agrarios
Acción Catalana	Valoristas republicanos
Unión Republicana (1)	Izquierda Republicana Socialista
Liberales Demócratas	Lliga Regionalista de Cataluña
Nacionalistas vascos	Nacionalistas vascos de izquierda
Izquierda Republicana	Autonomistas valencianos
Nacional Republicano	Al servicio de la República

En septiembre, cualquiera en Madrid sabe que está pasando algo o algo va a pasar. El recelo está en la calle. La violencia, a ratos, también. Pero se presiente que cuando una jornada termina sin que nada realmente extraordinario se haya producido, sucede sólo que se está más cerca de lo que de manera inexorable ha de llegar. ¿Estallará primero la derecha o será la izquierda? El mes termina. Bastará arrancar una hoja del calendario para salir de dudas.

_____

(1) **Resultado de la mencionada fusión de radicales demócratas (Martínez Barrio) y radicales socialistas (Gordón Ordax).**

Capítulo 33. OCTUBRE DE SANGRE. La amenaza está en pie. Crisis. Las derechas, al poder. Huelga general revolucionaria. Tiroteos y víctimas en Madrid. La colaboración de los niños. Proclama de Companys. Cañones frente a la Generalidad. Fin de la secesión. La revolución de Asturias. Los dinamiteros. Oviedo en poder de González Peña. El general Franco y el general López Ochoa. La lucha, una guerra sin cuartel. El Gobierno domina la situación. Consejo Nacional de Falange Española. José Antonio Primo de Rivera, elegido jefe de Falange de las J. O. N. S. Estadística de bajas en Asturias. Indice legislativo de julio a diciembre de 1934.

El rumor dominante en toda España en los primeros días de octubre de 1934 es el inminente cambio de Gobierno para dar entrada a las derechas. Los partidos y las sindicales de izquierda han amenazado claramente con un levantamiento si esto se produce. Muy particularmente en Asturias, los mineros, al llegar a sus casas o a los centros políticos, en las horas de asueto, procuran no perder ni uno solo de los boletines de noticias de la radio. En cualquier momento puede llegar de Madrid la noticia de la presencia derechista en el Gobierno, que será tanto como la orden de movilización para las izquierdas.

Cataluña, por su parte, es otro foco de inquietud para las autoridades de Madrid. ¿Por qué? ¿Acaso no se están gobernando los catalanes mediante su ansiado y obtenido Estatuto de autonomía? Sí; pero en todo el año 1934 las disposiciones otorgando al Gobierno catalán de la Generalidad las facultades que el mismo Estatuto previene, se han ido haciendo sólo parcialmente y, sobre todo, con excesiva lentitud. El Estatuto se está poniendo en práctica a regañadientes.

El día 4 hay crisis y cambio de Gobierno. La tensión alcanza su nivel máximo. ¿Es cierto que van a entrar las derechas y que será al amparo del republicanísimo nombre de Alejandro Lerroux? Los boletines de la radio no han de tardar en sacar a todos de dudas. Efectivamente, ahí están las derechas, ahí está la CEDA. La lista del nuevo Gabinete es todo un aldabonazo nacional:

Presidencia	Lerroux (radical)
Estado	Samper (radical)
Justicia	Aizpun (CEDA)
Guerra	Hidalgo (radical)
Marina	Rocha (radical)
Gobernación	Vaquero (radical)
Instrucción Pública	Villalobos (liberal demócrata)
Trabajo	Anguera de Sojo (CEDA)
Agricultura	Jiménez Fernández (CEDA)
Industria y Comercio	Orozco (radical)
Comunicaciones	Jalón (radical)
Ministros sin cartera	Martínez de Velasco (agrario)
	Pita Romero (radical)

Este nuevo Gobierno apenas si va a tener tiempo para su toma de posesión. Inmediatamente va a tener que comenzar a gobernar con toda intensidad. Ante la huelga general revolucionaria decretada por las sindicales de izquierda en todo el país, Lerroux implanta el estado de guerra. La lucha va a tener, por encima de los cientos de lugares de fricción, tres centros principales, por este orden: Asturias, Barcelona, Madrid.

Puede decirse que la coordinación revolucionaria no funciona a la perfección, pero hay que reconocer al menos que sí que funciona aceptablemente bien. De manera sincronizada, no sólo los obreros encuadrados en las Sindicales convencionales abandonan el trabajo, sino que empiezan a producirse los asaltos, ataques y actos de violencia de todas clases que cualquier huelga revolucionaria lleva consigo.

Invirtiendo el orden de importancia, ya que estamos haciendo la historia de Madrid, dejaremos para tercer lugar en este capítulo los gravísimos sucesos de Asturias, situaremos en medio el drama catalán y comenzaremos por lo acaecido en Madrid, que tiene menos consistencia y más anécdota.

En Madrid, el estallido revolucionario tiene una infinidad de brotes particulares. En el número 2 de la calle de Eugenio Salazar, de la Prosperidad, con ocasión de un hallazgo de armas, se entabla un tiroteo y mueren un guardia y un obrero socialista. Frente al 106 de la calle de Bravo Murillo, un guardia de asalto es muerto de un disparo. Frente al Hotel del Negro, un tiroteo entre guardias y huelguistas produce varios heridos. En Cuatro Caminos se prolongan los tiroteos durante horas y horas, abundando también las víctimas.

En Colmenar Viejo, el cuartel de la Guardia Civil es cercado por los sublevados. El cuartel de la Guardia Civil de la calle de Guzmán el Bueno es tiroteado, y al repeler la agresión se registran varios muertos.

Un ladrillo derriba del caballo a un guardia de seguridad, que ingresa gravísimo en la Casa de Socorro y muere poco después. En la Gran Vía se repiten los tiroteos cada hora. En el asalto a una tienda de la calle de Dulcinea quedan gravísimos el dueño y uno de los dependientes.

En la Puerta del Sol es volcado un tranvía de la línea de la Fuentecilla. Un tranvía conducido por un soldado —los soldados sustituyen a los tranviarios en huelga— atropella a una anciana, con lo que se produce un tumulto y el soldado ha de defenderse a tiros.

Los tiroteos se escuchan por toda la ciudad: viene el ruido de los alrededores de la Plaza de Toros, de la glorieta de Atocha, en la misma estación, en la, que los trenes permanecen quietos hasta la llegada de las tropas de Ingenieros especializadas en ferrocarriles.

Los huelguistas incendian tres conventos, y como el *metro* funciona, manejado por soldados, unos grupos intentan impedir que los viajeros entren en la estación de Diego de León y se promueve otro tiroteo con muertos y heridos. En la esquina de Alcalá y Torrijos, un hombre y una mujer caen muertos de unos disparos que nadie sabe quién ha hecho.

Una enorme masa se dirige hacia la Puerta del Sol para asaltar el ministerio de la Gobernación. Lerroux, que se halla en el edificio, da muestras —al decir de los testigos que se hallaban con él— de gran serenidad. Por orden del gobernador es destituido el Ayuntamiento madrileño en pleno, presidido por Pedro Rico, haciéndose cargo, con carácter provisional, el ministro sin cartera Martínez Velasco.

Estampa, en un reportaje publicado días después, recoge así una de las escenas del 6 de octubre:

"En un automóvil, con dos ametralladoras, llega el comandante revolucionario. Le rodean los que han quedado. Doce, de los cien revolucionarios que componen la compañía.

—¿Y los demás? ¿No han venido aún?

—Dio una carga la Policía y han desaparecido.

Una pausa.

—¿Qué hacemos? Yo creo que lo debíamos dejar para otro día.

—Sí, pero, ¿y las ametralladoras? ¡Si nos cogen con ellas...!

—¿No habéis dicho que la guardia del cuartel está de nuestra parte? Pues, ¡vamos a entrar! Nos apoderamos del cuartel y desde allí les telefoneamos a los otros.

Y se lanzan sobre el centro militar, donde les esperan... Pero apenas se han acercado, se oye una voz sobresaltada, somnolienta:

—¡Alto! ¿Quién vive?

—¡No tires, camarada! ¡Somos nosotros!

—¡Veinte pasos atrás o hago fuego! ¡Cabo de guardia! ¡Cabo de guardia!

Se dispara una pistola y comienza el tiroteo. El cuartel está en pie de guerra.

—¿No decías que eran de los nuestros?

—Habrán cambiado la guardia. Hemos venido tan temprano...

—No hay más remedio que defenderse. ¡Emplazad la ametralla-
dora!

El tiroteo es horrísono. Se oyen voces: ¡No tiréis, no tiréis! Y de
pronto unos reflectores iluminan la escena...

—¡Los de asalto! —grita uno—. ¡Nos van a coger entre dos fuegos!
¡Sálvese el que pueda!"

Por el Barrio de Usera circula rápidamente un automóvil descubierto,
color guinda. Lo ocupan un sargento de la Guardia Civil y tres números. Aunque el vehículo extraña a la fuerza pública, los uniformes hacen que les dejen acercarse, y cuando el sargento y los tres números se
hallan a poca distancia de los otros guardias, disparan sobre ellos a
bocajarro. Se trata de tres revolucionarios disfrazados. Poco después
se organiza la persecución y los cuatro quedan tendidos en el suelo
del coche, bañados en sangre.

En la calle de Lavapiés, desde una terraza, tirotea a los guardias un
«paco». Durante la noche, siete disparos casi seguidos. Luego, silencio.
Al rato, otros siete disparos. Y siempre algún guardia herido. O algún
viandante. Los guardias comienzan a sospechar de un muchacho, pero
éste se defiende:

—Yo vivo aquí, señor guardia. Salgo a ver los tiros. Mi familia está
muy asustada y yo quiero enterarme de lo que ocurre para tranquilizarla.

Al amanecer, los guardias, que han ocupado los tejados colindantes,
descubren al «paco». Es el inocentón muchacho, que cuando acababa
el cargador bajaba a la taberna a tomarse un vaso, a ver de cerca a
sus víctimas caídas en la acera y a reponer municiones para la pistola.

Unos jóvenes de Acción Popular andan atareados recogiendo la basura, dirigidos por un capataz de barrenderos que no ha querido secundar la huelga. Uno de los obreros, de pronto, grita:

—¡Abridme paso!

Se acerca al capataz y le descerraja seis disparos lentamente, apun-
tando bien a la cabeza y al corazón. Una mujercita vieja, enlutada, que
venía con el cesto del pan, se pone a llorar. Llegan los guardias, rodean
el grupo de obreros, dan el alto, cachean a uno por uno y no encuentran la pistola. A uno de los guardias se le ocurre escarbar en el cesto
del pan de la anciana, y es allí donde está la pistola. Era ella quien
había facilitado el arma al matador.

El transporte de armas se hace ante la cara de la fuerza pública, de
las maneras más insospechadas. Hay niños de ocho años que llevan
un paquete y el paquete es una bomba; hay muchachas de dulce y
atractivo aspecto que en el bolso llevan la pistola que facilitarán en el
momento oportuno al camarada que va andando veinte pasos delante
de ellas; hay ambulancias que en lugar de camillas y enfermos llevan
bombas y ametralladoras.

Sucesos de octubre de 1934 en Madrid. Los soldados reparan unos faroles rotos.
Los guardias de asalto llevan al coche celular a unos detenidos

Hitler y Mussolini

Como la declaración del estado de guerra no ha hecho excepción de Cataluña que se viene rigiendo por su Estatuto autónomo, Companys, presidente de la Generalidad, declara oficialmente que no acepta esta medida del poder central y conmina al capitán general, Domingo Batet, para que ponga a sus órdenes a las fuerzas del Ejército. El oficio, escrito en catalán, dice así:

> "Excmo. Sr.: Como presidente del Gobierno de Cataluña requiero a V. E. para que, con las fuerzas que manda, se ponga a mis órdenes para servir a la República Federal que acabo de proclamar. Palacio de la Generalidad, 6 de octubre de 1934. Excmo. Sr. Don Domingo Batet, general de Cataluña."

Si la medida de Madrid al declarar el estado de guerra olvidando el Estatuto parece denotar cierta falta de tacto político, demuestra mucho menos tacto el presidente Companys al pretender que un general del Ejército español —aun en el particularísimo caso de Batet— vaya a desoír las órdenes del ministro de la Guerra para obedecer al presidente de la Generalidad.

No cabe sino pensar que, o bien Companys sufre de un estado de nervios que le turba la razón, ofuscando su preclara inteligencia, tantas veces contrastada, o que fuerzas ajenas al propio Companys le atosigan y le presionan para que dé este paso que nace ya condenado al más estrepitoso fracaso.

Pero, además, por si no estuviera suficientemente clara la posición del capitán general, ¿qué quiere decir eso de *la República Federal que acabo de proclamar?* Federales hay en España con su ideario, su programa, su prestigio y sus representantes legales. El federalismo no ha sido descontado del quehacer republicano, y no sólo no ha sido descontado, sino que la existencia del Estatuto mismo es una prueba de la consideración que la idea federalista merece de las autoridades de Madrid. Pero, *¿acabo de proclamar...?* ¿Quiere decir Companys que Cataluña se erige en República Federal o que España se convierte en República Federal con capitalidad en Barcelona? Estas y muchas otras cosas debe pensar Batet.

Mientras las piensa, las órdenes de Madrid son terminantes. Y el resultado es que en la misma tarde del 6, con precisión militar, con celeridad ejemplar, el capitán general ordena emplazar unos cañones en la propia plaza de San Jaime, con las bocas dirigidas hacia el histórico palacio de la Diputación, ahora Generalidad. Companys lanza otra nota de muy diferente tono:

> "El presidente de la Generalidad, para evitar una resistencia que sería inútil y además desgraciada, se entrega al general del Ejército español en Cataluña y al Gobierno de la República."

La secesión catalana ha terminado cuando apenas acababa de comenzar.

La cifra que se da y se repite como muy aproximada para las fuerzas revolucionarias asturianas, integradas en su inmensa mayoría por mineros, es de 30.000 hombres. El Estado Mayor de la revolución, encabezado por Ramón González Peña, cuenta con Francisco Martínez Dutor como asesor militar. Figuran en él Teodomiro Menéndez en primerísimo lugar y luego Juan Ambou, Graciano Antuña, Bonifacio Martín, Aida Lafuente, Manuel Grossi, José María Martínez y algún otro.

Las tropas del Ejército de guarnición en Asturias son oficialmente 1.665 hombres. Las fuerzas de la Guardia Civil y de Asalto alcanzan una cota mayor: 2.550 hombres.

El Estado Mayor revolucionario ha decretado en la madrugada del 5 al 6 que la nueva capital —al menos la capital de la revolución en tanto no se domine Oviedo— será Mieres. Mieres cae en manos de cerca de 9.000 obreros y mineros en las primeras horas del 6. Poco después, Pola de Lena es también dominada por los revolucionarios. Los cuarteles de la Guardia Civil han sido tomados al asalto tras dura lucha y con buena cantidad de víctimas.

Langreo, San Martín del Rey Aurelio, Laviana, Barredos, El Entrego, Sotrondio, Ciaño, van pasando de las manos del Gobierno a las de los mineros en el curso del mediodía y de las primeras horas de la tarde. Como en octubre ya oscurece pronto, hay prisa por acabar la dominación de la cuenca antes de que se vaya la luz del día.

Se prepara el asalto a Oviedo en la noche. Todo está medido y calculado. González Peña, en su función de generalísimo de la revolución, tiene cursadas las órdenes oportunas hasta en sus menores detalles. El mismo figura a la cabeza de una de las columnas asaltantes. Pero la tropa revolucionaria que debe salir de la ciudad al encuentro de los mineros de la cuenca no lo hace, por lo que González Peña ordena retrasar el asalto hasta el día siguiente.

El gobernador civil de Oviedo, Fernando Blanco, ante la situación y en consecuencia del estado de guerra, pone toda su autoridad en manos del coronel Navarro. Llegan a Oviedo tropas adictas al Gobierno procedentes de Burgos y de Gijón. A las nueve de la mañana se combate abiertamente en varios puntos del contorno de la capital de Asturias. A las doce, la batalla está decidida: los defensores de Oviedo se retiran al centro de la ciudad, cubriéndose la retirada mutuamente en la medida de lo posible.

En torno al mediodía, una escuadrilla de nueve aparatos procedentes de la base de León sobrevuela el campo de operaciones. Su presencia hace ver a los revolucionarios que, en contra de lo que esperaban, la Aviación no sólo no está de su parte, sino que se apresta a colaborar con los defensores de Oviedo.

Por la tarde, los mineros cortan el suministro de agua a la capital. Se lucha ya encarnizadamente en Gijón, en Grado y prácticamente en todos los puntos principales de Asturias que aún no están en manos de los revolucionarios. En el centro mismo de Oviedo empiezan a surgir focos de rebelión independientemente del cerco minero que atenaza a la ciudad. El día sigue avanzando.

En Madrid, mientras tanto, se toman apresuradamente todas las medidas para resolver la situación. El ministro de la Guerra, Diego Hidalgo, designa al general López Ochoa jefe de las tropas que acuden hacia Asturias y llama a su despacho urgentemente al general Franco, que dirigirá desde el Ministerio todas las operaciones. Instalado en el mismo despacho del ministro, Franco toma el mando de la situación y empieza a actuar con su acostumbrada celeridad.

El asalto definitivo a Oviedo se hace de acuerdo con las instrucciones del asesor militar de la revolución, Martínez Dutor. Grupos de treinta mineros, divididos en seis escuadras. Cada escuadra de cinco hombres se compone de tres fusileros y dos dinamiteros. Duchos en el manejo de la dinamita, los mineros se abren paso hacia el centro de Oviedo con relativa facilidad en medio de un tremendo fragor de explosiones. De los 30.000 mineros asturianos en acción, la vanguardia que rompe la defensa de la capital consta solamente de 2.000 escasos, si bien formidablemente pertrechados.

La fábrica de Trubia, situada a diecisiete kilómetros de Oviedo, cae también en manos revolucionarias. El saldo que pasa a favor de la revolución es de más de treinta cañones, la mayoría de ellos ligeros y de fácil manejo para la clase de lucha que se está llevando a cabo. En algunos lugares, la victoria revolucionaria es seguida de fusilamientos; en otros, la conducta de los mineros es impecable.

Tropas de León, de Burgos, de Lugo, de Palencia, algunas de ellas llevadas por mar a Avilés, acuden apresuradamente a recuperar Asturias. No todas estas fuerzas hallan el camino cierto ni la forma exacta de aproximarse a las zonas de peligro y los mineros empiezan a poner en aprietos a muchas de las vanguardias que les siguen los talones.

Como los aviones de León no apoyan a los revolucionarios, pero no muestran la menor eficacia en combatir la rebelión, Franco, desde Madrid, quita el mando al jefe de la base aérea, comandante Ricardo de la Puente Bahamonde, primo suyo por cierto y destinado a un dramático final en 1936.

Con los cañones de Trubia disparando a cero, los revolucionarios van reduciendo los reductos de la defensa gubernamental en Oviedo. Puede calcularse el destrozo que las descargas artilleras producen en las calles de la ciudad, que ha comenzado los momentos culminantes de su martirio. Los defensores gubernamentales organizan desfiles y manifestaciones para demostrar su presencia y levantar el ánimo de la población, pero por la tarde, los mineros cortan la luz a la capital.

La prisa del Estado Mayor revolucionario crece conforme se van recibiendo noticias del resto de España. El fracaso de la secesión catalana no es ni mucho menos una nueva alentadora para los hombres de González Peña. Urge terminar la dominación de Oviedo. Los cañones arrasan aquellos edificios que se resisten. La dinamita ultima la demolición, algunas veces con sus defensores dentro. Son incendiados el palacio de Santo Domingo, la Delegación de Hacienda y el palacio episcopal. La calle de Santa Ana arde. Desde muchos kilómetros de distancia se ven las columnas de humo y fuego que señalan dónde está Oviedo.

La columna de López Ochoa va avanzando sin cesar y ocupando algunos de los puntos clave dominados por los rebeldes. Constantemente, esta columna va engrosando con grupos de guardias civiles, guardias de asalto y soldados de unidades desperdigadas por el anterior avance minero. Valiéndose de hábiles añagazas, algunas de ellas realmente novelescas, López Ochoa consigue equivocar a los revolucionarios sobre sus verdaderos propósitos y así, con escasa fuerza, logra fines importantes.

Franco ordena el embarque en Ceuta de la 6.ª bandera de la Legión, el batallón de Cazadores de Africa núm. 8, la 5.ª bandera y un tabor de Regulares. Los cruceros «Cervera» y «Cervantes» y un transporte de guerra navegan ya con estos refuerzos rumbo a Galicia.

El 9, los revolucionarios entran sin resistencia en la fábrica de armas, haciéndose con 21.000 fusiles y mosquetones, 200 ametralladoras y casi 300 fusiles-ametralladora. Con este refuerzo y con la moral que supone, este mismo día ocupan el Banco de España, el Hotel Inglés, la Diputación y el Banco Herrero. Poco después, la Telefónica.

La flota, leal al Gobierno, se hace presente en el puerto del Musel, materializada en los buques «Jaime I», acorazado; «Cervera», «Cervantes» y «Libertad», cruceros, y el destructor «Churruca». Algunos de estos barcos acaban de llegar desde Africa trayendo a las fuerzas expedicionarias citadas antes.

López Ochoa, que ha ocupado Avilés, está ya en las puertas de Oviedo. Aquí recurre a un ardid de guerra que no le será perdonado: el de colocar a los prisioneros en la vanguardia. Varios prisioneros caen así muertos por las balas de sus camaradas. Ahora son los soldados los que disparan a cero con la artillería y provocan incendios en los edificios ocupados por los rebeldes. Poco después, el sargento Vázquez, uno de los más populares caudillos de la revolución asturiana, decide hacer lo mismo que el general gubernamental, y comienza un ataque llevando a sus prisioneros en las primeras líneas.

Entre el 11 y el 12, la revolución se da por vencida en Asturias. De la dureza de la lucha dan cuenta no sólo los numerosos edificios incendiados o volados, calles enteras desaparecidas en montones de escombros, sino los muros del cuartel de Pelayo, en los que se cuentan 228 impactos de cañón. Toda una guerra.

Si los mineros se han comportado en ocasiones con extraordinaria crueldad, algunas de las unidades gubernamentales, muy particularmente los grupos moros y legionarios, no quedan muy a la zaga. La represión es dura. Aparte de los fusilamientos ordenados por los jefes de la fuerza, las venganzas incontroladas de ciertos oficiales y soldados. La estadística de bajas puede dar algún reflejo de esto:

	Muertos	Heridos
Guardia Civil	86	77
Guardia de Asalto	58	54
Guardia de Seguridad	10	7
Ejército	88	475
Carabineros	12	13
Vigilancia	2	13
TOTALES	256	639
Paisanos	940	1.449

TOTAL DE BAJAS DE LAS FUERZAS ARMADAS 895

TOTAL DE BAJAS EN POBLACION CIVIL 2.389

Esto no quiere decir ni con mucho que el total de bajas de la población civil sea el de revolucionarios, puesto que hubo muchos paisanos muertos que eran del lado gubernamental. De todas formas, la proporción de tres bajas civiles por cada una de uniforme es digna de ser tenida en cuenta.

—¿Habrá indultos? —preguntan los periodistas al ministro de la Gobernación, señor Vaquero.

—Habrá justicia —responde el gobernante radical.

Cuando los reporteros acuden al jefe del Gobierno, Alejandro Lerroux, éste, refiriéndose a los focos que aún quedan resistiendo en la cuenca minera, dice:

—Si los revolucionarios no levantan pronto la bandera blanca, van a tener que levantarla roja.

En la reapertura de las Cortes se aplaude al jefe del Gobierno por la dominación de lo de Asturias. José Antonio Primo de Rivera se une al homenaje:

—Hablo —dice— como representante de una gran masa juvenil española, que ha tenido a orgullo aclamar al Gobierno en la Puerta del Sol. Es la primera vez, desde hace mucho tiempo, en que nos sentimos confortados con un alivio español y profundo.

Calvo Sotelo abofetea a Aguirre, jefe de los nacionalistas vascos. La escena tiene por marco el propio salón de sesiones del Congreso de los Diputados.

Los sucesos de Asturias, de Madrid, de Cataluña, de toda España, el carácter privilegiado de *primera noticia* de toda la aventura revolucionaria han apartado, siquiera momentáneamente, la atención de otra serie de importantes acontecimientos que se han desarrollado en la capital de España, relacionados con Falange Española.

Precisamente en los días 4, 5, 6 y 7 de este mismo octubre ha tenido lugar el primer Consejo Nacional de Falange Española de las J. O. N. S. Los miembros de la Junta de Mando que han tomado parte dirigiendo las deliberaciones son José Antonio Primo de Rivera, Julio Ruiz de Alda, Ramiro Ledesma Ramos, Onésimo Redondo, Rafael Sánchez Mazas y Raimundo Fernández Cuesta. Como jefes de servicios, Emilio R. Tarduchy, Emilio Alvargonzález, Luis Arredondo, Nicasio Alvarez de Sotomayor y Manuel Valdés.

Las reuniones se han celebrado en el domicilio falangista de la calle del Marqués de Riscal. Por primera vez, como fondo de la presidencia, ha figurado una bandera rojinegra. El día 5 se pone a discusión la conveniencia de continuar con el mando en forma de triunvirato o determinar el mando único. La cuestión es tan reñida que el escrutinio da 17 votos para el mando único y 16 para el triunvirato.

Propuesto José Antonio Primo de Rivera por Rafael Sánchez Mazas, la idea encuentra en seguida la leal apoyatura de Ramiro Ledesma Ramos. En pocos minutos, José Antonio Primo de Rivera queda designado jefe absoluto de Falange Española de las J. O. N. S., con poderes prácticamente ilimitados dentro de la organización.

Las consignas políticas que quedan aprobadas para lo sucesivo son éstas: *España, Una, Grande, Libre; Por la Patria, el Pan y la Justicia; ¡Arriba España!*

Puesto a discusión el tema del color de la camisa de uniforme, hay quien propugna la conveniencia de usar camisas negras, como las de los fascistas italianos. Otros hablan de camisas azules. Algunos de los consejeros y miembros de la Junta de Mando han acudido ya uniformados de esta manera. Hay también quien habla de camisas de color militar. De blusas. Primo de Rivera, ya en su *rol* de jefe inapelable, resuelve la cuestión con estas palabras:

> **—La Falange Española de las J. O. N. S. tiene que ser desde ahora mismo una organización rotunda, varonil, firme, más si cabe que antes. Precisamos un color de camisa neto, entero, serio y proletario. He decidido que nuestra camisa sea azul mahón. Y no hay más que hablar.**

Dos renuncias se registran a raíz de esta dramática primera quincena de octubre. Una, la del marqués de la Eliseda, que se separa del grupo falangista y vuelve a las filas monárquicas de las que algo aprisa había salido. Otra, la del ministro de Instrucción Pública, Villalobos, por disconformidad en algunos extremos con sus compañeros de Gabinete.

Los sucesos de Asturias, de Madrid y de Cataluña tienen una clarísima repercusión en la producción legislativa gubernamental. Una ley del 11 de octubre castiga con penas que pueden llegar hasta la de muerte *al que con propósito de perturbar el orden público, aterrorizar a los habitantes de una población o realizar alguna venganza de carácter social, utilizara sustancias explosivas o inflamables.*

Una orden de Gobernación del 27 reorganiza la Guardia Civil y crea diversas Comandancias. Esa disposición supone un respaldo claro a la Guardia Civil y un aumento considerable de sus plantillas.

El 24 de noviembre, por decreto de la Presidencia se ponen en manos del Gobierno central los resortes del Orden Público en Cataluña, que venía estando desde la promulgación del Estatuto en poder de la Generalidad catalana.

Decreto inesperado del ministerio de Trabajo sobre los despidos por causa de huelga. *Es causa legítima de rescisión de contrato* —dice el artículo primero— *toda huelga declarada por cuestiones ajenas al trabajo o sin someterse a los plazos fijados en el artículo 39 de la ley de 27 de noviembre de 1931 o en los determinados en otras leyes.* En plena República, la huelga es considerada ilegal en determinados casos.

Una orden de Instrucción Pública del 9 de noviembre determina que queda prohibido a los estudiantes dentro de los Centros de enseñanza llevar alguna arma, aunque tengan licencia oficial para ello. Queda prohibida la presencia en los centros de enseñanza de elementos ajenos a los mismos.

Un decreto del 20 de diciembre regula los indultos en las condenas de pena de muerte. Como los sucesos de Asturias no sólo han supuesto procesos contra los políticos rebeldes civiles, sino procedimientos sumarísimos y consejos de guerra contra unos cuantos jefes militares acusados de lenidad, cuando no de algo peor, una ley de 21 de diciembre regula los procedimientos contra los generales, jefes y oficiales del Ejército. Octubre sigue haciendo notar su estela.

Aparte de todo esto, la obra legislativa de la República ha continuado durante los seis meses últimos al mismo o parecido ritmo que se ha registrado en el capítulo anterior referido a los seis primeros meses. El índice de disposiciones más interesantes es el siguiente:

19- 7-34.   Se suprime la Dirección General de Marruecos y Colonias.

27- 7-34.   Normas sobre la tramitación del divorcio de los militares.

19- 7-34.   Se prohibe a los militares pertenecer a partidos políticos.

 1- 8-34.   Reglamento del Ferrocarril Metropolitano de Madrid.

 9- 8-34.   Se regula la instalación de radios en los automóviles.

 1- 8-34.   Queda sin efecto la coeducación (niños y niñas juntos) .

29- 8-34.   Se aprueba el nuevo Plan de Bachillerato.

 2- 8-34.   Cesa en sus funciones el Consejo de Economía Nacional.

24- 9-34.   Normas relativas a los que llevan el apellido Expósito.

25- 9-34.   Se prohibe el trabajo de los niños menores de catorce años a las horas de colegio.

20-10-34. Se declara Jardín Artístico la Alameda de Osuna de Madrid.

13-10-34. Se crea la Dirección General de Seguros y Ahorro.

1-10-34. Se crea el Consejo de Cinematografía.

10- 9-34. Se regula el funcionamiento de las Estaciones de Madrid.

30-10-34. Se crea la Corbata de la Orden de la República.

27-11-34. Se regula la resignación de poderes en los casos de estado de guerra.

21-12-34. Se ordenan cambios en cuanto a la ocupación de fincas expropiadas a sus antiguos dueños.

7-12-34. Se fijan las plantillas de los Cuerpos de la Armada.

Capítulo 34. SE HUNDE EL VIADUCTO (año 1935). El Ayuntamiento intenta civilizar a Madrid. Nueva Sala en el Museo del Prado. Se hunde el Viaducto. La gripe es la Pepa. Aumenta el paro obrero. Inauguración del Mercado de Olavide. Muertes de Villa y de Tovar. Nuevo Mercado Central de Frutas y Verduras. Derribo del Romea. Nuevo Mercado Central de Pescados. Crímenes pasionales. Inauguración de la Casa de Socorro de Hospicio. Abre el cine Gong. Atraco en la plaza de la Villa. Violenta miscelánea europea. El dirigible. El año taurino, cinematográfico, deportivo y teatral.

En los primeros días de 1935, el Ayuntamiento madrileño intenta una curiosa experiencia: la de suprimir en absoluto todos los semáforos y postes indicadores de prohibiciones, y dejar que tanto los automovilistas como los peatones se rijan por las normas tradicionales de tránsito y estacionamiento. Intento que denota tan buena voluntad como desconocimiento de lo que es el habitual ciudadano de Madrid y que, como era de esperar, acaba en fracaso.

Otra medida municipal, dotada también de estupenda buena fe, es la de prohibir que se arrojen papeles en la vía pública, sancionando a los que así lo hacen, e incluso a las casas que editan o reparten prospectos de propaganda. Como en tiempos anteriores, todas estas disposiciones que tienen por objeto civilizar a Madrid encuentran la infranqueable barrera de la manera de ser de los madrileños, dispuestos desde siempre a no civilizarse o, al menos, a retrasar todo lo posible su europeización.

Los incidentes menudean, pues son muchos los habitantes de la Villa que cuando tienen que tirar al suelo un prospecto o una cajetilla de tabaco vacía, no sólo no lo hacen escondiéndose de los guardias, sino que esperan a pasar por delante de ellos para hacerlo, encorajinando a los agentes de la autoridad y negándose luego a abonar las pequeñas multas de dos pesetas y *hasta* un duro.

Se inauguran la rotonda y una nueva Sala en el Museo del Prado. Aparece el periódico *YA*, dirigido por Vicente Gállego y editado por *El Debate*. Madrid tiene, pues, desde mediados de enero, más cuadros expuestos para que los vean los extranjeros —ya se sabe que los nacionales tienen muy a gala desconocer sus museos—, y un nuevo periódico que viene a abundar en el escalafón de la prensa de las derechas.

En la madrugada del 19 de este mismo primer mes del año, un estruendo fenomenal conmueve a toda la barriada de las calles de Bailén y Segovia: ¡el Viaducto se ha hundido! No hay, inexplicablemente, ni una sola víctima, pero algunas casas quedan afectadas y el tránsito rodado permanece interrumpido bastante tiempo.

Cecilio Rodríguez, jardinero mayor del Ayuntamiento, cumple la edad de jubilación. Pero, ¿qué harán las rosas del Retiro sin su padre y mimador...? El Ayuntamiento acuerda hacer una excepción y autorizar a Cecilio Rodríguez a que continúe prestado servicio en lo suyo, y hay seguramente en todos los jardines de la Villa un estremecimiento emocionado y agradecido.

«Una mujer se muda de casa y se deja olvidado a su padre». Con estos titulares, *El Liberal* encabeza una noticia, según la cual una vecina de la calle de Requena, del Puente de Vallecas, se ha mudado de domicilio dejando olvidado —digamos abandonado— a su padre paralítico, lo que causa profunda indignación en la barriada, teniendo que ser protegida la vecina de las iras de la multitud.

El Ayuntamiento acuerda prohibir para lo sucesivo el cambio de nombres en las calles de Madrid, y devolver su denominación histórica a las de Cedaceros, Visitación, Turco, Sal, Pasión, Peñón, Amor de Dios, Salitre, Princesa, Victoria, Pozo, Plazas de la Paja y de los Carros, Cerrillo del Rastro, Red de las Velas, Callejón del Mellizo, Callejón del Hospital y Travesías del Conde-Duque y de la Comadre.

Puntual a su cita de febrero, la *grippe* —así, con dos *pes*— hace su aparición en la ciudad. En un Madrid sin las medidas científicas de la actualidad, la *grippe* se hace la dueña de la urbe, y la urbe, que siempre encuentra un apodo a tiempo para bautizar a esta conocida visitante de todos los años, ahora la llama La Pepa. Pero La Pepa mantiene encamados a miles de probos funcionarios y se lleva por delante, rumbo a la Sacramental del Este— que ahora no se llama Sacramental— a unos cuantos centenares de ciudadanos.

El problema del paro, sobre todo en el ramo de la construcción, empieza a ser pavoroso en Madrid. No cesan de estallar conflictos y brotes de huelgas, pero hay su parte de razón en los desesperados obreros. Los que trabajan perciben unos jornales de hambre, a pesar de llevar ya la República —esta República que ahora es de derechas— cuatro años casi en el poder. Y los que no trabajan no perciben sino unos pobres socorros esporádicos del Gobierno Civil o de sus sindicatos, con los que hay para cualquier cosa menos para comer. La estadística de comienzos de marzo da en Madrid estas cifras:

Obreros de la construcción que existen 38.850
Obreros de la construcción que trabajan 16.665
Obreros de la construcción en paro 22.185

En la Iglesia de Jesús, y a dos metros de la imagen del famoso Cristo, se produce un desconcertante hecho dramático: un hombre vestido modestamente acude a arrodillarse allí, con aparente devoción. De pronto y ante el público que casi llena el templo, saca una pistola y se dispara un tiro en la cabeza, rodando sobre su propia sangre.

A unos pasos, fuera, el Carnaval madrileño se muestra animado y sonoro como siempre. O quizá algo más que siempre. Son muchos los que quieren protestar ruidosamente por algo, y el Carnaval es una estupenda ocasión para hacerlo sin peligro de acabar en la Comisaría.

El 14 de marzo se inaugura el Mercado de Olavide. Bien necesitada estaba aquella barriada de algo así. Este mercado, de construcción modernísima, ha costado 1.525.000 pesetas. Cuenta con sesenta puestos y 376 para ambulantes. Está enlucido de mármoles, azulejos y acero inoxidable. En la planta baja cuenta con un espacioso almacén, un frigorífico construido con los últimos adelantos técnicos y una buena instalación para descarga de las mercancías.

El arquitecto, Javier Ferrero, lo ha previsto todo. Este Mercado de Olavide no sólo viene a resolver el grave problema del abastecimiento en la zona, sino a adornar una plaza que hasta entonces había estado abandonada.

A comienzos de abril, Madrid pierde a dos de sus personajes más queridos: el maestro Ricardo Villa, director de la Banda Municipal, y el caricaturista Tovar, cuyos *monos* aparecen a diario en la prensa poniendo a veces en el cárdeno cielo político de la capital una nota de buena fe y de buenísimo humor.

El mismo día en que se cierra el viejo Mercado de la Cebada se inaugura el nuevo Mercado Central de Frutas y Verduras, en la plaza de Legazpi. Con 6.117.000 pesetas se ha construido un complejo interesante, de dos plantas: la baja, de 30.000 metros cuadrados, y la alta de 17.000, con un patio central de nada menos que 9.444 metros cuadrados, lo que permite un movimiento simultáneo de treinta y cinco vagones de entrada y otros treinta y cinco de salida, cosa jamás vista en Madrid.

Una semana después se abre el Mercado Central de Pescados, en la Ronda de Toledo, que ha costado casi cuatro millones de pesetas y que tiene tres plantas, con una superficie total de 16.544 metros cuadrados. Todo aquí es limpio, higiénico, moderno. Cuenta con cincuenta y dos puestos para mayoristas, cada uno de ellos dotado de almacén particular. Hay en su recinto servicio de correos, telégrafos, bar, cantina y dos amplios muelles de carga y descarga. Madrid, paso a paso, va resolviendo su antiguo y tremendo problema de los mercados.

El hecho periodístico de mayo de este 1935 es el extraño intento de los porteros, marido y mujer, de la casa número 30 de la calle de Alcalá-Zamora —antigua calle de Alcalá—. Sin comunicárselo a nadie, deciden suicidarse de forma bien peregrina. Compran una botella de coñac y se suicidan alegremente a puñaladas, pero ella muere y él no.

Naturalmente, el asunto se presta a consideraciones de todos los estilos y Madrid acoge la noticia con comentarios de muy diverso orden.

Desaparecen de la escena madrileña dos de sus tipos representativos: el novelista Joaquín Belda, célebre por lo desenfadado de sus creaciones literarias, en las que siempre está presente lo picante, y el autor teatral y de cuplés José Jackson Veyán, quien pese a sus apellidos nada castellanos es uno de los escritores de más madrileño gracejo, muchos de cuyos cantables se repiten aún.

La barriada del Hospicio ve llegar con buenos ojos su flamante Casa de Socorro, de la que tan necesitada estaba. ¡Ya pueden apuñalarse tranquilamente los numerosos vecinos de este distrito...!

Siete de julio, San Fermín. En esta fecha se produce un sorprendente caso en el número 76 de la calle de Francisco Silvela: por causas que más o menos se desconocen, un sacerdote mata a tiros a una mujer. El sacerdote es condenado a catorce años y ocho meses de reclusión.

El teatro Romea, al final de la calle de Carretas, empieza a ser derribado como parte del proyecto de ampliación de la plaza de Benavente. Algunos viejos que pasaron muchas noches en Romea se entristecen al pasar por allí y ver los directos efectos de la piqueta. Pero Madrid tiene un plan de urbanización y ha de llevarlo a cabo sin sentimentalismos.

El Ayuntamiento, que unos meses antes ha acordado no cambiar los nombres de las calles, ahora acuerda que la Travesía de la Ballesta pase a denominarse de Loreto y Chicote. Y es que el ambiente madrileño del teatro tiene tanta fuerza que alcanza a menudo los escaños municipales, como en el caso del teatro Español, cedido por una temporada para su explotación a Enrique Borrás y Ricardo Calvo.

Los páramos secos de los alrededores de Madrid están siendo sometidos a estudio por los ediles de la ciudad. Preocupa sobremanera el aspecto árido de los accesos a la capital. Un acuerdo de 25 de septiembre tiende a repoblar copiosamente toda la zona de la Ciudad Universitaria, acuerdo que empieza a ponerse en práctica seguidamente y con inusitada celeridad.

En la calle del Marqués de Cubas aparece un nuevo cine madrileño el Cinema Gong. En su instalación se han vertido experiencias europeas y americanas. Su pantalla tiene una dimensión colosal, o lo que en 1935 puede ser considerado como colosal. La película elegida para la apertura es *Madre Alegría*, versión al celuloide de la célebre comedia estrenada algunos años antes en el Lara.

Madrid encuentra una buena ocasión para hacer muchos chistes con la circunstancia de que los problemas del abastecimiento de pescado a la capital hayan de ser resueltos por un ministro cuyo apellido —¡casualidad!— es Salmón. Dicen algunos que si Salmón no entiende de cosas de pescados, ¡a ver qué ministro las va a entender!

En la Plaza de la Villa, en la puerta misma del Ayuntamiento, tiene lugar el 30 de noviembre un atraco espectacular. Unos hombres bien armados y que se servían de un automóvil del servicio público sorprenden a los empleados municipales que trasladaban de una furgoneta varias sacas con dinero, y se llevan más de un millón y medio de pesetas, después de matar a un funcionario y herir a dos. Exactamente dieciocho días después, la Policía detiene a todos los autores y recupera la casi totalidad de lo robado, en un servicio que es justamente elogiado por la prensa y por el pueblo de Madrid.

En el Puente de Vallecas, que goza del mayor índice de criminalidad de toda la capital, a causa de la lejanía, de los malos medios de transporte y del abandono tradicional en que las autoridades suelen tener a aquella populosa barriada, se produce un hecho más: una muchacha de catorce años es apuñalada por un hombre de cincuenta y dos.

No tendría esto más importancia que la de su aspecto puramente dramático a no ser porque la relación entre la víctima y el matador era la de amantes, relación que se había iniciado tres años antes, es decir, cuando la pobre joven era sólo una niña de once años. Y para más escarnio, estas relaciones estaban autorizadas y protegidas por los padres de la chica, merced a los buenos beneficios que extraían de tan extraños amores.

Una muchacha de veinticuatro años acude al cementerio a llevar un ramo de flores a la tumba de su novio, muerto días antes. El cementerio está ya cerrado, por la hora tardía. El guarda se presta gustoso a llevar las flores hasta la tumba. La puerta queda entreabierta, ocasión que aprovecha la visitante para entrar en el cementerio y ocultarse. Al regresar el guarda a la puerta piensa que la joven se ha marchado y da el asunto por concluido. Al día siguiente aparece el cadáver de la novia sobre la tumba del novio, desangradas las venas, ennegrecidos los cortes que ella misma se ha realizado en las muñecas con unas cuchillas de afeitar.

Hernando y Manolita son protagonistas de otro suceso sangriento y extraño. Hernando ha tenido conocimiento de que tiene un rival, cierto guardia de asalto de esbelta apostura. No se lo dice a Manolita, pero procura hacerse amigo del guardia. Coinciden en un bar, y disimuladamente, Hernando echa en el vaso del rival ciertos polvos que le duermen.

Se trata de llevarle a acostar y lo hacen en una casa de la calle de San Marcos. Pero al acostarle, Hernando ha cogido la pistola del guardia. Al día siguiente, Hernando y Manolita aparecen muertos sobre una cama, en cierta habitación del Pasadizo de San Ginés. En una pared está escrito por él, con la barra de carmín de ella, que no se culpe a nadie y que desea ser enterrado en su pueblo.

Un médico, director de cierto Instituto de Belleza, está enamorado de la propietaria del establecimiento. Parece ser que ella le acoge bien, pero también parece ser que hay un galán oculto, que ella no quiere confesar, pero que acaba confesándolo. El director y la propietaria hacen las paces, se reúnen pacíficamente a comer, y cuando la comida ha terminado, él saca un puñal y se abalanza sobre ella, dejándola casi muerta.

En Villaverde, una muchacha de quince años que ha sido violentada por un joven de diecisiete, busca en su casa una vieja pistola oxidada que en cierta ocasión le vio guardar a su padre. El muchacho blasona por las calles lo que ha hecho con ella. Ella engrasa cuidadosamente la pistola.

Una tarde va al encuentro de él, en una calle bastante concurrida. No lo ve, y cuando desespera de encontrarle le halla dormido al sol en un descampado próximo. Sin vacilar, descarga todos los proyectiles en el cuerpo del burlador. La falta de experiencia hace que las balas no den en la cabeza ni en el corazón, y el muchacho es retirado gravísimo. Las primeras palabras de ella en la Comisaría son:

—Lo que más siento es no haberle matado.

Un cabo de infantería requería de amores —así suele decirse en toda la literatura tradicional— a una muchacha domiciliada en Fuencarral, 59. Ella venía rechazándole varios meses. El joven, exasperado, toma un hacha y acomete a la chica, matándola a golpes. A los gritos de ella ha acudido parte del vecindario y llegan los guardias. El matador, blandiendo el hacha, se abre paso por la escalera, y al enfrentarse con los guardias les ataca, pero cae muerto a balazos al defenderse los agentes de la autoridad.

Un hombre casado, separado de su esposa, vive con una mujer soltera en cierta callecita pequeña y estrecha de Tetuán de las Victorias. Ella no sabe la condición civil de su amante. Al enterarse el padre de la muchacha le echa de la casa. El vuelve, la busca, insiste, pero todo es en vano. Entonces dice al padre que tiene que hablarle seriamente para buscarle solución al problema. El padre acude, y conversando se van alejando de la zona urbana. Al llegar a un descampado, ya anocheciendo, el desairado amante ataca a puñaladas al padre de la muchacha y le mata, ensañándose ferozmente con el cadáver.

Tomasa es enfermera de hospital. Está embarazada de su novio. Al saberlo él, trata de abandonarla. Ella llora, insiste, pero de nada le sirve. Entonces deciden encontrarse en la plaza de Mariano de Cavia para devolverse los regalos. Entre las cosas que ella guarda de él hay un revólver, un revólver cargado, que ella le escondió en ocasión de algunas escaramuzas de tipo político. Ella va sacando del bolso los objetos: fotografías, cartas y el revólver. Pero al encontrarse con el arma en la mano, no se la da, sino que empieza a disparar con furia sobre él, que cae al suelo gravísimamente herido.

En una de las últimas casas de la calle de Santa Engracia vive un hombre joven, casado, que tiene relaciones íntimas con una muchacha soltera. Esto da frecuentemente ocasión a discusiones en el seno del matrimonio. La esposa habla con los padres de él, para ver de convencerle a abandonar a su amante. Estos convocan al hijo y le hablan mesuradamente. Luego amenazan. El se despide asegurándoles que lo va a pensar y que procurará volver a hacer vida normal con su esposa. De madrugada, los dos amantes entran en la casa, toman el ascensor y es allí donde él apuñala a la muchacha. Luego toca el timbre de alarma y se apuñala a sí mismo. Cuando llegan los porteros asustados encuentran el cadáver de ella y el cuerpo de él gravísimo.

Cerremos, en fin, esta subida página de sucesos con el drama de un obrero desahuciado. También el escenario es el dramático y pobre Puente de Vallecas. Un hombre vive solo con sus hijos pequeños. Está sin trabajo, pero eso no es eximente de la orden de desahucio. La República no ha resuelto estas cosas —o al menos, al decir de las izquierdas, esta República de derechas que hay en el poder.

El hombre recoge el aviso oficial: en el plazo de unas horas ha de abandonar su domicilio. Desesperado, cierra la puerta por dentro, cierra todas las ventanas, tapona todas las rendijas, ciega los pequeños cuchillos de luz de los montantes y de los huecos mal encajados. Luego toma papeles y cerillas y prende fuego a los míseros muebles, a las raídas cortinas. Se sienta en el suelo, abrazado a sus hijos, y se dispone así a esperar la muerte. Cuando llegan los bomberos y la Policía y derriban a hachazos la puerta, le hallan medio abrasado, igual que las criaturas, todos desvanecidos por el humo y por el dolor, pero continúan abrazados.

Breve etapa de reposo, después de tanta pena y tanta miseria y tanto amor truncado y tanta sangre vertida. Alicia Navarro, *Miss España*, belleza nacional cien por cien, es proclamada *Miss Europa* en el torneo de Inglaterra. Pablo Casals recibe la primera medalla de oro de Madrid.

En la Puerta del Sol, mientras tanto, las obras exasperan a peatones y conductores. Pero esto último, ¿qué más da? ¿Es siquiera noticia o novedad...?

Como una marea impresionante, de fuera de nuestras fronteras llegan, en el curso de 1935, noticias que vienen a rubricar muchas de las cosas que suceden aquí.

El Sarre vota sobre su regreso o no a Alemania, y las elecciones dan un 80 por 100 de habitantes que desean unir su suerte a la de la Alemania de Hitler.

Italia, que tiene un gran problema de exceso de población, acusa a Abisinia de violar sus fronteras y empieza a enviar barcos con hombres y material a las posiciones italianas fronteras con Etiopía.

Hitler rompe el Tratado de Versalles y declara que el Gran Reich alemán contará muy pronto con doce Cuerpos de Ejército y treinta y seis divisiones. Goering pronuncia un discurso vibrante y amenazador en la célebre Ciudad Libre de Dantzig, diciendo que tal territorio es de Alemania y debe volver a Alemania.

Los aviones italianos comienzan a bombardear ciudades de Abisinia y las tropas avanzan y ocupan varias localidades. En la Sociedad de Naciones de Ginebra, Italia es declarada oficialmente país agresor y se decretan sanciones contra ella. Poco después, y como consecuencia de ello, en Roma es posible entrar en un cine pagando la localidad, no con dinero, sino con una cacerola vieja que servirá, fundida, para hacer armas, ya que de fuera no llegan materias primas.

Todavía hay combates de piratas chinos en el fabuloso Yang-Tse: la Policía hunde cuatro barcos y mata cincuenta y dos piratas.

En Grecia hay revolución, durísima revolución, sangrienta revolución. Barcos revolucionarios derrotan a la escuadra gubernamental, por poco tiempo, pues los barcos del Gobierno se rehacen y las unidades rebeldes se entregan. El Gobierno vence y Venizelos, caudillo de los sublevados, huye al Dodecaneso.

El dirigible muere y el transatlántico renace. El «Macon», orgullo de la flota aérea norteamericana, cae en el mar a causa de una tormenta y hay un herido, un muerto y ochenta y tres supervivientes. La era del dirigible, que lleva ya varios años de declive, fenece prácticamente con este nuevo accidente espectacular. El transatlántico «Normandie», francés, realiza su primer viaje a una velocidad media de treinta nudos, lo que constituye todo un increíble récord.

Muere Carlos Gardel en Medellín el 24 de junio, al chocar el avión en que viajaba, y que iba a aterrizar, con otro que despegaba en el mismo momento. En Buenos Aires se suicidan dos mujeres al saber la noticia. Con Gardel muerto, el tango agoniza.

Como cada año en la temporada taurina de Madrid, el *Niño del Barrio* es cogido gravemente. Ya se ha dicho que el público va a verle coger más que a verle torear, pese a lo bien que lo hace este valentísimo novillero. Son cogidos graves, también en Madrid, el *Niño de la Estrella*, el picador *Marinero*, y los novilleros Pascual Márquez y *Corchaíto*.

En las Plazas de Vista Alegre y Tetuán de las Victorias vierten su sangre Rodarte, Cirujeda, Victoriano de la Serna, *Varelito II* y Saturio Torón. Curro Caro, Lorenzo Garza y Félix Colomo confirman la alternativa en la nueva Plaza Monumental. Y entre los toreros muertos por provincias anotemos al novillero Gil Chacón, muerto en Málaga a consecuencia de habérsele atravesado el estoque en una pierna durante la corrida de Estepona, y al banderillero *Morenete* en la plaza de La Coruña.

Rafaelillo toma la alternativa en Madrid y su padrino, *El Gallo*, sufre la afrenta de ver marcharse un toro al corral, mientras que el nuevo matador corta orejas y da vueltas al ruedo. Palmeño, que tuvo un año

Don Alejandro Lerroux, jefe del Gobierno y don Julián Besteiro, presidente de la Cámara de los Diputados (1935)

Estatua ecuestre de Alfonso XII en el estanque del Parque del Retiro. Madrid

1934 fatal, renuncia a la alternativa y vuelve a ser novillero de postín, anotándose buen número de corridas en la temporada de 1935.

Los cines madrileños presentan buenos carteles. Sigue la avalancha del cine norteamericano, haciéndose el dueño de la Gran Vía, pero no son pocos los estrenos de cintas españolas, que empiezan a gozar de cierta atención por parte de los poderes públicos. He aquí una relación de estrenos elegida entre otros muchos quizá de menor cuantía:

La Reina Cristina de Suecia, Greta Garbo, John Gilbert.
Compañeros de juerga, Stan Laurel, Oliver Hardy.
El Conde de Montecristo, Robert Donat.
El crimen del Vanities, Víctor McLaglen, Jack Oakie.
Volando hacia Río Janeiro, Dolores del Río.
Rosario la Cortijera, Estrellita Castro.
Música y mujeres, Ruby Keeler, Dick Powell.
La dama de las camelias, Ivonne Printemps.
La Hermana San Sulpicio, Imperio Argentina.
Los miserables, Harry Baur.
Su mayor éxito, Marta Egerth.
Yo canto para ti, Rafael Nieto, Conchita Piquer.
Siempre en mi corazón, Bárbara Stanwick.
Tango de Broadway, Carlos Gardel.
Massacre, Richard Barthelmess.
Tres lanceros bengalíes, Franchot Tone, Gary Cooper, Kathlee Burke, Sir Guy Standing, Richard Chomwell.
Campeón ciclista, Joe Brown «Bocazas».
La pelirroja, Jean Harlow.
Carolina, Janet Gaynor, Lionel Barrymore.
Caravana, Charles Boyer, Annabella.

No puede empezar mejor 1935 desde el punto de vista deportivo para Madrid. Uno de sus equipos titulares, el Madrid, vence al Nuremberg por 2-1. Tres semanas más tarde la selección española se enfrenta en la capital con la francesa y la vence por 2-0, con un equipo integrado por Zamora, Aedo, Cilaurren, Muguerza, Marculeta, Lafuente, Regueiro, Lángara, Iraragorri y Gorostiza.

El ruso Ledokimow se lanza con paracaídas cerrado desde 8.100 metros de altura, bajando como un bólido hasta sólo 200 metros de distancia del suelo; lo abre y bate así el récord mundial de descenso en cerrado. En Francia, el ciclista español Francisco Cepeda muere a consecuencia de una caída en el *Tour*.

El ídolo boxístico del momento es el negro Joe Luis, norteamericano, campeón de todas las categorías. Joe Luis vence por k. o. a Primo Carnera y la prensa española dice que hay que enfrentarle a Paulino Uzcudun; algo más tarde el bombardero americano vence a Max Baer, también por k. o. y la prensa española insiste: «*Uzcudun se hará una petaca con la piel de Joe Luis*», «*el negro durará cinco minutos ante Paulino*». Por fin, el 13 de diciembre, Uzcudun, que ha viajado a Estados Unidos sin demasiados entusiasmos, se enfrenta al negrazo yanqui y es vencido por éste por k. o. técnico en el cuarto asalto.

Como final del estudio de este 1935 de vísperas, hagamos a vuela pluma la reseña de la nutrida temporada teatral madrileña. En los doce meses de este año menudean los estrenos con mejor o peor fortuna. La actividad de los teatros madrileños es la siguiente:

Cómico: *Morena clara*, Quintero y Guillén. *Los gatos*, Davó y Alfayate.

Eslava: *No juguéis con esas cosas*, Benavente. *Lo que Dios no perdona*, Marquina. *Martes y 13*, los Quintero.

Maravillas: *Las ansiosas*, Paso, Valverde, música de Luna y Azagra. *Variedades*, Raquel Meller y Custodia Romero. *Las inviolables*, Silva Aramburu y música de Padilla. *Las mujeres del Zodíaco*, Valcárcel y Franco, música de Benlloch y Rivera. *Una morena y una rubia*, Dicenta y Paso.

Fontalba: *Los hermanos de Betania*, Martínez Kleyser y Del Palacio. *Noche de Levante en calma*, Pemán. *En el nombre del padre*, Marquina.

Comedia: *Los Sandovales*, Paso hijo y Sáez. *Cualquiera lo sabe*, Benavente. *Papeles*, Muñoz Seca y Pérez Fernández. *Las cinco advertencias de Satanás*, Jardiel Poncela.

Victoria: *La Papirusa*, Torrado y Navarro. *Recitales*, González Marín. *La mujer que se vendió*, Torrado y Navarro.

Cervantes: *Así es la vida*, Llaneros y Malfaltti. *La tragedia del pelele*, Arniches. *Manola, Manolo*, Fernández de Sevilla.

Calderón: Temporada de ópera durante el mes de febrero. *Los majos del Perchel*, Alarcón y música de Ocón y Carrascosa. *Luces de verbena*, S. Anguita, Tellaeche y música de Soutullo y Vert.

Lara: *Para mal el mío*, los Quintero. *Adiós, muchachos*, Suárez de Deza. *Los nietos del Cid*, Serrano Anguita. *Como la vida quiso*, Segovia y Musot. *Creo en ti*, Jorge y José de la Cueva.

Coliseum: *Bodas de sangre* (nueva versión), García Lorca. *La casa del olvido*, Fernández de Sevilla. *Hip, hip, hurra*, Vela, Sierra y música de Guerrero.

María Isabel: *¿Por qué te casas, Perico?*, Ramos de Castro y Mayral. *Tres a uno*, Luis de Vargas. *Un adulterio decente*, Jardiel Poncela.

Romea: *Al cantar el gallo*, Ramos de Castro, Mayral y música de Luna.

Muñoz Seca: *Con las manos en la masa*, Davó y Alfayate. *Muy siglo XX*, Miguel Acosta.

Zarzuela: *Recitales*, Berta Singerman. *Ultreya* (ópera gallega), Cotarelo y música de R. Losada. *No me olvides*, Romero, Fernández Shaw y música de Sorozábal. *La inglesa sevillana*, los Quintero. *Un negocio excelente*, Honorio Maura.

Ideal: *En España manda el sol*, Custodio y Burgos. *Curro Gallardo*, letra y música de Penella. *Juan del Mar*, Ramos Martín y música de Magenti.

Alcázar: *Seviyiya*, Ramos de Castro y Carreño. *Yo soy un asesino*, Paso y Arroyo. *¿Quién soy yo?*, Juan Ignacio Luca de Tena.

Martín: *Las de armas tomar*, Paso, Loygorry y música de Alonso.

Benavente: *El gran ciudadano*, Muñoz Seca. *La comiquilla*, los Quintero.

Chueca: *El paleto de Borox*, Ramos de Castro y Carreño. *La niña Calamar*, Capella y Lucio.

Español: *Otra vez el Diablo*, Casona.

Latina: *Aquí manda Narváez*, Balbontín.

Capítulo 35. EL CARRUSEL DE LA VIOLENCIA (año 1935). Aumentan los choques callejeros en Madrid. Disensiones falangistas. Quinto Gabinete Lerroux. Se unen tres partidos republicanos. Sexto Gabinete Lerroux. La contra-reforma agraria. Gabinete Chapaprieta. Gil Robles, ministro de la Guerra, suprime los asistentes. Segundo Gabinete Chapaprieta. Clausura de Renovación Española. Gabinete Portela Valladares. Se forma el Frente Popular. Segundo Gabinete Portela. Resumen legislativo de 1935.

El tobogán político no sólo sigue, sino que crece en Madrid. Aparece una bandera monárquica en la puerta de los antiguos almacenes «Madrid-París»; dos tradicionalistas arrojan piedras contra la fachada de los periódicos *Heraldo de Madrid* y *El Liberal;* unos falangistas arrancan una bandera de Euzkadi que estaba en el balcón del Hogar Vasco; una manifestación comunista contra las penas de muerte acaba ocasionando carreras, disparos y heridos en la plaza de Santa Ana, calle de Espoz y Mina y Puerta del Sol; tres empleados de Prisiones resultan muertos a tiros en las inmediaciones de la Cárcel Modelo; un agente de Policía es muerto a tiros en Cuatro Caminos al intentar el cacheo de un comunista.

En el seno de Falange Española de las J. O. N. S. no es todo de color de rosa. Procedentes unos de un campo y otros de otro, necesariamente las fricciones surgen con relativa frecuencia. La fusión ha convencido a muchos pero no ha convencido a otros. Muy particularmente son ciertos afiliados a las J. O. N. S. los que no están del todo de acuerdo con algunas particularidades que concurren en Falange.

El 15 de enero se hace pública una nota en la que se da cuenta de la baja en la organización de uno de sus puntales máximos, Ramiro Ledesma Ramos. El enfrentamiento de Ledesma lo ha sido directamente con Primo de Rivera. Con Ledesma causan baja en Falange Emilio Gutiérrez Palma, Juan Aparicio y Javier Martínez de Bedoya.

El criterio de Ramiro Ledesma es que *José Antonio Primo de Rivera es víctima, en cierto modo, de los estatutos elaborados por él mismo,*

cuya rigidez convierte en prácticamente imposible el dar cara con efi-
cacia a los problemas que implica la vigorización de la Falange jonsista.

El criterio de Primo de Rivera es durísimo para aquellos que se van. *Es un grupo —no legión— de gentes cultivadas fuera de todo ideal político, en los fondos infrasociales más turbios de la vida humana. Estos elementos revolucionarios de alquiler son los que han tenido que salir de la Falange de las J. O. N. S., no por establecer unidad de pensamiento, nunca rota entre nosotros, sino por higiene.*

Los archivos falangistas registran en el Madrid de este enero de 1935 un total de 743 afiliados, pero a esta cifra debe añadirse la de los integrantes del SEU, la mayoría de ellos de primera línea, lo que puede hacer ascender la cantidad —al menos así lo estiman algunos tratadistas procedentes del campo de la Falange— a otro tanto. Debe tenerse en cuenta que precisamente el año 1935 que comienza ahora va a ser el más positivo para el saldo falangista, que sumará en diciembre ya 25.000 en toda España.

El Gobierno —o, mejor dicho, los gobiernos— no hacen sino destituir a unos mandos para poner en su lugar a otros, que parece que van a ser mejores que los anteriores, pero siempre peores que los que serán nombrados meses, o días, más tarde.

El Gobierno se mueve con miedo y con miedos: miedo a las derechas extremas y miedo a las izquierdas extremas, si bien en este 1935 la inclinación gubernamental es decididamente a favor de todo lo que sea de derechas y en contra de todo lo que sea de izquierdas.

Los generales de moda en Madrid a raiz de los sucesos de Asturias de octubre del pasado año son Franco y López Ochoa. Aquel por haber dirigido personalmente desde el despacho del ministro de la Guerra la campaña asturiana, éste por haber sido el jefe de la columna principal y de las operaciones que culminaron con la recuperación de Oviedo.

Un periodista hace una entrevista al general Franco. Al comparar la guerra en tierras marroquíes con la campaña asturiana, Franco establece ya toda una postura:

—La guerra de Marruecos, con los Regulares y el Tercio, tenía cierto aire romántico, un aire de reconquista. Pero esta guerra es una guerra de fronteras, y los frentes son el socialismo, el comunismo y todas cuantas formas atacan la civilización para reemplazarla por la barbarie.

El Gobierno —Lerroux— otorga a Franco la Gran Cruz del Mérito Militar y le designa comandante en jefe de las fuerzas militares en Marruecos. El jefe del Gobierno ha pretendido nombrar a Franco alto comisario en tierras africanas, pero ha hallado la oposición, cortés pero decidida, del presidente de la República, Niceto Alcalá Zamora.

Cesa Rocha en Marina y le sucede Abad Conde; total, relevo entre radicales. Muere Sánchez Guerra y son ejecutados en Oviedo dos de los revolucionarios de octubre del año anterior: el célebre sargento Vázquez y Jesús Argüello. La estadística de paro forzoso se eleva, sigue elevándose: en toda España, 711.184, es decir, 86.000 más que en 1934. Las derechas, pues, no han resuelto nada.

Marzo es un mes particularmente violento. Continúan enfrentándose, pese al estado de guerra, numerosos grupos de falangistas con otros grupos socialistas y comunistas en las calles madrileñas. Unas veces son los muchachos de Falange Española los que acuden a los distritos periféricos a encontrar a sus rivales, otras son los jóvenes del Partido Socialista o de las Juventudes Comunistas los que acuden al centro, donde parece ser que dominan más sus enemigos.

El 16 de este mes, un copioso grupo falangista, integrado por un centenar aproximadamente de hombres de corta edad, casi todos ellos con presencia de estudiantes, hace su irrupción en los populares almacenes SEPU, de la Gran Vía, que ocupan el local que hasta hace unos años tuvo *Madrid-París*. SEPU es firma señalada como semita. Los falangistas madrileños realizan una *razzia* en el establecimiento. La Policía llega tarde a reprimir el asalto.

Una semana después nace el primer número del semanario *Arriba*, que viene, en realidad, a cubrir el hueco que dejara *FE*, suspendido hace meses. *Arriba*, si bien se presenta modestamente como semanario, deja ya constancia desde el primer momento de su propósito de convertirse en cuanto sea posible en diario.

Transcurre otra semana y aparece una nueva publicación falangista. Se trata de *Haz*, que viene a ser el portavoz del Sindicato Español Universitario, de Falange Española de las J. O. N. S., rival por lo tanto, directísimamente, de la FUE. La presencia falangista en Madrid es constante, espectacular. No puede decirse que los militantes o afiliados de Falange sean muchos, pero sí que se hacen ver.

El indulto concedido al líder socialista González Peña, así como a otros diecinueve condenados a muerte, provoca la crisis total. El nuevo Gobierno cuenta con nueve radicales, dos progresistas y dos técnicos:

Presidencia	Lerroux
Estado	Rocha
Gobernación	Portela Valladares (que sólo ha permanecido setenta y cinco días como gobernador general de Cataluña)
Hacienda	Zabala
Marina	Almirante Salas
Justicia	Cantos
Agricultura	Benayas

Comunicaciones	Jalón
Obras Públicas	Guerra del Río
Trabajo	Vaquero
Industria y Comercio	Marraco
Guerra	General Masquelet
Instrucción Pública	Ramón Prieto

El 12 de abril, como si quisieran conmemorar el cuarto aniversario de las elecciones que trajeron la República, se unifican los partidos de Izquierda Republicana (Azaña), Unión Republicana (Martínez Barrio) y el Nacional Republicano (Sánchez Román). Dos días después se levanta el Estado de Guerra en todo el país, subsistiendo el de Alarma.

Y el 3 de mayo, a los treinta días justos de nacido, cae el Gabinete Lerroux y se forma en cuarenta y ocho horas un nuevo Gobierno, que preside también el jefe de los radicales:

Presidencia	Lerroux (radical)
Estado	Rocha (radical)
Gobernación	Portela Valladares (independiente)
Hacienda	Chapaprieta (independiente)
Obras Públicas	Marraco (radical)
Guerra	Gil Robles (CEDA)
Justicia	Casanueva (CEDA)
Trabajo	Salmón (CEDA)
Industria y Comercio	Aizpun (CEDA)
Comunicaciones	Lucia (CEDA)
Marina	Royo Villanueva (agrario)
Agricultura	Velayos (agrario)
Instrucción Pública	Dualde (liberal demócrata)

Es decir, estamos en una República en la que el 70 por 100 del equipo gubernamental es de derechas, y el resto de una derecha bastante clara, aunque no tan decidida como la otra.

Si este nuevo cambio es importante, quizá lo más destacado de todo sea la llegada al ministerio de la Guerra del caudillo de las huestes cedistas, José María Gil Robles. Las derechas, así, no sólo están *en el poder*, sino que tienen el poder en las manos. Y esto lo saben las derechas, el centro y las izquierdas. Ello ha sido con la abierta y tenaz oposición del presidente Alcalá Zamora.

> **"Para proceder con el debido conocimiento de causa —dice Gil Robles en su libro** No fue posible la paz—, **puesto que no era yo un técnico en los problemas y cuestiones militares, quise, ante todo, asesorarme de los altos mandos castrenses. A este propósito obedeció la reunión celebrada el 11 de mayo —cuatro días después de haberme posesionado del cargo en mi despacho del Ministerio.**
>
> **"Asistieron a ella el subsecretario y jefe de la división de Burgos, general Fanjul, y los generales Rodríguez del Barrio, jefe de la pri-**

mera inspección del Ejército; Cabanellas (Virgilio), de la primera división orgánica —Madrid—; Lon Laga, segundo jefe del Estado Mayor Central; Villa Abrille, jefe de la División de Sevilla; Franco, jefe superior de las fuerzas de Marruecos; Riquelme, de la división de Galicia; Villegas, de la de Aragón; Goded, jefe de las fuerzas de Baleares; Molero, de la división de Valladolid; Sánchez Ocaña, de la de Cataluña; Núñez de Prado, segundo jefe de la Inspección del Ejército; Peña, jefe de la división de Caballería de Madrid y Gómez Morato, de la división de Valencia.

"Durante cinco horas, interrumpidas por un breve descanso, escuché los informes de mis interlocutores, en contestación a las numerosas preguntas de un cuestionario en el que procuré reflejar todos los problemas que afectaban a la colectividad castrense. El resumen de los informes fue desolador. La realidad superaba los cálculos más pesimistas. En el Ejército faltaba todo: satisfacción interior, unidad espiritual, organización adecuada, medios materiales... No se había milagrosamente disuelto, por la práctica de las más altas virtudes militares en la parte más selecta de las fuerzas armadas.

"...Por lo pronto, debía escoger con sumo cuidado los colaboradores. Para la Jefatura del Estado Mayor Central, pieza clave de la reorganización del Ejército, busqué un máximo prestigio militar: el general Franco. Para la Subsecretaría, un hombre curtido en la lucha política, el general Fanjul."

Un mes más tarde los Consejeros de la Generalidad rebelde en octubre de 1934, con Luis Companys a la cabeza, son condenados a treinta años de prisión, lo que provoca en Cataluña fuerte tensión.

En la última semana de julio tiene lugar en las Cortes el debate sobre la llamada contrarreforma agraria. La República primitiva, la del 14 de abril, repartió tierras entre campesinos, quitándosela, en ocasiones, a poderosos terratenientes, muchos de los cuales pertenecían a la nobleza.

Si aquello fue lo que hicieron un Gobierno y unas Cortes izquierdistas, ahora, con Gobierno y Cortes de derechas, se trata de hacer lo contrario. O devolver las tierras a sus propietarios los nobles o, de no hacerlo, indemnizar fuertemente a éstos por cuenta del erario público.

El cálculo es de 577 millones de pesetas que el Tesoro ha de sacar de sus arcas para que vayan a parar a manos de los nobles que perdieron parte de sus tierras en favor de los campesinos.

Como era de esperar, el debate se encona duramente. Hay una extraña unanimidad en la Cámara e incluso los diputados de la CEDA votan al principio en contra de esta contrarreforma, que nace ya impopular. Sólo votan a favor los agrarios y los positivamente monárquicos, aunque con carácter oficial no se denominen así. Una de las voces más altivas en contra de la indemnización a los nobles es la de José Antonio Primo de Rivera, que en su discurso, entre otras cosas, dice:

—En la provincia de Sevilla hay un pueblo que se llama Valdelatosa; en este sitio salen las mujeres a las tres de la madrugada para recoger los garbanzos; terminan la tarea al medio día, después de una jornada de nueve horas, y a estas mujeres se les paga una peseta.

En Avila hay un pueblo que se llama Narros del Puerto. Este pueblo pertenece a una señora que lo compró en algo así como 80.000 pesetas. Debió tratarse de algún coto redondo de antigua propiedad señorial. Aquella señora es propietaria de cada centímetro cuadrado del suelo, de manera que la iglesia, el cementerio, la escuela, las casas de todos los que viven en el pueblo están, parece, edificados sobre terrenos de la señora.

Por consiguiente, ni un solo vecino tiene derecho a colocar los pies sobre la parte de tierra necesaria para sustentarle si no es por una concesión de esta señora propietaria. Entre las cláusulas de los contratos de arrendamiento las hay como ésta: "La dueña podrá desahuciar a los colonos que fuesen malhablados".

La contrarreforma, no obstante las muchísimas razones en contra, acaba aprobándose, incluso con las reservas del propio presidente de la República, que pone sus reparos a sancionar con su firma la disposición que viene a determinar al régimen como derechista al ultranza.

—Soy conservador— dice Lerroux en un mitin en Pontevedra— frente a la anarquía; soy revolucionario frente a la reacción.

Pero lo malo de Lerroux en este año 1935 es que ya no consigue convencer a nadie, y que al cabo de una larga vida de republicano rebelde se ha enajenado la fidelidad de la mayoría de sus huestes obreras, mientras que no ha ganado las que tradicionalmente tuvo en contra, las de los señores. Así, nos hallamos ante el gracioso caso de un jefe de Gobierno que tiene pocos diputados y que representa quizá el sector más pequeño de las masas electorales.

Ni Lerroux ni sus tres ministros radicales gobiernan: lo hacen Gil Robles —que tiene en sus manos nada menos que el ministerio de la Guerra—, sus cuatro ministros cedistas y los dos agrarios, derecha clarísima, pues ni siquiera el centrista o independiente Portela Valladares, flanqueado por tanta derecha, puede hacer otra cosa que, como incluso él mismo dice en cierta ocasión a los periodistas, «ir tirando mientras se pueda».

El oficial del Tercio, Dimitri Ivanof, que mató a tiros en Oviedo al periodista de izquierdas Luis Sirval, es condenado a seis meses de prisión, lo que exacerba a la prensa de izquierdas, que, no obstante, por la Censura, se ve obligada a guardar silencio.

«¡Todos en pie de marcha! —dice el manifiesto de Gil Robles—. Nuestro símbolo: una tienda de campaña con la cruz de la victoria y el águila imperial.»

Una ley de Restricciones Administrativas es aprobada y en su consecuencia desaparecen tres ministerios, cinco subsecretarías, veinte direcciones generales y trescientos coches oficiales, lo que supone una conomía al año de 400 millones de pesetas. Naturalmente, esto ocasiona otra crisis, que se produce el 23 de septiembre, cuatro meses y medio después que la última. Y el 25, nuevo Gabinete:

Presidencia y Hacienda	Chapaprieta
Estado	Lerroux
Gobernación	De Pablo Blanco
Justicia y Trabajo	Salmón
Guerra	Gil Robles
Marina	Rahola
Obras Públicas y Comunicaciones ...	Lucia
Instrucción Pública	Rocha
Agricultura y Comercio	Martínez de Velasco

¡Vuelta a empezar! Afinan las restricciones económicas: se reducen los gastos de representación del presidente del Consejo y de los ministros en un 10 por 100, se reduce también en un 10 por 100 la plantilla de funcionarios civiles del Estado y se suben, muy ligeramente, los sueldos de estos últimos.

Una orden de Gil Robles como ministro de la Guerra suprime los asistentes militares, medida que hubiera dado al jefe cedista buenos miles de votos populares si en lugar de un simple documento firmado hubiera sido una orden de verdad, de las que se cumplen, de las que se ven.

Y el 29 de octubre —¡sí, otra vez!—, crisis total y nuevo Gabinete formado en sólo unas horas:

Presidencia y Hacienda	Chapaprieta
Estado	Martínez de Velasco
Gobernación	De Pablo Blanco
Guerra	Gil Robles
Marina	Rahola
Justicia y Trabajo	Salmón
Obras Públicas y Comunicaciones ...	Lucia
Instrucción Pública	Bardají
Agricultura, Industria y Comercio ...	Usabiaga

—Ni Gil Robles ni la CEDA —dice Gordón Ordas en un discurso— pueden ser considerados republicanos: primero, porque no lo han dicho; segundo, porque siempre han votado contra los artículos que son la esencia de la República; tercero, porque no han votado la Constitución; cuarto, por la campaña insidiosa contra los hombres de la República, y quinto, porque desde el Poder se han burlado de la Constitución.

El líder socialista Francisco Largo Caballero, ex-ministro del primer Gabinete republicano, acusado por los sucesos de octubre de 1934 y que desde entonces ha estado entrando y saliendo de la Cárcel Modelo de Madrid, aunque con más tiempo dentro que fuera, es absuelto por el tribunal que le juzga.

El 15 de noviembre se celebra la inauguración del II Consejo Nacional de Falange Española de las J. O. N. S., ahora en el domicilio social sito en el número 3 de la Cuesta de Santo Domingo. Es la primera vez que asiste Hedilla, en representación de Santander y como miembro de la ponencia destinada a estudiar la cuestión del paro.

Bajo la presidencia de Primo de Rivera, que sigue siendo el jefe absoluto, ocupan la mesa presidencial Raimundo Fernández Cuesta, secretario, y los jefes de servicio Alejandro Salazar, Emilio Alvargonzález, Manuel Valdés, Manuel Mateo, José Manuel Aizpurúa, Gregorio Sánchez Puertas y Augusto Barrado.

La prensa madrileña registra estas sesiones. Según el matiz de cada periódico, así es la reseña, así es el tono. En general, la prensa madrileña continúa considerando de muy escasa importancia todas las inquietudes, todos los quehaceres del «grupo juvenil del hijo del Dictador». Al Gobierno, en cambio, pese a su buena carga de derechismo, sí que le preocupa la existencia de Falange Española de las J. O. N. S. Gil Robles, muy particularmente, es posible que hubiera preferido el estilo combativo de los falangistas en sus filas de las JAP (Juventudes de Acción Popular, o vanguardia juvenil de la CEDA).

El Centro de Renovación Española —monárquico— es clausurado por orden del nuevo director general de Seguridad, Gardoqui, y detenidos varios afiliados que habían colocado carteles con amenazas a los hombres de la República. El 9 de diciembre se provoca otra crisis, que no es la última del año, y que no se resuelve hasta cinco días después:

Presidencia y Gobernación	Portela (independiente)
Estado	M. de Velasco (independiente)
Trabajo, Justicia y Sanidad	Martínez (liberal demócrata)
Guerra	General Molero
Marina	Almirante Salas
Hacienda	Chapaprieta (independiente)
Obras Públicas	Del Río (progresista)
Instrucción Pública	Becerra (radical)
Agricultura, Industria y Comercio ...	De Pablo Blanco (radical)
Ministro sin cartera	Rahola (Lliga catalana)

Digamos que es un Gobierno centrista, más bien orientado hacia la derecha, con el que el presidente Alcalá-Zamora piensa que quizá sea posible gobernar. Para ello nada mejor que cerrar las Cortes, de acuerdo con las facultades que el artículo 81 de la Constitución le brinda, y gobernar decididamente, sin miedo ni miedos.

Ya terminado el año, cesa Gardoqui como director general de Seguridad y le sucede el capitán Santiago, de la Guardia Civil. Los republicanos de izquierda se unen firmemente a los socialistas, lo que constituye —no se pierda esto de vista— el embrión del Frente Popular que habrá de llevarse ruidosamente por delante las elecciones del próximo febrero de 1936.

Y para continuar la tradición, el 30 de diciembre, cuando el pueblo de Madrid piensa preferentemente en la cercana Noche Vieja, nueva crisis y nuevo Gobierno:

Presidencia y Gobernación	Portela
Estado	Urzaiz
Guerra	General Molero
Marina	Contralmirante Azarola
Hacienda	Rico Avello
Instrucción Pública	Villalobos
Trabajo, Justicia y Sanidad	Becerra
Obras Públicas	Del Río
Agricultura, Industria y Comercio ...	Mendizábal

—Los militares —dice el nuevo ministro de la Guerra, general Molero, a un grupo de generales congregados en su despacho—, no tenemos por qué ser políticos. Ahora bien: como el régimen español es la República, nuestra obligación es ser simplemente y firmemente republicanos y defender con todo entusiasmo la República. Para mí sería lamentabilísimo saber que algún miembro del Ejército español despreciaba con actos o con frases al régimen, y como no puedo creer que esto suceda, vuelvo a recordaros que los militares no podemos ostentar ningún calificativo político más que el muy honroso de republicanos.

La *producción* legislativa de 1935 ha sido más o menos lo mismo de abundante que en los años inmediatamente anteriores. Los diversos cambios de Gobierno han ido reflejándose, naturalmente, en el tono y en el estilo de cada una de las disposiciones, sobre todo cuando —como sucede en 1935— hay crisis que suponen continuar y crisis que suponen cambiar de línea política.

Una ley del 2 de enero suspende las facultades concedidas al Parlamento catalán. Un decreto suprime el cargo de comisario general de Cataluña, delegado especial del Gobierno de la República. Otro decreto del 24 del mismo mes deja sin efecto la famosa ley de Contratos de Cultivo aprobada por el Parlamento de Cataluña. Otro deja en suspenso el traspaso de Obras Públicas a la Generalidad.

Un decreto de la Presidencia del 15 de febrero dispone que la acción de España en Marruecos se ejerza por un alto comisario. El 8 de este mismo mes, una disposición de Instrucción Pública declara jardines artísticos la *estufa* de la Ciudad Universitaria, el jardín del Príncipe, de El Pardo y el Parque de Madrid (Retiro).

El teatro María Guerrero es totalmente absorbido por el Estado por orden de 19 de febrero, no pudiendo celebrarse en lo sucesivo en él ninguna clase de festivales ni representaciones de iniciativa particular y reservándose, como teatro nacional, *para aquellos espectáculos en que tenga participación directa o indirecta el Estado.*

Presenta la *Gaceta* del 9 de febrero un importante decreto en el que se aprueba el reglamento de la Escuela Superior de Guerra, texto de 77 artículos y dos transitorios.

Queda prohibido —dice un decreto del 22 de junio— *exhibir en la vía pública o lugares públicos, aunque sea individualmente, los distintivos, banderas, banderines y emblemas de subversión política o social; el uso individual o colectivo de prendas de vestir que signifiquen la formación de milicias o masas uniformadas; los pregones de periódicos, semanarios o revistas con carácter de provocativa propaganda; las concentraciones o marchas de personas que, a pretexto de jiras campestres, o ejercicios deportivos, encubren manifestaciones políticas, si previamente no fueron autorizadas por la autoridad gubernativa, y cualquier otro acto de análoga naturaleza que suponga agresión a la República, envuelva una provocación al desorden o perturbe el libre y pacífico ejercicio de los derechos individuales.*

Un decreto del mismo mes suprime la reglamentación de la prostitución, *el ejercicio de la cual no se reconoce en España, a partir de este decreto,* como medio lícito de vida.

Un ley de Guerra crea la Comandancia Militar de Asturias. Se declara que la palabra *brandy* es sinónima de la palabra *coñac.* Es creado también el Instituto del Libro Español. Se disuelve el Patronato de Protección a la Mujer.

Una orden de Instrucción Pública del 11 de marzo prohibe que los cuadros del Museo del Prado puedan salir de tal recinto para ser exhibidos en otros lugares, dentro o fuera de España. En julio es *reformada* la Reforma Agraria con arreglo a los nuevos puntos de vista del Gabinete de turno. Y como el Gabinete de turno tiene un ministro de Agricultura *agrario* (derecha prácticamente monárquica) y hay además cinco ministros de la CEDA, no es difícil suponer en qué consiste *la reforma de la Reforma.*

La *Gaceta* del 17 de septiembre publica un decreto de Gobernación relativo a la defensa del orden público y de la seguridad pública. Es una especie de corolario de la ley de Orden Público a que ya se ha hecho mención oportunamente en un capítulo de este libro. Con las muy notables diferencias de enfoque que corresponden a la República de entonces y a la de ahora.

En líneas generales, el registro de disposiciones acumula buena cantidad de ellas reestructurando el Ejército. La presencia de los generales puestos en los lugares clave por Gil Robles se proyecta sobre las páginas de la *Gaceta,* aparte de lo mucho más que se proyecta a lo ancho de todas las instituciones militares del país. Esta República de derechas está, naturalmente, haciendo su política, que en buena parte consiste en deshacer lo que hizo la República de izquierdas hace apenas unos meses.

Pero como la República de izquierdas estuvo también una buena temporada deshaciendo lo que se encontró a la caída de la Monarquía, no hay más remedio que volver a lo que ya se ha dicho varias veces: tejer y destejer. La República se compone de dos Repúblicas que se pasan el tiempo desgarrándose mutuamente. La República, en los últimos días de 1935, prácticamente no existe ya.

Don Manuel Azaña, segundo presidente de la República Española (1936)

Parque del Retiro. Madrid. El *parterre* y la ciudad al fondo

Capítulo 36. ¡A POR LOS TRESCIENTOS! Disolución de las Cortes. Reorganización del Ejército. El Frente Nacional falangista. Sangre en las calles de Madrid. El Frente Popular. El Frente Nacional Antirrevolucionario. Clima pre-electoral. Candidaturas adversarias por Madrid-capital. **La Nación y El Liberal.** Discursos y tiros. "¡A por los trescientos!" Extraña postura de la CNT. Las elecciones. Triunfo del Frente Popular. Portela Valladares dimite. Alcalá Zamora encarga a Azaña de formar Gobierno. Primer Gabinete del Frente Popular. No hay comunistas en el poder.

El 2 de enero, el Gobierno autoriza la reaparición de *Mundo Obrero*, órgano del Partido Comunista. Dos días después, en su discurso en León, Gil Robles, refiriéndose a la vibrante campaña electoral que acaba de iniciar, dice:

—Las derechas alcanzarán el poder en las próximas elecciones, y si no llegarán a él por el camino que sea.

El día 7 son disueltas las Cortes al tiempo que quedan convocadas elecciones para el 16 de febrero. Todo ello en plena pugna violenta entre las derechas y las izquierdas, con la figura del presidente de la República medio tambaleándose en medio.

De cara a las elecciones, es levantada la censura de prensa. Un decreto del ministerio de la Gobernación ordena el cese del general Cabanellas como inspector de la Guardia Civil, cargo para el que es designado el general Pozas.

Los periódicos madrileños publican las nuevas plantillas del Ejército. A simple vista se observa la presencia en el poder de los gabinetes moderados y derechistas. Las cifras para 1936 son ligeramente superiores a las de 1935:

	En 1935	En 1936
Generales de Brigada	65	66
Coroneles	185	246
Tenientes coroneles	487	537
Comandantes	1.274	1.371
Capitanes	2.828	2.890
TOTALES	4.839	5.110

En su número del 9 de enero, el periódico falangista *Arriba* comunica que Falange Española ha proclamado en Madrid y en otras dieciocho provincias el Frente Nacional. *En este momento más que nunca, fe en el mando*, dice la personal llamada dc José Antonio Primo de Rivera a sus militantes. *Reclamo con más solemnidad que nunca la completa confianza.*

Los candidatos falangistas para el 16 de febrero son el propio Primo de Rivera —en Madrid y seis provincias más— y Onésimo Redondo, Julio Ruiz de Alda, Raimundo Fernández Cuesta, Rafael Sánchez Mazas, Manuel Hedilla, José Sáinz, Sancho Dávila y Jesús Muro.

El 10, un obrero de la UGT (Unión General de Trabajadores, socialista) es muerto por la espalda en la calle de Villamil. Un vendedor de *Mundo Obrero* es apuñalado en la calle del Arenal y un afiliado a la CNT (Confederación Nacional del Trabajo, anarco-sindicalista) es herido a balazos en Villaverde.

El 11 se hacen públicas las sentencias dictadas contra las Milicias Socialistas en las personas de sus dirigentes. Estas sentencias, que no vienen ni mucho menos a aplacar los ánimos, oscilan entre la más tenue de doce meses y un día a la de cadena perpetua.

El 13, Largo Caballero, líder socialista, dice en el cine Europa de Madrid, en ocasión de un mitin con el local y las calles adyacentes llenos de gente:

—Nuestros ideales son implantar la igualdad económica de todos los seres, pues mientras ella no exista no podrá haber igualdad en ningún otro género de la vida.

Este mismo 13, un vendedor de *Mundo Obrero* es agredido en la calle de Cartagena, cayendo al suelo gravemente herido de una puñalada en el vientre.

El 14 se produce una seria reyerta en la calle de Fuencarral, a la altura de la de la Farmacia, entre unos vendedores de *Mundo Obrero* y unos repartidores de hojas de propaganda de Falange Española. La lucha se complica y se prolonga hacia la calle de Hortaleza. Menudean los golpes y los tiros, resultando más de una veintena de heridos.

El 15 se hace público el manifiesto de la Coalición de Izquierdas. Es decir: queda formado el Frente Popular, a un mes de distancia de las elecciones del 16 de febrero. El documento lo firman representantes de los siguientes partidos:

Izquierda Republicana.
Unión Republicana.
Partido Socialista.
Juventudes Socialistas.
Partido Comunista.
Unión General de Trabajadores.
Partido Obrero de Unificación Marxista.
Partido Federal.

Este mismo día 15 de enero, tres altos jefes militares presentan una querella contra Gil Robles. Se trata de Hernández Sarabia, Riaño Herrero y Méndez López. La querella es por injuria y calumnia. Mucho trabajo tienen los tribunales en estos días, por culpa de las tan utilizadas calumnias e injurias de un bando o del otro.

Mientras tanto, el mismo Gil Robles se reune varias veces con Calvo Sotelo y Goicoechea, a fin de ultimar los detalles para un compromiso electoral de las derechas republicanas y grupos monárquicos. Estas reuniones tienen lugar unas veces en el domicilio de Gil Robles, y otras en el del marqués de la Vega dc Anzó.

En Cataluña, y como respondiendo a la proclamación del Frente Popular, hay también movimientos de las fuerzas derechistas, acaudilladas o inspiradas por la figura de Cambó. Es creado el *Front Catalá d'Ordre* (Frente Catalán de Orden). Esta agrupación no consigue presentar a la masa electoral catalana la menor sensación de homogenidad ni de sentido práctico.

El 16 de enero, es agredido a tiros de pistola un guardia civil en la plaza de Mariano de Cavia. Aumentan el ritmo y la intensidad de los incidentes en las Facultades Universitarias entre estudiantes de la FUE y estudiantes Falangistas. Sin ningún muerto ni herido grave por estas fechas, el número de magullados y heridos leves es en cambio de mucha consideración.

El 18, el Gobierno prohibe la propaganda electoral por radio. La solicitud de la CEDA para emplear una escuadrilla de aviones civiles que recorrerían parte del territorio nacional arrojando propaganda, es también denegada.

La propuesta de Calvo Sotelo a Gil Robles para ultimar la coalicción derechista se apoya en cuatro puntos:

1 — Declarar constituyentes las próximas elecciones.
2 — Destitución inmediata del Jefe del Estado.
3 — Constitución de un Gobierno provisional.
4 — Sustitución del Presidente de la República por un general.

La fría inteligencia de Gil Robles, le hace ver que si bien esta propuesta contiene indudables ventajas, no viene exenta de peligros. El acuerdo de coalición se retrasará aún algunos días. La presencia, por otra parte, del *Frente Nacional* anunciado por Primo de Rivera en su periódico hace aún más complicadas las cosas.

El día 21, un obrero de la UGT cae muerto a tiros en el Puente de Vallecas, otro obrero es herido de dos disparos a la salida del *metro* de Opera, y en la Ciudad Jardín un grupo, desde un automóvil, tirotea al director del periódico *La Libertad*. La confusión aumenta, ya que no sólo se enfrentan izquierdistas y derechistas, sino sindicalistas de la fracción socialista (UGT) con sindicalistas de la fracción anarquista (FAI-CNT).

Así como en el Frente Popular se hace notable la ausencia de los anarcosindicalistas de la CNT —¡nada de pactos, nada de votar! ¡Revo-

lución ahora!—, en el Bloque Nacional se registran las escisiones de Miguel Maura y los suyos y las vacilaciones en aceptar las condiciones puramente monárquicas, cuando no fascistas, de Calvo Sotelo por parte de los moderados cedistas de Gil Robles.

El día 22, la prensa de izquierdas habla copiosamente de las muchas divergencias que trituran la unidad en el Bloque Nacional, al tiempo que, en curioso paralelismo, la prensa de derechas pone de manifiesto las fisuras y roturas que parecen desdibujar la planteada unidad del Frente Popular. Dijérase que todos juegan a su propia unidad mientras se entretienen en disgregar la del adversario.

Este mismo día Calvo Sotelo, en un discurso pronunciado en Trujillo, califica a Miguel Maura como *Maura el malo*. Maura *el bueno* sería, por deducción, el célebre padre del político moderado republicano, el famosísimo Antonio Maura, a quien se ha referido en detalle el tomo II de esta Historia. El de «*¡Maura, no!*».

El 26, *El Liberal*, refiriéndose a la adscripción de Federico García Sanchíz al Bloque Nacional, dice:

«Para remediar los males de España, Gil Robles busca escolta entre los juglares Ya tiene de candidato a García Sanchíz para que divierta a los diputados con sus recitaciones amaneradas y cursis. Lástima que haya fallecido Antonet, el famoso 'clown', tan popular en Barcelona. Hubiera hecho con García Sanchíz un magnífico 'pendent'».

El día 28, la CNT de Barcelona produce una sorprendente declaración oficial en la que funde lo que hasta el momento había sido rumor o editorial de periódico o conferencia suelta: próximas las elecciones, la CNT se declara apolítica y deja en libertad a sus afiliados para votar a quienes estimen más conveniente. Esto exacerba los ánimos en la UGT de Madrid, que considera la postura de los sindicalistas barceloneses —secundada pronto por los madrileños— como una traición en momentos trascendentales.

Un cartel de la UGT del día 29 dice en grandes titulares:

Escuelas que España necesita 30.000
Escuelas creadas por el primer bienio republicano-socialista. 13.850
Escuelas que pensaba crear Gil Robles en 1936 333

La Nación del 30 de enero en un artículo editorial:

«Pero ¿existe Maura fuera de las reboticas con reuma de algunos pueblecillos, de la memoria de los católicos y de los días de crisis con pasteles de té en el Palacio Nacional? Creíamos recordar que este usado ex-ministro, agotador un día de chaquetas jactanciosas y pisapapeles del fracaso, estaba laminado, definitivamente lacrado en un sobre de 'muestras sin valor', cuando he aquí que ayer asoma a los alféizares de la prensa, gitano y torcido, con cara de jurar 'por ésas' su entrecejo rencoroso a la candidatura madrileña de García Sanchíz, el español.»

El 31 llega al puerto de Barcelona un buque mercante soviético. Es la primera vez, desde la Revolución de 1917, que un barco de Rusia toca en un puerto español. Las autoridades portuarias sólo autorizan a desembarcar al capitán. Los tripulantes soviéticos que acaban de llegar a un puerto de la República española han de permanecer confinados a bordo en lo que dura la carga y descarga, lo que origina las naturales protestas de cierto sector de la prensa. A los marinos soviéticos les será muy difícil comprender que aunque España es República, como el Gobierno es de derechas más o menos, ellos han de quedar en el barco para no contaminar a nadie.

En los primeros días de febrero se hacen públicas las candidaturas de los dos grandes bloques adversarios. La del Bloque Nacional (figura en las papeletas y en los carteles murales como *Frente Nacional Contrarrevolucionario*) por Madrid-capital es la siguiente:

Gil Robles	CEDA
Calvo Sotelo	Monárquico
Royo Villanova	Derecha independiente
Velarde	Radical
Oyárzun	Carlista
Marín Lázaro	CEDA
Riesgo	CEDA
Pérez Laborda	Monárquico
Montero	Radical
Bermúdez Cañete	CEDA
Galinsoga	Monárquico
Giménez Caballero	Derecha independiente (procede de Falange Española)

La amalgama no puede ser más sorprendente ni heterogénea. Radicales lerrouxistas, es decir, republicanos tradicionales, figuran en la misma papeleta de votación que los derechistas de Gil Robles, los monárquicos, los carlistas y los falangistas.

La candidatura de izquierdas *(Frente Popular)*, también por Madrid-capital, es la siguiente:

Azaña	Izquierda Republicana
Martínez Barrio	Unión Republicana
Largo Caballero	Socialista
Besteiro	Socialista
José Díaz	Comunista
Jiménez de Asúa	Socialista
Ramos	Izquierda Republicana
Velao	Izquierda Republicana
Pérez Urría	Izquierda Republicana
Araquistáin	Socialista
Alvarez del Vayo	Socialista
De Francisco	Socialista
Hernández Zancajo	Socialista

Existe otra candidatura de las derechas en la que no figura el monárquico Pérez Laborda, hallándose escrito en su lugar el nombre de Mariano Serrano Mendicute. Las pugnas interiores de cualquiera de los dos bloques da para esto y para mucho más.

El 3 de febrero, el obispo de Almería lanza una pastoral:

«*Es deber de todos poner de su parte cuanto sea preciso para llegar a la mayor concordia de los que, puesta la mirada en Dios y en España, se aprestan a defender en las próximas elecciones los intereses sacratísimos de la religión y de la patria.*» Los socialistas almerienses protestan airadamente, por considerar este párrafo como una intromisión del obispo en la propaganda electoral. Alguien recuerda la célebre pastoral del cardenal Segura en 1931, procurando inclinar a todos los católicos a votar contra la República.

Los carteles electorales comienzan a invadir todos los espacios imaginables de Madrid. Vallas, muros, faroles, todo es arrolladoramente ocupado por la grave tensión de las próximas elecciones. Nadie sabe dónde tenía Madrid tanto papel, tanta tinta y tantas cifras. Es como si inmensos, inagotables almacenes se hubieran puesto a volcar sobre las calles sus ingentes existencias de publicidad política.

"La Monarquía os dio paz, tranquilidad, orden y patria. La República, luchas sociales, paro obrero, disolución de la familia y desmembración de España. Votad a la Monarquía y candidatura de Derechas."

En contraposición a este texto, uno de los carteles de propaganda frentepopulista dice:

"Un millón de parados · Jornales de 1,50 · Familias enteras alimentadas con bellotas · El comercio arruinado · La industria paralizada · Las subsistencias por las nubes · ¡Esta es la obra de las derechas! · ¡Votad al Frente Electoral de Izquierdas!"

El periódico *La Nación* hace una vez más gala de su escaso tacto político insertando un entrefilete de propaganda electoral que dice nada menos que esto:

"1929 (Monarquía). Precio de la gasolina, 76 céntimos litro... ¡Votad a los monárquicos!"

Es decir, en un Madrid en el que se cuentan escasos automóviles, en un Madrid en el que el hecho de poseer automóvil ya es un signo externo de desahogada —y destacada— posición social y económica, en un Madrid *que va a pie*, *La Nación* convoca a votar por los monárquicos a aquellos que tienen coche. Que es tanto como convocar a que voten por los republicanos a aquellos que no lo tienen, que son infinitamente más. No es un servicio apreciable el de este periódico a la candidatura del Bloque Nacional Antirrevolucionario.

En su discurso electoral del 10 de febrero, Martínez Barrio dice:

«Hemos pactado con las fuerzas obreras para evitar que el régimen se pierda definitivamente y conservar el patriotismo común de la libertad ciudadana.»

En la Puerta del Sol, en la fachada comprendida entre las calles Mayor y del Arenal, aparece de la noche a la mañana un gigantesco cartel, que ocupa varios pisos y toda la anchura de la manzana, con la efigie de Gil Robles y una leyenda en caracteres enormes que dice: «¡A por los 300»! Se refiere a los 300 diputados que, constituyendo la mayoría absoluta de las Cortes, permitiría a la CEDA —Confederación Española de Derechas Autónomas, aclárese una vez más— gobernar sin miedo a la oposición.

En esta vibrante campaña electoral, unos y otros se vuelcan en los amplísimos cauces de la propaganda, pero se hace notar, y no poco, el río de dinero de los grupos de derechas. Hay más carteles de derechas que de izquierdas, al menos en Madrid. Carteles más ricos, con mayor empaque de colores y dibujos, con mejor papel. Si los votos hubieran de caer en las urnas en proporción a la calidad y cantidad de propaganda, fácilmente se podría vaticinar, a una semana de distancia de las elecciones, un triunfo derechista lo menos al 75 por 100.

En su discurso electoral del día 11, José Díaz, candidato comunista, dice:

«Hay que arrancar de manos de los poderosos los instrumentos materiales con los que hoy nos combaten. Si dejásemos la tierra y el dinero en poder de los reaccionarios, intentarían de nuevo nuestro aniquilamiento.»

El 12, diversos grupos procedentes de la Confederación Nacional del Trabajo, disgustados por la postura displicente de su Comité Central y animados por el vigor de la propaganda del Frente Popular, se dan de baja en la sindical anarquista y de alta en la ugetista o socialista. Esto trae como consecuencia diversos incidentes. El 13 llevan a la Casa de Socorro del Puente de Vallecas a un hombre que agoniza de una puñalada en el corazón. La Policía averigua en sólo unas horas que se trata de un antiguo afiliado a la CNT que se ha dado de baja y ha pasado a las filas de la UGT. Ajuste de cuentas frecuente en estos días.

«El proletariado —repite en Barcelona *Solidaridad Obrera* hasta la saciedad—*no tiene nada que ganar ni que perder en las próximas elecciones, por lo que su deber es abstenerse.»*

Los obreros piensan a menudo que abstenerse ellos cuando los votantes de las derechas no se van a abstener es tanto como facilitar el triunfo del Frente Nacional Antirrevolucionario. Los obreros cenetistas podrán ser todo lo enemigos que se quiera de los ugetistas, pero se hallan mucho más lejos de Gil Robles que de Azaña. Las consignas del Comité Central de la Confederación Nacional del Trabajo están haciendo dos funciones absolutamente contrarias a lo que se propone: una, que al dejar en libertad a sus afiliados, acaben votando a los socialistas; otra, que cundiendo la desmoralización en sus filas por la falta de espíritu combativo, se pasen a los partidos y sindicales de mejor disciplina y mayor organización muchos de esos afiliados.

Esto lo saben muchos españoles, tanto de la derecha como de la izquierda, y no escapa, naturalmente, a la perspicacia de Azaña, que en su discurso electoral del día 13 dice:

«La papeleta electoral es el escudo de nuestra libertad, la defensa contra el cacique, la defensa del jornal, la defensa de vuestra libertad personal contra las palizas, los tiros, los destierros y todo género de arbitrariedades municipales, provinciales y del Estado.»

En su número del domingo 16 —día de las elecciones— el periódico *ABC* dice con letras de gruesos y llamativos caracteres:

"Todos los españoles que sientan la Patria como una tradición y como una esperanza deebn votar hoy, con disciplina inquebrantable, las candidaturas del Frente Nacional Antirrevolucionario."

Pero ya en el aire de esta mañana dominguera de febrero se olfatea que es demasiado optimismo el optimismo del *ABC*, de *La Nación* y de Gil Robles. Si las cosas pudieran hacerse dos veces es muy posible que antes de titularse *Antirrevolucionario*, el Frente Nacional hubiera elegido muy meticulosamente otro adjetivo o se hubiera quedado en la definición falangista de *Frente Nacional* a secas. *Anti* es claro, pero no es constructivo: no suena a nada que se va a hacer, sino a lo que se va a impedir que otros hagan. No inspira, sino que desorienta. Han tenido mucho mayor acierto los adversarios con el aislado adjetivo de *Popular*.

Pronto se va a ver.

Las elecciones se celebran salpicadas de numerosos incidentes, aunque no demasiado graves. La pasión es tremenda. Se suceden los desmayos, los ataques cardíacos, los síncopes y los accesos de histeria. La verdad es que todos se están jugando todo en esta jornada dominical de un febrero frío y desapacible.

Los resultados empiezan a conocerse parcialmente en las últimas horas de la tarde, completándose un tanto en las primeras horas de la noche, pero hasta estos momentos no dejan de ser impresiones muy incompletas. Pizarras, altavoces de la radio, voceadores de los partidos y de las sindicales gritan después de las once de la noche por todo Madrid el triunfo claro del Frente Popular.

Los datos oficiales, publicados por *El Liberal* y *La Libertad* del día 18 y contrastados por el propio *ABC* del 19, son los siguientes:

Frente Popular

Azaña	225.442 votos
Besteiro	225.338 "
Martínez Barrio	225.227 "
Velao	223.860 "
Ramos	223.536 "
Jiménez de Asúa	223.409 "
Pérez Urría	223.229 "
Alvarez del Vayo	223.110 "
Araquistáin	222.965 "
De Francisco	222.421 "
Hernández Zancajo	221.998 "
Largo Caballero	221.495 "
José Díaz	220.726 "

Frente Nacional Antirrevolucionario

Bermúdez Cañete	187.433 "
Riesgo	187.226 "
Marín Lázaro	187.127 "
Serrano Mendicute	187.029 "
Montero	186.814 "
Gil Robles	186.743 "
Zunzunegui	186.059 "
Calvo Sotelo	185.864 "
Royo Villanova	185.779 "
Galinsoga	185.759 "
Oyárzun	185.748 "
Velarde	185.237 "
Giménez Caballero	183.913 "

Es de observar que tanto los líderes máximos Largo Caballero y Gil Robles no figuran en cabeza de las votaciones de sus respectivos bloques, sino a continuación de diputados que pudiéramos considerar como *domésticos*. En cambio, Manuel Azaña se mantiene en cabeza de la candidatura y en la cabecera absoluta de la votación. Azaña obtiene él solo casi 40.000 votos más que Bermúdez Cañete, que es el más calificado de los diputados obtenidos por el Frente Nacional.

También es de observar que los dos representantes de los extremismos, José Díaz —comunista— y Giménez Caballero —falangista— quedan los últimos de ambas listas; sin embargo, el primero de ellos con alrededor de 37.000 votos más que su contrincante.

El resultado de esta votación madrileña y los resultados más o menos decisivos del resto de España dan una Cámara de Diputados compuesta de la siguiente manera:

Frente Popular	270 diputados
Frente Nacional	146 diputados

La diferencia hasta el cupo total la llenan 57 diputados nacionalistas vascos, o regionalistas, independientes y otros. Todo ello ocasiona, muy ayudado por el brusco clamor de la calle, la dimisión del gabinete presidido por Portela Valladares. El jefe del gabinete, nerviosísimo, con los revueltos cabellos más revueltos que nunca, visita al Presidente Alcalá Zamora.

«Estando yo en el antedespacho del Presidente de la República —escribe el coronel Casado, jefe de la escolta presidencial—, llegó el Jefe del Gobierno, señor Portela Valladares, en un estado de ánimo verdaderamente lamentable. Parecía un hombre roto. Extremadamente nervioso, dijo a Rafael Sánchez Guerra que deseaba con urgencia cumplimentar al Presidente para presentarle la dimisión con carácter irrevocable.»

No tiene Azaña demasiada prisa en tomar el poder. Sabe lo muy difícil que va a ser gobernar con el triunfo del Frente Popular en las manos y con Frente Nacional vencido, pero no resignado. *«A mi juicio —dice—, ni siquiera conviene a los propios rectores de los partidos triunfantes la obtención del poder en los actuales momentos.»*

Alcalá Zamora de una parte y Azaña desde otra intentan que Portela Valladares se vuelva atrás de su decisión de dimitir. En sus *Memorias*, Manuel Azaña escribe refiriéndose a estos momentos:

«A las diez me llama por teléfono Martínez Barrio: Portela no quiere oir nuestra opinión de que demore la dimisión del Gobierno. Me llegan noticias de lo ocurrido en el Consejo de Ministros. Han acordado dimitir. Ya tenemos ahí el poder para esta misma tarde. Siempre he temido que volviésemos al Gobierno en malas condiciones. No pueden ser peores. Una vez más hay que segar el trigo en verde. Tras una corta espera paso al despacho de don Niceto. Está envejecido. Hundido en la butaca donde le dejé hace casi dos años. Inmediatamente ha entrado en materia, hablándome de la fuga de Portela. No ha conseguido retenerlo unos días más. Estará en Palacio hasta las siete. Si antes de esa hora compongo el Gobierno, puedo llevarle la lista...»

Antes de las siete Azaña vuelve a Palacio a presentar al Presidente la lista de su gabinete, formado un tanto apresuradamente:

Presidencia	Azaña
Gobernación	Amós Salvador
Estado	Barcia
Trabajo	Ramos
Marina	Giral
Industria y Comercio	Alvarez Buylla
Instrucción Pública	Marcelino Domingo
Obras Públicas	Casares Quiroga
Hacienda	Gabriel Franco
Comunicaciones	Blasco Garzón

Guerra	General Masquelet
Justicia	Lara
Agricultura	Ruiz Funes

Así, con un Gobierno de Frente Popular en el que no hay ninguna representación comunista, pese al considerable auge que las votaciones de este partido han registrado en toda España, las izquierdas españolas empiezan a andar a raíz de las elecciones de febrero de 1936.

Capítulo 37. EL FRENTE POPULAR EN EL PODER. El diálogo Portela-Franco. Amnistía. Cesan Goded, López Ochoa y Franco. ¿Estado de alarma o estado de guerra? Nuevos nombramientos militares. El cartelón de la Puerta del Sol, al suelo. Se restituyen los Ayuntamientos de 1931. Vuelve el Estatuto catalán. Reapertura de las Cortes. Martínez Barrio, presidente de las Cortes. La serie sangrienta. Falange Española, suspendida. Primo de Rivera, detenido. Nacen las J. U. S. El sueldo de los curas. Los latifundios de los grandes. Alcalá Zamora, destituido. Azaña, presidente de la República. Casares Quiroga, jefe del Gobierno. Huelga de la construcción. La CNT contra el Frente Popular. Dramático debate en las Cortes.

Ya en el poder, este primer Gobierno del Frente Popular tiene ante sí una tarea ingente, peligrosa, ingrata, dificilísima. El equipo frente-populista no ha ganado las elecciones por pura casualidad. Para llevarse los votos —allí donde se los ha llevado, que no ha sido en todas partes—, para asentarse en el poder el grupo del Frente Popular ha tenido que proclamar sus intenciones y estas intenciones no son sino, sólo con cambiar las palabras, todo un compromiso.

Como el Gobierno centrista del señor Portela Valladares no ha hecho otra cosa que constituir un gabinete de transición, más o menos a mitad de camino entre la izquierda y la derecha, no ha tomado ninguna resolución espectacular. Y como no ha tomado ninguna resolución espectacular, esto puede traducirse por qué a la llegada del Frente Popular al poder, el poder se halla en manos de quienes fueron nombrados por el último gabinete definido, que era el radical-derechista o derechista-radical de Gil Robles.

En consecuencia, este primer Gobierno del Frente Popular ha de resolver en el menor tiempo posible —el pueblo está prácticamente en la calle reclamando ya el cumplimiento de las promesas electorales— nada menos que todo esto:

1 — Amnistía de todos los condenados como consecuencia de la revolución de octubre en Asturias, en Cataluña y en Madrid.

2 — Reposición en sus puestos de todos aquellos que, sin haber sido

condenados por los tribunales, fueron separados del servicio por las mismas causas indicadas.

3 — Destitución de todos cuantos durante el bienio de mando del equipo de Gil Robles fueron situados en los lugares importantes de la Administración o del Ejército, sobre todo este último.

4 — *Reinstalación* del Estatuto de Cataluña y de todo el cúmulo de disposiciones de traspaso de servicios que le siguieron.

5 — *Reinstalación* de la Reforma Agraria y de todas sus disposiciones complementarias (reparto, *grandeza*, etc.).

La tarea es ímproba pero posible. Ahora bien: la victoria no ha sido en las urnas excesivamente espectacular. El nuevo Gobierno no puede dejar de tener en cuenta que son varias las provincias donde el Frente Popular ha perdido las elecciones. Ha de tener en cuenta también que allí donde el Frente Popular ha ganado, la presencia del adversario en los comicios no ha sido en modo alguno desdeñable. Luego *hay* un poderoso adversario no sólo en la oposición de la Cámara que pronto ha de empezar a funcionar, sino, lo que es mucho peor, en la calle.

Con una celeridad y una valentía en la que no sólo está el mérito particular de los nuevos gobernantes, sino la marea creciente de la calle, el equipo frentepopulista se pone a dictar disposiciones que son el cumplimiento de todas o casi todas sus promesas electorales. Apenas el Presidente Alcalá Zamora ha dado el visto bueno a la lista presentada por Azaña, ya está en la calle el decreto de Amnistía. Si el texto de la disposición es ejemplar, no lo es, en cambio, su aplicación, que en diversos lugares constituye un lamentable espectáculo, mezclándose la libertad de los presos políticos con una absoluta e incomprensible liberación de los presos comunes, que a quien menos podía beneficiar era al naciente Gobierno.

Un decreto del Ministerio de la Guerra del día 21 —esto es, cuarenta y ocho horas después de tomar el poder el Frente Popular— ordena el cese como jefe del Estado Mayor del general Franco y de jefe de la Tercera Inspección del Ejército del general Goded. A propósito de esto, es interesante reproducir aquí lo que narra Gil Robles en su libro «No fue posible la paz», referido precisamente a las horas inmediatas anteriores a este decreto:

"**Según lo convenido aquella mañana entre el señor Portela y el jefe del Estado, en el Consejo de ese mismo día se acordó proclamar en toda España el estado de alarma, como medida transitoria, aun contrariando su inclinación al respeto de los derechos constitucionales. Bajo la presión de algunos ministros, quedó autorizado también el presidente del Gobierno para declarar la ley marcial donde fuese necesario, si bien el señor Alcalá Zamora le recomendó, por lo visto, que aplicase con toda discreción la medida.**

"—Que sea el señor Portela —añadió— quien decida cuándo se estima oportuna.

"Obtuvo, además, la firma del decreto para proclamar en todo el país el estado de guerra, que entregó dos días más tarde al señor Azaña, sin haberlo utilizado, según revelación que él mismo hizo ante las Cortes reunidas en Valencia el 1 de octubre de 1937, ya en plena guerra civil.

"Apenas tuvo conocimiento de los acuerdos ministeriales, comunicados personalmente por el señor Portela, el general Franco transmitió las órdenes oportunas. Por de pronto, después de una serie de conversaciones con los capitanes generales de las divisiones orgánicas, se declaró el estado de guerra en las provincias dependientes de Zaragoza. También en Valencia, y a las dos y media, las autoridades civiles resignaron sus poderes en el mando militar, conforme a lo establecido en el artículo 48 de la Ley de Orden Público. La misma medida fue preciso adoptar en Oviedo y en Alicante, para reprimir la locura colectiva de las masas, que incluso liberaron a los leprosos de Fontilles.

"Sus gestiones hubieron de interrumpirse a media tarde, ante el anuncio de que el presidente del Consejo le llamaba con toda urgencia por teléfono. Según le dijo, el señor Alcalá Zamora no se encontraba dispuesto a tolerar la interpretación que se estaba dando al acuerdo del Consejo de Ministros.

"—Yo —respondió cautamente el señor Portela— obedezco las órdenes del jefe de Estado.

Quizá por obediencia a otras órdenes más elevadas, resultaba ya evidente su parcialidad. Sometido en absoluto a las exigencias de la extrema izquierda, ordenó aquella misma tarde la reapertura de las Casas del Pueblo y la libertad de los candidatos socialistas triunfantes por la capital —Wenceslao Carrillo, De Francisco y Hernández Zancajo—, a quienes aclamó la multitud enardecida, al salir de la Cárcel Modelo.

"Justamente a esa hora, celebraba el general Franco una entrevista con el jefe del Gobierno, que negoció don Natalio Rivas por deseo expreso del general. Este, según el autorizado testimonio de su primer biógrafo, alentó a Portela para que, a pesar de la oposición de don Niceto, declarase el estado de guerra y fuera todo lo adelante que hiciera falta para vencer a la anarquía que se estaba apoderando de España.

"—Esto es la revolución a las dos horas de proclamado —le interrumpió el señor Portela.

"—Pero con una fuerza —replicó el general Franco— para combatirla y para vencerla. De lo contrario, es también la revolución, pero sin diques.

"—Yo soy viejo, soy viejo —murmuró apenas el jefe del Gobierno—. La empresa que me propone es superior a mis fuerzas. Sin embargo, yo le digo que es usted el único que me hace vacilar. Pero, no. Eso es para un hombre con más energías que yo.

"El general insistió:

"—Ustedes han llevado al país a este trance y están en el deber de salvarlo.

"—¿Y por qué no el Ejército? —aventuró el señor Portela.

"A la vista de sus declaraciones posteriores, cabe sospechar que no se propusiera con esa pregunta sino tender una celada a su interlocutor. Pero éste era hombre que medía con exquisita prudencia el terreno que pisaba.

"El Ejército —afirmó resueltamente el general Franco— no tiene aún la unidad moral necesaria para acometer esa empresa. La intervención de usted es necesaria, pues tiene autoridad sobre Pozas (1) y cuenta todavía con los recursos ilimitados del Estado, con la fuerza pública a sus órdenes, más la colaboración que yo le prometo y que no le ha de faltar.

"El señor Portela, experto en traiciones, no encontró más respuesta que una evasiva:

"—Mi general, ya veremos. Déjeme que consulte con la almohada."

El día 23 se celebra una recepción en homenaje al nuevo ministro de la Guerra del Frente Popular, general Masquelet. Se hallan presentes numerosos generales con mando, muchos de los cuales están cesados ya y otros van a serlo dentro de breves horas. El general López Ochoa se adelanta a saludar a Masquelet, asegurándole que todos los presentes —entre los que se encuentran Franco y Goded, cesados el día anterior— acatan la legalidad constituida y se congratulan de verle al frente de los destinos del Ejército español.

El día 28 de febrero son promulgadas numerosas disposiciones del Ministerio de la Guerra. Vienen a cubrir parte de los ceses fulminantes decretados en los días inmediatamente anteriores. Estas designaciones son las siguientes:

Subsecretario de Guerra	General Mena Zueco
Jefe de la 3.ª Inspección del Ejército	General Gómez Cominero
Vocal de las Ordenes Militares	General Riquelme
Jefe superior en Marruecos	General Gómez Morato
Jefe de la 3.ª División Orgánica	General Martínez Monje
Jefe de la 1.ª Brigada Infantería	General Miaja
Jefe de la 5.ª Brigada Infantería	General Gámir Ulibarri
Jefe de la 10.ª Brigada Infantería	General Benito Terraza
Jefe de la Zona Oriental de Marruecos ...	General Romerales
Jefe de la Zona Occidental de Marruecos.	General Capaz
Jefe de la 12.ª Brigada Infantería	General Mola
Comandante militar de Cádiz	General López Pinto
Comandante militar de Cartagena	General Martínez Cabrera
Jefe de la 15.ª Brigada Infantería	General Caridad Pita

Franco ha sido sustituido en la Jefatura del Estado Mayor Central por el general Sánchez Ocaña. En la línea Alcalá Zamora, Azaña, Mas-

---

(1) El general Pozas, director general de la Guardia Civil.

quelet, Mena, Sánchez Ocaña se preparan numerosas disposiciones que en el curso del mes de marzo irán poniendo el Ejército en las manos que el nuevo Gobierno considera seguras, o al menos algo más seguras que con los titulares designados por Gil Robles.

El enorme cartelón de la CEDA en la Puerta del Sol es arrancado entre risas y gritos y hecho pedazos. «¡A por los trescientos... pedazos!», grita un hombre joven encaramado en los hierros de la terraza, mientras va arrojando a la acera trozos, restos del gran cartel de propaganda electoral.

Una manifestación izquierdista muy nutrida se forma al pie mismo del Ministerio de la Gobernación y asciende Alcalá arriba. Al llegar frente a un edificio en construcción, próximo a la calle de Nicolás María Rivero, los manifestantes se detienen para invitar a los obreros a que dejen el trabajo y se unan a la manifestación. Uno de los que ocupan los andamios más altos pierde pie y cae al vacío, sobre los manifestantes, matándose e hiriendo a varios de éstos.

Otra de las disposiciones casi consecutivas al triunfo frentepopulista es la orden de que se reintegren a sus puestos todos los ayuntamientos españoles elegidos en ocasión de las elecciones municipales del 12 de abril de 1931. El Estatuto catalán es —como se indica antes en el plan de gobierno —restablecido con todas sus consecuencias.

El 12 de marzo se produce un violento atentado contra el diputado socialista Jiménez de Asúa, en la puerta de su casa de la calle de Goya. Resulta muerto el agente encargado de su custodia y la Policía detiene a un grupo de falangistas, a los que se acusa del hecho.

En este mismo día, una orden de Gobernación cambia de destino a trece tenientes coroneles de la Guardia Civil, siguiendo la misma tónica iniciada por el Ministerio de la Guerra. Una orden de Trabajo resuelve que se considere implantada la jornada de cuarenta y cuatro horas en las industrias siderometalúrgicas desde el día 9 anterior.

El 14 y el 15, el general Masquelet ordena varios cambios más y algunas significativas designaciones de altos jefes militares. Se concede a Millán Astray el ingreso en el Cuerpo de Inválidos Militares, cesa López Ochoa como jefe de la Segunda Inspección General del Ejército y son ascendidos a generales de brigada honorarios cinco coroneles retirados.

El 16 de marzo, a un mes justo del triunfo del Frente Popular, se inaugura el nuevo Parlamento y es elegido Presidente de las Cortes el jefe de Unión Republicana Diego Martínez Barrio, por gran mayoría. Este mismo 16, la pareja de guardias de Seguridad que presta servicio en la puerta de la casa de Largo Caballero es tiroteada, siendo detenidos los autores, que resultan ser afiliados a Falange Española.

El 17, un decreto de la Presidencia prorroga por treinta días más el estado de alarma declarado a raíz de las elecciones de febrero. Gobernación suspende las actividades de Falange Española de las JONS y son detenidos Heliodoro Fernández Campa, José Antonio Primo de

Rivera, Augusto Barrado, Rafael Sánchez Mazas, Julio Ruiz de Alda, Raimundo Fernández Cuesta, David Jato y Eduardo Ródenas.

Continúan aceleradamente las combinaciones de gobernadores civiles. Salen el 18 los centristas, moderados y derechistas de Albacete, Granada, Jaén, Logroño y Murcia y entran a cubrir estos puestos nuevos titulares afectos al Frente Popular. Una disposición del Ministerio de la Guerra sorprende a la opinión: en estas circunstancias son convocadas 200 plazas para las Academias Militares de Infantería, Caballería, Artillería e Ingenieros.

De esta fecha es la nueva orden de Gobernación cambiando de destino a nueve comandantes y treinta y seis capitanes de la Guardia Civil. En muchos de estos traslados no se hace sino seguir la rotación natural y tradicional de destinos de este Instituto, pero en muchos otros casos se trata de la coordinación de medidas de seguridad del Gobierno del Frente Popular, que sabe o cree saber *dónde le aprieta el zapato.*

Marzo está siendo más trascendente que el mismo febrero. Y es natural. Febrero, el mes más corto del año, estaba prácticamente vencido cuando el equipo triunfante en las urnas ha alcanzado el poder. A los apresuramientos y a las pasiones de febrero está sucediendo algo más de serenidad en marzo.

El 21, Gobernación vuelve a dar señales de actividad mediante un importante decreto por el que se crea para los generales, jefes, oficiales y suboficiales de la Guardia Civil y Cuerpo de Seguridad y funcionarios de todas las categorías del Cuerpo de Vigilancia —la Policía secreta— una nueva situación que se denominará *disponible forzoso.*

Muy sincronizadamente, entre el mismo 21 y 22 cesan diversos comisarios generales de Policía y se designan otros nuevos. En Madrid se designa a los siguientes altos funcionarios de la Policía:

Jefe de la Oficina de Información
y enlace de la Dirección General de Seguridad .... Don Francisco Buzón, comandante de la Guardia Civil.

Comisarios generales del Cuerpo
de Investigación y Vigilancia ... Don Pedro Aparicio.
Don Joaquín García Grande.

El 24 de marzo, se conceden dos Grandes Cruces del Mérito Militar a los generales de brigada, honorarios, Martínez Ramos y Montesoro, Chávarri. Gobernación ordena el cese del famoso comandante Doval, de los sucesos de Asturias, *en la comisión que le fue conferida por orden de este Departamento de 14 de noviembre último.*

Marina dá el cese al vicealmirante Cervera como jefe de la Base de Cartagena, designando para el mismo cargo al vicealmirante Gómez Fossi. Días después, Cervera pasa a situación de eventualidades. El general médico de la Armada, Domínguez y Hombre, es extraído, en cambio, de eventualidades y designado jefe de los Servicios de Sanidad de la Marina de Guerra. El coronel médico de la Armada, Moreno López, es ascendido a general.

El 26 de marzo, las Juventudes Socialista y Comunista deciden unificarse tras laboriosas reuniones, quedando así formada una única Juventud marxista, bajo la denominación de Juventud Socialista Unificada. Los dos grupos integrantes han debido ceder, pero ha cedido más el bloque socialista, en aras de la mejor organización y más compacta disciplina de los comunistas. Ha nacido la famosa J. S. U.

La *Gaceta* del 29 de marzo publica una relación de cerca de 600 sacerdotes que han producido baja por fallecimiento, según relaciones de los obispados respectivos, con indicación de los sueldos que venían percibiendo y que eran desde 1.300 pesetas anuales a las 5.250, según fueran capellanes, coadjutores, ecónomos, párrocos, beneficiados o canónigos. Muchos madrileños se sorprenden al saber que en plena República los sacerdotes perciben haberes del Estado. ¡Este Gil Robles...!

Gobernación produce una orden circular relacionada con *algunas empresas y sociedades y particulares propietarios de espectáculos y establecimientos públicos que, valiéndose de argumentaciones sofísticas, vienen negándose a satisfacer a la Sociedad General de Autores de España los derechos que a los autores que ésta representa les conceden los preceptos de la vigente legislación de propiedad intelectual.*

Obras Públicas autoriza trabajos de conservación y reparación de carreteras por valor de ocho millones de pesetas. Esta cantidad puede parecer a primera vista irrisoria en los años setenta, pero debe tenerse en cuenta que a tenor de los salarios y costos generales de 1936, repasar el riego asfáltico de la carretera de Madrid a Portugal entre los kilómetros 122 y 132, esto es, 10 kilómetros, costaba 86.000 pesetas, a 8.600 pesetas kilómetro.

Terminado ya marzo, Gobernación realiza otra vez cambios en los mandos superiores de la Guardia Civil. Pasa a la reserva al general de este Instituto Rodríguez de Latorre, que venía mandando la 4.ª Zona, y es ascendido a general de brigada el coronel Aranguren, de probada lealtad republicana, como se verá en los sucesos de Barcelona de julio próximo (tomo III de esta *Historia de Madrid*).

Es creado dentro de la Guardia Civil el 24 Tercio, con sede en Canarias y jefatura radicada en Tenerife. Se designa para su mando a un coronel que estaba en el cuadro eventual. Pasan a disponibles forzosos —la nueva situación creada por el decreto antes citado— y a la reserva varios comandantes y oficiales de este Cuerpo.

Se hace pública en los primeros días de abril una relación de los latifundios que continúan en poder de algunos nobles de la *grandeza de España*. Esta relación, especificada en hectáreas, es así:

Duque de Medinaceli	79.170 hectáreas
Duque de Peñaranda	52.228 "
Duque de Alba	36.272 "

Marqués de Comillas	17.318	hectáreas
Duque de Lerma	10.354	"
Duque de Arión	17.569	"
Duque de Tamames	8.071	"
Conde de Mora	7.127	"

Días más tarde, José Antonio Primo de Rivera es condenado a dos meses y un día de arresto por el delito de publicación clandestina. El 7 de abril, Eduardo Ortega y Gasset recibe un extraño regalo: una cesta de huevos que lleva oculta una bomba que estalla y hiere a su esposa.

Este mismo 7 de abril, las Cortes, a propuesta de Indalecio Prieto, declaran mal disuelto el Parlamento anterior. Como en virtud de la Constitución si el Presidente de la República se sale de sus potestades disolutorias debe ser a su vez destituido, Alcalá Zamora deja de ser automáticamente Presidente y es designado con carácter provisional, también en aplicación de precepto estatutario, el Presidente de las Cortes, Martínez Barrio.

Una semana después es asesinado a tiros en la confluencia de las calles de Luchana y Covarrubias el magistrado republicano Manuel Pedregal, ya amenazado de antiguo por estudiantes de la extrema derecha. Madrid vive días de elevadísima tensión.

Al día siguiente, 14 de abril, conmemoración de la proclamación de la República, cuando las tropas desfilaban ante el palco presidencial estallan unos petardos, se espantan los caballos, corren las gentes, cunde el pánico, se recogen un muerto y numerosos heridos. Azaña, en la tribuna, permanece rígido, pálido como siempre, sin pestañear, como si no estuviera sucediendo absolutamente nada. La serenidad del jefe del Gobierno hace volver los ánimos a sus acompañantes y a todos. El desfile se reanuda.

El 17 de abril, el ministro de la Gobernación, Amós Salvador, cae enfermo *o así*. Se hace cargo de la cartera más importante y peligrosa del país en estos momentos el ministro de Obras Públicas, Santiago Casares Quiroga. Inmediatamente se producen órdenes de detención de numerosos falangistas en todo el territorio nacional, no obstante lo cual el 28 son asesinados en Barcelona, a la puerta de su domicilio, los hermanos José y Miguel Badía, destacados dirigentes de la organización separatista *Estat Català*.

En el entierro de un alférez de la Guardia Civil muerto violentamente se producen nuevos y violentísimos incidentes, que dan cuatro muertos más y veinte heridos. Son detenidas más de ciento setenta personas. Son disueltas todas las ligas fascistas y se anuncia que los militares retirados en 1931 que atenten contra la República perderán sus derechos pasivos. La amenaza, naturalmente, hace reir a unos y causa la indignación de otros.

Casares Quiroga, al dar cuenta en el Parlamento de los numerosos encuentros en la calle, dice:

—Ha habido otra vez choques con gente pistolera que no era precisamente proletaria, que han vertido otra vez la sangre de nuestros Partidos del Frente Popular. ¡Contra eso iré antes que nada y por encima de todo!

Calvo Sotelo interviene y exclama:

—¡El fascismo no es un momento primero, sino segundo, y no es una acción, sino una reacción! Por eso no existe en Inglaterra, donde no hay comunismo. ¡Y en España el comunismo avanza y el fascismo crece!

El 7 de mayo, el capitán Faraudo, republicano, es asesinado por la espalda en la calle de Alcalá, cuando iba del brazo de su esposa. La reacción socialista y comunista es tan amenazadora que el ministro Casares Quiroga lanza a la calle a todas las fuerzas de Asalto y Seguridad en previsión de desórdenes que, quizá por ello, no llegan a producirse.

Cuatro días después, las Cortes proclaman a Manuel Azaña Presidente de la República, por lo que al dejar forzosamente su puesto de Presidente del Consejo hay crisis total, formándose al día siguiente un nuevo Gobierno:

Presidencia y Guerra	Casares Quiroga
Estado	Barcia
Gobernación	Moles
Hacienda	Ramos
Marina	Giral
Instrucción Pública	Barnés
Justicia	Blasco Garzón
Obras Públicas	Velao
Trabajo	Lluhí Vallescá
Agricultura	Ruiz Funes
Industria y Comercio	Alvarez Buylla
Comunicaciones	Giner de los Ríos

Segundo Gobierno del Frente Popular, en el que, al igual que en el primero, no hay ningún socialista ni comunista.

—La revolución —clama el líder socialista González Peña— no se hace con desfiles marciales al compás de los himnos. En esa práctica eran muy competentes los socialistas alemanes y así les lució el pelo.

El 20 de mayo hay un curioso enfrentamiento parlamentario. Intervienen dominando la escena Calvo Sotelo, Casares Quiroga y Gil Robles. De este dramático momento son las tres intervenciones siguientes:

—Vosotros —dice Calvo Sotelo dirigiéndose a los bancos socialistas— aumentáis los jornales y disminuís la jornada de trabajo, con grave peligro de inflación.

—En el fondo de las tendencias fascistas —señala Gil Robles en el curso del debate— hay un gran amor a España. Si el fascismo encuentra su hombre, triunfará.

Primo de Rivera, encarcelado, no tiene ocasión de oir esto. Casares Quiroga dice a su vez:

—Antes se decía aquello de *ladran, luego cabalgamos*. Amigos míos, esos tiempos han pasado. Los enemigos crecen. No es ya que ladren, ¡es que intentan morder! Y yo os digo, amigos: ¡cabalguemos, sí, pero al galope y a pasarlos por encima!

En los últimos días de mayo la Policía realiza un registro en el domicilio de José Antonio Primo de Rivera y encuentra impresos y armas. Son detenidos veintiocho afiliados a Falange Española y de las JONS. El Gobierno, que ha de combatir a los dos extremismos de la coyuntura política, ordena la clausura de los sindicatos de la CNT a causa de la huelga de los camareros.

A todo esto, España entera continúa sometida al estado de alarma, que viene prorrogándose por decreto de treinta en treinta días a raíz de las elecciones de febrero.

A primeros de junio comienza en Madrid la huelga de la construcción. Es decir, los mismos obreros afiliados a la UGT y a la CNT, los que, indirectamente unos, directamente otros, han traído el Gobierno del Frente Popular y el Presidente de la República del Frente Popular, empiezan ya, sin paciencia alguna, a combatir a sus propios dirigentes y en la forma en que más daño pueden hacerles en estos momentos: las huelgas. Las derechas pueden así sonreir y decirle al país: «¿Ven ustedes la razón que nosotros teníamos?»

Principalmente la CNT se muestra inasequible a las razones del Gobierno. La buena disposición de la UGT no es suficiente para cortar estas inoportunísimas huelgas, muy particularmente la de la construcción, que tras apuñalar al reciente gabinete frentepopulista no hace sino traer malas consecuencias para los propios inductores.

Las gestiones oficiales consiguen pronto hallar comprensión y buena disposición en las huestes de la UGT —socialistas—, pero todo lo contrario en las de la CNT —anarcosindicalistas—. La CNT hace saber públicamente que, no habiendo formado parte del Frente Popular, nada obliga a sus miembros a colaborar con el actual Gobierno.

Los patronos amenazan el 9 de junio con no abrir los comercios. Este mismo día son descubiertos cien uniformes de la Guardia Civil en poder de un dirigente derechista. El 10 son detenidos veintidós falangistas y es hallado buen acopio de armas y municiones. Mientras tanto, en Málaga corre la sangre: en veinticuatro horas son asesinados el Presidente de la Diputación y un concejal del Ayuntamiento, actos cometidos por elementos de la CNT. Poco después es muerto un sindicalista por un afiliado a la UGT.

—¿Por que se producen las huelgas? —dice *La Pasionaria*—. ¿Por el placer de no trabajar? ¿Por el deseo de producir perturbación? No; las huelgas se producen porque los trabajadores no pueden vivir.

Al día siguiente de escucharse estas palabras, un grupo de la CNT entra en el café Aquarium, de Madrid, y lanza dos bombas y numerosos disparos. Identificada la filiación de los culpables, la Policía clausura el domicilio social de la Confederación Nacional del Trabajo.

De todas las sesiones de Cortes en este durísimo verano de 1936, la más dramática, la más tensa, la que nace y se desarrolla y termina cargada de más tragedia es, sin duda, la del 16 de junio, en la que se enfrentan directamente Calvo Sotelo y Casares Quiroga. Aquél, jefe de los monárquicos de Renovación Española y uno de los diputados triunfantes por Madrid-capital en la candidatura del Frente Nacional Antirrevolucionario; éste, miembro dirigente de la ORGA (izquierda gallega autonomista) y Presidente del Consejo y ministro de la Guerra.

El *Diario de Sesiones del Congreso* refleja fielmente este debate histórico. He aquí la transcripción íntegra:

El Sr. PRESIDENTE: El Sr. Calvo Sotelo tiene la palabra.

El Sr. CALVO SOTELO: Señores diputados, es ésta la cuarta vez que en el transcurso de tres meses me levanto a hablar sobre el problema del orden público.

Lo hago sin fe y sin ilusión, pero en aras de un deber espinoso, para cuyo cumplimiento me siento con autoridad reforzada al percibir de día en día cómo al propio tiempo que se agrava y extiende esa llaga viva que constituye el desorden público, arraigada en la entraña española, se extiende también el sector de la opinión nacional de que yo puedo considerarme aquí como vocero, a juzgar por las reiteradas expresiones de conformidad con que me honra una y otra vez.

"España vive sobrecogida con esa espantosa úlcera que el señor Gil Robles describía en palabras elocuentes, con estadísticas tan compendiosas como expresivas; España, en esa atmósfera letal, revolcándose todos en las angustias de la incertidumbre, se siente caminar a la deriva, bajo las manos, o en las manos —como queráis decirlo— de unos ministros que son reos de su propia culpa, esclavos, más exactamente dicho, de su propia culpa...

"Vosotros, vuestros partidos o vuestras propagandas insensatas, han provocado el 60 por 100 del problema del desorden público, y de ahí que carezcáis de autoridad. Ese problema está ahí en pie, como el 19 de febrero, es decir, agravado a través de los cuatro meses transcurridos, por las múltiples claudicaciones, fracasos y perversión del sentido de autoridad desde entonces producidos en España entera.

"...España no es esto. Ni esto es España. Aquí hay diputados republicanos elegidos con votos marxistas; diputados marxistas partidarios de la dictadura del proletariado, y apóstoles del comunismo libertario; y ahí y allí hay diputados con votos de gentes pertenecientes a la pequeña burguesía y a las profesiones liberales que a estas horas están arrepentidas de haberse equivocado el 16 de febrero al dar sus votos al camino de perdición por donde os lleva a todos el Frente Popular. (Rumores.)

"La vida de España no está aquí, en esta mixtificación. (Un señor diputado: ¿Dónde está?) Está en la calle, está en el taller, está en todos los sitios donde se insulta, donde se veja, donde se mata, donde se escarnece; y el Parlamento únicamente interesa cuando nosotros traemos la voz auténtica de la opinión...

"... La República, el Estado español, dispone hoy de agentes de la autoridad en número que equivale casi a la mitad de las fuerzas que constituyen el Ejército en tiempo de paz. Porcentaje abrumador, escandaloso casi, no conocido en país alguno normal, si queréis en ningún país democrático europeo. Por consiguiente, no se puede decir que la República, frente a estos problemas del desorden público, haya carecido de los medios precisos para contenerlo.

"¿Cuál es, pues, la causa? La causa es de más hondura, es una causa de fondo, no una causa de forma. La causa es que el problema del desorden público es superior, no ya al Gobierno y al Frente Popular, sino al sistema democrático-parlamentario y a la Constitución del 31...

"... España padece el fetichismo de la turbamulta, que no es el pueblo, sino que es la contrafigura caricaturesca del pueblo. Son muchos los que con énfasis salen por ahí gritando: "¡Somos los más!" Grito de tribu —pienso yo—; porque el de la civilización sólo daría derecho al énfasis cuando se pudiera gritar: "¡Somos los mejores!", y los mejores, casi siempre, son los menos.

La turbamulta impera en la vida española de una manera sarcástica, en pugna con nuestras supuestas "soi disant" condiciones democráticas y, desde luego, con los intereses nacionales.

"¿Qué es la turbamulta? La minoría vestida de mayoría. La ley de la democracia es la ley del número absoluto, de a mayoría absoluta, sea equivalente a la ley de la razón o de la justicia, porque, como decía Anatole France, "una tontería, no por repetida por miles de voces deja de ser tontería".

"Pero la ley de la turbamulta es la ley de la minoría disfrazada con el ademán soez y vociferante, y eso es lo que está imperando ahora en España; toda la vida española en estas últimas semanas es un pugilato constante entre la horda y el individuo, entre la cantidad y la calidad, entre la apetencia material y los resortes espirituales, entre la avalancha brutal del número y el impulso selecto de la personificación jerárquica, sea cual fuere la virtud, la herencia, la propiedad, el trabajo, el mando; lo que fuere; la horda contra el individuo.

"Y la horda triunfa porque el Gobierno no puede rebelarse contra ella o no quiere rebelarse contra ella, y la horda no hace nunca la Historia, Sr. Casares Quiroga; la Historia es obra del individuo. La horda destruye o interrumpe la Historia y SS. SS. son víctimas de la horda; por eso SS. SS. no pueden imprimir en España un sello autoritario. (Rumores.)

"Y el más lamentable de los choques (sin aludir ahora al habido entre la turba y el principio espiritual religioso) se ha producido entre la turba y el principio de autoridad, cuya más augusta encarnación es el Ejército. Vaya por delante un concepto en mí arraigado: el de la convicción de que España necesita un Ejército fuerte, por muchos motivos que no voy a desmenuzar... (Un Sr. Diputado: **Para destrozar al pueblo, como hacíais.**)

"... Sobre el caso me agradaría hacer un levísimo comentario. Cuando se habla por ahí del peligro de militares monarquizantes, yo sonrío un poco, porque no creo —y no me negaréis una cierta autoridad moral para formular este aserto— que exista actualmente en el Ejército español, cualesquiera que sean las ideas políticas individuales, que la Constitución respeta, un solo militar dispuesto a sublevarse en favor de la Monarquía y en contra de la República. Si lo hubiera, sería un loco, lo digo con toda claridad (Rumores.), **aunque considero que también sería loco el militar que al frente de su destino no estuviera dispuesto a sublevarse en favor de España y en contra de la anarquía..."** (Grandes protestas y contraprotestas.)

El Sr. PRESIDENTE: No haga su señoría invitaciones que fuera de aquí pueden ser mal traducidas.

El Sr. CALVO SOTELO: La traducción es libre, Sr. Presidente; la intención es sana y patriótica, y de eso es de lo único que yo respondo...

"... Y puesto que el debate se ha producido sobre desórdenes públicos o sobre el orden público, ¿cómo podría yo omitir un repaso rapidísimo de algunos episodios tristes acaecidos en esta materia y que constituyen un desorden público atentatorio a las esencias del prestigio militar?

"... Un cadete de Toledo tiene un incidente con los vendedores de un semanario rojo: se produce un alboroto; no sé si incluso hay algún disparo; ignoro si parte de algún cadete, de algún oficial, de un elemento militar o civil, no lo sé; pero lo cierto es que se produce un incidente de escasísima importancia. Los elementos de la Casa del Pueblo de Toledo exigen que en término perentorio... (Un Sr. diputado: **Falso.—Rumores.**) **se imponga una sanción colectiva (siguen los rumores) y, en efecto, a las veinticuatro horas siguientes, el curso de la Escuela de Gimnasia es suspendido "ab irato" y se ordena el pasaporte y la salida de Toledo en término de pocas horas a todos los sargentos y oficiales que asisten al mismo, y la Academia de Toledo es trasladada fulminantemente al campamento, donde no había intención de llevarla, puesto que hubo que improvisar menaje, utensilios, colchonetas, etc., y allí siguen. Se ha dado satisfacción así a una exigencia incompatible con el prestigio del uniforme militar, porque si se cometió alguna falta, castíguese a quien la cometió, pero nunca es tolerable que por ello se impongan sanciones a toda una colectividad, a toda una Corporación.** (Rumores.)

"En Medina del Campo estalla una huelga general; ignoro por qué causa, y para que los soldados del regimiento de Artillería allí de guarnición puedan salir a la compra, consiente, no sé qué jefe —si conociera su nombre lo diría aquí, y no para aplaudirle—, que vayan

acompañados, en protección, por guardias rojos. (**Rumores. Un señor Diputado: No es verdad. Lo sé positivamente. Siguen los rumores.**) Es verdad. (**Protestas.**)

"En Alcalá de Henares (los datos irán, si es preciso, al **Diario de Sesiones** para ahorrar las molestias de la lectura). (**Risas.**) Tomadlo a broma; para mí esto es muy serio. (**Rumores.**) Un día un capitán, al llegar aquí, es objeto de insultos, intentan asaltar su coche, se ve obligado a disparar un tiro para defenderse, y es declarado disponible. (**Rumores.**)

"Otro día, un capitán, en la plaza municipal de Alcalá, es requerido por unas mujeres para que defienda a un muchacho que está siendo apaleado por una turba de mozalbetes; interviene, se promueve un incidente y el coronel ordena que pase al cuartel, queda allí arrestado y se le declara disponible .

"Otro día (este hecho ocurrió hace poco más de un mes) llega a Alcalá un capitán en bicicleta, el capitán señor Rubio; la turba le sigue, se mete él en su casa; la turba intenta asaltarla y tiene que defenderse; pide auxilio al coronel o al general; se lo niegan, sigue sosteniendo la defensa durante dos o tres horas; tiene que evacuar a la familia por la puerta trasera de la casa donde vive. (**Rumores. El señor presidente agita la campanilla reclamando orden.**)

"Al día siguiente el general de esa brigada ordena que los oficiales salgan sin uniforme ni armas a la calle, y al otro día, gracias a las gestiones que realizan los elementos de la Casa del Pueblo en los centros ministeriales, se da la orden de que en el término de ocho horas sean desplazados los dos regimientos de guarnición en Alcalá, el uno a Palencia y el otro a Salamanca... (**Rumores y protestas. El señor presidente reclama orden.**)

"... Yo podría alargar esta lista, pero la cierro. Voy a hacer un solo comentario, ahorrándome otros que quedan aquí en el fuero de mi conciencia y que todos podéis adivinar. Quiero decir al Sr. presidente del Consejo de Ministros que, puesto que existe la censura, que puesto que S. S. defiende y utiliza los plenos poderes que supone el estado de alarma, es menester que S. S. transmita a la censura instrucciones inspiradas en el respeto debido a los prestigios militares.

"Hay casos bochornosos de desigualdad que probablemente desconozce S. S., y por si los desconoce, y para que los corrija y evite en lo futuro, alguno quiero citar a S. S. Porque, ¿es lícito insultar a la Guardia Civil (y aquí tengo un artículo de **Euzkadi Rojo**, en que dice que la Guardia Civil asesina a las masas y que es homicida) y, sin embarfio, no consentir la censura que se divulgue algún episodio, como el ocurrido en Palenciana, pueblo de la provincia de Córdoba, donde un guardia civil, separado de la pareja que acompañaba, es encerrado en la Casa del Pueblo y decapitado con una navaja cabritera? (**Grandes protestas. Varios señores diputados: Es falso, es falso.**) ¿Qué no es cierto que el guardia civil fue internado en la Casa del Pueblo y decapitado? El que niegue eso es... (**El orador pronuncia palabras que no constan por orden del Sr. presidente y que dan motivo a grandes protestas e increpaciones.**)

El Sr. PRESIDENTE: Señor Calvo Sotelo, retire S. S. inmediatamente esas palabras.

El Sr. CALVO SOTELO: Señor presidente, a mí me gusta mucho la sinceridad, jamás me presto a ningún género de convencionalismos, y voy a decir quién es el diputado que ha calificado de canallada la exposición que yo hacía: es el señor Carrillo. Si no explica estas palabras, han de mantenerse las mías. (Se reproducen fuertemente las protestas.)

El Sr. PRESIDENTE: Se dan por retiradas las palabras del señor Calvo Sotelo. Puede seguir su señoría.

El Sr. SUAREZ DE TANGIL: ¿Y las del ser Carrillo? (El señor Carrillo replica con palabras que levantan grandes protestas y que no se consignan por orden de la Presidencia.)

El Sr. PRESIDENTE: Señor Carrillo, si cada uno de los señores diputados ha de tener para con los demás el respeto que pide para sí mismo, es preciso que no pronuncie palabras de ese jaez, que, vuelvo a repetir, más perjudican a quien las pronuncia que a aquel contra quien se dirigen. Doy también por no pronunciadas las palabras de su señoría.

El Sr. CALVO SOTELO: Voy a concluir ya... Para que el Consejo de Ministros elabore esos propósitos de mantenimiento del orden han sido precisos 250 ó 300 cadáveres, 1.000 ó 2.000 heridos y centenares de huelgas. Por todas partes, desorden, pillaje, saqueo, destrucción. Pues bien, a mí me toca decir, Sr. presidente del Consejo, que España no os cree. Esos propósitos podrán ser sinceros, pero os falta fuerza moral para convertirlos en hechos.

"¿Qué habéis realizado en cumplimiento de esos propósitos? Un telegrama circular y una combinación fantasmagórica de gobernadores, reducida a la destitución de uno, ciertamente digno de tal medida, pero no digno ahora, sino hace tres meses. Y quedan otros muchos que están presidiendo el caos, que parecen nacidos para esa triste misión, y entre ellos y al frente de ellos un anarquista con fajín, y he nombrado al gobernador civil de Asturias, que no parece una provincia española, sino una provincia rusa... (Fuertes protestas.— Un Sr. diputado: Y eso, ¿qué es? Nos está provocando. El señor presidente agita la campanilla reclamando orden.)

"...Yo digo, Sr. presidente del Consejo de Ministros, compadeciendo a S. S. por la carga ímproba que el azar ha echado sobre sus espaldas...

(El Sr. presidente del Consejo de Ministros: Todo menos que me compadezca S. S. Pido la palabra.—Aplausos.)

"El estilo de improperio característico del antiguo señorito de la ciudad de La Coruña... (Grandes protestas.)

El Sr. presidente del Consejo de Ministros: Nunca fui señorito.— Varios señores diputados increpan al señor Calvo Sotelo airadamente.)

El Sr. PRESIDENTE: ¡Orden! Los señores diputados tomen asiento.

"Señor Calvo Sotelo, voy pensando en que es propósito deliberado de S. S. producir en la Cámara una situación de verdadera pasión y angustia. Las palabras que S. S. ha dirigido al Sr. Casares Quiroga, olvidando que es el presidente del Consejo de Ministros, son palabras que no están toleradas, no en la relación de una Cámara legislativa, sino en la relación sencilla entre caballeros. (**Aplausos.**)

El Sr. CALVO SOTELO: Yo confieso que la electricidad que carga la atmósfera presta a veces sentido erróneo a palabras pronunciadas sin la más leve maligna intención. (**Protestas.**)

"... Lamento que se haya alargado mi intervención por este último incidente y concluyo volviendo con toda serenidad y con toda reflexión a lo que quisiera que fuese capítulo final de mis palabras, y es que anteayer ha pronunciado el Sr. Largo Caballero un nuevo discurso y en él ha dicho que esta política, la política del Gobierno del Frente Popular, sólo es admisible para ellos en tanto en cuanto sirva el programa de la revolución de octubre, en tanto en cuanto se inspire en la revolución de octubre. Pues basta, Sr. presidente del Consejo; si es cierto eso, si es cierto que S. S., atado umbilicalmente a esos grupos, según dijo aquí en ocasión reciente, ha de inspirar su política en la revolución de octubre, sobran notas, sobran discursos, sobran planes, sobran propósitos, sobra todo; en España no puede haber más que una cosa: la anarquía. (**Aplausos.**)

El Sr. PRESIDENTE: El Sr. presidente del Consejo de Ministros tiene la palabra.

El Sr. presidente del CONSEJO DE MINISTROS (Casares Quiroga): Señores diputados, yo tenía la decidida intención de esperar a que tomaran parte en este debate todos los oradores que habían pedido la palabra, e intervenir entonces, en nombre del Gobierno; pero el Sr. Calvo Sotelo ha pronunciado esta tarde, aquí, palabras tan graves, que antes que el presidente del Consejo de Ministros, quien ha pedido la palabra, diré que, impulsivamente, ha sido el ministro de la Guerra...

"... El Sr. Calvo Sotelo, con una intención que ya no voy a analizar, aunque pudiera hacerlo, ha venido esta tarde a tocar puntos tan delicados y a poner los dedos, cruelmente, en llagas que, como español simplemente, debiera cuidar muy mucho de no presentar, que es obligado al ministro de la Guerra el intervenir inmediatamente para desmentir en su fundamento todas las afirmaciones que ha hecho el Sr. Calvo Sotelo...

"... **Yo no quiero incidir en la falta que cometía S. S., pero sí me es lícito decir que después de lo que ha hecho S. S. hoy ante el Parlamento, de cualquier caso que pudiera ocurrir, que no ocurrirá, haré responsable ante el país a su señoría.** (Fuertes aplausos.)

"No basta, por lo visto, que determinadas personas, que yo no sé si son amigas de su señoría, pero tengo ya derecho a empezar a suponerlo, vayan a procurar levantar el espíritu de aquellos que puede creerse que serían fáciles a la subversión, recibiendo a veces por contestación el empellón que los arroja por la escalera; no basta que al-

gunas personas amigas de su señoría vayan haciendo folletos, for-
mulando indicaciones, realizando una propaganda para conseguir que
el Ejército, que está al servicio de España y de la República, pese
a todos vosotros y a todos vuestros manejos, se subleve (aplausos);
no basta que después de habernos hecho gustar las "dulzuras" de
la Dictadura de los siete años, S. S. pretenda ahora apoyarse de nuevo
en un Ejército, cuyo espíritu ya no es el mismo, paar volvernos a
hacer pasar por las mismas amarguras; es preciso que aquí, ante
todos nosotros, en el Parlamento de la República, S. S., representación estricta de la antigua Dictadura, venga otra vez a poner las
manos en la llaga, a hacer amargas las horas de aquellos que han
sido sancionados, no por mí, sino por los Tribunales; es decir, a procurar que se provoque un espíritu subversivo. Gravísimo, Sr. Calvo
Sotelo. Insisto: si algo pudiera ocurrir, su señoría sería el responsable con toda responsabilidad. (Muy bien; aplausos.)

"...¿Que España no nos va a creer? ¿Cuál España? ¿La vuestra,
ya que, por lo visto, estamos dividiendo a España en dos? ¿Que España no nos va a creer? Señor Gil Robles y Sr. Calvo Sotelo, no
quiero incurrir en palabras excesivas; a los hechos me remito. Ya
veremos si España nos cree o no. (Prolongados aplausos de la mayoría.)

El Sr. PRESIDENTE: Distintos señores diputados han pedido la
palabra. He de considerar el acuerdo adoptado por la Cámara hace
unos minutos en el sentido de que, haciendo un poco expansiva la
interpretación del Reglamento en lo que se refiere a las proposicio-
nes no de ley, puedan intervenir en el debate los señores diputados
que lo han solicitado.

La Sra. Ibarruri tiene la palabra.

La Sra. IBARRURI: Señor Casares Quiroga, Sres. ministros: Ni
los ataques de la reacción ni las maniobras, más o menos encubier-
tas, de los enemigos de la democracia, bastarán a quebrantar ni a
debilitar la fe que los trabajadores tienen en el Frente Popular y en
el Gobierno que lo representa. (Muy bien.) Pero es necesario que el
Gobierno no olvide la necesidad de hacer sentir la ley a aquellos que
se niegan a vivir dentro de la ley. Y si hay generalitos reaccionarios
que, en un momento determinado, azuzados por elementos como el
señor Calvo Sotelo, pueden levantarse contra el Poder del Estado,
hay también soldados del pueblo, cabos heroicos, como el de Alcalá,
que saben meterlos en cintura. (Muy bien.) Y cuando el Gobierno se
decida a cumplir con ritmo acelerado el pacto del Frente Popular y,
como decía no hace muchos días el Sr. Albornoz, inicie la ofensiva
republicana, tendrá a su lado a todos los trabajadores, dispuestos,
como el 16 de febrero, a aplastar a esas fuerzas y a hacer triunfar,
una vez más, al Bloque Popular.

"Conclusiones a que yo llego: Para evitar las perturbaciones, para
evitar el estado de desasosiego que existe en España, no solamente
hay que hacer responsable de lo que pueda ocurrir a un Sr. Calvo
Sotelo cualquiera, sino que hay que comenzar por encarcelar a los
patronos que se niegan a aceptar los laudos del Gobierno.

"Hay que comenzar por encarcelar a los terratenientes; hay que encarcelar a los que con cinismo sin igual, llenos de sangre de la represión de octubre, vienen aquí a exigir responsabilidades por lo que no se ha hecho. Y cuando se comience por hacer esta obra de justicia, Sr. Casares Quiroga, Sres. ministros, no habrá Gobierno que cuente con un apoyo más firme, más fuerte que el vuestro, porque las masas populares de España se levantarán, repito, como en el 16 de febrero, y aún, quizá, para ir más allá, contra todas esas fuerzas que, por decoro, nosotros no debiéramos tolerar que se sentasen ahí. (Grandes aplausos.)

El Sr. PRESIDENTE: El Sr. Calvo Sotelo tiene la palabra para rectificar.

El Sr. CALVO SOTELO: Voy a contestar ahora, rapidísimamente, unas palabras y conceptos concretos del Sr. Casares Quiroga. Su señoría ha querido darme una lección de prudencia política... Ahora bien, Sr. Casares Quiroga; para que S. S. dé lecciones de prudencia, es preciso que comience por practicarla, y el discurso de S. S. de hoy es la máxima imprudencia que en mucho tiempo haya podido culminarse desde el banco azul...

"Para mí, el Ejército (lo he dicho fuera de aquí y en estas palabras no hay nada que signifique adulación), para mí, el Ejército —y discrepo en esto de amigos como el Sr. Gil Robles—, no es en momentos culminantes para la vida de la patria un mero brazo, es la columna vertebral. Y yo agrego que en estos instantes en España se desata una furia antimilitarista que tiene sus arranques y orígenes en Rusia y que tiende a minar el prestigio y la eficiencia del Ejército español.

"¿Que S. S. ama al Ejército? No lo he negado. ¿Que se trata de servir al Ejército? No lo he puesto en duda; lo que sí he advertido a S. S. es la necesidad absoluta de que se evite que el Ejército pueda descomponerse, pueda disgregarse, pueda desmedularse a virtud de la acción envenenadora que en torno suyo se produce... Por las calles de Oviedo, a las veinticuatro o a las cuarenta y ocho horas de la circular de S. S., que prohibe ciertos desfiles y ciertas exhibiciones, han paseado tranquilamente uniformados y militarizados, cinco, seis, ocho o diez mil jóvenes milicianos rojos, que al pasar ante los cuarteles no hacían el saludo fascista, que a S. S. le parece tan vitando, pero sí hacían el saludo comunista, con el puño en alto y gritaban: ¡Viva el ejército rojo!; palabras que no tenían el valor... (un señor diputado: No es cierto), lo dice Claridad. (El mismo señor diputado: No han desfilado por delante de ningún cuartel.)

"Esos vivas al ejército rojo quieren ser, quizá, una añagaza para disimular ciertas perspectivas bien sombrías sobre lo que quedaría de las instituciones militares actuales en el supuesto de que triunfase vuestra doctrina comunista. Pero no caben despistes. De los jefes, oficiales y clases del Ejército zarista, ¿cuántos militan y figuran en las filas del ejército rojo? Muchos murieron pasados a cuchillo; otros murieron de hambre; otros pasean su melancolía conduciendo taxis en París o cantando canciones del Volga. (Risas.) No ha quedado ninguno en el ejército rojo.

"Yo tengo, Sr. Casares Quiroga, anchas espaldas. Su señoría es hombre fácil y pronto para el gesto de reto y para las palabras de amenaza. Le he oído tres o cuatro discursos en mi vida, los tres o cuatro desde ese banco azul, y en todos ha habido siempre la nota amenazadora. Bien, Sr. Casares Quiroga. Me doy por notificado de la amenaza de S. S. Me ha convertido su señoría en sujeto, y por tanto no sólo activo, sino pasivo de las responsabilidades que puedan nacer de no sé qué hechos. Bien, Sr. Casares Quiroga.

"Lo repito, mis espaldas son anchas; yo acepto con gusto y no desdeño ninguna de las responsabilidades que se puedan derivar de actos que yo realice, y las responsabilidades ajenas, si son para bien de mi patria (exclamaciones) y para gloria de mi España, las acepto también. ¡Pues no faltaba más! Yo digo lo que Santo Domingo de Silos contestó a un rey castellano: "Señor, la vida podéis quitarme, pero más no podéis". Y es preferible morir con gloria a vivir con vilipendio. (Rumores.)

"Pero a mi vez invito al Sr. Casares Quiroga a que mida sus responsabilidades estrechamente, si no ante Dios, puesto que es laico, ante su conciencia, puesto que es hombre de honor; estrechamente, día a día, hora a hora, por lo que hace, por lo que dice, por lo que calla. Piense que en sus manos están los destinos de España, y yo pido a Dios que no sean trágicos. Mida S. S. sus responsabilidades, repase la historia de los veinticinco últimos años y verá el resplandor doloroso y sangriento que acompaña a dos figuras que han tenido participación primerísima en la tragedia de dos pueblos: Rusia y Hungría, que fueron Kerensky y Karoly; Kerensky fue la inconsciencia; Karoly, la traición a toda una civilización milenaria.

"Su Señoría no será Kerensky, porque no es ningún inconsciente, tiene plena conciencia de lo que dice, de lo que calla y de lo que piensa. Quiera Dios que S. S. no pueda equipararse jamás a Karoly."
(Aplausos.)

El 18 de junio, José Antonio Primo de Rivera es condenado por responder violentamente a los magistrados a un año y veintiún días de privación de libertad. La acusación es *por desacato*. Al mismo tiempo es condenado a tres años y cinco meses por atentado, ya que —dice la acusación— dio una bofetada al oficial habilitado de Prisiones señor Reyes.

El 24, Angel Pestaña, único diputado sindicalista e independiente, dice en las Cortes:

—Yo me atrevería a solicitar del Gobierno la clausura del Parlamento. Yo creía que aquí se trabajaría seriamente, pero veo con dolor que aquí perdemos el tiempo en pequeñas cosas, mientras el pueblo español ve considerablemente agravados sus problemas.

El 30, fin del mes, fin del semestre, se registra en el Salón de Sesiones del Congreso una escena borrascosa. El diputado socialista Belarmino Tomás interrumpe al representante cedista Bermúdez Cañete, que se halla en el uso de la palabra, y le dice:

—¡Cállese su señoría, que en vez de ser el estadista que se cree se podría ganar la vida como «clown»!

—¡Su señoría es un imbécil! —le responde el interpelado.

El diputado Bernabéu termina la escena exclamando:

—¡Segundo *round!*

Parque del Retiro. El estanque desde el lado opuesto al embarcadero

MADRID DIA 15 DE
JULIO DE 1936
NUMERO SUELTO
15 CENTS.

ABC

DIARIO ILUSTRA-
DO. AÑO TRIGE-
SIMOSEGUNDO
N.° 10.340

SUSCRIPCION: MADRID, UN MES, 3,80 PESETAS. PROVINCIAS; TRES MESES, 12. AMERICA Y PORTUGAL: TRES MESES, 12,80.
EXTRANJERO: TRES MESES, 30 PESETAS. REDACCION Y ADMINISTRACION: SERRANO, 61, MADRID, APARTADO N.° 43

EL EXCELENTISIMO SEÑOR

DON JOSE CALVO SOTELO

Ex ministro de Hacienda, Diputado a Cortes

Murió asesinado en la madrugada del 13 de julio de 1936

R. I. P.

Su familia, las fuerzas nacionales que representaba, sus amigos y co-rreligionarios,

RUEGAN una oración por el eterno descanso de su alma.

Portada especial del periódico *ABC*

Capítulo 38. CRONICA MENUDA DE 1936. Campaña de la mendicidad.
Cambio de gobernador civil en Madrid. Los **tubos de la risa.** Semana
Santa y Frente Popular. El monumento a Pablo Iglesias. El tráfico ur-
bano. Los precios de 1936. Croniquilla deportiva. El crimen pasional. Un
suicidio diferente. Lentitud en los divorcios. La temporada taurina.
Cine extranjero en Madrid. Cine nacional en Madrid. Lo que sucede por
el mundo. La temporada teatral hasta 18 de julio. Comedias y mítines.
Incidentes políticos en los teatros. Prólogo escénico de la Guerra Civil

Con casi plena independencia del desarrollo de los acontecimientos
políticos, la vida madrileña continúa en los meses de 1936 anteriores
al 18 de julio lo mismo que cualquier otro año. No cabe duda de que
no pocas veces la inquietud de lo que sucede en el país se refleja en
los pequeños acontecimientos cotidianos, pero no hasta el extremo de
cambiar nada de manera decisiva.

En enero, el Ayuntamiento acuerda conceder mil licencias más para
edificación, cuyas tramitaciones han logrado ahora un celeridad inusitada. Muere Valle Inclán en Santiago de Compostela y los círculos lite-
rarios madrileños registran la sensible baja como es tradicional, con
parte de sinceros sentimientos, parte de duras críticas y parte de sesiones necrológicas en las que, más que recordar al literato muerto, lo
que se procura es el lucimiento de los literatos vivos.

Otro acuerdo municipal es el de conceder un premio oficial al mú-
sico Julio Gómez, cuyo mérito, no obstante, no aprecia Madrid en lo
que vale. Julio Gómez pasa muchas horas en su casa componiendo be-
llísimas páginas destinadas a permanecer prácticamente desconocidas,
pese a merecer muchas de ellas bastante más calor y más aplauso que
algunas partituras de marchamo extranjero que, en cambio, son popu-
larizadas en las salas de concierto madrileñas.

La Alcaldía ordena recoger a 200 pobres mendicantes de la ciudad
y los reexpide a sus pueblos y lugares de origen. La campaña contra
la mendicidad sigue así su labor lenta y tenaz. O tenaz y lenta, que
parece que es lo mismo, pero que no lo es. El día de Reyes se inaugura
una lápida conmemorativa de Cándido Lara en la plaza que lleva su
nombre.

En febrero, Madrid cambia de gobernador civil. Cesa Javier Morata Pedreño y le sucede Francisco Carreras Reura. Designado casi dos años antes por Lerroux, Morata ha atravesado desde su sillón del Gobierno Civil de Madrid algunas de las más pavorosas crisis políticas y sociales de la época.

Medallas de oro de Madrid, concedidas por el Ayuntamiento a Ortega y Gasset, Zozaya y Luis de Tapia. Se estudia por los munícipes un audaz proyecto de prolongación de la Castellana, transformando aquella entrada a la ciudad en una autopista de más de ochenta metros de anchura, por encima de los ya muy famosos enlaces ferroviarios, conocidos popularmente como *tubos de la risa.*

La Semana Santa de 1936 se celebra, pese a la presencia del Frente Popular en el poder, con la acostumbrada afluencia a los templos, con numerosas mantillas y peinetas por las calles, pero, eso sí, sin procesiones. Por estas fechas se inauguran nueve grupos escolares y veintiséis comedores en los colegios madrileños.

En mayo aparece en el Parque del Oeste el colosal monumento a Pablo Iglesias, que se inaugura con gran solemnidad. También se inaugura el mercado de la calle de Diego de León, a cambio de lo cual se ordena la desaparición de todos los puestos de venta ambulante que menudeaban por aquellos contornos.

Después de numerosas reuniones, con alguna que otra discusión plagada de violencia, como suele suceder en estos casos, se reorganiza el servicio de taxis, adjudicando un número determinado de coches a cada una de las horas del día y de la noche. Parece ser que esto es el resultado de numerosos estudios y encuestas, pero la resolución no deja excesivamente satisfechos a los taxistas.

En junio muere la actriz Carmen Ruiz Moragas, de la que tanto se ha venido hablando en los últimos años de la Monarquía y algo menos en los años de la República.

A comienzos de julio, las monjas de la Inclusa son sustituidas por personal técnico seglar. Naturalmente, esto lleva a la prensa apasionados comentarios de diverso tono, según el periódico se orienta a la derecha o a la izquierda.

El tráfico rodado en Madrid ya es un desastre en 1936. Así parece deducirse de un artículo de Maximiliano Clavo publicado en *El Liberal* del mismo 17 de julio:

> "¿Cómo...? ¿Qué fue? ¿Que un coche siguió su marcha a pesar del disco rojo...? ¡Intolerable! ¡A ver ese conductor! Un multazo y a la cárcel."

Ni el articulista ni los lectores podían suponer que estas palabras iban a estar de plena actualidad nada menos que treinta y tantos años después.

Vamos a dar un somero repaso a los precios inmediatamente anteriores a julio de 1936. Un *Ford-8* puede comprarse por 6.500 pesetas y un *Ford-10* por 7.750. Una excursión al Monasterio de Piedra en ferrocarril, comprendido traslado, estancia, comida y regreso, sólo por 59,50.

Una tienda de la calle de Leganitos, número 43, anuncia camisetas *sport* para niño a 0,45, para caballero a 0,80, camisas para niño a 1,50, toallas a 0,15, medias de seda superiores a 1,95 y opal sedalina en color a 0,65 el metro. La carne de vaca acaba de bajar 0,20 en kilo y sus precios quedan así: la de primera a 4,40 el kilo, la de segunda a 3,30, la de ternera a 1,50.

Una soberbia máquina de retratar Kodak-Brownie, 12,90. Neveras de hielo pueden adquirirse pagando desde 2,50 pesetas semanales, ó 10 pesetas cada mes. Por 30 pesetas, 300 espejos de bolsillo para propaganda o 1.000 *pay-pays*. La excursión a El Escorial en tren, ida y vuelta, 3,50. Un *maillot* de baño para caballero —teniendo en cuenta que era como el de las mujeres, enterizo, con cuerpo también sobre la cintura—, 2,90. *Maillot* para señora, con la faldita de rigor, 5,90. Pijamas para caballero, 10 pesetas.

La crónica deportiva de los seis meses anteriores al 18 de julio recoge muchas cosas interesantes.

En enero se enfrentan en Madrid las selecciones nacionales de fútbol de España y de Austria. Pierde España por 4-5. En febrero, duelo entre las selecciones de España y Alemania en Barcelona, con nueva derrota: 1-2.

La selección para jugar con los austríacos ha sido: Eizaguirre, Ciriaco, Quincoces, P. Regueiro, García, Ipiña, Ventolrá, L. Regueiro, Lángara, Iraragorri y Emilín. Contra los alemanes, Zamora, Zabala, Aedo, Bertolí, Muguerza, Lecue, Ventolrá, Regueiro, Lángara, Iraragorri y Emilín.

El Atlético de Bilbao se proclama campeón de Liga al vencer al Madrid —que no *Real* Madrid—. Queda, pues, el Madrid segundo clasificado y el Atlético —Athlétic— baja a segunda división. En abril, la selección española vuelve a tener el honor de perder contra los checos en Praga, ahora por el leve tanteo de 1-0.

Mike Brendel, el célebre *Tigre Americano* de la lucha libre, actúa con éxito en Madrid. En Nueva York, Max Schmelling, el gigante alemán, derrota a Joe Luis, el gigante negro americano, por k. o.

Por último, el Madrid se proclama campeón de Copa al vencer al Barcelona en Mestalla por 2-1.

También en 1936 florece el crimen pasional. Epidemia ibérica, el crimen pasional tiene su auténtica corte en Madrid, donde en muchas ocasiones se mezclan armoniosamente el ensañamiento con la estupidez.

*

Un cabo de Artillería, enamorado de una muchacha de pueblo que está de sirvienta en Madrid, no muy cordialmente atendido por ella, decide resolverlo todo asesinándola. Para ello aprovecha la ausencia de los señores de la chica, que han ido al teatro. Entra en la casa y la obliga a beber una tras otra copas y más copas de coñac. La muchacha muere de intoxicación etílica aguda. Cuando regresan los dueños de la casa encuentran a los dos: junto al cadáver de la muchacha, el cuerpo inerte del artillero, con una borrachera de la que tarda varios días en curar.

Pero por encima de los manidos crímenes pasionales, que casi siempre se parecen entre sí de manera aburrida y monótona, está el hecho periodístico cien por cien del suicidio de cierto extraño señor, presidente de una entidad benéfica establecida en la calle de la Montera. Veamos su historia.

Años atrás, fallecida su esposa, sufrió un ataque de enajenación mental no peligroso. Mandó decorar la habitación de la muerta con largos tapices de rojo oscuro, galoneados de oro, cubriendo el suelo con gruesas alfombras oscuras también, todo ello presidido por un enorme retrato de la esposa fallecida.

Nada de esto impidió que algo después este señor volviera a casarse, pero este matrimonio no marchó nunca correctamente, quién sabe si a causa de la extraña habitación conservada de la manera indicada pese a las nuevas nupcias. Aprovechando las leyes de la República sobre el divorcio, el viudo-casado se convirtió pronto en divorciado.

Cuando Vicente Alonso decide suicidarse adquiere un ataúd costoso, lo coloca en la habitación tapizada y se mete dentro de él. Se aplica una mascarilla de cloroformo y se pone dos o tres inyecciones de morfina. Cuando su ausencia extraña a los vecinos, éstos avisan al Juzgado y el Juzgado fuerza la puerta.

El espectáculo no puede ser más sorprendente: en el centro de la extraña habitación está el ataúd; dentro de él, el cuerpo aún con vida del pobre viejo. Cerca, sobre la alfombra, una gran caja de puros y un papel escrito: «Estos puros son para que se los fumen los funcionarios judiciales durante las diligencias que tengan que realizar».

La puesta en marcha de la Ley del Divorcio, recién citada, ha traído a primer plano la dramática situación de miles de matrimonios españoles. Particularmente en Madrid, donde sólo hay una Sala de Audiencia consignada a divorcios, como ésta no resuelve más que uno al día, los expedientes se acumulan, las tramitaciones se atrasan y el descontento de los interesados crece ostensiblemente.

Esta lentitud, que al principio —años 1931, 1933, 1934...— parecía algo completamente natural, no es, y así se ve claramente después, sino una hábil jugada derechista para desprestigiar a la Ley del Divorcio en particular y a la República en general.

En lo que va de temporada taurina hasta el 18 de julio hay las siguientes novedades. Villalta anuncia en enero su retirada definitiva de los toros. Se publica en la *Gaceta* una orden de Gobernación sobre el estoque de descabellar, cuyo tope debe quedar a diez centímetros de la punta. El *Niño del Barrio* es —¡otra vez!— herido en la plaza de Madrid. En una novillada de noveles celebrada en Vista Alegre los heridos son nada menos que siete, y casi a la vez, por lo que no caben en la enfermería y han de ser atendidos los más leves en el callejón y en el patio de caballos.

El pleito taurino hispano-mejicano está más enconado que nunca. Muchas veces los toreros españoles se niegan a torear y son detenidos por la autoridad. El «boicot» a *Armillita* —el mejor torero de los mejicanos— hace que una tarde el público que se ha desplazado hasta la Monumental haya que volverse porque la corrida se ha suspendido. Marcial Lalanda y otros matadores van a dormir a la cárcel, si bien al día siguiente son puestos en libertad. *Valencia II*, Corrochano y varios más pasan también por este trance de irse vestidos de luces a los calabozos de Gobernación o de la Dirección General de Seguridad.

Muere en Bilbao el banderillero *Navarrito* de Valencia a consecuencia de una cogida. Resultan cogidos muy graves en Madrid Victoriano de la Serna y en Zaragoza Pepe Amorós.

Victoriano de la Serna ha sido, por cierto, el héroe de una escena muy a la española en la plaza madrileña. Como el diestro estaba actuando con escasa brillantez, el público empezó a gritar: ¡*Armillita, Armillita!*, aludiendo a la valentía del extraordinario torero mejicano. Victoriano de la Serna, al escuchar estas voces del público, se arrodilló, se metió prácticamente en los cuernos del toro, tiró la muleta lejos de sí y realizó diversas bravuras, rayanas en el suicidio, hasta que el público rompió a aplaudir frenético.

—¡Y soy español! —gritó Victoriano desafiante. Pero el toro, que por lo visto no estaba al corriente del pleito hispano-mejicano, arremetió contra el torero y le proporcionó una cornada grave.

Si Villalta se va, Antonio Márquez vuelve a los toros y vuelve con bríos, obteniendo varios éxitos seguidos. Y como final de esta reseña taurina de los meses de 1936 anteriores al 18 de julio, registremos la tradicional corrida de la Prensa, ya el 2 de julio, a dos semanas del comienzo de la guerra civil, con un cartel integrado por Manolo Bienvenida, Domingo Ortega, *Rafaelillo* y Jaime Pericás. De Jaime Pericás, el fino torero mallorquín, se dice que tiene planta de galán de cine. En esta corrida confirma su alternativa.

De los toros al cine. Las carteleras de las salas de proyección madrileñas presentan, en el período comprendido desde enero de 1936 al repetido 18 de julio, los siguientes títulos de películas de importación: *Casta Diva*, por Marta Eggerth. *Limpia, fija y da esplendor*, por

Anny Ondra. *Noche nupcial,* por Gary Cooper, Ralph Bellamy y Ann Stern. *Dos fusileros sin bala,* por Stan Laurel y Oliver Hardy. *La llamada de la selva,* por Clark Gable. *La Vía Láctea,* por Harold Lloyd. *Mares de China,* por Clark Gable. *Las quiero a todas,* por Jean Kiepura. *Sombrero de copa,* por Fred Astaire y Ginger Rogers. *El Cuervo,* por Boris Karloff. *La simpática huerfanita,* por Shirley Temple.

El cine español y el hispano-americano presentan en Madrid en estos mismos meses una buena colección de cintas. *Rosa de Francia,* por Rosita Díaz Jimeno. *Por unos ojos negros,* por Dolores del Río. *La señorita de Trevélez,* por Julián Romea. *La hija del penal,* por Antonio Vico, Blanca Negri, Carmen de Lucio y Pepe Calle. *¡Abajo los hombres!,* por Carmelita Aubert y Pierre Clarel. *Los claveles,* por María Arias y Mario Gabarrón. *Currito de la Cruz,* por Antonio Vico y Elisa Ruiz Romero. *La bien pagada,* por Lina Yegros. *El gato montés,* por Mary Cortés. *El cura de aldea,* por Juan de Orduña. *De la sartén al fuego,* por Rosita Moreno. *Luis Candelas,* por Pepe Romeu, y *¿Quién me quiere a mí?,* por Lina Yegros.

El ancho mundo continúa ajeno a lo que sucede o está a punto de suceder en España. Los italianos se retiran en varios sectores del frente abisinio, empujados por los guerreros del Negus, que ya empiezan a utilizar el armamento recientemente recibido. Muertos importantes de estos seis meses y medio son Jorge V de Inglaterra y Rudyard Kipling, ambos en Londres.

Sube al trono de Inglaterra el príncipe de Gales con el nombre de Eduardo VIII. Los militares japoneses se sublevan y asesinan al presidente del Consejo de Ministros y a tres de éstos. Alemania acuerda la remilitarización de Renania. Churchill exclama en los Comunes:

—He ahí al enemigo. Hablad con ellos, discutid lo que queráis, pero no olvidéis el rearme de Inglaterra.

En los Estados Unidos es ejecutado Bruno Hauptman, el asesino del hijo de Lindberg. Italia se retira de la Sociedad de Naciones. Poco después, este alto organismo recibe la visita del Negus, que pronuncia un discurso patético. No obstante ello, dos semanas más tarde la Sociedad de Naciones levanta las sanciones que tenía impuestas a Italia por su invasión de Abisinia.

Por último, croniquilla teatral de este mismo período de seis meses y medio en Madrid. Un resumen detallado de los estrenos conocidos desde el primero de enero al comienzo de la guerra civil nos proporciona los siguientes datos:

En el Chueca se presentan *El diablo rojo,* de Campo Domínguez, con música del maestro Bornay; *Lenin,* de Bolea; *La canción de Riego,* de Balbontín, y *El hombre invisible,* de Paso y Boxá y música de Díaz

Giles. Como se ve, la política influye también lo que puede en cuanto a los títulos y autores de las novedades escénicas.

Se estrena en el Alcázar la versión de una de las obras de mayor éxito en todas partes: *Anoche me casé con usted, doctor*, de Molnar; *María de la O*, de la serie de Valverde, León y Quiroga, y dos traducciones acertadas: *Amor* y *Perfectamente deshonesta*.

Se están empleando tanto los teatros en actos políticos, que un periódico madrileño publica un dibujo en cuyo pie puede leerse:

—¿A dónde vas?

—Al teatro.

—¿Al teatro? ¿Quién habla hoy...?

En el teatro de la Zarzuela se presentan dos grandes comedias de dos grandes autores: *Los volcanes*, de Francisco Serrano Anguita, y *El báculo y el paraguas*, de Paulino Massip.

El Eslava no sigue una línea definida, sino que ofrece al público obras de diverso estilo con tal de que sean de éxito: no se parecen en nada entre sí *Yo quiero*, de Arniches, *La «cocotte» más pura de Francia*, de Milla y Massa, y *Por los siglos de los siglos*, de Martínez Cuenca. Algunos graciosos pintarrajearon el cartel de *La «cocotte» más pura de Francia* cambiando una consonante para que sonara lo peor posible.

El Victoria parece como si jugara a los dos extremos de la política teatral o del teatro político: en estos seis meses y medio presenta *Romeo y Julieta*, de José María Pemán, considerado como el autor escénico de la ultraderecha, y *Nuestra Natacha*, de Alejandro Casona, catalogado como autor de la izquierda.

En una de las revistas que se ofrecen en el Pavón hay un número en el que las vicetiples aparecen ligeras de ropa. Al iniciarse la estampa, un grupo de jóvenes interrumpe la representación gritando:

—¡Fuera, fuera! ¡Viva España católica!

La *vedette*, Laura Pinillos, manda parar la orquesta, se adelanta a las candilejas y dice:

—Señores, si el número no gusta, se quita y en paz.

Entonces el grupo juvenil y alborotador vuelve a dar vivas y aplausos frenéticamente. Pero hay una reacción inesperada de la mayoría del público que silba a los interruptores y pide que el número vuelva a iniciarse. El escándalo arrecia. Se encienden las luces, acude la Policía, son detenidos unos cuantos muchachos y sólo un buen rato después, serenados los ánimos, se apagan las luces de nuevo y se reanuda la representación. Buena, estupenda publicidad para la revista del Pavón.

El teatro Benavente presenta *La guerrilla*, de Azorín. Price, *Contigo siempre*, de Mussot y Sevilla. El Fontalba, *Mary Eli*, de Arniches y Garay y música de Jesús Guridi. El Martín, *Bésame, que te conviene*, de Arniches, Estremera, Rosillo y Montorio, uno de los mejores y más coordinados equipos de autores de comedia musical.

En el Cómico, los madrileños pueden ver *La plataforma de la risa*, de Hoyos y Vinent, y *Dueña y señora*, de Navarro y Torrado. Esta última bate un doble *récord* de taquilla y de permanencia en los carteles. También *La venta de los gatos*, arreglo realizado por los hermanos Alvarez Quintero sobre la obra de Bécquer, y *Mi hermana Conchita*, de Quintero y Guillén.

Cuatro son las obras que destacan en la serie de estrenos de la temporada enero-julio del Lara: *Como una torre*, de Felipe Sassone; *Hierro y orgullo*, de Neyra y Sandoval; *Elisabeth*, de Josset, y *Crisis*, de Annio Paso.

Todo un alarde constituye la doble temporada de ópera y zarzuela del Calderón. La serie de *bel canto* ofrece *La Bohème*, por Rosetta Pampanini; *Lucía de Lamermour*, por Angeles Ottein, y *Tosca*, por Lauri Volpi y Matilde Revenga. Tres estrenos zarzueleros: *Paloma Moreno* de Serrano Anguita, Tellaeche y Moreno Torroba; *La canción del desierto*, de Silva Aramburu y maestro Padilla, y *La boda del señor Bringas o si te casas la pringas*, de Ramos de Castro, Carreño y partitura de Moreno Torroba.

En el teatro de la Comedia —la Comedia— dos títulos taquilleros: *¡Qué solo me dejas!*, de Paso y Sáez, y *La bola de plata*, de Quintero y Guillén. En el Cervantes, *Las tres Marías*, de Pilar Millán Astray, y *Dan*, de Suárez de Deza.

En el Muñoz Seca hay dos estrenos de Milla y Massa: el primero, *Cinco minutos de amor*; el segundo, *La escuela de los adúlteros*. Se presenta también una comedia de diferente estilo, original de Salvador Ferrer: *En el umbral*.

El Español continúa fiel a su línea de altura y seriedad con *Casandra*, de Benito Pérez Galdós; *Romance de Lola Montes*, de Luis Fernández Ardavín, y *Asia*, de Lenormand, en traducción de Arturo Mori.

El María Isabel —antes Infanta Isabel— presenta *Zape*, de Muñoz Seca. Corto el título, pero largo el triunfo.

La mayoría de las obras ligeras aprovechan la coyuntura política para intercalar retruécanos y *morcillas* de inspiración tendenciosa, según el lado hacia el que se orienta el autor de la obra e incluso, en ocasiones, según el partido político o el sindicato al que pertenecen los intérpretes. No es infrecuente la aparición de leves incidentes promovidos por una ocurrencia del autor o el actor, coreada con aplausos y risas por una parte del público y con protestas y denuestos por otra parte de espectadores.

Se da el caso, y no pocas veces, de que la tensión política se ve clara, definida según el sector del teatro que aplaude o protesta. Cuando la sátira hiere a las derechas se regocijan las localidades baratas y protestan los palcos y el patio de butacas. Cuando la broma tira contra las izquierdas aplauden los palcos y el patio de butacas y protestan en el *gallinero*.

Los teatros madrileños son así, lejos de la actividad política, como un anticipo de lo que va a suceder dentro ya de unos días.

Capítulo 39. EL ESTALLIDO. Julio empieza mal. Escándalo en el Parlamento. Laudo para la huelga de la construcción. Se perfila la conspiración. El Gobierno lo sabe todo, pero no lo parece. Maniobras en el Llano Amarillo. Detenciones en masa de falangistas y comunistas. Enlace entre monárquicos, militares, falangistas y tradicionalistas. Yagüe advierte a sus oficiales la sublevación. Asesinato del teniente Castillo. Asesinato de Calvo Sotelo. Se suspenden las sesiones de Cortes. El Bando del gobernador de Madrid. Duro encuentro en la Diputación Permanente de las Cortes. Vuelo y proclama de Franco. El levantamiento. Cambio de Gobierno.

Mal comienza julio. En las Cortes, el mismo día uno, Calvo Sotelo, en el uso de la palabra, establece un relativo parangón entre la Italia de 1920, en que surgió el golpe fascista de Benito Mussolini, y la España de 1936. Los diputados del Frente Popular se ponen en pie y protestan airadamente. Las palabras que unos y otros se cruzan obligan al Presidente del Congreso a ordenar que no consten en el *Diario de Sesiones* muchas de ellas.

—La solución —rubrica Calvo Sotelo— no vendrá de los partidos políticos ni del Parlamento, sino del Estado corporativo...

El escándalo sube de tono. Como el Estado corporativo es precisamente el Estado fascista de Mussolini, Calvo Sotelo recibe de los escaños de la izquierda un diluvio de improperios y de amenazas veladas. El Presidente Martínez Barrio intenta en vano que vuelva la calma a la Cámara. Calvo Sotelo, con ademán airado, se sienta y se niega a continuar hablando. Los diputados derechistas le ovacionan. Hay un serio encuentro entre el diputado derechista señor Aza y el Presidente, y aquél es expulsado del salón de sesiones.

El día 2, los patronos entablan recurso contra el Gobierno a causa de la orden de readmitir a los despedidos con motivo de los sucesos de octubre de 1934. Aumenta la tensión entre la parte gubernamental, de un lado, apoyada por las izquierdas, y la clase patronal, de otro, apoyada por las derechas.

El 3, un laudo del Gobierno intenta resolver la ya demasiado prolongada huelga de la construcción en Madrid, concediendo la semana de cuarenta horas, aumento del 12 por 100 en los jornales inferiores a 12 pesetas diarias y del 5 por 100 para los superiores. La UGT acepta y ordena que sus afiliados se reintegren inmediatamente al trabajo. La CNT se muestra aún en rebeldía.

El 4, el Gobierno tiene conocimiento de un cruce de cartas interceptado por la Policía que demuestra sin lugar a dudas los preparativos de una conspiración en la que intervienen varios generales. Se da a conocer al Presidente y ministro de la Guerra el texto de una carta de cierto coronel en la que, al tratar de la Constitución de la República, comenta que «... *una Constitución que renuncia a la guerra no es más que una entelequia, porque es lo mismo que si España renunciase a la enfermedad del cáncer: una majadería, en fin, que le quita todo viso de realidad, convirtiéndola en una verdadera utopía».* La reacción gubernamental es sencillamente que no hay reacción. Se sabe que ciertos militares han adoptado una postura demasiado entusiasta con respecto a los movimientos de Hitler y Mussolini, pero la reciente victoria en las urnas da al Gobierno una confianza excesiva en sus medios y en lugar de dar al montaje de la conspiración la real importancia que tiene, de manera olímpica desprecia las inquietudes de sus adversarios.

El 6 son detenidos en las proximidades de Villalba ciento diez jóvenes que hacen el saludo falangista al paso de los automóviles que van a la sierra o vienen de ella. Este mismo día son detenidos también ochenta comunistas que vienen desde Oviedo en el tren y que se niegan a pagar el billete porque —aseguran— se ha abolido el dinero. La UGT reitera su orden de volver al trabajo, que está siendo obedecida con suficiente celeridad. La CNT reitera a su vez la orden de continuar la huelga. Se registran diversos incidentes al pie de las casas en construcción entre obreros *cenetistas* y *ugetistas*.

El 7, el Gobierno tiene la certeza de que es inminente el golpe militar, pero no está demasiado seguro de la relación entre los conspiradores del Ejército y los grupos falangistas, por lo que incluso a diez días del alzamiento, Primo de Rivera continúa en la cárcel de Alicante comunicándose con todos sus familiares, amigos y correligionarios y dictando órdenes desde allí prácticamente sin inconveniente alguno.

El 9, *El Liberal* de Bilbao publica un sustancioso artículo de Indalecio Prieto, en uno de cuyos párrafos se dice: «*Os exhorto a vivir prevenidos. Hombre prevenido vale por dos; Gobierno prevenido vale por cuarenta.*»

El 10 de julio se recibe en Pamplona —según informa Gil Robles en su libro «No fue posible la paz», una comunicación de Calvo Sotelo en la que se hace constar la adhesión de Renovación Española. Un artículo de Carlos Lima asegura que el mismo portavoz de Calvo Sotelo estaba encargado de coordinar las adhesiones de Gil Robles en Madrid y de Primo de Rivera en Alicante.

El general Mola y el conde de Rodezno se entrevistan en los alrededores de Pamplona para ultimar detalles, al tiempo que en Estoril, donde reside el general Sanjurjo, hay también numerosas entrevistas preparatorias del levantamiento.

El 11, el periódico *El Socialista* dice:

"**Las madrugadas de estos días, con su airecillo frío y fino de la Sierra son peligrosas. Quizá este viento desagradable, que no deja dormir a mucha gente, persista varios días. Como un Gobierno debe preverlo todo, incluso los temporales, es seguro que el señor Casares Quiroga y sus colaboradores estén seriamente preocupados a estas horas. Tampoco es difícil que los representantes del Frente Popular tratasen ayer del problema. Síntomas alarmantes en varias provincias españolas. Los elementos acusan una agitación que no puede pasar inadvertida. Pero el Observatorio Meteorológico instalado en el ministerio de la Guerra registra, de minuto en minuto, las más pequeñas variaciones. El servicio es permanente. Mientras responda este servicio y tras él haya una voluntad firme, nos aseguran que el peligro no es inminente. Sin embargo, bueno será que todos estemos sobre aviso, con los paraguas en la mano, para que la tormenta, que puede estallar en cualquier momento, no nos coja al descubierto y nos cale hasta los huesos.**"

El mismo día 11, la Comisión Ejecutiva del Partido Socialista se reúne apresuradamente. Dijérase que las esferas directrices de los partidos del Frente Popular tienen mejor información que el propio Gobierno acerca de lo que está aconteciendo en las filas adversarias y, sobre todo, de lo que puede acontecer de un momento a otro. Al menos, la inquietud y la preocupación de los partidos y las sindicales de la izquierda son bastante más lógicas que la excesiva tranquilidad gubernamental.

El 12 terminan en Marruecos las maniobras del Llano Amarillo, comenzadas el día 5. El teniente coronel Yagüe dice a sus oficiales, sin preocuparse demasiado por si entre ellos hay alguno de izquierdas:

—Supongo que sabrán ustedes que vamos a sublevarnos. Todo queda pendiente de que Franco designe fecha para su viaje de Canarias a Marruecos y del aviso que desde la Península envíe al general Mola. En su día y a su hora, yo, desde Ceuta, por conducto del teniente coronel Gautier, transcribiré al comandante Urzáiz, en Melilla, la orden de sublevación, que ha de ser simultánea en las dos zonas. Y ahora, señores, ¡que Dios nos ayude!

Este mismo día 12, por la noche, aún otro atentado en Madrid. A las once aproximadamente, el teniente Castillo, del Cuerpo de Asalto, cae muerto a tiros de pistola cuando salía de su casa de la calle de Augusto Figuerio. Como este oficial simultaneaba sus funciones policiales con las de instructor de las milicias de la Juventud Socialista Unificada, en todos los medios izquierdistas de la capital se produce la natural exaltación, pues la noticia vuela en la madrugada madrileña a todos los centros del Frente Popular, a todas las células del Partido Comunista y a los Cuerpos de Guardia de Seguridad y Asalto.

En plena madrugada, elementos del Cuerpo de Asalto llaman a la puerta de la casa de Calvo Sotelo. Como van de uniforme, nadie se extraña en un principio, pues se ha hablado precisamente en el curso de la tarde de cambiar o aumentar la Policía de escolta del jefe de Renovación Española. Sin embargo, no se trata de una protección, sino de una detención: Calvo Sotelo debe acompañarles —dicen— para unas diligencias.

El líder político se despide de su esposa procurando tranquilizarla, si bien él no está ya demasiado tranquilo. En la puerta hay una camioneta de Asalto, la número 17. Un rato después, los guardas del cementerio del Este ven llegar un vehículo oficial. Es la camioneta 17 de Asalto. De ella descienden individuos uniformados que hacen entrega de un cadáver. Es el cuerpo de Calvo Sotelo, que presenta orificios de bala en la nuca.

Al extenderse la noticia por Madrid en las primeras horas del 13, la sensación es enorme tanto en un bando como en el otro. Son muchas las personas que relacionan el asesinato del jefe de Renovación Española con el violento duelo en el Parlamento frente al Jefe del Gobierno, Casares Quiroga (capítulo 37 de este tomo, 16 de junio de 1936). La prensa de derechas recuerda las durísimas palabras que ambos hombres políticos se dirigieron en tal ocasión.

Por otra parte se admite también la posibilidad de una venganza de los oficiales de Asalto compañeros del teniente Castillo, asesinado sólo horas antes que Calvo Sotelo. Si es así, el asunto tiene una importancia determinada; pero si se trata de la primera suposición, el caso tiene la talla y la trascendencia de un crimen de Estado.

El Liberal de Bilbao del 14 dice:

> "Hoy se dijo que la trágica muerte del señor Calvo Sotelo serviría para provocar el alzamiento del que tanto se viene hablando. Bastó este anuncio para que, en una reunión que sólo duró diez minutos, el Partido Socialista, el Partido Comunista, la Unión General de Trabajadores, la Federación Nacional de Juventudes Socialistas y la Casa del Pueblo quedaran de acuerdo respecto a lo que habrá de ser su acción común si el movimiento subversivo estallara al fin. Si la reacción sueña con un golpe de Estado incruento, como el de 1923, se equivoca de medio a medio. Será una batalla a muerte, porque cada uno de los bandos sabe que el adversario, si triunfa, no le dará cuartel. Aun habiendo de ocurrir así, sería preferible un combate decisivo a esta continua sangría."

Sucede todo esto cuando España está sólo a cuatro o cinco fechas del estallido de la sublevación en Africa y en Canarias. Por si los ánimos no estaban ya suficientemente cargados, los sucesos de la noche y madrugada del 12 al 13 son el fuego que enciende la mecha. Para cualquier olfato más o menos delicado, el olor de la pólvora se hace ya patente. La bomba no puede tardar mucho en explotar.

La violencia que culmina en el fin de semana con los asesinatos del 12 al 13 de julio obliga a las autoridades a extremar sus medidas de precaución y de represión. El mismo 14 en que *El Liberal* de Bilbao publica la noticia transcrita, las calles de Madrid aparecen poco menos que empapeladas por el bando del Gobierno Civil, redactado en los términos siguientes:

BANDO DEL GOBIERNO CIVIL

Don Francisco Carreras Reura, gobernador civil de esta provincia,

HAGO SABER:

Que declarado y en vigor el estado de alarma en todo el territorio nacional en la forma que prescribe el art. 34 de la Ley de 28 de julio de 1933, y haciendo uso de las facultades que dicha Ley me concede, y como consecuencia de la suspensión de las garantías que se establecen en los artículos 29, 31, 34 y 39 de la Constitución, y como medidas necesarias para asegurar el orden legal establecido, recuerdo lo siguiente:

1.º Será detenida toda persona o agrupación de personas que intenten alterar el orden, registrándose sus domicilios, con arreglo a las disposiciones especiales que rigen en el declarado Estado de Alarma.

2.º Los que públicamente se produzcan con armas u otros medios de acción violenta serán disueltos por la fuerza pública en cuanto no obedezcan al primer toque de atención que se les dé para ello.

3.º Serán clausurados los centros de asociaciones cuyo funcionamiento se estime peligroso para la causa del orden.

4.º Quedan prohibidos los grupos, estacionamiento de personas y manifestaciones en las calles, caminos y carreteras, así como las reuniones al aire libre.

5.º La previa censura, que se ejerce en este Gobierno, afecta a todos los impresos cuya circulación se desee.

Las sanciones que la Ley de Orden Público establece para la infracción de las disposiciones que preceden se aplicarán con todo rigor, confiando en que el buen sentido de los ciudadanos no hará precisa su aplicación y que se prestará ayuda a la autoridad para el riguroso mantenimiento del orden público.

EL GOBERNADOR CIVIL,
Francisco Carreras Reura
Madrid, 13 de julio de 1936

A petición del Presidente de las Cortes, son suspendidas las sesiones durante ocho días a partir de este mismo 14 de julio. Nadie imagina que estas Cortes ya no volverán a funcionar una sola vez como lo han venido haciendo. Al propio tiempo son clausurados todos los centros de la extrema derecha que quedan sin clausurar —Renovación Española y Tradicionalista— y de la extrema izquierda —anarcosindicalistas y libertarios de la FAI (Federación Anarquista Ibérica)—.

Cerradas las Cortes, funciona, eso sí, la Diputación Permanente de las mismas, en cuyas sesiones los jefes políticos de los dos bandos en pugna continúan asaeteándose durísimamente.

—Dentro de poco —dice Gil Robles dirigiéndose al banco azul— seréis en España el Gobierno del Frente Popular del hambre y de la miseria, como ahora ya lo sois de la vergüenza, del fango y de la sangre.

—Sagrada era la vida del señor Calvo Sotelo —responde Prieto—, indiscutiblemente, pero no más para nosotros que la de cualquier ciudadano que haya caído en condiciones idénticas.

—El asesinato —dice Ventosa refiriéndose al de Calvo Sotelo— se ha realizado por hombres vestidos con uniforme de guardia de Seguridad, en una camioneta, la número diecisiete, creo, de los guardias de Asalto.

Moles, ministro de la Gobernación, responde:

—Respondo de que hay varios individuos del Cuerpo de Asalto a disposición del Juzgado.

Interviene José Díaz, comunista:

—Estamos completamente seguros, señor Gil Robles, de que en muchas provincias de España, en Navarra, en Burgos, en Galicia, en parte de Madrid se están haciendo preparativos para el golpe de Estado, preparativos que no dejáis de la mano un día tras otro.

Todo esto el 16 de julio. El mismo día en que allá lejos, en Canarias, se le dispara la pistola al general Belmes y se mata. Al día siguiente, 17, el general Franco vuela de Tenerife a Las Palmas para asistir al entierro del general Balmes. En la noche del 17 al 18 la sublevación es un hecho en Canarias y en Marruecos.

Los antecedentes del histórico vuelo del general Franco podemos resumirlos copiando a la letra dos interesantes informaciones. Es la primera un artículo publicado en *ABC*, firmado por el general Gabarda, el 27 de agosto de 1953. La segunda es un reportaje titulado *La guerra de España*, original de Clemente Cimorra, publicado en el periódico *La Razón*, de Buenos Aires. El primero de los trabajos citados dice:

"La tarde del día 13 de julio de 1936 fui llamado a Capitanía General, donde se concretaron las instrucciones que me dieron para cuando llegara el aviador, a quien debía recibir en la Clínica Costa, Viera y Clavijo, 52, y repetimos la consigna que éste debía traer para identificarlo: "Galicia saluda a Francia", tan bien grabada en mi memoria por su importancia y porque no acostumbrábamos a dejar nada escrito.

"Mi misión consistiría en recibir al aviador, identificarlo y, una vez enterado de lo relativo al avión, del hotel donde se aloja, y de lo que me comunicasen, ordenarle que se marchase al Hotel Pino de Oro y allí esperase instrucciones, como así se hizo.

"El día 14 de julio fui llamado tres veces a conferencia telefónica con Madrid, celebrando dos; una, a las dos de la tarde, y otra, a las seis, en las que me preguntaban, enmascarando la pregunta, si había llegado el piloto con el avión, a lo que contesté que no; causando extrañeza a mi interlocutor, que, como yo, desconocía las causas que motivaron el retraso.

"El día 16, a las siete y media de la mañana, se presentó en la Clínica Costa, lugar de mi ejercicio profesional, un Inglés, Mr. Pollad, que solicita ser atendido por don Luis Gabarda, porque, según decía, está enfermo del estómago. La enfermera le hace presente que no era hora de consulta, y él entonces pide poder escribir una nota para que me sea entregada. Lo pasa a mi despacho y, en la primera hoja del recetario, que en uso está sobre la mesa, escribe: "Yours friends send me to see you." ("Sus amigos me envían a verle a usted.")

"Rápidamente, me llaman por teléfono y traen a mi casa la nota escrita y firmada por el inglés, y, sospechando que pudiera tratarse del tan esperado piloto, no tardé cinco minutos en personarme en la clínica, situada enfrente de mi casa, y ordené a la enfermera que hicieran pasar al paciente a mi despacho, encontrándome ante un inglés solo, sin que le acompañase ninguna señorita de las que vinieron con él en el avión.

"Empezó diciéndome, chapurreando el castellano, que acababa de desembarcar del "correíllo" de Las Palmas, e inició el relato de su enfermedad durante el poco rato que tardó en retirarse la enfermera. Repentinamente, cortó el relato y, con dificultad para expresarse en castellano, soltó la esperada consigna "Galicia saluda a Francia", que me sirvió para identificarle en seguida, y, preguntándole, supe que no era el piloto, como esperábamos; que éste, con el avión, se había quedado en Las Palmas, y él venía para traerme una carta de parte de mis amigos, carta que llevaba bien oculta.

"La carta no traía nota alguna que indicase fuese para mí, a pesar de lo cual la abrí. Estaba encabezada a nombre de mujer y escrita en clave, por lo que no pude saber su contenido. Se la devolví para que él la llevase consigo al hotel, como medida de precaución para que no se incautasen de tan importante misiva si yo era detenido a la salida por los que vigilaban mi casa, enfrente de la Clínica Costa.

"Informado de lo que me interesaba, le ordené que se marchase al hotel Pino de Oro, donde se alojaba, y allí esperase, que iríamos a verle. Se marchaba y, al despedirnos, nuevamente delante de la enfermera, volvimos a decir algo en alta voz acerca de su supuesta enfermedad de estómago.

"Inmediatamente marché a dar cuenta de lo ocurrido al entonces teniente coronel Franco Salgado y a entregar la firma original del inglés, escrita en mi receta, que sirvió para que el oficial de Estado Mayor que, designado por la superioridad, fue a visitarle en el hotel Pino de Oro, se presentase a él y recogiese la carta, y concretasen los extremos que la superioridad le encomendó, quedando yo ya al margen de este asunto.

"Así, pues, se verificó con minucioso cuidado la entrevista con el inglés, viajero turista del avión en que había de iniciar su gesta el in victo Caudillo, partiendo de Tenerife aquella noche en vapor para Las Palmas, desde donde levantaría el vuelo para salvar a España."

Más periodística, si bien menos directamente informada, la narración de Clemente Cimorra realiza una pirueta un tanto cinematográfica, retrocediendo desde el 18 de julio a los orígenes del movimiento militar, para contarnos también la génesis del vuelo:

"Amanece en la capital de España el 18 de julio de 1936. Para los ciudadanos de Madrid, hasta la caída de la tarde, un sábado como otro cualquiera. La gente llena las calles y las terrazas, después del sofoco del día, en el anochecer caluroso.

"La República camina salvando grandes baches; el diálogo a tiros entre derechas e izquierdas no se interrumpe; hay una huelga de la construcción de pretensiones desorbitadas en la economía del país, y de extraños manejos. Pero se piensa abrir el paréntesis del domingo y descansar hasta en las luchas, para seguir pidiendo el lunes a la República que provea.

"Cunde de pronto una noticia repartida como un estribillo por veredas, callejones y plazas: "Se ha sublevado la guarnición de Marruecos". Y el contrapunto consolador: "El Gobierno asegura haber localizado allí la intentona".

"Desde este momento, el suelo ibérico está dividido en dos Españas fratricidas. El ciudadano medio conoce los sucesos como los fenómenos físicos y no sabe nada de su preparación. Ignora que ocho días antes, en un bar de suburbio de Londres, un hombre de empaque bastante "gentleman" se entrevistó con otro cuyo acento inglés no era perfecto. Se reconocieron y se cambiaron un santo y seña, en que jugaban las palabras "sol de Africa". Y en el rincón de la penumbra:

—¿Es usted el capitán Bebb?

—Exactamente.

—¿Está todo preparado? ¿De dónde saldremos?

—De Croydon.

"El capitán Bebb, aviador deportista con relieves aristocráticos, había sido contratado por el consejo de generales que planeaban el levantamiento de España: Rodríguez Barrio, inspector general del Ejército; Franco, comandante militar de Canarias; Saliquet, sin mando directo; Goded, comandante de Baleares; Mola, encargado de la organización, y Sanjurjo, designado primeramente para jefe del alzamiento.

"En Las Palmas, el capitán británico toma a bordo de su avión al general Franco para llevarle al protectorado español del Norte de Africa. Al pasar por la zona francesa fueron necesarios tapujos y martingalas. Cualquier indiscreción o celo excesivo de un funcionario...

"El general le dijo al aviador:

—Si terminamos el viaje con ventura, habrá contribuido a salvar y pacificar a España.

"En Casablanca, el inglés recibió la visita de un moro con quien Franco conversó ayudándose con el árabe "chelja" aprendido en los años de Africa. Conducidos por el morito y vestidos de turistas, llegaron los dos viajeros a una apartada casa de campo. Esperaban oficiales de enlace que partieron con el general ferrolano hasta Marruecos español, en poder ya de los sublevados. Las conspiraciones en el lago Amarillo, donde se fingían maniobras, habían cuajado favorablemente. Dicen que el jefe del movimiento se dirigió al caballero inglés antes de despedirse.

—No sé en qué forma podrá corresponderle nuestra causa...

"Y aseguran que alguien murmuró:

—Ya está arreglado; en libras...

"Al llegar Franco a Marruecos, ya la guarnición de Melilla había dado el golpe después de abatir la primera víctima de su consecuencia hacia el Gobierno: el general Agustín Romerales. Era aquel sábado que solivianó a España entera. El ministro de la Gobernación estaba cansado de afirmar:

—Una sedición localizada en Melilla. En la península, orden completo. Cabanellas me asegura que en Zaragoza no se mueve ni una rata."

La alocución radiada por el general Franco desde Tetuán el mismo 17 de julio por la noche, dice lo siguiente:

"¡Españoles! A cuantos sentís el santo nombre de España, a los que en las filas del Ejército y la Armada habéis hecho profesión de fe en el servicio de la Patria, a cuantos jurásteis defenderla de sus enemigos hasta perder la vida, la nación os llama a su defensa.

"La situación en España es cada día más crítica; la anarquía reina en la mayoría de los campos y pueblos; autoridades de nombramiento gubernativo presiden, cuando no fomentan, las revueltas; a tiro de pistola y ametralladoras se dirimen las diferencias entre los asesinos que alevosa y traidoramente os asesinan, sin que los poderes públicos impongan la paz y la justicia.

"Huelgas revolucionarias de todo orden paralizan la vida de la población arruinando y destruyendo sus fuentes de riqueza y creando una situación de hambre que lanzará a la desesperación de los hombres trabajadores. Los monumentos y tesoros artísticos son objeto de los más enconados ataques de las hordas revolucionarias, obedeciendo a la consigna que reciben de las directivas extranjeras, con la complicidad y negligencia de los gobernadores de monterilla.

"Los más graves delitos se cometen en las ciudades y en los campos, mientras las fuerzas de orden público permanecen acuarteladas, corroídas por la desesperación que provoca una obediencia ciega a gobernantes que intentan deshonrarles. El Ejército, la Marina y demás institutos armados son blanco de los más soeces y calumniosos ataques, precisamente por parte de aquellos que debían velar por su prestigio, y, entretanto, los estados de excepción de alarma sólo sirven para amordazar al pueblo y que España ignore lo que sucede fuera de las puertas de sus villas y ciudades, así como también para encarcelar a los pretendidos adversarios políticos.

"La Constitución, por todos suspendida y vulnerada, sufre un eclipse total: ni igualdad ante la ley; ni libertad, aherrojada por la tiranía; ni fraternidad cuando el odio y el crimen han sustituido el mutuo respeto; ni unidad de la Patria, amenazada por el desgarramiento territorial, más que por regionalismos que los Poderes fomentan; ni integridad ni defensa de nuestra frontera, cuando en el corazón de España se escuchan las emisoras extranjeras anunciar la destrucción y reparto de nuestro suelo.

"La Magistratura, cuya independencia garantiza la Constitución, sufre igualmente persecuciones y los más duros ataques a su independencia. Pactos electorales, hechos a costa de la integridad de la propia Patria, unidos a los asaltos a Gobiernos civiles y cajas fuertes para falsear las actas formaron la máscara de legalidad que nos preside.

"Nada contuvo las apariencias del Gobierno, destitución ilegal del moderador, glorificación de las revoluciones de Asturias y Cataluña, una y otra quebrantadora de la Constitución, que en nombre del pueblo era el Código fundamental de nuestras instituciones.

"Al espíritu revolucionario e inconsciente de las masas, engañadas y explotadas por los agentes soviéticos, se ocultan las sangrientas realidades de aquel régimen que sacrificó para su existencia veinticinco millones de personas, se unen la molicie y negligencia de autoridades de todas clases que, amparadas en un poder claudicante, carecen de autoridad y prestigio para imponer el orden en el imperio de la libertad y de la justicia.

"¿Es que se puede consentir un día más el vergonzoso espectáculo que estamos dando al mundo? ¿Es que podemos abandonar a España a los enemigos de la Patria, con proceder cobarde y traidor, entregándola sin lucha y sin resistencia?

"¡Eso, no! Que lo hagan los traidores; pero no lo haremos quienes juramos defenderla."

El 18 se promulga en Madrid un decreto de la Presidencia que anula el estado de guerra declarado en las plazas de Marruecos, Península, Baleares y Canarias; se releva de la obediencia a sus jefes a los soldados de las guarniciones sublevadas y se carga la máxima responsabilidad sobre los rebeldes.

Otro decreto del Ministerio de la Guerra ordena el cese del general Virgilio Cabanellas en el mando de la 1.ª División Orgánica y en la 2.ª Inspección del Ejército, que se le habían confiado el 3 de abril. Se nombra jefe de la 1.ª Brigada al general Mena; Inspector de la 2.ª Inspección al general Núñez de Prado; se ordena el cese del general Franco como comandante militar de Canarias; cese del general González Lara en el mando de la 11.ª Brigada de Infantería; se licencia a las tropas pertenecientes a unidades rebeldes; se disuelven esas mismas unidades y se destituye de su cargo de inspector general de Carabineros a Queipo de Llano.

Este 18 de julio, sábado, Lerroux pasa la frontera de Portugal y se aleja del escenario de las próximas batallas. A las dos de la madrugada —madrugada del 18 al 19—, aparecen las milicias de la Juventud Socialista Unificada en la Puerta del Sol, y comienzan a cachear automóviles y transeúntes. A las cuatro de la madrugada se hace pública la lista de un nuevo Gobierno:

Presidencia	Martínez Barrio
Estado	Azcárate
Gobernación	Barcia
Marina	Giral
Guerra	General Miaja
Hacienda	Ramos
Comunicaciones	Lluhí Vallescá
Instrucción Pública ...	Marcelino Domingo
Industria y Comercio.	Alvarez Buylla
Justicia	Blasco Garzón
Obras Públicas	Lara
Agricultura	Feced
Trabajo	Giner de los Ríos

También es de esta trágica madrugada la orden de la Casa del Pueblo, que publican algunos periódicos de la mañana del domingo, sugiriendo que ningún obrero abandone la capital ni para excursiones ni para nada, por lo que pueda suceder, orden que es obedecida sólo a medias.

La UGT ordena huelga general indefinida en todos aquellos lugares del país que hubieran sido ocupados por los sublevados. La CNT, que tantas y tan peligrosas vacilaciones ha tenido hasta ahora, se pone oficialmente al lado del Gobierno. Se suspende la becerrada nocturna de la Monumental.

La sublevación fuera de Madrid y en diversos lugares de España es un hecho. En Madrid, todavía no. En Madrid la lucha comienza realmente en la madrugada del domingo 19 al lunes 20. Precisamente, el 19 hay aún otro cambio de Gobierno. Pero nada de esto pertenece ya a este Tomo II.

FIN DEL TOMO II

Parque del Retiro. Vista del Estanque

Entierro de don José Calvo Sotelo

Entierro del teniente Castillo, instructor de las milicias de la Juventud
Socialista Unificada

Parque del Retiro. Madrid. Vista desde el Estanque

INDICE BIBLIOGRAFICO

HISTORIA DE MADRID - Tomos I y II

1) Libros

ALFONSO XII.—Princesa Pilar de Baviera y comandante Desmond.
ALMANAQUE MUSICAL Y DE TEATROS DE 1868.
AMADEO I.—Benito Pérez Galdós.
ANECDOTARIO PINTORESCO.—Natalio Rivas.
ANTIGUOS TEATROS DE MADRID.—F. C. Sáinz de Robles.
ARTE FRIVOLO.—Alvaro Retana.
BAILEN.—Benito Pérez Galdós.
BARBARA DE BRAGANZA.—Mariano Sánchez Palacios.
BATALLA DE LOS ARAPILES, LA.—Benito Pérez Galdós.
BIOGRAFIA DEL BARRIO DE SALAMANCA.—Luis Araújo Costa.
BIOGRAFIA DEL BUEN RETIRO.—Julia Mélida.
BIOGRAFIA DE 1900.—Melchor de Almagro San Martín.
BIOGRAFIA DE «LA EPOCA».—Luis Araújo Costa.
BIOGRAFIA DE LHARDY.—Julia Mélida.
BODA DE ALFONSO XII, LA.—R. Fernández de la Reguera y Susana March.
BRUJERIA, LA.—Geoffrey Parrinder.
CAJAL.—A. García Carraffa.
CALLES DE MADRID, LAS.—Peñasco y Cambronero.
CAMBO.—Jesús Pabón.
CARLOS VII, DUQUE DE MADRID.—Conde de Rodezno.
CASAS VIEJAS.—J. Pérez Madrigal.
CATALOGO DEL MUSEO DEL PRADO.—P. de Madrazo.
CATALOGO OFICIAL DE CUADROS DEL MUSEO DEL PRADO.
CID CAMPEADOR, EL.—Ramón Menéndez Pidal.
CIEN MONUMENTOS CALLEJEROS DE MADRID.—José María Sanz García.
CISNEROS.—Luis Santa Marina.
CIVILIZACION ARABE EN ESPAÑA.—E. Levi-Provençal.
COMICOS AL DESNUDO.—E. Povedano.
COMO MATE A RASPUTIN.—Príncipe Yussupoff.
CONDE-DUQUE DE OLIVARES, EL.—Gregorio Marañón.
CONSTRUCCION DE EL ESCORIAL, LA.—P. J. Sigüenza.
CORTE DE CARLOS IV, LA.—Benito Pérez Galdós.
CRONICA DE JUAN II.
CUADROS Y PINTORES EN EL MUSEO DEL PRADO.—J. M. Bausá.
CULTO DE AYER Y DE HOY.—Antonio Velasco Zazo.

HISTORIA DE CARLOS IV.—A. Muriel.

HISTORIA DE ESPAÑA.—P. Aguado Bleye.

HISTORIA DE LA VILLA DE MADRID.—J. Amador de los Ríos.

HISTORIA DE LA MARINA DE GUERRA ESPAÑOLA.—C. Ibáñez de Ibero.

HISTORIA DEL CINE ESPAÑOL.—F. Méndez Leite.

HISTORIA DE LA FALANGE.—E. Alvarez Puga.

HISTORIA DE LA MUSICA.—Federico Sopeña.

HISTORIA DE HOLANDA.—A. J. Barnow.

HISTORIA DE LA MUSICA TEATRAL ESPAOLA.—J. Subirá.

HISTORIA DE LA SEGUNDA REPUBLICA ESPAÑOLA. — Joaquín Arrarás.

HISTORIA DEL TEATRO REAL.—Matilde Muñoz.

HISTORIA DE ESPAÑA.—A. Ballesteros Beretta.

HISTORIA DE ESPAÑA.—Lafuente, Borrero y Pirala.

HISTORIA DE LA CIVILIZACION ANTIGUA.—T. Zielinsky.

HITLER.—Pierre y René Gosset.

HOMBRES Y COSAS DE LA PUERTA DEL SOL.—Luis Araújo Costa.

IGLESIAS Y CONVENTOS MADRILEÑOS.—J. del Corral.

ISABEL II, REINA DE ESPAÑA.—Pedro de Répide.

JORGE JUAN.—D. Manfredi Cano.

JUAN DE LANUZA.—H. de Castro.

JUANA LA LOCA.—Ludwig Pfandl.

LO QUE YO SUPE.—General Mola.

LOS ULTIMOS AÑOS DE LA DICTADURA.—General Berenguer.

MADRID.—Azorín.

MADRID, CAPITAL DE ESPAÑA.—L. Aguirre de Prado.

MADRID DE LA PRIMERA REPUBLICA, EL.—A. Soto.

MADRID GENTIL.—Tomás Borrás.

MADRID BAJO LAS BOMBAS.—Comandante Franco.

MADRID DE GOYA, EL.—Diego San José.

MADRID Y EL RESTO DEL MUNDO.—F. C. Sainz de Robles.

MADRID EN SU FIESTA DE TOROS.—Antonio Velasco Zazo.

MADRID.—Guías Aries.

MADRID DE FORNOS, EL.—Antonio Velasco Zazo.

MADRID.—Guías Afrodisio Aguado.

MADRID DE 1895.—Guías Jorreto.

MEMORIAL DE LOS ALCALDES.—Antonio Velasco Zazo.

MEMORIAS.—Infanta Eulalia de Borbón.

MEMORIAS.—General Hidalgo de Cisneros.

MEMORIAS DE UN DESMEMORIADO.—L. Ruiz Contreras.

MEMORIAS.—Winston S. Churchill.

MIL FIGURAS DE LA HISTORIA.—J. Vicens Vives.

MIS MEMORIAS.—General Mola.

MONARQUIA ESPAÑOLA, LA.—Afrodisio Aguado. Varios autores.

MOTIN DE ARANJUEZ, EL.—M. Godoy.

MOTIVOS QUE DETERMINARON LA EXALTACION DE MADRID A CAPITAL DE ESPAÑA.—F. C. Sainz de Robles.

MUJERES CELEBRES DE ESPAÑA Y PORTUGAL.—J. D. Rada.

MUJERES EXTRAORDINARIAS.—Cristóbal de Castro.

NO FUE POSIBLE LA PAZ.—J. M.ª GIL ROBLES.

NAPOLEON EN CHAMARTIN.—Benito Pérez Galdós.

OCTUBRE 1934.—R. de la Cierva.

ORDENANZAS DE MADRID.—Ardemans.

ORDENANZAS DE MADRID.—Varias épocas.

PEQUEÑA HISTORIA, LA.—Alejandro Lerroux.

POEMA DE FERNAN GONZALEZ.—Anónimo.

POMBO.—Ramón Gómez de la Serna.

POSTAS Y GALERAS.—Antonio Velasco Zazo.

PRIMO DE RIVERA.—F. Camba.

PRINCIPE DE VIANA, EL.—M. Iribarren.

PROCESO DE CASAS VIEJAS.

RAMPER.—Leocadio Mejías.

RELATION DE VOYAGE EN ESPAGNE.—Condesa de Aulnoy

REPERTORIO UNIVERSAL DE EFEMERIDES.— Vicente Vega.

RESEÑA ESTADISTICA DE LA PROVINCIA DE MADRID.— I. N. E.
    (varios años).

REVOLUCION DE JULIO, LA.—Benito Pérez Galdós.

RIESGO Y VENTURA DEL DUQUE DE OSUNA.—A. Marichalar.

RINCONES DE LA HISTORIA.—Duque de Maura.

ROMANCILLO DEL CAPITAN GALAN.—F. Camba.

RUTA EMOCIONAL DE MADRID.—Emilio Carrere.

SALAMANCA.—Conde de Romanones.

SIETE DE JULIO.—Benito Pérez Galdós.

SOLANA.— E. M. Aguilera.

SUPERSTICIONES DE LOS SIGLOS XVI Y XVII.—Duque de Maura.

TEATRO DEL REAL PALACIO.—José Subirá.

TEATRO, EL.—C. Gaehde.

TEATROS, LOS.—Antonio Velasco Zazo.

TERTULIA DE MADRID.—A. Reyes.

TERTULIAS LITERARIAS.—Antonio Velasco Zazo.

TERROR DE 1824, EL.—Benito Pérez Galdós.

TIENDAS HUMILDES, LAS.—Antonio Velasco Zazo.

UN DIA EN EL ESCORIAL.—S. Ruiz Pelayo.

UN PLEITO SUCESORIO.—Orestes Ferrara.

UNA CONSPIRACION EN LA CORTE DE FELIPE V.—S. Harcourt-
    Smith.

VALORES HISTORICOS DE LA DICTADURA.—José Pemartín.

VELAZQUEZ.—R. Benet.

VELAZQUEZ.—José Ortega y Gasset.

VERGARA.—Benito Pérez Galdós.

VIDA EN MADRID DURANTE LA OCUPACION FRANCESA, LA.—
    E. Sarrablo.

VILLA Y CORTE DE MADRID EN 1850, LA.—León Roch.

ZARAGOZA.—Benito Pérez Galdós.

ZUMALACARREGUI.—C. F. Henningsen.

2) Revistas, periódicos y varios

ABC.
AHORA.
ALREDEDOR DEL MUNDO.
ARCHIVO PARTICULAR.
AURORA DE ESPAÑA.
BLANCO Y NEGRO.
CENSOR, EL
CLARIDAD.
CORRESPONDENCIA DE ESPAÑA, LA
CRONICA.
DEBATE, EL.
DIA Y NOCHE.
DIARIO UNIVERSAL.
ECO DEL COMERCIO, EL.
EPOCA, LA.
ESFERA, LA.
ESPAÑOL, EL.
ESTAFETA, LA.
ESTAMPA.
GACETA, LA.
GEDEON.
GUTIERREZ
HERALDO DE MADRID.
IBERIA, LA.
LA ILUSTRACION.
LA ILUSTRACION ESPAÑOLA Y AMERICANA.
LIBERAL, EL.
LIBERTAD, LA.
MADRID COMICO.
MUNDO GRAFICO.
MUNDO, EL.
MUNDO OBRERO.
NACION, LA.
NORIA, LA.
NUEVO MUNDO.
PANORAMA, EL.
PROGRESO, EL.
RUEDO IBERICO, EL.
SOCIALISTA, EL.
SOL, EL.
TIERRA, LA.
TRIBUNA, LA.
UNIVERSAL OBSERVADOR ESPAÑOL, EL.
VERDAD, LA.
VOZ, LA.
ZURRIAGO, EL.